2011年度国家出版基金资助项目

 中华医学统计百科全书

徐天和 / 总主编

医学研究与临床统计设计分册

徐勇勇 / 主 编

中国统计出版社
China Statistics Press

图书在版编目(CIP)数据

中华医学统计百科全书. 医学研究与临床统计设计分
册 / 徐勇勇主编. —北京：中国统计出版社，2013.5
　　ISBN 978-7-5037-6807-1

　　Ⅰ. ①中… Ⅱ. ①徐… Ⅲ. ①医学统计-中国-百科
全书②医学-研究-医学统计③临床医学-医学统计
Ⅳ. ①R195.1-61

中国版本图书馆 CIP 数据核字(2013)第 090208 号

医学研究与临床统计设计分册

作　　者/徐勇勇
责任编辑/陈悟朝
装帧设计/杨　超　李雪燕
出版发行/中国统计出版社
通信地址/北京市西城区月坛南街 57 号　邮政编码/100826
办公地址/北京市丰台区西三环南路甲 6 号　邮政编码/100073
网　　址/http://csp.stats.gov.cn
电　　话/邮购(010)63376907　书店(010)68783172
印　　刷/河北天普润印刷厂
经　　销/新华书店
开　　本/787×1092mm　1/16
字　　数/485 千字
印　　张/23.25
版　　别/2013 年 5 月第 1 版
版　　次/2013 年 5 月第 1 次印刷
定　　价/56.00 元

序　言

国家统计局局长　马建堂

随着时代前进和科学技术的进步,我国的统计科学和医学统计工作的发展进入了一个崭新的阶段。统计科学既是认识社会现象与自然现象数量特征的手段,又是获取信息和进行科学研究的重要工具,历来为人们所重视。自20世纪20年代起,统计学理论与方法日益广泛地被应用于医学领域。近些年来,随着基因组学、蛋白质组学、药物开发、公共卫生、计算机和信息等学科的迅猛发展,统计学与医学学科的交叉融合不断深入,统计科学在医学领域中的应用与发展提高到了一个新水平。

医学统计是统计科学的重要分支,也是国民经济和社会发展统计的重要组成部分,它关系到人民健康水平的提高和国家的长足发展。医学是强国健民学科,医学研究的对象是人及人群的健康,具有复杂性、特殊性及变异性等特点,这无疑需要全面系统的统计分析方法的支持与帮助。随着统计科学的迅猛发展,一些新的统计方法如遗传统计、多水平模型、结构方程模型、健康量表等不断涌现。一方面这些新的统计方法和理论亟需在医学科学领域内推广应用,为医学发展提供支持和帮助,另一方面,医学科研工作者为了科学研究工作的需要也迫切要求了解和掌握一些最新的、全面系统的统计方法和理论。因此,对当代医学科学研究中的统计分析方法进行全面系统的研究与介绍,是十分重要的一件事情,《中华医学统计百科全书》正是在这样的背景下编纂而成的,它满足了当前医学科学发展的需要,不失为一部好的大型医学统计参考书。

《中华医学统计百科全书》自2009年1月开始编写,由国内外著名医学院校的统计学教授和专家担任主编和编委,可谓编写力量强大,在编写过程中,他们本着精益求精的精神,精雕细琢,采百家之所长,融国内外华人统计学专家之所成。历时三年,终成其册。本套书内容浩繁,共八个分册,包含描述性统计分册、单变量推断统计分册、多元统计分册、非参数统计分册、管理与健康统计分册、医学研究与临床统计设计分册、健康测量分册和遗传统计分册。各分册在内容上相互衔接并互为补充,贯穿"从简单到复杂","从一般、传统到先进、前沿"的循序渐进的编纂思路,一改目前医学统计著述中普遍存在的方法之间或评价指标之间缺乏相互联系、过于分散和单一的状况,使医学统计理论与方法更加具备了系统性、完整性与时代前沿性。本套书结构严谨,层次分明,科学性强,既突破了传统的辞典式编撰方法,又吸取了辞典的某些特点,在实用性、知识性、可读性、可查性等方面均具独到之处。

《中华医学统计百科全书》适应了我国医学科学研究发展对统计分析方法的需要,本书的出版,势必会大大促进我国现代医学的发展。本书既是我国医学统计工作者、医疗卫生统计信息工作者、高等医学院校师生以及广大医务工作者必备的大型医学统计参考工具书,也适合于医学各不同层次和不同专业的读者阅读。我相信本书的出版,不仅对于促进我国医学统计发展,促进我国与国际生物医学统计间的交流,繁荣社会主义先进文化具有重要意义,而且该书也必定会成为广大医学科学研究工作者的良师益友,故欣然为之作序。

编者的话

近年来,医学统计科学发展迅速,如遗传统计、多水平模型、结构方程模型、健康量表等新的统计理论与方法不断涌现,并被应用到医学科研实践中。这些新的统计理论与方法在医学科学研究中的不断拓展应用,要求广大的医学科技工作者在工作中必须学习和掌握这些新知识。所以,怎样使这些新的统计理论与方法易于被广大的医学科技工作者接受和使用,以提高医疗卫生工作质量,成为统计学专家的首要解决的任务。为此,组织编纂一部适合于广大医学科技工作者学习和使用的工具书,成为当前形势之必需。《中华医学统计百科全书》(下文简称"全书")正是基于这样的背景而孕育产生的。

编纂"全书"的想法一经提出,就得到了国内高等医学院校和科研院所的统计学专家们的赞同。专家们云集一堂,进行商讨,达成共识——要集全国高等医学院校和科研院所的统计学专家之力,编纂出一部内容全面、概念精确、表述完整、接近世界医学统计学先进水平、编辑形式简洁的大型医学统计学工具书。2008 年,"全书"开始酝酿筹备,几经讨论,搭成框架条目,确定编写格式,并开始全面着手编写,终于于 2011 年初编纂出初稿。值得欣喜的是,在中国统计出版社的大力支持下,"全书"项目先后成功申报了国家出版基金(项目编号 2011C$_2$—003)和全国统计科学研究(计划)课题(立项编号 2011LY080),皆荣获批准。有了国家出版基金和全国统计科学研究(计划)课题的支持,"全书"的编纂工作如虎添翼,更上台阶。

通过国内外数十所大学、医学院校与医学科研院所近百位统计学专家教授的共同努力,"全书"终于能够付梓成册,得以与广大读者见面,编者倍感欣慰。"全书"既全面介绍了医学统计学的基本理论、基本知识与方法,又介绍了大量新的统计理论与方法,对生物医学统计的传统方法及最新进展进行了全面梳理,同时还改变了目前医学统计著述中普遍存在的统计方法或指标之间缺乏相互联系,过于分散与单一的现象。这就形成了"全书"的特点:全面、系统、实用、前沿。

"全书"共 8 个分册:描述性统计分册、单变量推断统计分册、多元统计分册、非参数统计分册、管理与健康统计分册、医学研究与临床统计设计分册、健康测量分册、遗传统计分册,均由著名高校医学统计学教授担纲主编,同时聘请国内外知名医学统计教授担任顾问。可谓举全国名校之力,集百家精英之长。在编写过程中,专家们严谨认真,精益求精,在注重科学性、知识性、先进性、可读性的前提下,紧紧把握医学科学研究与医疗卫生工作的特殊性和复杂性,精心研究论证各种统计理论与方法在医学领域的适用性与应用条件。为了便于读者学习和理解应用,书中不仅有理论分析,还提供了实例运用,并把计算机软件程序应用于其中,对统计方法或体系的科学性与可行性进行检验,使统计理论与医学实际得到紧密结合。在每一分册的内容安排上,遵循从简单到复杂、从一般到先进、从传统到前沿的原则,使各分册在内容上既相互衔接补充,融为一体,又能各自独立成册。为方便读者查阅,书中各条目层次分明,结构严谨,醒目易读,是广大医学科学工作者学习和使用、必备案头的大型医学统计工具用书。

"全书"在编写过程中,引用了相关专著及教材的部分资料,在此对引用资料的原作者表示衷心感谢!引用资料中多数已在书中注出,也有部分没有一一注出,对于没有注出的部分,在此敬请原作者给予谅解!中国统计出版社教材编辑部和滨州医学院的领导及同仁们为"全书"的编辑和出版付出了大量心血,在此致以诚挚感谢!

由于编者水平有限,书中难免会存在错误和不足之处,恳请广大读者提出宝贵意见。

最后,感谢您学习和使用"全书",希望它能使您开卷有益。

总主编　徐天和

前　言

20 世纪 20 年代,英国统计学家 R. A. Fisher(1890~1962)在伦敦附近的 Rothamsted 农业实验站创立了实验设计理论以及以实验设计为基础的现代统计方法。1948 年,《英国医学杂志》报告了世界上第一篇采用随机对照设计的临床试验结果。医学研究统计设计的理论和方法体系的建立尚不满百年,且还在不断发展。近年来,国内外医学期刊和新药评审对统计设计内容的审查越来越严格,越来越多的医学研究工作者需要了解、学习和掌握医学研究统计设计的基本概念、基础理论、设计方法和研究进展。作为《中华医学统计百科全书》的一个分册,《医学研究与临床统计设计分册》的主要内容包括统计设计概述、随机分组方法、随机抽样方法、实验设计方法、调查设计方法、临床试验设计方法等。本书围绕医学研究与临床研究中的基本统计学问题,用简洁的文字描述取代复杂的公式表达,大多数条目内容浅显易懂,不要求读者具有很深的统计学知识,既可以作为医学科研人员、临床医生、卫生防疫人员从事科研工作的工具书,也可以作为在职人员、在校学生学习医学统计学课程的参考书。

在编写过程中,许多国内外学者给予了大力支持,加拿大著名统计专家曼尼托巴大学的王熙迏教授推荐易雁青教授参加本书的编写;复旦大学著名学者徐端正教授担任本书主审,提出了许多宝贵的修改意见,并献出自己的最新英文专著供本书编写参考。在此一并感谢!

本人水平有限,加之医学研究中关于统计设计的规范化要求还在不断变化,统计设计的理论和方法的研究不断有新发展,尚有一些关于医学和临床研究统计设计的内容没有收入本书,希望广大读者批评指正。

徐勇勇

2012 年 10 月

目　录

医学研究设计 ……………………………………………………（ 1 ）

实验对象与实验单位 …………………………………………（ 6 ）

随机数 ……………………………………………………………（ 7 ）

随机化 ……………………………………………………………（ 7 ）

随机排列表 ………………………………………………………（11）

干预与对照 ………………………………………………………（12）

样本大小与检验效能 …………………………………………（13）

实验因素与水平 ………………………………………………（14）

实验效率 …………………………………………………………（15）

实验效应 …………………………………………………………（16）

数据误差与数据精度 …………………………………………（17）

数据效度 …………………………………………………………（18）

测量信度 …………………………………………………………（22）

预试验 ……………………………………………………………（28）

质量控制 …………………………………………………………（29）

主效应 ……………………………………………………………（32）

交互作用 …………………………………………………………（33）

关联与因果 ………………………………………………………（34）

完全随机设计 ……………………………………………………（34）

配对设计 …………………………………………………………（36）

随机完全区组设计 ……………………………………………（37）

不完全区组设计 ………………………………………………（39）

平衡不完全区组设计 …………………………………………（41）

部分平衡不完全区组设计 ……………………………………（44）

格点设计 …………………………………………………………（46）

约登方设计与行列设计 …………………………………………（48）

交叉设计 ……………………………………………………………（52）

拉丁方设计 …………………………………………………………（55）

希腊－拉丁方设计 …………………………………………………（58）

析因设计 ……………………………………………………………（60）

正交设计 ……………………………………………………………（64）

均匀设计 ……………………………………………………………（71）

系统分组设计 ………………………………………………………（74）

裂区试验设计 ………………………………………………………（76）

序贯试验设计 ………………………………………………………（79）

单侧序贯 t 检验 …………………………………………………（84）

开放型定性资料单侧序贯试验 ……………………………………（88）

开放型定性资料单侧配对序贯试验 ………………………………（95）

开放型定量资料单侧序贯试验 ……………………………………（100）

开放型定量资料单侧配对序贯试验 ………………………………（106）

双侧序贯 t 检验 …………………………………………………（110）

Armitage 设计 ……………………………………………………（114）

Schneiderman-Armitage 设计 ……………………………………（118）

重复测量设计 ………………………………………………………（121）

调查设计 ……………………………………………………………（133）

普查 …………………………………………………………………（140）

典型调查 ……………………………………………………………（141）

横断面调查 …………………………………………………………（142）

前瞻性调查 …………………………………………………………（145）

追踪性调查 …………………………………………………………（149）

回顾性调查 …………………………………………………………（152）

随机抽样 ……………………………………………………………（156）

抽样总体 ……………………………………………………………（157）

抽样框 ………………………………………………………………（158）

简单随机抽样 ………………………………………………………（158）

分层抽样 ……………………………………………………………（161）

系统抽样 ……………………………………………………………（164）

整群抽样 ……………………………………………………………（167）

多阶段抽样 …………………………………………………………（168）

快速评价抽样 ………………………………………………………（169）

临床试验分期 …………………………………………… (172)

盲法试验 ………………………………………………… (174)

试验预案 ………………………………………………… (176)

完全随机分组 …………………………………………… (179)

有限随机分组 …………………………………………… (181)

区组随机分组 …………………………………………… (181)

分层随机分组 …………………………………………… (182)

适应性随机分组 ………………………………………… (183)

试验监测 ………………………………………………… (186)

期中分析与成组序贯试验 ……………………………… (187)

生存质量研究的设计 …………………………………… (189)

临床决策分析 …………………………………………… (198)

诊断试验 ………………………………………………… (200)

试验清洗期 ……………………………………………… (209)

随访与失访 ……………………………………………… (210)

试验终结 ………………………………………………… (211)

终结后随访 ……………………………………………… (212)

实验报告 ………………………………………………… (213)

纳入标准与剔除标准 …………………………………… (216)

知情同意 ………………………………………………… (216)

预后因素 ………………………………………………… (217)

多中心试验 ……………………………………………… (218)

样本含量估计的条件 …………………………………… (219)

总体均数区间估计样本含量 …………………………… (220)

总体率区间估计样本含量 ……………………………… (221)

样本均数与总体均数比较样本含量估计 ……………… (222)

样本率与总体率比较样本含量估计 …………………… (223)

两样本均数比较样本含量估计 ………………………… (225)

两样本率比较样本含量估计 …………………………… (226)

多组样本均数比较样本含量估计 ……………………… (227)

多个样本率比较样本含量估计 ………………………… (229)

前瞻性(队列)研究样本含量估计 ……………………… (230)

回顾性(病例对照)研究样本含量估计 ………………… (231)

直线相关分析样本含量估计 …………………………… (232)

魔方设计 ………………………………………………… (233)

优化设计 …………………………………………… (235)

准实验设计 ………………………………………… (237)

临床试验适应性设计 ……………………………… (243)

反应适应性医学临床试验设计 …………………… (247)

靶向临床试验 ……………………………………… (252)

靶向试验随机停药设计 …………………………… (253)

靶向药物Ⅲ期临床试验设计 ……………………… (255)

单组临床试验目标值法样本量估计 ……………… (259)

动态随机化 ………………………………………… (262)

非劣效临床试验 …………………………………… (267)

富集设计 …………………………………………… (269)

富集纳入随机退出设计 …………………………… (271)

基于专业特长的随机对照试验设计 ……………… (274)

疾病修饰作用评价的设计 ………………………… (280)

临床均势原则 ……………………………………… (283)

非劣效界值 ………………………………………… (285)

非劣效试验样本含量估计 ………………………… (287)

临床试验统计师 …………………………………… (289)

临床试验统计学管理规范 ………………………… (290)

临床试验效应指标 ………………………………… (292)

群随机试验 ………………………………………… (293)

数据管理计划 ……………………………………… (294)

双盲双模拟 ………………………………………… (295)

随机化分配隐蔽 …………………………………… (296)

统计分析计划 ……………………………………… (298)

统计分析数据集 …………………………………… (299)

以个体反应为条件的换组设计 …………………… (300)

以均势为入选标准的设计 ………………………… (303)

意向处理原则 ……………………………………… (305)

附录一　统计用表 ………………………………… (307)

　附表1 随机数字表 ……………………………… (307)

　附表2　随机排列表($n=20$) …………………… (308)

　附表3　随机排列表($n=10$) …………………… (308)

　附表4　平衡不完全区组设计参数表 …………… (309)

　附表5　平衡不完全区组设计表 ………………… (310)

附表 6　质反应单向序贯试验边界系数表　……………………………(314)

附表 7　量反应单向序贯试验边界系数表　……………………………(316)

附表 8　小样本翼型设计的边界点坐标表　……………………………(317)

附表 9　开放式定性资料单侧配对序贯试验的边界系数表　…………(319)

附表 10　不同 θ_1 错误水平分别为(0.05,0.05)与(0.01,0.05)的截断点、

　　　　边界参数以及等价样本量 ……………………………………(319)

附表 11　错误水平为(0.05,0.05)双侧序贯 t 检验边界点　…………(320)

附表 12　错误水平为(0.01,0.01)双侧序贯 t 检验边界点　…………(321)

附表 13　成组序贯的名义水准与显著性界值　………………………(322)

附表 14　成组序贯设计参数 Δ 值表 …………………………………(322)

附表 15　患病率 P、诊断符合率 e、灵敏度 Se 及特异度 Sp 变化对信息量

　　　　(1.4427 bit)的影响　………………………………………(323)

附表 16　平均数抽样调查时不同 s/δ 所需样本含量($\alpha=0.05$)　……(326)

附表 17　平均数抽样调查时不同 s/δ 所需样本含量($\alpha=0.01$)　……(326)

附表 18　总体率区间估计所需样本数表　……………………………(327)

附表 19　样本均数比较时所需样本例数表　…………………………(330)

附表 20　样本率与总体率比较样本含量估计(单侧)　………………(331)

附表 21　样本率与总体率比较样本含量估计(双侧)　………………(334)

附表 22　两样本均数比较所需样本例数　……………………………(337)

附表 23　两样本率比较所需样本例数(单侧)　………………………(338)

附表 24　两样本率比较所需样本例数(双侧)　………………………(339)

附表 25　ψ 值表　……………………………………………………(340)

附表 26　多组样本均数比较时样本含量估计用表　…………………(342)

附表 27　λ 值表　……………………………………………………(344)

附表 28　单组临床试验目标值法样本含量精确估计($\alpha=0.05,1-\beta=0.80$)

　　　　………………………………………………………………(345)

附录二　英汉医学统计学词汇………………………………………(346)

附录三　汉英医学统计学词汇………………………………………(350)

本书词条索引………………………………………………………(354)

医学研究设计

生物的变异性是医学研究中普遍存在的现象。医学研究中的许多事例证明,如果没有统计学的支持,将一次或几次试验的偶然成功看作必然现象,并将其作为研究成果加以推广,不仅使科学研究失去其应有的意义,而且可能会给人类的健康带来灾难性的后果。

1 医学研究类型与统计学要求

医学研究可分为描述性研究和分析性研究两大类,前者主要以研究者的真实观察结果为依据,描述新发现;后者主要是以研究者的试验为基础,研究和推论试验以外的特定总体是否具有同样的特征。在医学研究中,有时这两类研究并不能严格区分,在有的研究中还会两者兼而有之。以观察对象的选择方法为判断标准,医学研究还可区分为以下几种类型:

1.1 单一样本研究

按一定标准选择一个或若干个生物个体或生物资料作为研究对象,主要用于描述性研究。如阐明新的生命现象、形态结构,研究新的检测方法、诊断和治疗技术。在临床上,最多见的单一样本研究是Ⅰ期临床试验,即以志愿者作为观察对象,进行药代动力学和药物安全性的观察。由于单一样本的研究不设立对照组,在基础研究中,一定是新发现的科学事实,在临床研究中,则是Ⅱ期、Ⅲ期临床试验所必须经过的试验阶段,但Ⅰ期临床试验不能作为判定治疗的依据。

1.2 观察对比研究

观察对象人为选择,数据资料以观察的方法收集,通过观察结果的前后对照、历史对照或相互对照得出研究结论。常见的观察对比方法有以下3种。

1.2.1 无对照研究

通常是回顾性的,也可以是前瞻性的,以治疗前后病情变化判断疗效。多见于临床病例总结。

1.2.2 历史对照

通常是前瞻性研究,但由于缺乏足够的病例(如罕见病)或已有公认的历史对照,在研究中不设立对照组,以文献报道或以往常规治疗方法的治疗结果作为对照。

1.2.3 非随机化同期对照研究

前瞻性的研究,在研究中设立对照组和试验组,但受试者的分组按非随机化的方式进行,如接诊医生根据病情、患者意愿选择治疗方法,或按患者经治医生、所属病区(医院)分组等。在涉及环境等自然因素的较大规模的现场试验中,准试验的分组方法应属于非随机化同期对照研究。出于伦理学的考虑,有些临床研究只能采用观察对比的研究方法,如某病患者与正常人的对比,吸烟者与非吸烟者的对比等。在观察对比研究中,通常样本量大(除罕见病),时间跨度长,由于诊断、治愈标准的不同以及对照组和试验组患者的病情程度、年龄、病程、病情、用药史的不同,在进行数据分析时要用统计学方法调整和控制这些因素对观察结果的影响。

1.3　随机对照研究

按照实验设计重复、对照和随机化的 3 个原则进行分析性研究。所谓重复就是同样的试验条件下要有符合统计学要求的观察例数;对照就是在试验内安排同期对照组,而且必须是专业上公认的可靠对照方法;随机化就是保证每个观察对象(生物材料)分到试验组和对照组的机会均等。只有随机对照的研究结果,如 II 期临床试验,才能使研究的推论具有普遍性的科学意义。

1.4　调查研究

通过观察部分个体或全体了解特定总体(人群)的一般特征,如健康状况、生育模式、疾病流行因素、老年人医疗保障情况等。调查研究要有明确的抽样框架("目标人群")和调查时点,调查部分个体时要采用随机抽样的方法。

2　干预试验的设计问题

干预试验的主要设计问题是,如何在实验设计和试验过程中遵循重复、对照和随机化的原则。

据文献记载,有控制的一次医学干预试验发生在 1747 年。1747 年 5 月 20 日,英国的 J. Lind 医生将 12 名病情相类似的患者带到一艘船上。患者的主要症状是牙龈溃烂,皮肤有出血点,双膝无力。Lind 将 12 名患者分为 6 组,分别给予下列主要干预:

A 组:每天饮 1 夸脱(1.136L)苹果汁;

B 组:服 25 滴硫酸丹剂(elixir vitriol),每天 3 次;

C 组:服 2 匙醋,每天 3 次;

D 组:每天饮约半品脱海水,服缓和的泻药;

E 组:每天食 2 个桔子,1 个柠檬;

F 组:每天服大蒜、芥子等成分组成的干药。

当 6 月 16 日船返回英国 Plymouth 港时,所有患者的病情都有好转,其中 E 组恢复的最快、最好,其中 1 人到第 6 天就可以工作了。B 组也有 1 人比登船时健康。Lind 医生的试验并没有得出明确的结论,直到 160 年后,通过动物实验才真正从科学意义上解释了 E 组疗效最好的真正原因。

根据现代医学知识,Lind 医生描述的病例是坏血病患者的常见症状,但目前已无从考察其中真正坏血病患者的人数。从干预效果看,E 组中病情好转最快的患者可能是真正的坏血病患者(坏血病的对症治疗是补充维生素 C)。用现代统计学的观点看,Lind 医生的干预试验至少有 2 点符合统计学要求。一是设有对照组,6 个干预组相互比较;二是进行了质量控制,所有患者在同一条船上,便于监督服药和观察病情。关于无对照和质量控制不严而导致研究结果"失真"的例子,在近代医学的研究中也没有完全避免。

例 1　门腔分流手术治疗肝硬化门静脉高压症,前后有 51 次研究(表 1)。无对照研究支持门腔分流手术的比例是 24/32(75%),而按统计学原则进行的 4 次随机对照研究,认为手术几乎没有价值。无对照的研究夸大了门腔分流手术的作用。

表 1　关于门腔分流手术的 51 次研究结果

对照方式	门腔分流手术的价值			小计
	非常支持	支持	不支持	
无 对 照	24	7	1	32
非随机对照	10	3	2	15
随机对照	0	1	3	4
合　计	34	11	6	51

Journal of Gastroenterology. 1966,50:646−691.

例 2　一项随机对照的双盲试验,受试者为 8341 名有心脏病的中年男子,干预是可能防止心脏病突发的 5 种药物和安慰剂(相同的药物胶囊装入乳糖),用 5 年追踪观察的死亡率评价 6 种干预的效果。服用安妥明(Clofibrate)的患者中有 357 人没有达到应该服用药量的 80%,其死亡率达 24.6%;而坚持服用达药量 80% 的患者,其死亡率为 15.0%,而所以不坚持服药是增加死亡率的主要原因,不能归究于安妥明的预防效果。再看表 2 中的失访人数(尽管在慢性病研究中失访不可避免),合计死亡率 18.2%,是假定失访的 38 人(失访率 3.6%)全是病情轻的患者,且无一例死亡。如果失访者全是重症患者,或失访率达到 20%、30% 或更多,你还能信任表 2 中的合计死亡率吗?

表 2　服用安妥明的死亡率

分　组	人　数	死亡人数	死亡率/%
服药≥80%	708	106	15.0
服药<80%	357	88	24.6
失　访	38	—	—
合　计	1065	194	18.2

受试者是否遵从医嘱,并使干预措施得到充分落实的程度,称为患者的依从性(compliance)。依从性和失访是干预效果评价的 2 个"陷阱"。

如果今天重复 Lind 医生的干预试验,在统计设计和统计分析上还应做到:

1)所有受试者均为经临床和实验室检验确诊的坏血病患者。

2)有足够多的试验病例。样本估计方法详见样本含量估计有关条目。

3)采用随机分组方法,保证各组干预效果的可比性。Lind 医生的试验将病情最重的 2 名患者分到 D 组(泻药是当时流行的治病方法),D 组的干预效果不及 E 组和 B 组也可能是病情所致,未必是干预的真实效果。

4)用定量测量数据表示干预效果,如血清(血浆)的抗坏血酸的含量、尿中的抗坏血酸排出量等。Lind 医生的干预效果评价用的是"病情是否好转",属定性观察。定性观察所用的试验样本通常远远多于定量观察。

5)用假设检验的方法比较两组均数(多组均数)间的差别,以推论本次试验的结果是否对所有坏血病患者都有效。

到 19 世纪,现代科学思想和科学方法在医学研究中的应用初见端倪。代表性的人物是法国医生 P. C. A. Louis。1835 年,Louis 对当时流行的"放血"疗法治疗肺炎的效果进行了比较,发现"放血"的疗效不像预期的那么好,而且早期"放血"和晚期"放血"组比较,患者的诊断、病情、病程、年龄等方面的差异很大,比较平均治愈时间意义不大。因为晚期"放血"组的平均治愈时间长,但该组患者病情重、病程长、年龄大。Louis 的研究虽然没有彻底否定"放血"疗法,使在西方延续了 2000 余年的"放血"疗法一直持续到 20 世纪初,但他对医学研究的方法学作出了很大贡献:用数字的方法表示不同疾病患者的特征和预后;提出了临床疗效对比的前瞻性原则;提出了临床研究的抽样误差和混杂(confounding)概念。其中前瞻性研究和减少混杂,分别成为当今临床试验和流行病学研究的基本研究方法。

20 世纪 20 年代,英国统计学 R. A. Fisher 爵士(1890—1962)在伦敦附近的 Rothamsted 农业实验站,创立了现代实验设计方法和统计分析技术,如完全随机分组设计、随机区组设计、拉丁方设计、析因设计等,奠定了生物统计实验设计的基础。1948 年,英国发表了评价链霉素治疗肺结核疗效的临床试验报告,第一次采用随机对照的设计方法进行临床干预试验。目前,大样本随机对照设计是国际公认的临床疗效评价的"金标准",并且发展为多个大样本随机对照研究结果的系统评价(systematic review,SR)或 Meta 分析,以此作为证明某种疗法的有效性和安全性的最可靠依据之一。

3　观察对比的设计问题

观察是在没有干预或没有控制的情况下了解事物的自然变化规律。观察对比的设计问题是,如何获得有代表性的观察样本,如何尽可能地保证各对比组均衡可比。

早在 1839 年,英国就有了覆盖全国人口的死亡登记制度。通过对 1848—1849 年霍乱流行时期伦敦地区的死亡人数分析,在死亡登记处工作的统计学家 W. Farr 发现,霍乱的死亡率与地势高度呈负相关。当时对霍乱的流行原因主要有 2 种观察,一种是 Farr 的有统计结果支持的"瘴气"学说(混浊空气致病),另一种是 J. Snow 提出的"水污染所致的传染病"假说(比 Kock 和 Pasteur 的微生物学早 20 年)。当 1853—1854 年霍乱再次流行时,Farr 和 Snow 一起分析资料。Snow 对比了伦敦自来水厂供水范围的霍乱死亡人数(表 3)。Lambeth 公司在污染轻的泰晤士河下游取水。显然,表 3 的统计结果支持 Snow 水污染的假说。1883 年,R. Koch 在水中发现了霍乱弧菌,最终证实了 Snow 的假说,否定了"瘴气"学说。

表 3　1853－1854 年伦敦霍乱死亡率

水　　源	用户数	死亡人数	死亡率/(1/万户)
重污染(Southwark 和 Vauxhall 公司)	40046	1263	315.4
轻污染(Lambeth 公司)	26107	98	37.5
伦敦其它地区	256423	1422	55.5
合　　计	322576	2783	86.3

　　观察呈现出的统计规律是许多医学研究形成假说的基础,但不是支持假说的惟一证据,更不能代替其它科学方法进行的观察和实验。伦敦霍乱流行时,"瘴气"学说和"水污染"假说都有统计结果的支持,用 Koch 在水中发现霍乱弧菌的"金标准"评价,前者是在解释上出现的偏倚(bias),或者说海拔高度是水污染严重程度的一个混杂因素。事实上,Snow 对表 3 观察结果的解释十分谨慎。他认为只有在这样的条件下,即保证各自来水用户除水的来源不同外,其他各方面均相同的条件下,对表 3 的统计分析才有意义。

　　英国的死亡登记制度,后来发展为包括生命统计、生育统计、儿童生长发育统计、传染病统计、肿瘤统计为主要内容的卫生统计。生命统计虽然是全人口的资料,但统计分析也不能简单地比较数值的大小,否则也会得出荒谬的结论(例 3)。对于难以依靠全人口登记制度获得的数据,如许多疾病的发病率和患病率的统计,必须依赖抽样调查。通过调查设计和相应的随机抽样方法,使抽样调查的结果能代表全人口的情况。

　　例 3　根据英国某年全人口的统计资料,比较男性某病的发病率(表 4)。简单地比较发病率,英格兰和威尔士的发病率为 132.1/10 万,移民的发病率为 65.7/10 万,结论是英国本土居民比移民更容易得病(2 倍的相对危险度)。如果将人口按年龄分组,就明显看出上述结论是错误的,因为每个年龄组移民的发病率均高于本土居民。

表 4　英格兰和威尔士男性与移民男性的发病率

年龄分组/岁	英格兰和威尔士			移　　民		
	人口/万人	发病数	发病率/(1/10 万)	人口/万人	发病数	发病率/(1/10 万)
0～	190	1406	74.0	2.6	21	80.8
5～	310	186	6.0	3.0	2	6.7
15～	940	1786	19.0	12.7	27	21.3
45～	490	7350	150.0	2.5	42	168.0
65～	200	17400	870.0	0.5	48	960.0
合计	2130	28128	132.1	21.3	140	65.7

　　用观察对比的方法对非干预致病因子的研究,如病例对照研究(case-control study)、队列研究(cohort study)等,是流行病学调查最常用的方法。1964 年 R. Doll 和 A. B. Hill 将接受调查的 4 万名英国注册医生分为吸烟和不吸烟 2 组,通过以后的肿瘤统计发现,吸烟组和不吸烟组肺癌的年发病率分别为 1.66% 和 0.07%,吸烟者患肺癌的相对危险

度为 1.66/0.07＝23.7,强烈提示吸烟的致癌作用。在吸烟致癌的假设下进行的动物实验也证实了这一点。尽管 Doll 和 Hill 无法按随机的原则对 2 组医生进行合理地分组,对吸烟者或不吸烟者的可比性也存在种种质疑,如吸烟者的年龄大、善饮酒、工作压力大、经济状况差等,但如此大的相对危险度足以抵消组间可能可比性不好所带来的偏倚。

值得提醒的是,像吸烟与肺癌这样的强关联观察对比结果,在现在慢性病流行病学研究中已比较少见。对于多个致病因子综合作用引起的慢性病,某个致病因子的单独作用可能很微弱(相对危险度约 1～2),则组间可比性所带来的偏倚不能忽视,或者说组间的可比性决定了相对危险度的大小。不幸的是,现在对与日常生活有关的致病因子的研究,如洗发水与淋巴癌、咖啡与心脏病、电磁场与白血病,常会出现这种微弱联系,并导致同一类问题得到不同研究结果。尽管组间可比性差的资料,在统计分析时可以用复杂的统计方法控制和调整组间的可比性,但影响组间可比性的因素如果根本不知道或者没有记录,再复杂的统计分析方法也无能为力。因此,研究“弱关联”的现象,在研究设计阶段应该尽可能合理选择样本,收集数据要标准化和数量化,研究设计可以分为多个层次,如分子—细胞—个体—家庭—社区—社会—环境—生态,以便采用更精细的研究设计方法。

(徐勇勇)

实验对象与实验单位

医学实验对象主要是人体和动物,实验单位则是接受处理的基本单位。实验对象与实验单位有时是一致的,如临床试验,每个患者接受一种治疗,实验对象(患者)就是实验单位。但在许多情况下,实验对象与实验单位是不一致的。例如用动物作实验,根据处理的方式,实验单位可以是动物个体,也可以是动物的某一肢体或神经。实验单位亦可划分若干级别。如用家兔作实验,观察指标是家兔眼房水中某种物质的含量,如处理是给家兔全身注射药物,则家兔是一级实验单位;若分别给家兔的 2 眼造成不同程度的局部损伤,则兔眼为二级实验单位。如果在试验中既给家兔注射药物,又给兔眼造成局部损伤,则在该试验中既有一级实验单位,又有二级实验单位。在比较药物作用时,将家兔看作实验单位;在比较局部损伤作用时,将兔眼看作实验单位。也就是说,药物的作用在一级实验单位中比较,局部损伤的作用在二级实验单位中比较。在以上实验中,实验单位是兔眼,而不是家兔个体。同理,在有些医学实验中,尽管观察单位很小,处理间的差异也应在实验单位中比较。如用毫米波辐射小鼠后观察小鼠肝细胞超微结构,尽管每个小鼠的肝脏可制成很多切片进行观察,但接受处理的实验单位仍是小鼠,不是小鼠的肝脏切片,所以,实验单位数仍是小鼠个数。

准确地说,实验设计的样本大小估计是对实验单位数的估计,而不是实验对象的估计。

（徐勇勇）

随 机 数

随机数(random number)是由阿拉伯数字组成的数字序列,在全部数序列中,0～9这10个数字彼此相互独立,服从均匀分布,即每个数字出现的概率相同,各为0.1。随机数是随机化分组和随机化抽样的基本依据,英国统计学家 R. A. Fisher 和 F. Yates 根据无理数的数字分布具有均匀性的性质,曾将对数表中第15至19位的数字摘录制作成随机数字表。一些物理装置(如随机数发生器)、计算机或计算器(产生 0～1 区间均匀分布的伪随机数)能自动产生随机数。也可按照等概率随机抽样的原则,在一布袋中放置10个玻璃球分别刻上 0,1,2,…,9 数字,抽出一球记录数字后放回,重复进行抽样得到一组随机数。

随机数的另一重要用途是进行统计模拟。研究人员可以在计算机上用均匀分布的随机数模拟产生许多不同的统计理论分布,如离散型的二项分布、Poisson 分布,连续型的正态分布等,以完成现场研究无法完成的各种统计抽样试验。

（徐勇勇）

随 机 化

随机化(randomization)是指在对实验研究或某研究总体的抽样过程中,使每个研究对象(观察单位)都以一定的概率随机地被分配到实验组和对照组,或研究对象有同等的机会(或一定概率)被抽到研究样本中的一种措施。根据研究目的,随机化方法有随机化分配(randomized allocation)和随机抽样(randomized sampling)。

随机化分配是由 R. A. Fisher 在创建实验设计理论的过程中首先提出的。其意义是为了避免研究人员在对实验对象分组时,由于主观选择实验对象而产生的偏性所引起组间非处理因素的不均衡,进而影响实验结果真实性的问题。因此,随机化原则是实验研究中保证取得统计量的无偏估计的重要措施。同样,从总体中进行抽样研究,其目的是用抽样的结果去估计总体的情况,为了使样本对总体有较好的代表性,常采用随机抽样的方法。随机抽样的意义和特点在于能客观地计算抽样结果的可靠程度和评价抽样结果的精确度(抽样误差)。

此外,获得统计结论所用的各种数理统计方法(如抽样误差的估计、统计推断中的假设检验等),都是建立在所计算或比较统计量的样本是从总体中随机抽取或随机分配这一假设前提上的。只有遵循随机化原则的样本资料用统计方法得出的结论,才是符合客观事实和科学的。

随机化主要通过随机数来实现。获得随机数的方法很多,由最初的抽签、掷币、抓阄等方法发展到根据概率原理编制的随机数字表、随机排列表及用计算机软件的随机数字发生器产生一组随机数字序列,虽然他们都是进行随机化的工具,但抽签、掷币、抓阄有时并不完全符合数学上概率的要求。因此随机数字表、随机排列表和用计算机软件产生随机数比抽签、掷币、抓阄方法更理想。在医学科研的抽样研究和实验对象的分组中,如样本例数较少时,使用随机数字表对研究对象进行分组和抽样较简单方便,但例数较多时,随机数字表的操作显得繁琐和不便,而计算机产生的伪随机数代替随机数字表被广泛用于临床试验的随机化分组,较前者更为方便和可重复,同时也符合随机化要求。

目前在实验研究中对实验单位进行随机化分组,常结合实验设计要求的精度和实验单位的例数等特点采用不同的随机化分配方法。常用的随机化分配方法有简单随机化、区组随机化、分层随机化,近年来随着临床试验研究的发展,动态随机化在临床试验和新药评价中开始应用,各随机化分配方法的特点如下。

简单随机化(simple randomization)是基本的随机化分组方法。指在实施随机化分组过程中不加任何限制,将研究对象按概率均等的原则完全随机的分配到各组中,也称为完全随机化分组方法。常用随机数字表或计算机产生一组随机数来进行随机化分组。简单随机化方法有操作简单、容易实施等优点,但在样本例数少时容易出现组间某些因素在各组间不均衡的情况。简单随机化方法如下:

1)编号。将 n 个实验单位从 1 到 n 编号。动物可按体重大小编号,患者可按预计的入组顺序编号。

2)获取随机数字。可用随机数字表或计算机产生一组随机数来进行随机化分组。随机数通常取 2 位数或 3 位数。采用随机数字表可从任意一个数开始,沿同一方向顺序给每个实验单位一个随机数字。表 1 的随机数是从附表 1"随机数字表"的第 11 行第 21 列的随机数字 41 开始,纵向获取 15 个随机数。

3)排序。将 n 个随机数字由小到大排序。

4)分组。对排序后的随机数规定,如样本例数=15,分为 3 组,序号为 1~5 分到 A 组,6~10 为 B 组,11~15 为 C 组。依次类推。

例 1 研究 3 种药物对小鼠肉瘤的影响,将 15 只小鼠采用完全随机分组方法分配到 3 组,分别接受不同的药物。简单随机化分组的步骤如上,结果见表 1。

表 1　15 只小鼠完全随机化分组结果

动物编号	1	2	3	4	5	6	7	8	9	10	11	12	13	14	15
随机数	41	82	98	99	23	77	42	60	22	91	68	36	22	92	34
排序序号	6	11	14	15	3	10	7	8	1	12	9	5	2	13	4
分组结果	B	C	C	C	A	B	B	B	A	C	B	A	A	C	A

区组随机化(block randomization)也叫均衡随机化或限制性随机化,即将随机化分组通过区组加以约束,使各处理组的分配在组间更加均衡,满足研究要求。区组随机化中要事先确定区组的长度(block length),区组的长度是指一个区组内包含多少个接受不同处理的受试对象,即区组中研究对象的数目。如实验研究以动物为实验单位的区组随机化,区组的长度一般等于处理组数;如临床研究以病人为实验单位采用区组随机化分组,区组长度至少为处理组数的 2 倍。临床研究的区组长度太大或太小都可能破坏随机性和均衡性。如果只有 2 个组别(试验组和对照组),区组的长度一般可取 4～8,如果有4 个组别则区组的长度至少为 8。实际操作时,先人为确定区组因素(重要的非处理因素,如实验动物体重等)和区组长度,然后在区组内采用简单随机化方法进行随机化分组。区组随机化方法可以确保进入每组的对象数相等,同时保证了区组因素分配率在组间的均衡性,是较理想的随机化分组方法。

例 2　研究 3 种药物对小鼠肉瘤的影响,以小鼠体重为区组因素,将 15 只小鼠按区组随机化分组方法分配到 3 组接受不同的药物。区组随机化的步骤如下:

1)将小鼠体重按轻重编号 体重相近的 3 只小鼠配为一个区组,共 5 个区组。

2)在各区组内按简单随机化方法分配处理因素(方法同简单随机化)。

表 2　15 只小鼠采用区组随机化分组结果

区组号	1			2			3			4			5		
区组内动物号	1	2	3	4	5	6	7	8	9	10	11	12	13	14	15
随机数	41	82	98	99	23	77	42	60	22	91	68	36	22	92	34
排序序号	1	2	3	3	1	2	1	3	1	3	2	1	1	3	2
分组结果	A	B	C	C	A	B	A	C	B	C	B	A	A	C	B

分层随机化(stratified randomization)是指事先按某个或多个与预后有关的因素分层后,在各层内进行简单随机化或区组随机化,最后分别合并为试验组(处理组)和对照组的分组方法。分层因素应是明确的重要预后因素。一般选择 1～2 个分层因素,每个因素有 2～3 个水平时,应用分层随机化分组较合适。当例数较少或分层因素较多时,分层随机化难以实施。分层随机化对于保证分层因素在组间分布均衡具有重要的作用,并且可以提高小样本(<400)试验的把握度。分层随机化的步骤为:

1)确定分层因素和分层层数。

2)将每层内的实验对象按某入组顺序编号,选择简单随机化或区组随机化方法在层内分组。

3)最后合并各层的试验组和对照组的对象。

动态随机化(dynamic randomization)指在随机化分组中每例病人分到各组的概率不是固定不变的,而是根据一定的条件进行调整的方法,其目的是保证各试验组间例数和某些重要的非处理因素接近一致。动态随机化包括瓮(urn)法、偏币(biased coin)法、最小化(minimization)法等。偏币法和瓮法其目标仅是保证各组例数相近。最小化法是目前在临床研究中应用最多的动态随机化方法。最小化法最初由 Taves 提出,后 Pocock 和 Simon 对其做了改进。基本原理是在分组过程中,每增加一个新受试者都计算一下各组影响因素分布的不均衡性,然后以不同的概率决定该受试者的组别,以保证影响因素分布的不均衡性达到最小。Taves 的最小化法主要根据目标组与新研究对象在各因素水平相同的例数总和最小来确定新研究对象的分配。

例 3 假设已入组的 17 例病人上述各因素分布如表 3 所示。现要进行分组的第 18 例病人为 55 岁的男性,病理分级为 Ⅰ 级。A 组中与新病例在各因素水平相同的例数总和为(5+4+5)=14,B 组为(4+4+4)=12 例,因此新病人分配到 B 组可使上述 3 个因素在 2 组分布差别减小。

Pocock 和 Simon 最小化法主要根据 3 个方面确定新受试者的分组:组间预后因素分布的差别、各组受试对象数和新受试对象分配到目标组的概率(P)值。其最小化法的分组步骤:

表 3　某药物临床试验中病人预后因素的分布

预后因素		A 组	B 组
年龄岁	≤50	2	2
	51～	5	4
	71～	2	2
性别	男	4	4
	女	4	5
病理分级	Ⅰ～Ⅱ级	5	4
	Ⅲ级及以上	4	4

1) 确定预后因素、各因素的权重、分配到目标组的概率 P 值。以表 3 试验研究为例,希望各试验组在基线一致的因素有年龄、性别和病理分级,考虑各因素对治疗结果的影响不同,设定不同的权重值:如设定病理分级因素为 3、年龄因素为 2、性别因素为 1。另设定新受试对象将以 $P=0.80$ 的概率分配到目标组,而以 $1-P=0.2$ 的概率分配到另一组。P 值的大小可由研究者确定,如 P 值取 1,即新受试对象总是分到目标组中。

2)第 1 例受试对象按简单随机化分到试验组,以后所有新病例按最小化法分组。

3)根据新受试对象的预后因素,计算衡量几个组间预后因素差别的参数量 $M(A)$ 和 $M(B)$。

$$M(A) = \sum_{i=1} |(f_{Ai}+1)-f_{Bi}| \times W_i$$
$$M(B) = \sum_{i=1} |(f_{Ai}-(f_{Bi}+1)| \times W_i$$

式中,A 或 B 为试验组或对照组别,i 为预后因素个数,f_i 为新受试对象在各组(A 或 B 组)各因素相同水平的例数,W_i 为各因素的权重,M 值为新受试对象分到目标组后,2 组受试对象在因素 i 上水平相同的例数之差。

以表 3 研究为例,如新入组病人年龄为 55 岁,男性,病理分级为 Ⅰ 级,新病人分到 A 组或 B 组所致的组间预后因素差异量 M 为:

$$M(A)=|(5+1)-4| \times 2+|(4+1)-4| \times 1+|(5+1)-4| \times 3=11$$
$$M(B)=|(5-(4+1)| \times 2+|4-(4+1)| \times 1+|5-(4+1)| \times 3=1$$

4) 确定分配到目标组的概率 P 值。根据 $M(B)$ 值 $< M(A)$ 值,确定 B 组为目标组,则按确定新受试对象分配到 B 组的概率为 0.8,分配到 A 组的概率 0.2 进行随机分组。如各组的 M 值相同,则新受试对象按分配到例数较少组的概率为 0.8,例数多的组概率为 0.2,如果例数相等,则按相同的概率(0.5/0.5)随机分配到其中一组。

5) 根据确定的概率进行随机化分组。通过生成一个在 1~100 范围的随机数,如随机数在 1~80 范围内则放入 B 组,在 81~100 范围则放入 A 组。

最小化法分组能有效地保证重要的预后因素在组间均衡,但实施过程比较复杂,随机化的过程和分配主要通过计算机编程完成。目前主要用于多中心临床试验中的中心随机化(centre randomization)分组。各个分中心的研究对象随机化分配和药物配给集中由一个独立机构或组织来安排和实施,也称为中心随机化。

随机抽样是指在有限总体中进行随机抽样的方法,有简单随机抽样、系统抽样、整群抽样等。各抽样方法的抽样误差大小,具体实施的难易程度均不同,根据具体研究选择不同抽样方法,具体步骤见相应条目。

(孟　虹　张罗漫)

随机排列表

随机排列表(random permutation table)是统计研究中用于随机化分组的工具表,它是根据等概率随机抽样的原理,由 1~n 个数字的随机数字及这些随机数字的多种排列所组成的。例如附表 2,表中每行的 1~n 个随机数字与表头上有序的自然数字序列 1,2,3,…,n 间是相互独立的,即每行 1~n 个数字的出现是随机、无序的,表尾计算了每行数字与表头有序数字的 Kendall 等级相关系数(r_k),r_k 绝对值愈小,表示该行随机数字的随机性(或独立性)愈好。使用时可任选一行的随机数字,但不能按列查。随机排列表有 $n=10,20,30,50,100,200,…,1000$ 等多个数字的随机排列表,如在 Moses LE 和 Oakfords RV 两人所编制的随机排列表中,列出了 $n=9$ 的随机数的 960 种排列,$n=20$ 的 720 种排列,$n=30$ 的 448 种排列,$n=50$ 的 400 种排列等。目前医学统计学教科书和一些卫生统计学专著中所列的均为简化的随机排列表,即摘录了 n 个随机数字的部分排列,如附表 2 是摘录 $n=20$ 随机数的其中 25 种排列。郭祖超教授主编的《医用数理统计方法》(第 3 版,人民卫生出版社,1993 年,)一书中附有较详细(如 $n=10,20,30,50,100,500,1000$)的随机排列表。

随机排列表主要用于对患者、标本、实验动物等进行随机化分组,与用随机数字表分组不同的是,它有使用简便、灵活,分组后各组随机数字的大小分布均匀;分组后的各组例数相等,不再计算和调整等优点。如用随机数字表分组时,分组后各组的例数可能不等,需要再查随机数字并计算和调整观察对象,使各组例数相等。随机排列表可用于不同数量的实验对象(n)和不同实验设计的随机化分组,而不适用于调查研究的随机抽样,但在有限总体按比例的抽样也可使用随机排列表;随机排列表还可用于对处理因素的随机化排列。使用时根据观察对象的总数(n)的多少,选用不同 n 的随机排列表(具体使用方法见各设计条目)。

(孟 虹 张罗漫)

干预与对照

干预(intervention),即所谓处理,指的是在实验研究中欲施加给受试对象的某些因素。如营养实验中各种饲料,治疗某病的几种疗法或药物,药理研究中某药的各种剂量等。在实验的全过程中,处理因素要始终如一保持不变,按一个标准进行实验。如果实验的处理因素是药物,那么药物的成分、含量、出厂批号等必须保持不变。如果实验的处理因素是手术,那么就不能开始时不熟练,而应该在实验之前使训练程度稳定一致。

对照(control)的意义首先在于,通过对照鉴别处理因素与非处理因素的差异。处理因素的效应大小,重要的不是其本身而是通过对比所得到的结论才是有意义的。临床上有许多疾病,如感冒、气管炎、早期高血压等疾病不经药物治疗,也是可以自愈的。影响疾病的因素是复杂的,除治疗因素外,气候、营养、精神状态等也对疾病发生影响,因此要做到正确地鉴别,设立对照组是必不可缺的。

对照有多种形式,可根据实验研究的目的和内容加以选择:

1 空白对照

指在不加任何处理的"空白"条件下进行观察的对照。例如:做某种可疑致癌物的动物诱癌实验时,需要设立与实验组动物种属、窝别、性别、体重均相同的动物空白对照组,以排除动物本身可能自发肿瘤的影响。作某种新免疫制品的预防效果观察时,要采取免疫组与空白对照组的对比观察,才能更好地说明其血清学及流行病学效果。

2 自身对照

有 2 种情况:一是受试对象在试验前后的自身对比观察。如研究某种药物的疗效时,以用药前的观察数据为对照,这实际上也是一种空白对照。二是受试对象在 2 个不同时期的对比观察,如前一时期用甲药,后一时期用乙药,最后对比两个不同时期的疗效,这里要考虑药物无后效应。

3　标准对照

指以标准值或正常值作为对照,以及在所谓标准条件下进行观察的对照。如研究饲料维生素 A 含量的影响,可以以正常饲料组大白鼠肝中维生素 A 含量为对照,这里的正常饲料组就是标准对照组。研究药物的疗效时,可用现有的标准治疗方法为对照组。

4　试验对照

在许多情况下,对照操作对实验结果是有影响的,不可省掉。在对照组中,采用与实验组中操作条件一样的干预措施,称为试验对照。如毒性实验操作对照、假手术对照、药物溶媒对照和 PH 对照等。

(夏结来)

样本大小与检验效能

样本大小(sample size)又称样本含量或样本容量,是指在抽样研究中每个样本所包含的调查对象数或受试对象数。在实验设计中,样本大小的问题是一个重要的问题,它是实验设计重复性原则的体现。样本含量过少,往往所得指标不够稳定,实验结果不够可靠,结论缺乏充分依据;样本含量过大,则会增加实际研究的难度,不易严格控制实验条件,造成人力、物力、时间、经济上的浪费。合理的样本大小是在保证研究结论具有一定可靠性的条件下,确定较少的样本例数。实际实验中常见的问题是样本例数不足。样本含量估计的条件及各种实验设计样本含量的估计见本分册"样本含量估计"条目。

检验效能(power of test),又称把握度,其值为 $1-\beta$,指假设检验中当备择假设 H_1 真实时,按规定检验水准 α 所能发现该差异的能力。β 为第二类错误的概率,α 为第一类错误的概率。如作两样本均数的比较,H_0 为 $\mu_1 = \mu_2$,H_1 为 $\mu_1 \neq \mu_2$,$1-\beta = 0.90$,若两样本所代表的总体确有差别,则理论上在 100 次抽样中,有 90 次能得出有差别的结论。$1-\beta$ 越大,一般表示假设检验的效能越高。通常取 $\beta = 0.1$ 或 $\beta = 0.2$,相应检验效能为 0.9 或 0.8,一般检验效能不能低于 0.75,否则可能出现非真实的阴性结果。

样本大小与检验效能是密切相关的。由于 α 与 β 的关系是 α 越小,β 越大,因此,要使

β 减小（即 $1-\beta$ 增大），一是增大 α，二是增大样本含量。要同时减小 α 与 β，惟一的方法是增加样本含量。可根据研究的目的和要求对 α 与 β 进行适当控制。

（王 玖）

实验因素与水平

实验研究的目的是了解实验因素作用到实验对象所产生的实验效应，实验因素是该研究设计中必须要考虑的三个基本要素之一。实验因素（experimental factor）又称处理因素，是指在实验中根据研究目的而施加于实验对象的实验措施。实验因素可以是研究者主观施加的某种措施或干预，如接种疫苗；也可以是某种自然因素的作用，如季节环境的作用等。实验因素常常可分为若干个水平（level），而水平数的多少是确定实验组数的依据。例如某研究为了了解生产纳米粒物质的最佳配方，需要考虑 3 个因素，分别为溶剂、稳定剂浓度和合成高分子材料的单体浓度，每个因素有若干个水平，如表 1 所示。

表 1 影响纳米粒生产的 3 个因素及其水平数

实验因素	水平数		
溶剂	不加溶剂	二氯甲烷	丙酮
稳定剂浓度	1%	2%	3%
单体浓度	1.5%	2%	2.5%

为了更好地认识和确定实验因素，应当注意以下问题：

1 明确实验因素

实验研究中应根据实验目的来安排实验因素的数目和各实验因素的水平数，一次研究中不宜同时研究过多的实验因素，需要明确主要的、关键的研究因素。

2 分清实验干扰因素（也称非处理因素）

实验干扰因素是指对实验结果确有影响的非实验因素，如了解某降压药的疗效，实验因素是该降压药物，而病程、病情、休息、合理饮食和其他辅助治疗对该新药的疗效也有影响，但不在本次实验研究的范围内，属于实验干扰因素。研究者应采取措施，尽可能使实验干扰因素对实验结果的影响控制在很小的范围内，以充分显示实验因素的作用，具体措施有:在实验设计阶段,可通过随机分组、均衡各实验组与对照组间各种实验干扰因素(各组间具有可比性)等措施控制实验干扰因素;在数据分析阶段,可通过分层分析、协方差分析、多元回归等方法将实验干扰因素对实验结果的影响控制起来,分析实验因素的作用。

3　实验因素应当标准化

在整个实验过程中,实验因素应当始终保持不变,如在实验过程中,药物的剂量、药物批号、用药时间等都应相同。

(党少农)

实验效率

一项研究设计的实验效率(efficiency)的高低,取决于 2 个主要因素。一是估计误差的自由度 ν,自由度 ν 越大说明重复观测次数(样本)越多,效率越高。二是估计误差 S^2,S^2 越小,越容易察觉处理组间的差异,效率越高。在实验设计中,如果能有效地控制非处理因素,S^2 也随之减小,如配伍组设计的 S^2 比完全随机设计小,拉丁方设计的 S^2 比配伍组设计小。Fisher 定义了同一个研究 2 种设计方法比较的相对效率(relative efficiency)

$$RE=\frac{(\nu_1+1)(\nu_2+3)S_2^2}{(\nu_2+1)(\nu_1+3)S_1^2}$$

其中,ν_1、ν_2 分别为 2 种设计的误差自由度,S_1^2、S_2^2 分别为 2 种设计的误差均方(方差)。如果 $RE>1$,说明第一种设计方案的效率高于第二种设计方案。

例 1　配对设计与完全随机分组设计的效率比较。

比较某营养素对小鼠体重增长的影响。采用完全随机分组设计,将 30 只小鼠随机等分成 2 组,一组饲料加营养素,另一组作为对照。采用配对设计,将小鼠按出生体重相近的原则两两配成 15 个对子,每个对子内的 2 只小鼠随机分配加营养素饲料和对照饲料。2 种设计的方差分析表见表 1。

表 1　2 种设计的方差分析表

方差来源	配对设计		完全随机分组设计	
	自由度	均方	自由度	均方
对子间	14			
饲料间	1		1	
误差	14	S_1^2	28	S_2^2
合计	29		29	

估计配对设计的相对效率，$\nu_1 = 14$，$\nu_2 = 28$，代入公式

$$RE = \frac{(14+1)(28+3)S_2^2}{(28+1)(14+3)S_1^2} = 0.94\frac{S_2^2}{S_1^2}$$

依常识判断，配对后小鼠体重的方差应该小于非配对（$S_1^2 < S_2^2$），所以，通常情况下配对设计的效率高于完全随机分组设计。

例2 按配伍组设计分 3 个批次安排试验，比较 4 种方法测量甘蓝叶核黄素有无差别，方差分析见表 2。比较该试验配伍设计与完全随机分组设计的相对效率。

表 2　甘蓝叶核黄素浓度的方差分析表

方差来源	自由度	离均差平方和	均方
测量方法间	3	765.53	
样本批次间	2	3.76	1.88
误差	6	49.08	8.18
合计	11	818.37	

计算：$\nu_1 = 6$，$S_1^2 = 8.18$，按完全随机分组设计，$\nu_2 = 2+6 = 8$，$S_2^2 = (3.76+49.08)/8 = 6.61$，代入公式

$$RE = \frac{(6+1)\times(8+3)\times 6.61}{(8+1)\times(6+3)\times 8.18} = 0.77$$

该试验采用配伍组设计只相当于完全随机分组设计效率的 77%。说明分批次实验，没有提高实验效率。

（颜　艳）

实验效应

实验效应（experimental effect），是指实验因素作用于实验对象后所产生的反应，用于反映实验因素的效应大小，这种效应通常由实验中具体的观察指标来显示。如在社区中补充铁剂防治缺铁性贫血的实验研究，其实验效应可以用血红蛋白含量来衡量。因此，在实验研究中需要合理地选择观察实验效应的指标，以下几个问题应认真对待：

1　选择客观的指标

在实验研究中应当以客观、定量的指标作为首选指标，这些指标是借助检测设备等进行测量来反映实验对象客观状态的指标，而主观指标（如疼痛等）由于受到观察者和被观察者的主观影响而难以保证指标的真实与稳定。例如，要评价某药对胃溃疡的疗效，用胃镜检验结果作为观察指标比用病人对疗效的评价作为观察指标更为

客观。

2 选择灵敏的指标

在实验研究中应当选择对实验因素反应灵敏的指标作为实验效应的指标。如临床治疗缺铁性贫血,可以用临床症状、体征和血红蛋白含量的变化作为观察指标,也可用血清运铁蛋白的含量变化作为观察指标,前 3 个指标只有在贫血较严重的情况下才有改变,因此作为观察指标还不够灵敏,而血清运铁蛋白的含量随着病情的变化而变化,是观察疗效的优秀指标。

3 选择精确的指标

指标的精确性包括准确度和精密度 2 个方面。准确度(accuracy)是指效应的观察值与真值的接近程度,主要受系统误差影响;精密度(precision)是指在重复测量或观察时,观察值与其平均值之间的接近程度,主要受随机误差的影响。在选择观察指标时,应选准确度与精密度皆优的指标,若二者存在矛盾时,则优先考虑准确度。

4 指标的观察

在实验研究中指标的观察常常会受到来自观察者和被观察者的心理因素的影响而引起偏差,为避免或减少偏差,应考虑使用盲法(blind method)和安慰剂等手段。

(党少农)

数据误差与数据精度

数据的误差是与观察或实验的真实情况相对而言。统计上的意义是,如果在相同条件下重复观察或实验,收集到的数据是否具有良好的重现性(repeatability)。由于医学科研中的观察指标是随机变量,允许有一定的自然变异(natural variation),但不应超出随机误差的范围。除随机误差外,影响数据重现性的主要因素是过失误差和系统误差。

过失误差指非分组因素造成的具有一定方向性的偏差,如观测者在判断或读数上偏差、测量仪器未校正时的测量偏差等。这种误差可以通过一定的技术措施使其尽量减少。

过失误差或系统误差应在采集数据的过程中检查和纠正。在数据分析前还应作一次全面的数据质量检查,基本方法如下:

1)直观检查。主要检查有无逻辑错误,数据的最大值或最小值是否在可能的范围内。

2)检查每个观察指标的频数分布。看是否近似服从经验分布。

3)将任两个彼此相关的观察指标作散点图。看是否有远离群体数据的异常数值。

4)将观测者或仪器作为分组因素计算统计量。检验是否存在系统误差。

5)检查是否有缺失数据,包括那些已经删除的可疑数据。这些缺失数据的位置应有适当标记,如记作－1或9999,以便今后根据数据分析的需要作进一步处理。

数据精度是指数据的准确程度,与测量目的和测量仪器的灵敏度有关。例如,婴儿的体重精确到 0.01kg,成人的体重精确到 0.1kg 就可以了。数据末尾的"0"亦表示精度,不能随便省略,如 69.50kg 与 69.5kg 的意义不同,前者的测量真值在 69.495～69.505kg 之间,后者的测量真值在 69.45～69.55kg 之间。需要说明的是,过分强调数据的精度(如保留过多的小数位数)并不能提高数据质量,反而给数据的整理计算带来麻烦。因此,数据的精度应从专业上考虑周到,不要过粗,也不要过细,相同指标的数据精度也应相同。数据在运算过程的精度要比测量精度多保留 1～2 位小数,但统计结果,如均数、标准差,要与测量精度相同。

(徐勇勇)

数据效度

1 效度的概念

1.1 效度的定义

效度(validity)通常是指测量工具的有效性和正确性,即所用的测量工具能够测量出研究者所欲测量特性的程度。效度是测量工具设计的最重要特征,其设计的目的就是要获得高效度的测量与结论,效度越高表示该测量工具测验的结果所能代表要测验行为的真实度越高,越能够达到测验的目的,该测量工具才越正确而有效。对于一个标准测验来说,效度比信度更为重要。

但是关于效度的问题,一般不可能有绝对肯定的答案,如测量所用的心理健康量表是否真正反映了被测量人群的心理状况？生存质量量表是否真正反映了人们的生存质量？效度是一个具有相对性、连续性、间接性的概念。所谓效度是一个相对概念，是指在实际测验中，任何一种工具只是对一定的测量目的而言是有效的。

效度包括了两方面的含义，其一是测量工具的测量目的；其二是测量工具对测量目标测量的精确度和真实性。在测量理论中，效度被定义为在一系列测量中，与测量目的有关的真正变异数（即有效变异）与总变异数之比，见公式（1）：

$$r_{xy}^2 = \frac{S_\nu^2}{S_x^2} \tag{1}$$

式中，r_{xy}^2 表示测量的效度系数，S_ν^2 表示有效变异，S_x^2 表示总变异。

1.2　效度的性质

（1）效度是指测验结果的正确性或可靠性，而不是指测验工具本身。

（2）效度并非全有或全元，只是在程度上有高低不同的差别。

（3）效度是针对某一特殊功能或某种特殊用途而言的，不具有普遍性。一份具有高效度的测验工具施测于不同的受试者，可能会导致测验结果的不准确。

（4）效度无法实际测量，只能从现有信息作逻辑推断或对实证资料作统计检验分析。

1.3　效度的分类

效度分为"内在效度"和"外在效度"两类，内在效度与外在效度既相互关联，又相互矛盾。

（1）内在效度（internal validity）是指某特定测量工具中自变量与因变量之间存在因果关系的程度，反映测量工具的内容的正确性与真实性。内在效度是测量工具研究中应具备的最基本的效度，它表示自变量与因变量之间的逻辑关系，说明在排除了其他"混淆变量"效应影响后，因变量由自变量引起变化的程度。测量工具的内在效度越高，其价值也越高。内在效度，尚无法精确估量。一般应根据对测量工具测验的具体方案、操作实施过程的全面分析和评价作出判断。测验操作过程规定得越恰当具体，控制手段越全面、严格，测量工具的内在效度便越高。

（2）外在效度（external validity）是指研究结果的概括性和代表性，即研究结果是否可以推论到研究对象以外的其他受试者，或研究情境以外的其他情境。一项研究越能实现以上目标，就表示该研究的外部效度越好。如果以男性为研究对象得到的结果，只适用于男性，而不能推论到女性，则这个实验设计的外部效度（群体效度）就比较低。如果在实验室里研究的结果，只能用于实验室环境，而不能推论到日常生活情境，则这项研究的外部效度（生态效度）也不高。影响外在效度的因素包括测验的反作用或交互作用效果、选择偏差与实验变量的交互作用效果、实验安排的反作用效果和多重实验处理的干扰。

2　效度的评价方法

测量工具的效度是可以利用一些指标来评价的。一般常用的评价效度的指标有内容效度（content validity）、结构效度（construct validity）、效标效度（criterion validity）、判别效度(discriminant validity)和聚合效度(convergent validity)。内容效度是基于概念的评价指标,效标效度、结构效度和判别效度是基于经验的效度指标。如果一个测量工具是有效的,则希望这些效度指标都较满意。

2.1 内容效度

是指测量工具内容的贴切性(relevance)和代表性(representativeness),即其内容能否反映所要测量的特质,能否达到测验的目的,能否较好地代表所欲测量的内容和引起预期反应的程度。内容效度常以题目分布的合理性来判断,属于命题的逻辑分析,所以,内容效度也称为逻辑效度(*logical validity*)、内在效度(intrinsic validity)或循环效度(circular validity)。

在编制测量工具时,内容效度是一个相当复杂的问题。若测量工具包含的题目能较好地表达要测量项目的范围,则推论是有效的,测量工具的内容效度就高。若选题有偏差,则推论是无效的,测量工具的内容效度就低。

内容效度的评价主要通过经验判断,通常考虑三方面的问题:其一是项目所测量的是否真属于应测量的领域;其二是测验所包含的项目是否覆盖了应测领域的各个方面;其三是测验题目的构成比例是否恰当。

常用的内容效度评价方法有两种:一是专家法,即请相关专家对测量工具题目和内容范围是否符合调查的目的进行分析,并作出判断,看所列题目是否较好地代表了所要测量的内容,以专家判断法为主,邀请相关专业的专家采用小组讨论法、头脑风暴法或特尔菲法对编制的测量工具各条目进行评定;二是统计分析法,即从同一内容总体中抽取两套测量工具,分别对同一组答卷者进行测验,两套答卷的相关系数就可用来估计测量工具的内容效度。若相关系数大,则内容效度高;若相关系数小,则两套测量工具中至少有一套内容效度低。

2.2 结构效度

又称构想效度,是指测量工具对某一理论概念或特质测量的程度,即其测验的实际得分能解释欲研究的某一特质的程度。如果我们根据理论的假设结构,通过测量工具测验得到答卷者实际分数,经统计检验,结果表明所选用的测量工具能有效解释答卷者的该项特质,则说明此测量工具具有良好的结构效度。

想要制订具有良好结构效度的测量工具,首先要建立理论结构,然后在理论的基础上提出若干假设并编制测量工具。常用的确定结构效度的方法有:

(1)根据文献、前人研究结果、实际经验等建立假设性理论建构。

(2)对测量工具的题目进行分析。主要是分析其内容、答卷者对题目所作的反应、题目的同质性以及分项目之间的关系来判断测量工具的结构效度。

(3)根据建构的假设性理论编制适当的测量工具。

(4)计算与同类权威测量工具的相关性。如某一个新的测量工具与已有的同类的公认有效的工具之间相关性高,则说明这两个测量工具有相同的特质,可认为新编制的测量工具也有较高的结构效度。

(5)以统计检验的实证方法去考查量表是否能有效解释所欲建构的特质。统计学上,检验结构效度最常用的方法是因子分析。

2.3 效标效度

也称为准则关联效度(criterion-related validity)、经验效度(empirical validity)或统计效度(statistical validity)。效标效度是说明测量工具得分与某种外部准则(效标)间的关联程度,可用测量工具得分与效度准则之间的相关系数来衡量。

效标(criterion)是检验预测效度的标准,即衡量测验有效性的参照标准,是估计预测效度的主要依据。可以分为同时效标(concurrent criterion)和预测效标(predictive criterion)。同时效标是指测量工具得分与当前效标间的相关;预测效标是指测量工具得分与将来的效标间的相关。反映的是一个测量工具对个体将来的行为进行预测的准确性。一个测量工具预测得越准确,预测效度越高。

效标应具备有效性、可靠性、客观性。如果缺乏金标准,可以用一种较流行的测量工具得分来估计效标。一般估计效标效度的主要方法有:

(1)相关法:计算某测量工具得分与效标间的相关性,所得结果即为效标效度。当测验分数与效标测量分数都是连续变量时,用积差相关公式求相关系数。当测量工具分数是连续变量,而效标分数是二分变量时,可用二列相关公式计算效标效度。

(2)区分法:即看测量工具测量分数是否可以区分由效标所划分的团体。可以运用 t 检验对先后两次测量工具测量结果平均分数进行差异性检验。若差异有统计学意义,说明测量工具是有效的;若差异无统计学意义,说明测量工具是无效的。

2.4 判别效度

也称为辨别效标,是指运用相同的测量工具测定不同特质和内涵,测量结果之间不应有太大的相关性。

2.5 聚合效度

也称为收敛效度,是指运用不同测量方法测定同一特质或构思时所得结果的相似程度,即同一特质的两种或多种测定方法间应有较高的相关性。

此外效度指标还包括表面效度(face validity)、因子效度(factorial validity)、增量效度(in-cremental validity)等。

3 提高效度的方法

一切对研究和测验的控制都是为了提高效度。但是,效度系数多大才合适,要根据测验的具体情况而定。一般智力测验分数和智力等级评定之间的效度系数应在 0.30~0.50 之间,测量工具与效标测量之间的相关系数应达到 0.60~0.70。两种不同的测量工具或两种标准测量工具之间的相关系数应达到 0.60~0.80。

3.1 提高内在效度的方法

若要提高测量工具的内在效度,应把握以下几点:

(1)理论正确,解释清楚,概念要明确,解释要信而可证。首先测量工具内容要适合其测验的目的;其次测量工具的题目要清楚明了,易于理解,题目的排列要由易到难,难度和区分度要合适。

(2)操作规范以减少误差。测量工具的概念能够依其理论建构或特定内容而给予可操作性的定义,进而设计有较高效度的测量工具。

（3）控制系统误差。系统误差是影响测验效度的主要因素。它主要包括仪器不准，题目和指导语有暗示性，答案安排不当（被试可以猜测）等。控制这些因素可以降低系统误差，提高效度。

（4）样本适宜且要预防流失。样本取样要注意不同组别人数的均衡性，重视研究情景的适当性与测量工具的回收率。测试的样本容量一般不应低于 30 例。

（5）适当增加测量工具的长度。增加测量工具的长度既可提高测量工具的信度，也可以提高测量工具的效度，但增加测量工具的长度对信度的影响大于对效度的影响。

（6）排除无关因素干扰。认清并排除足以混淆或威胁结论的无关干扰变量。

3.2　提高外在效度的方法

若要提高测量工具的外在效度，应把握以下四点：

（1）测量工具测量结果的解释分析应具有普遍性、客观性、合理性与真实性。

（2）以可操作性定义代表抽象性定义，取样应有足够的代表性，研究的情景要适宜，最好能与未来实际应用情景类似。

（3）观察具有普遍性，资料搜集要注意多元性，且要客观。

（4）尽可能排除无关的干扰变量，并慎防实验者效应发生。

（徐天和）

测量信度

信度和效度共同反映一个测量结果的可靠性和真实性。例如，用考试分数测量学生统计学知识的水平，一个学生同一难度的 2 份试卷的分数相近，说明分数可靠。2 个统计学知识水平不同的学生同一试卷的分数，统计学知识水平高的学生得分高，统计学知识水平低的学生得分低，说明分数确实能反映学生的统计学知识的真实水平。所以，医学研究中任何新的测量指标都应该有信度和效度评价。

1　信度的意义

信度（reliability）又称可靠性和精确度，用以反映相同条件下重复测量所得结果的一致性或可以再现的程度。信度主要受测量误差亦即观察误差的影响。尤其在心理测量中，由于人与人在各方面的变异较大，并且任何一次测验都只包含可能测验项目的一个样本，又是在某一特定的时间、地点和被测者的具体情况下实施的，不可避免地会带来误差。它与测量的目的无关，且这种不一致是无系统的、随机的。

2　信度的类型

1）重测信度（test-retest reliability）　又称再测信度、稳定系数。假定短时间内一批对象的状况没有改变，每个对象用同一量表先后测量 2 次，则可用 2 次结果的相关系数作为测量手段的可靠性指标。

2）平行型信度　又叫等值系数。当同一测验的一种形式不能或不适宜实施 2 次时，就需要对同一批对象的每一个个体先后（相隔时间很短）实施 2 个平行型的测量量表（即项目内容、形式和难度基本相同）测验。然后计算 2 次结果的相关系数。

3）平行稳定信度　又称稳定等值系数。为测验的 2 个平行型分别在不同时间实施所得结果的相关系数。它既表明测验题目样本的等值性，又表明测验跨时间的稳定性。

4）同质信度（homogeneity-reliability）　又称同质系数。为了考查测验内所有项目是否都测量同样的特性，就必须估计测验内部的一致性。即测验各项目相互关联的程度。如果测验里各测题得分有正相关，则测验为同质的。反之，则为异质。

3　估计信度的方法

1）积差相关法　可用于重测信度、平行型信度及平行稳定信度。公式为：

$$r = \frac{\sum XY - \sum X \sum Y / N}{\sqrt{\left[\sum X^2 - \left(\sum X\right)^2 / N\right]\left[\sum Y^2 - \left(\sum Y\right)^2 / N\right]}} \tag{1}$$

例 1　假定 9 月 1 日上午和下午对某一试验的两个平行型 A 和 B 相继实施，2 个月后又重测 A。所测被试 15 人，评分结果如表 1，试求 A 型、B 型两个测验的信度。

表 1　15 名被试者的测量结果

测验顺序	被试儿童														
	1	2	3	4	5	6	7	8	9	10	11	12	13	14	15
A_1	16	15	13	13	13	11	10	10	10	9	9	8	7	7	6
B_1	15	15	14	14	12	11	10	10	10	9	9	9	8	8	7
A_2	16	15	16	14	11	13	12	10	11	11	9	10	8	7

本例：$\sum A_1 = 158$，$\sum A_1^2 = 1784$

$\sum A_1 B_1 = 1839$，$\sum B_1 = 165$

$\sum B_1^2 = 1907$，$\sum A_1 A_2 = 1946$

$\sum A_2 = 175$，$\sum A_2^2 = 2147$

$\sum B_1 A_2 = 2019$

①重测信度（稳定系数）A 型测验的先后 2 次结果的相关系数，可估计 A 型测验跨时间的稳定性。

$$r_{(A_1)(A_2)} = \frac{\sum A_1 A_2 - \sum A_1 \sum A_2 / N}{\sqrt{\left[\sum A_1^2 - \left(\sum A_1\right)^2 / N\right]\left[\sum A_2^2 - \left(\sum A_2\right)^2 / N\right]}}$$

$$= \frac{1946 - 158 \times 175 / 15}{\sqrt{\left[1784 - (158)^2 / 15\right]\left[2147 - (175)^2 / 15\right]}}$$

$$= \frac{1946 - 184.33}{\sqrt{119.73 \times 105.33}} = 0.91$$

②平行型信度(等值系数) A_1、B_1 两平行型测验(间隔时间很短)结果的相关系数,可估计跨题目样本的等值性。

$$r_{(A_1)(B_1)} = \frac{\sum A_1 B_1 - \sum A_1 \sum B_1 / N}{\sqrt{\left[\sum A_1^2 - \left(\sum A_1\right)^2 / N\right]\left[\sum B_1^2 - \left(\sum B_1\right)^2 / N\right]}}$$

$$= \frac{1839 - 158 \times 165 / 15}{\sqrt{\left[1784 - (158)^2 / 15\right]\left[1907 - (165)^2 / 15\right]}}$$

$$= \frac{1839 - 1738}{\sqrt{119.73 \times 92}} = 0.96$$

(3)平行稳定信度 A_2 和 B_1 2 个等值型分别测验(间隔 2 个月)结果的相关系数,可估计测验跨度时间的稳定性和跨题目样本的等值性。

$$r_{(B_1)(A_2)} = \frac{\sum B_1 A_2 - \sum B_1 \sum A_2 / N}{\sqrt{\left[\sum B_1^2 - \left(\sum B_1\right)^2 / N\right]\left[\sum A_2^2 - \left(\sum A_2\right)^2 / N\right]}}$$

$$= \frac{2019 - 165 \times 175 / 15}{\sqrt{\left[1907 - (165)^2 / 15\right]\left[2147 - (175)^2 / 15\right]}}$$

$$= \frac{2019 - 1925}{\sqrt{92 \times 105.33}} = 0.95$$

2)分半相关法。若一测验结果随时间变化或不能再测,我们通过分半信度来估计测验的信度。即将一个测验分裂为 2 个假定相等而独立的部分来记分,如果测验题目是按由易到难的顺序排列,则以项目的奇数为一组,偶数为另一组,求其相关系数后,再用斯皮尔曼－布朗(Spearman-Brown)公式求整个测验的信度。

斯皮尔曼－布朗公式为:

$$r' = \frac{2r}{1+r} \tag{2}$$

式中,r 为未经校正的分半信度;r' 为经过校正的分半信度,即原测验的信度估计。

例2 将一测验的 12 名被试者,奇数号题得分为 A,偶数号题得分为 B。结果如表 2:

表 2   12 名被试者的测验结果

测验题	被试者											
	1	2	3	4	5	6	7	8	9	10	11	12
A	11	6	10	6	10	11	5	16	11	8	11	9
B	10	4	12	8	12	13	7	14	9	6	13	10

本例：$\sum A = 114$，$\sum A^2 = 1182$，$\sum B = 118$，$\sum B_2 = 1268$，$\sum AB = 1204$。

$$r = \frac{\sum AB - \sum A \sum B / N}{\sqrt{\left[\sum A^2 - \left(\sum A\right)^2 / N\right]\left[\sum B^2 - \left(\sum B\right)^2 / N\right]}}$$

$$= \frac{1204 - 114 \times 118/12}{\sqrt{\left[1182 - (114)^2/12\right]\left[1268 - (118)^2/12\right]}}$$

$$= 0.804$$

$$r' = \frac{2 \times 0.804}{1 + 0.804} = 0.89$$

从以上计算可看出，原测验的信度系数并不是一半测验的信度系数的 2 倍。

3）Kuder-Richardson 公式   以两分类项目统计为基础，用以估计同质信度，可避免由于任意两半分法而产生的偏差。适应于 0、1 记分的测验项目。其公式为：

$$r = \frac{k}{k-1}\left[1 - \frac{\sum p_i q_i}{S_x^2}\right] \tag{3}$$

式中，k 为量表中的测量项目总数，S_x^2 为总分的方差，p_i 为第 i 个项目及格（1 分）的比例，q_i 为第 i 个项目不及格（0 分）的比例，$i = 1, 2, \cdots, k$。

例 3   用一包含 5 道题（A、B、C、D、E）的测验对 10 名学生进行测试，得表 3 第（1）～（5）资料。计算测验内部一致性系数。

表 3   10 名学生得分情况

学生	A (1)	B (2)	C (3)	D (4)	E (5)	X (6)	X2 (7)
1	1	0	0	0	0	1	1
2	1	1	1	1	1	5	25
3	1	1	1	1	0	4	16
4	1	1	0	1	0	3	9
5	0	0	1	0	0	1	1
6	1	0	1	0	0	2	4
7	1	0	0	0	0	1	1
8	1	1	1	1	0	4	16
9	1	1	1	0	0	3	9
10	1	1	1	1	1	5	25

续表

学生	A (1)	B (2)	C (3)	D (4)	E (5)	X (6)	X2 (7)
$\sum$	9	6	7	5	2	29	107
p	0.9	0.6	0.7	0.5	0.2		
q	0.1	0.4	0.3	0.5	0.8		
pq	0.09	0.24	0.21	0.25	0.16	$\sum$	$pq=0.95$

已计算 $\sum X = 29$，$\sum X^2 = 107$，$\sum pq = 0.95$，则

$$S_X^2 = \frac{\sum X^2 - \frac{\left(\sum X^2\right)}{n}}{n-1} = \frac{107 - \frac{(29)^2}{10}}{10-1} = 2.54$$

$$r = \frac{k}{k-1}\left[1 - \frac{\sum p_i q_i}{S_X^2}\right] = \frac{5}{4} \times \left(1 - \frac{0.95}{2.54}\right) = 0.78$$

4）Chronbach 系数　亦称 α 系数，可测定具有多重记分的测验项目的同质信度。公式为

$$\alpha = \frac{k}{k-1}\left[1 - \frac{\sum S_i^2}{S_X^2}\right] \tag{4}$$

式中，k 为量表中的项目总数；S_i^2 为第 i 个项目得分的方差；S_X^2 为总分的方差；$i=1,2,\cdots,k$。

5）方差分析法　亦称荷伊特（C. Hoyt）信度，可用于估计简单重复测量或复杂重复测量信度及测量者或评分者信度。所谓复杂重复测量是指在研究中有 2 项以上误差来源，常见的可以分为 3 个来源：如临床试验中存在不同医生的疗效评价误差、患者间的个体差异和随机误差。数据格式如表 4。

表 4　3 项误差来源重复测量信度研究的数据格式

观察对象	检测者				均数
	1	2	…	k	
1	X_{11}	X_{12}	…	X_{1k}	$\overline{X}_{1.}$
2	X_{21}	X_{22}	…	X_{2k}	$\overline{X}_{2.}$
⋮	⋮	⋮		⋮	⋮
n	X_{n1}	X_{n2}	…	X_{nk}	$\overline{X}_{n.}$
均数	$\overline{X}_{.1}$	$\overline{X}_{.2}$	…	$\overline{X}_{.k}$	$\overline{X}_{..}$

计算步骤为：

①将每个观察对象视为一区组，列出随机区组方差分析表。

表5　3项误差来源重复测量试验结果方差分析表

方差来源	DF	SS	MS
观察对象间	$n-1$	$SS_P = k\sum(\bar{x}_{i.} - \bar{x}_{..})^2$	MS_P
测量者间	$k-1$	$SS_R = n\sum(\bar{x}_{.j} - \bar{x}_{..})^2$	MS_R
误差	$(n-1)(k-1)$	$SS_E = SS_T - SS_P - SS_R$	MS_E
合计	$nk-1$	$SS_T = \sum\sum(x_{ij} - \bar{x}_{..})$	

②计算组内相关系数。

$$r = \frac{n(MS_P - MS_R)}{nMS_P + (k-1)MS_R + (n-1)(k-1)MS_E} \tag{5}$$

从式(5)可看出,MS_R很大时,r就小,信度就差;反之,信度就好。关于复杂重复测量试验ρ的可信区间估计,目前尚没有简单的方法。

例4　3名调查员重复测量5名受试者的三头肌皮肤皱褶厚度(自然对数),试验结果见表6。试对试验结果进行信度分析。

表6　三头肌皮肤皱褶厚度(自然对数)

受试者	调查员 1	调查员 2	调查员 3	合计	均数	平方和
1	2.856	2.760	2.785	8.401	2.80	23.5306
2	3.082	2.976	2.890	8.948	2.98	26.7074
3	2.809	2.785	2.833	8.427	2.81	23.6726
4	2.501	2.361	2.241	7.103	2.37	16.8514
5	2.303	2.241	2.152	6.695	2.23	14.9570
合计	13.551	13.123	12.901	39.575		105.7190
均数	2.71	2.62	2.58		2.64	

解:用随机区组方差分析计算,得表7。

代入公式(5)计算

$$r = \frac{5 \times (0.3092 - 0.0219)}{5 \times 0.3092 + 2 \times 0.0219 + 8 \times 0.0033} = 0.89$$

显然,相同条件下对同一观察对象重复测量的均值代表性要较一次测量结果好。重复测量的次数可用下面这个公式估计:

$$m = \frac{r'(1-r)}{r(1-r')} \tag{6}$$

其中,r为信度研究时计算出的组内相关系数,r'为正式调查时应该达到的组内相关系数。

表7　表6数据的方差分析表

方差来源	DF	SS	MS	F
观察对象间	4	1.2369	0.3092	93.70
测量者间	2	0.0437	0.0219	6.64
误差	8	0.0264	0.0033	
合计	14	1.3070		

（颜　艳）

预 试 验

预试验（preliminary test）就是在正式试验之前所作的小规模试验（pilot test）。其目的就是为了进一步了解和探索与研究问题有关的基本情况和素材，以便补充和修正已有的经验，从而为制定出完善合理的试验设计方案奠定良好的基础。例如，试验因素的数目及其水平的拟定，各变量的变异程度及其测量的最大允许偏差的估计等。研究者对这些先验知识了解和掌握的准确程度，将直接影响样本含量的估计和试验设计类型的选用，乃至影响工作量的大小、研究质量的高低。通过预试验，可以将没有统计学意义的因素或变量筛选掉，从而有利于精选试验因素和观测指标，减少人力、物力上不必要的浪费；可以事先对变异度大的指标采取必要的预防措施（如进行重复试验，观测较多的样本等），从而有效地控制和消除异常值的干扰和影响；可以全面地检查和考核试验的初步计划，修正不合理部分，补充遗漏项，从而达到优化试验设计方案之目的。

预试验常用于以下情形：

1　某些创新性的实验室研究

在缺乏专业依据和相关既往文献支持的创新性研究中，需进行预试验，从而确定实验中需要考察的因素、需要观测的指标、因素水平的设置及所需的样本大小等。

2　部分临床试验研究

尤其是新药临床试验研究和新医疗器械临床试验研究，在正式应用于临床治疗前，需进行相关的疗效和安全性评价。新药的Ⅱ期临床试验类似于预试验，从中可以对新药的给药剂量、给药次数、疗程、联合用药及安全性情况予以初步确定。

值得一提的是：预试验的思想不仅适合于试验研究，也适合于调查研究。在正式调查之前，进行相应的预调查，有利于合理设置调查项目并制作完善的调查表，有利于发现调查组织中的不足并做好调查员的培训,有利于发现和预测可能的突发事件并制定相应的处置预案。几乎所有的大规模调查研究都需要做预调查,这样可确保整个研究高效、有序、科学地进行下去,从而获得较为可靠的调查资料。

(胡良平　高　辉)

质量控制

  质量控制(quality control)就是运用最新科学技术和统计方法控制生产或试验过程,以便尽早发现并消除质量变异因素,使之经常处于稳定的状态,使产品质量符合事先设计的标准。概括地说,质量控制应分为 2 个阶段,即事前条件控制和过程状态监测。前者是指在生产或试验开始之前,要确保可能影响产品或试验结果的各种试验条件符合要求,这些条件构成了质量控制的基本要素,它们包括:①实验或操作人员的技术能力;②合适的仪器设备和实验材料等;③好的实验室操作和测量操作规范等。后者是指在生产或试验的全过程中,定期或随机地抽查样品,测量它们的特性数值,运用统计方法展示产品的质量是否处在允许的波动范围之内,是否有超过允许差异极限的变化趋势。其目的是积极预防和预测次品的出现,阻止不合格的半成品进入下一道工序;掌握工序质量的变化情况,判断工序是否处于控制或正常状态。

  进行质量控制的主要措施是绘制质量控制图(quality control chart),它由美国贝尔电话实验室休哈特(W. A. Shewhart)于 1926 年首创,是一种画有控制界限的特殊统计图。通常,它以抽样时间间隔(或抽样批号、采样号)为横坐标,以产品的质量特性数值为纵坐标,图形由控制中心线(简写为 CL)和上、下控制界限(简写为 UCL 和 LCL)以及特性数值点组成。确定控制图上、下界限的原理是关于均数、率和标准差的假设检验,即在大样本条件下,服从正态分布的随机变量(或统计量)的取值离开总体相应参数的距离在大多数场合下不超过标准差(或标准误差)的 3 倍,故其计算公式就是统计学上的容许区间(或置信区间)。若质量特性数值是计量的,设法用极差取代公式中的标准差,可使控制图的绘制简便易行。根据质量特性数据的类型,质量控制图可分为计量值控制图(包括 $\bar{x}-R$ 图、$x-R_s$ 图、$\bar{x}_s-R_s$ 图)和计数值控制图(包括 P_n 图、P 图、C 图)。它们的中心线值和控制界限值的计算公式见表 1,计算公式中的系数 A_2、D_4、D_3 和 E_2 见表 2。

  表 1 中计量值控制图的选用原则:若抽查了 k 批样品,①每批只有 1 个样品,应选用 $x-R_s$ 图;②每批样本含量均为 n,当各批均数之间的测定误差相差不悬殊时,可选用 $\bar{x}-R$ 图,反之,则需选用 $\bar{x}_s-R_s$ 图。$\bar{x}$(或 $\bar{x}_s$)图用于控制重复试验(或取样)的准确度,即反映工序均数的变动情况;R(或 R_s)图用于控制重复试验(或取样)的精密度,即反映工序标准差的变动情况。二者结合应用,效果更佳。表 1 中计数值控制图的选用原则:若抽

查了 k 批样品,每批样本含量为 n_i,当各 $n_i=n$ 相同(经验:$n \geqslant 50$,$P_i n=1 \sim 5$ 时),可选用 P_n 图,反之,可选用 P 图;若希望控制每个样品上一定单位(如长度、面积和体积)上的缺陷数,可选用 C 图。

表 1　质量控制图中心线值和控制界限值的计算公式

控制图种类	中心线	控制界限
计量值控制图		
均数-极差控制图 ($\bar{x}-R$ 图)	$\bar{x}=\dfrac{1}{k}\sum\limits_{i=1}^{k}\bar{x}_i$ $\bar{R}=\dfrac{1}{k}\sum\limits_{i=1}^{k}R_i$	$\bar{x} \pm A_2\bar{R}$ $LCL=D_3\bar{R},UCL=D_4\bar{R}$
单值-移动极差控制图 ($x-R_s$ 图)	$\bar{x}=\dfrac{1}{k}\sum\limits_{i=1}^{k}x_i$ $\bar{R}_s=\dfrac{1}{k-1}\sum\limits_{i=1}^{k-1}R_{si}$	$\bar{x} \pm E_2\bar{R}_s$ $LCL=D_3\bar{R}_s,UCL=D_4\bar{R}_s$
移动(均数-极差)控制图 ($\bar{x}_s-R_s$ 图)	$\bar{x}=\dfrac{1}{k-n+1}\sum\limits_{i=1}^{k-n+1}\bar{x}_{si}$ $\bar{R}_s=\dfrac{1}{k-n+1}\sum\limits_{i=1}^{k-n+1}R_{si}$	$\bar{x} \pm A_2\bar{R}_s$ $LCL=D_3\bar{R}_s,UCL=D_4\bar{R}_s$
计数值控制图		
不合格品数控制图 (P_n 图)	$\bar{P}_n=\dfrac{1}{k}\sum\limits_{i=1}^{k}P_i n$	$\bar{P}_n \pm 3\sqrt{n\bar{P}(1-\bar{P})}$
不合格品率控制图 (P 图)	$\bar{P}=\dfrac{1}{N}\sum\limits_{i=1}^{k}P_i n_i$ $N=\sum\limits_{i=1}^{k}n_i$	$\bar{P} \pm 3\sqrt{\dfrac{\bar{P}(1-\bar{P})}{n}}$ $\bar{n}=\dfrac{N}{k}$
缺陷数控制图 (C 图)	$\bar{C}=\dfrac{1}{k}\sum\limits_{i=1}^{k}C_i$	$\bar{C} \pm 3\sqrt{\bar{C}}$

注:k 为取样的批次;n(或 n_i)为每批重复取样数,在移动算法中,n 代表相邻的 n 批。

控制图的观察与分析方法:当监测点超出 UCL 与 LCL 时,属于异常点,值得引起注意。为了减少犯假阳性错误的机会,根据概率论的理论,在下列情况下仍可认为工序处于控制状态:连续 35 点中仅有 1 点超越控制界限;连续 100 点中不多于 2 点超越控制界限。若点子虽然没有超越控制界限,但其排列出现下述几种情况之一时,也认为生产过程或工序出现了异常。①链,在中心线一侧连续出现 7 点链;连续的 x 个点子在中心线一侧出现的频数为 y,其频率 $\dfrac{y}{x}$ 很高,如 $\dfrac{10}{11}$、$\dfrac{12}{14}$、$\dfrac{14}{17}$、$\dfrac{16}{20}$ 等。②连续的 x 个点子在上

（或下）警报限（$\pm 2\sigma$）与控制限（$\pm 3\sigma$）之间的区域内出现的频率频数为 y，其 $\dfrac{y}{x}$ 很高，如 $\dfrac{2}{3}$、$\dfrac{3}{7}$、$\dfrac{4}{10}$ 等。③趋势，指连续的 x 个点子呈上升或下降的变化趋势，$x \geqslant 7$ 时应视为异常。④周期，在等长的时间间隔内，监测点的变化规律相同或基本相似。另外，还可运用检验独立性的游程检验来帮助判断位于中心线附近的若干个连续的监测值是否有异常变化趋势。

表 2　质量控制图上 3σ 控制界限计算公式中的系数

各批样本含量 n	A_2	D_3	D_4	E_2
2	1.880	—	3.267	2.660
3	1.023	—	2.575	1.772
4	0.729	—	2.282	1.457
5	0.577	—	2.115	1.290
6	0.483	—	2.004	1.184
7	0.419	0.076	1.924	1.109
8	0.373	0.136	1.864	1.054
9	0.337	0.184	1.816	1.010
10	0.308	0.223	1.777	0.975

注：D_3 下面的"—"表示无意义，不需计算，与 2σ 对应的界限称为"警报限"，其系数分别以 A_1、D_1、D_2、E_1 表示，此处从略。

以上介绍的内容和方法可称之为传统质量管理方法，而现代质量管理方法的标志性内容可称之为"六西格玛（6σ）管理"。此法是 20 世纪 80 年代中期由美国摩托罗拉公司最先提出来的，当初该方法主要用于改进产品质量。后来，此法被发展成为一种系统的过程改进方法，它通过对现有过程界定、测量、分析、改进和控制（简称 DMAIC 流程），消除过程缺陷和无价值作业，从而提高产品质量、降低成本、缩短时间，最终达到客户完全满意的目的。此法已由最初时作为质量改进工具，逐渐发展成为企业经营绩效和提升战略执行力的有效方法。

事实上，六西格玛（6σ）管理包含了 2 个层面的内容，第一个是宏观层面。该层面体现出一种追求企业（或系统/产品）达到高品质的质量管理理念，它将一个企业（或系统/产品）视为由多阶段或多环节组成的一个流程，进而设计出不同的模式来优化整个流程中的每个阶段或环节，以期整个流程达到最优水平。已经被人们勾画出来的六西格玛（6σ）设计模式有多种，其中比较典型的有 DMADV（Define 界定- Measure 测量- Analyze 分析- Design 设计- Verify 验证）、IDDOV（Identify 识别- Define 界定- Develop 研制- Optimize 优化- Verify 验证）和 DMAIC（Define 界定- Measure 测量- Analyze 分析- Improve 改进- Control 控制）。每个模式中的每个阶段都有其具体的工作内容或定义，此处从略。第二个是微观层面。该层面是针对六西格玛（6σ）设计模式中的分析或优化阶段所采取的具体措施。在该阶段，对系统或产品而言，必需有明确的可测量的计量特性值作为评价系统或产品质量优劣的关键指标,此时,才能真正体现出"6σ"的用武之地。

要想简明扼要地说清楚"6σ"的真正含义,必需了解 2 个名词概念。第一个概念是"过程能力(process capability,PC)"。所谓过程能力,是指过程的加工水平满足技术标准的能力,它是衡量过程加工内在一致性的标准,反映过程本身的生产能力及过程的稳定程度。设某过程的计量特性值为 X,其标准差为 σ,则通常把过程能力定义为 6 倍标准差,即 $PC=6\sigma$。因为当 X 服从正态分布时,X 落入 $\mu\pm3\sigma$ 范围内的概率为 99.73%,换句话说,有 99.73% 的过程特性值落入 $PC=6\sigma$ 的范围内。第二个概念是"过程能力指数(C_p)"。所谓过程能力指数,是指过程能力满足标准要求的程度,通常是指公差范围 T 与过程能力的比值。公差越大,σ 越小,则 C_p 越大,就越能满足标准要求,此时生产出合格品的能力就越大。

如何理解基于六西格玛(6σ)管理的产品质量就一定很高?通过双侧规格过程能力指数的计算公式就很容易理解这一点。当过程特性值的分布均值 μ 与公差中心 M 重合时,过程能力指数 C_p 的计算公式为:

$$C_p=\frac{T}{6\sigma}=\frac{T_U-T_L}{6\sigma}$$

上式中,T 为技术规格的公差幅度,T_U 与 T_L 分别为上下规格限,σ 为过程特性值分布的总体标准差。六西格玛(6σ)管理要求 C_p 达到 2,这等价于要求容差(即公差幅度的一半)包含 6σ。由标准正态分布曲线下面积与横坐标之间的关系可知,X 落入 $\mu\pm6\sigma$ 范围内的概率为 99.9999998%,然而,X 所落入的范围在事先规定的质量指标公差范围之内,即产品是合格品。事实上,仅当 X 所对应的标准差 σ 非常小的时候,所生产出来的产品才有可能达到事先规定的质量标准。换言之,基于第二个层面的"六西格玛(6σ)管理"实际上就是要求生产出来的同一型号的产品的计量特性指标 X 的测定结果几乎总是完全相同的,其标准差几乎为零。这对生产工艺的要求是十分苛刻的,在实践中也是很难绝对实现的。然而,不难想象,若以这种理念去要求和管理企业,此类企业必将成为以顾客为本,以质量求生存且具有很强生命力和创新能力的强盛企业。

参考文献

[1] 马逢时,周暐,刘传冰. 六西格玛管理统计指南. 北京:中国人民大学出版社,2007:1-8,535-550.
[2] 何晓群. 现代质量管理与6σ流程控制. 数理统计与管理,2003,22(5):10-14.

(胡良平　高　辉)

主效应

主效应(main effect)是指某一因素在其他因素各水平上的单独效应的平均效应。在析因设计的试验中,如 2×2 析因设计,见表1。

主效应 $A = [(a_2b_2 - a_1b_2)$
$+ (a_2b_1 - a_1b_1)]/2$

主效应 $B = [(a_2b_2 - a_2b_1)$
$+ (a_1b_2 - a_1b_1)]/2$

表1　2×2 析因设计试验结果

		A 因素	
		a_1	a_2
B 因素	b_1	a_1b_1	a_2b_1
	b_2	a_1b_2	a_2b_2

当其他因素的水平固定时,同一因素不同水平间的差别称为单独效应(simple effect)。如表1中,当 B 因素固定在 b_1 时,A 因素的单独效应为 $(a_2b_1 - a_1b_1)$;当 B 因素固定在 b_2 时,A 因素的单独效应为 $(a_2b_2 - a_1b_2)$。这两个单独效应的平均效应即为 A 因素的主效应;同样可得 B 因素的主效应。

(王　玖)

交互作用

交互作用(interaction effect)是指 2 个或多个实验因素间存在相关关系,当一个因素的单独效应随另一个因素水平的变化而变化,且变化的幅度超出随机波动的范围时,称该两因素存在交互作用。反之,如不存在交互作用,则表示各因素间具有独立性。如某医生研究 A、B 两种药物的作用,在基础治疗的基础上将病人分为 4 组:(1)基础治疗,(2)基础治疗＋A 药,(3)基础治疗＋B 药,(4)基础治疗＋A 药＋B 药。若 A、B 两药物间确有交互作用,则说明两药的联合疗效可能比单独使用某药的效果要好。若 A、B 两种药物间无交互作用,则说明两药的治疗效果可能相互独立,则两药联合应用时,不会影响各自的疗效。

交互作用的分析和确定需要建立在专业知识和合理的研究设计的基础上,可以利用析因设计、正交设计以及一些多元统计方法予以分析。

(党少农)

关联与因果

　　医学研究设计关心的是，干预（观察）结果是否有某种联系。例如，当干预因素为分组变量时，试验（观察）结果是否存在组间差别，当干预因素为连续变量时，试验（观察）结果与干预变量是否存在线性或非线性关系。这种联系一般称之为关联（association），只有当实验设计正确，才能理解为因果（causation）。对于观察性资料，由于不能或者没有随机分组，影响观察结果的因素得不到有效控制，关联不但未反映因果，相反可能是偏倚（bias）。例如用 A、B 两种方法各治疗 250 例患者，A 组治愈 210 人，B 组治愈 185 人，治愈率分别为 84% 和 74%，$\chi^2 = 6.94$，$P < 0.01$，结论：A 优于 B。对于非随机化分组资料，只能认为这是关联而不是因果。如果将病情分布资料提供出来（见表 1），可看出这种关联是由于 A、B 两组患者病情分布不同导致的虚假关联，按病情分层后，A、B 的样本治愈率相同。

表 1　A、B 两组患者病情分布与治愈率

病情分层	A 组			B 组		
	例数	治愈人数	治愈率/%	例数	治愈人数	治愈率/%
轻型	200	190	95.0	100	95	95.0
重型	50	30	60.0	150	90	60.0

（徐勇勇）

完全随机设计

　　完全随机设计（completely random design）只涉及一个研究因素（该因素有 2 个或 2 个以上水平），设计简便，应用广泛。设计采用完全随机的方法直接将受试对象分配到各个研究水平组中进行实验观察，或分别从不同总体中随机抽样进行观察对比。它适用

于 2 个或 2 个以上样本组的比较,各研究水平组例数可以相等亦可以不等。各组例数相等时统计分析效率较高。其优点是设计与数据统计分析较简单,统计分析方法常用成组 t 检验、完全随机设计方差分析或秩和检验。缺点是实验效率不高,只能分析单个研究因素。

例 1　将 12 名受试者随机分为 2 组。

先将 12 名受试者编号(如按患者的就诊顺序),编号 1,2,…,12 后,从随机数字表中第 19 行第 25 列向右开始取 2 位的随机数,即 27,69,85,…,90。随机数排出序号后,1～6 为 A 组,7～12 为 B 组。分组过程见表 1。

表 1　12 名受试者完全随机设计分组过程

受试者编号	1	2	3	4	5	6	7	8	9	10	11	12
随机数	27	69	85	29	81	94	78	70	21	94	47	90
序号(R)	2	5	9	3	8	11	7	6	1	12	4	10
分配结果	A	A	B	A	B	B	B	B	A	B	A	B

例 2　将 30 只雄性大鼠随机分成 3 组,每组 10 只。

先将 30 只大鼠按体重大小编号,从随机数字表中第 10 行第 6 列、第 7 列向下开始取 2 位的随机数,即 63,73,65,…。随机数排出序号后,序号 1～10 为 A 组,序号 11～20 为 B 组,序号 21～30 为 C 组。分组过程见表 2。

表 2　30 只大鼠完全随机设计分组过程

大鼠编号	1	2	3	4	5	6	7	8	9	10
随机数	63	73	65	89	94	04	32	58	81	72
序号(R)	15	21	18	26	28	2	9	12	24	19
分配组别	B	C	B	C	C	A	A	B	C	B
大鼠编号	11	12	13	14	15	16	17	18	19	20
随机数	35	94	62	91	20	24	35	07	64	81
序号(R)	10	29	14	27	6	7	11	3	17	25
分配组别	A	C	B	C	A	A	B	A	B	C
大鼠编号	21	22	23	24	25	26	27	28	29	30
随机数	16	96	01	79	17	63	72	80	58	24
序号(R)	4	30	1	22	5	16	20	23	13	8
分配组别	A	C	A	C	A	B	B	C	B	A

随机分组时应注意:取随机数时,可在随机数字表中任意确定一个起始点和方向,连续取 N 个随机数字,随机数的位数不应小于 N 的位数;若需要各组例数不等时,可利用序号(R)调整各组例数。如在例 1 中要求 A 组 7 例,B 组 5 例,可规定 $R=1\sim7$ 者为 A 组,$R=8\sim12$ 者为 B 组。

(陈长生)

配对设计

配对设计(paired design)是将受试对象按某些特征或条件配成对子(非随机),然后分别把每对中的2个受试对象随机分配到实验组和对照组中,给予每对中的2个个体以2种不同的处理。该设计可做到严格控制非处理因素对实验结果的影响,同时使受试对象间的均衡性增大,因而可提高实验效率。它与成组的完全随机设计相比较,可克服或减少受试对象间个体差异所引起的偏差,同时还可以减少样本含量。配对设计的实验数据可用配对t检验、随机完全区组设计方差分析或配对设计Wilcoxon符号秩检验进行统计分析。

医学研究中常见的配对主要有3种情况:①配成对子的2个个体分别给予2种不同的处理(如把同窝、同性别和体重相近的动物配成一对;把同性别、同病情和年龄相近的病人配成一对等);②同一个体同时分别接受2种不同处理(如同一动物的左右两侧神经、同一份标本分成两部分);③同一个体自身前后的比较(如高血压患者治疗前后的舒张压比较、肝炎患者治疗前后的转氨酶比较等)。对同一个体或同一个体同时分别接受2种不同处理结果的比较,其目的是推断2种处理的效果有无差别;同一个体自身前后结果的比较,因不能随机分配处理,自身前后比较的差别可能是处理因素的作用(如治疗作用),也可能是与时间有关的其他因素的作用,如治疗前后的心理作用。因此,只有当在专业上有充分理由认为自身前后比较的实验条件前后基本相同时,如动物的急性试验或评价慢性病短期处理后的疗效,才能用配对t检验、随机完全区组设计方差分析或配对设计Wilcoxon符号秩检验比较处理前后的差异。否则,为了保证可比性,同一个体自身前后比较的实验性研究应设平行对照以显示处理的作用。

受试对象配对的特征或条件,主要是指年龄、性别、体重、环境等非实验因素,不能以实验因素作为配对条件。动物实验常以种属、品系、性别相同,年龄、体重相近的2只动物配成对子;临床疗效观察常将病种、病型、族别、性别相同,年龄相差不超过2~3岁,生活习惯、工作环境等相似的病人配成对子;在病因研究中,常根据每个病人的性别、年龄、职业、居住年限等条件与相同(或相似)条件的健康人(或非该病病人)进行配对。

例 将20只小白鼠按配对设计的要求分为甲、乙2组。

先将窝别、性别相同,体重相同(或接近)的2只小白鼠配成一个对子,共配成10对,并依次编号1,2,…,10,然后从随机数字表第16行第1列数字开始向右抄录10个2位数随机数字,见表1。通常规定随机数字如为单数,则定为AB(甲乙)顺序,即对子中的第一只小白鼠分入A(甲)组,而同对子中的另一只小白鼠则归入B(乙)组;如为偶数,则定为 BA(乙甲)顺序。本例分配结果见表1。

表1　20只小白鼠配对设计分组结果

配对号	1	2	3	4	5	6	7	8	9	10
随机数字	88	56	53	27	59	33	35	72	67	47
第一只小白鼠组别	乙	乙	甲	甲	甲	甲	甲	乙	甲	甲
第二只小白鼠组别	甲	甲	乙	乙	乙	乙	乙	甲	乙	乙

(陈长生)

随机完全区组设计

随机完全区组设计(randomized complete block design)亦称随机区组设计、配伍组设计或单位组设计,是配对设计的扩展。具体做法是首先将受试对象按可能影响实验结果的属性配组(非随机),如按动物的性别、体重配组,按病人的年龄、职业、病情配组等。配组的原则是属性相同或相近的分在同一区组内,共形成若干个区组,再分别将各区组内的受试对象随机分配到各处理组中。其设计特点是:每个区组的受试对象数与处理组数相等,区组内的受试对象生物学特性较均衡,可减少实验误差,提高统计假设检验的效率,是对完全随机设计的改进,但分组较繁。其数据统计分析方法常用随机完全区组设计方差分析或 Friedman 秩和检验,可分析出处理组与配伍组2因素的影响。

随机区组设计在临床观察和实验研究中是最常用的一种设计。多组实验中凡能做到划分区组的都应尽量采取随机区组设计方法。

例1　将16头动物随机分为4组。

先将16头动物称重后,按体重由小到大依次编号为1,2,…,16,再把体重相近的每4头动物配成一个区组,共形成4个区组。

从随机数字表中任意一行一列作起点顺序取4个两位随机数字,对应于第一个区组的4头动物,然后将随机数字在同一区组内由小到大顺序排列得序号(R),再按序号大小规定组别。

如从随机数字表中第6行第9列起向下读取4个随机数为39、74、00、99,排列后的序号(R)为2、3、1、4,如规定组别 A、B、C、D 对应的序号(R)为1、2、3、4,则第一个区组4头动物的组别顺序为 B、C、A、D。其余3个区组的随机分组方法类推,本例各区组分组结果见表1。

表 1　16 头动物随机完全区组设计分组结果

动物编号	1	2	3	4	5	6	7	8	9	10	11	12	13	14	15	16
随机数字	39	74	00	99	24	72	48	03	26	31	59	29	31	16	98	72
序号(R)	2	3	1	4	2	3	2	1	3	4	2	2	1	4	3	
处理组别	B	C	A	D	B	D	C	A	A	C	D	B	B	A	D	C

如果该动物实验又分甲、乙、丙、丁 4 种不同的处理方法,哪种方法用哪组动物呢? 仍可用随机数字表进行分配。对应甲、乙、丙、丁分别抄录 4 个随机数字,将 4 个随机数字按大小顺序排序号(R),再按序号规定甲、乙、丙、丁分别对应的组别。

例 2　为比较不同浓度的血水草总生物碱对血吸虫尾蚴的杀灭作用,实验动物为 48 只雌性小鼠。实验方法是将每只小鼠感染 40 只血吸虫尾蚴,分别接受 4 种处理,其中甲处理为对照,其余 3 种处理分别为不同浓度的血水草总生物碱,用实验后小鼠体内尾蚴的存活率评价不同浓度的血水草总生物碱的作用。可能影响实验结果的因素是小鼠体重,试用随机完全区组设计安排试验。

将小鼠的体重从轻到重编号,体重相近的 4 只小鼠配成一个区组,共有 12 个区组(见表 2)。每个区组内的 4 只小鼠接受何种处理,要随机分配。具体方法是:每 4 个小鼠为一个区组,每个小鼠给一个 2 位数随机数,如从随机数字表第 6 行第 21 列向下取随机数,即 87,52,52,15,…,06,见表 2。将每个区组内随机数字按大小排序,可得到随机数序号,如规定甲、乙、丙、丁对应的序号为 1、2、3、4,则序号为 1 的分到甲处理(对照),序号为 2 的分到乙处理,序号为 3 的分到丙处理、序号为 4 的分到丁处理,分配结果见表 2。

表 2　48 只小鼠按随机完全区组设计的分组结果

区组号	1	2	3	4	5	6
小鼠编号	1 2 3 4	5 6 7 8	9 10 11 12	13 14 15 16	17 18 19 20	21 22 23 24
随机数	87 52 52 15	85 41 82 98	99 23 77 42	60 22 91 68	36 22 92 34	34 63 30 31
随机数序号	4 2 3 1	3 1 2 4	4 1 3 2	2 1 4 3	3 1 4 2	3 4 1 2
分配组别	丁 乙 丙 甲	丙 甲 乙 丁	丁 甲 丙 乙	乙 甲 丁 丙	丙 甲 丁 乙	丙 丁 甲 乙

区组号	7	8	9	10	11	12
小鼠编号	25 26 27 28	29 30 31 32	33 34 35 36	37 38 39 40	41 42 43 44	45 46 47 48
随机数	84 56 48 00	58 27 26 43	16 09 65 87	08 08 89 42	16 25 14 14	32 02 77 06
随机数序号	4 3 2 1	4 2 1 3	2 1 3 4	1 2 4 3	3 4 1 2	3 1 4 2
分配组别	丁 丙 乙 甲	丁 乙 甲 丙	乙 甲 丙 丁	甲 乙 丁 丙	丙 丁 甲 乙	丙 甲 丁 乙

(陈长生)

不完全区组设计

不完全区组设计（incomplete block design，简记为 IBD）又称不完全配伍组设计，它是指实验的处理数 v 大于区组大小 k 时的一种设计方法。在完全随机区组设计中，每个区组大小 k 与所安排的处理数 v 总是相等的，也就是说每种处理在每个区组内都会出现且均只出现一次。然而当需要比较的处理数较多，或者由于某些条件的限制造成区组大小 k 少于处理数 v，以致在一个区组内不能把所有的处理都安排进去的时候，完全随机区组设计变得不可行。例如一些动物实验通常会把同一窝别的动物作为一个区组来控制遗传因素的影响，但同一窝的可用个体是有限的。比如说同一窝中性别相同、体重相近动物只能保证三只（$k=3$），而研究者关心的处理数有五种（$v=5$），这样每个区组内最多只能安排三种不同的处理；又比如把同一只老鼠的四肢作为一个区组（$k=4$），但处理数有六个（$v=6$），这样也无法将所有处理都安排在每个区组。这种情况下就需要采用不完全区组设计。此类设计最初由 Fisher、Yates、Bose 等人在农田试验研究背景下提出，现已广泛应用于动物实验、毒理学、教育心理学甚至临床试验中，得到较大发展。常见的有 Fisher 和 Yates（1938 年）提出的平衡不完全随机区组设计（balanced incomplete block design，简记为 BIBD）、Bose 和 Nair（1939 年）提出的部分平衡不完全区组设计（partially balanced incomplete block design，简记为 PBIBD）两类。约登方（Youden squares）设计、格点设计（lattice designs）也属于不完全区组设计，其中一些可参见本书相关条目。

平衡与部分平衡不完全随机区组设计定义为：设处理数为 v，有 b 个大小相等的区组，区组大小均为 k，且 $k<v$，若能将 v 个处理安排在 b 个区组内，使每个处理出现的次数 r（称为重复数）都相同，且每两个不同处理恰好在 λ 个区组内相遇，称 λ 为相遇数（associate class），则称这种安排为一个 BIB 设计；其中若 $v=b$，$k=r$，则称为对称 BIB 设计。若 λ 并不全一样，而是随着处理对的不同而分成若干类，则称这种安排为一个 PBIBD。BIBD 具有的特点是：每种处理出现在不同区组内的次数相等；任何一对处

表 1　10 个区组 5 种处理区组大小为 3 的非两分类设计

区组编号	处理		
A	1	3	4
B	2	4	5
C	2	3	5
D	3	4	5
E	1	2	3
F	1	2	4
G	1	4	5
H	2	3	4
I	1	2	5
J	1	3	5

注：表中数字为处理编号。

理同时出现在同一区组内的次数也是相等的。这样就使得任何一对处理之间具有可比性,处理与区组安排上的均衡性可以将包含在处理间的区组混杂效应消除掉,处理组间的差别不受区组间差别的影响。如表 1 就是一个包含 10 个区组($b=10$)、5 个处理($v=5$),每个区组大小为 3($k=3$)的 BIBD,其中不难看到每种处理出现在不同区组内的次数都是 6($r=6$),任何一对处理出现在同一区组的次数都是 3 次($\lambda=3$)。

由于处理数大于区组大小,在不完全区组设计中,如何在各区组安排处理是设计时的主要问题。若任何一个区组内各种处理不会出现两次以上,则称为两分类设计(binary design)。对于一个非两分类的设计总是可以把某个区组内出现的重复处理用不在此区组内的另外的处理来代替,使之变成两分类设计从而可以减小对比处理组的平均方差或总方差。安排处理时,如果所有区组可以被分成两个组,使得某组内各区组中出现的处理都不出现在另一个组,则称此设计为非连接(disconnected)设计。此时位于被分割成两个组内的处理之间由于混杂了区组效应而不可以比较,所以不存在此种情况时各种处理才是可以比较的,其估计函数是可估的,称为连接(connected)设计。显然,常见的 BIBD 就是一种两分类的连接设计,Kiefer 曾指出,BIBD 在对比处理组的平均方差或总方差最小的意义下是最优的。

BIBD 的缺点是,对于指定的处理数和区组大小,构造一个平衡的设计所需要的区组数可能会比较多,而太大的区组数又会影响其可行性。针对于此,Yates 提出了一系列改进的设计,他称之为格点设计。格点设计只有在 $v=s^2$,且 $k=s$ 时才存在,属于 PBIBD 的特殊类型。详见本书相关条目。

约登方设计是 Youden 在温室研究中首次应用的一种与拉丁方有关的不完全区组设计,事实上从拉丁方中去掉任意一行和任意一列就可以得到一个约登方,与其他 IBD 不同之处也就是它包括了两个区组效应而不是一个。

对不完全区组设计的方差分析方法有两类,即传统的区组内分析(intrablock analysis)和 Yates 提出的区组间分析(interblock analysis)及这两种分析方法结合后更为有效的估计。区组内分析实质上是一种最小二乘法,它将区组效应视为固定效应(fixed effects),由于多数情况下区组效应不是研究者所关心的,所以在计算区组平方和时不校正处理效应,而计算处理平方和时要校正区组效应,属于一型方差分析;当区组效应是研究者关心的,计算区组平方和时需校正处理效应,称为二型方差分析。当研究者将区组视为随机效应时,多采用区组间分析,可采用限制性最大似然估计 REML(restricted maximum likelihood)算法。例如多中心临床试验中,把各中心医院视为总体中的一个随机样本作为区组,将处理作为固定效应而将区组作为与之独立的一个随机效应看待就是比较恰当的。结合实验研究的具体情况,目前区组间分析被越来越多地应用。

在计算上不完全区组设计的方差分析相对完全区组设计来说较为复杂,虽然对 BIBD 可以写出其平方和分解的计算公式,但由于处理和区组效应缺乏正交性,多数 PBIBD 的平方和计算很复杂,所以现在大都会利用统计软件来实现不完全区组设计及其分析。例如在 SAS 软件中,设计方案可通过 SAS/STAT 中的 proc plan 或者 SAS/QC 中的 proc factex 和 proc optex 来生成,数据分析可利用 proc glm、proc mixed 或 porc lattice 来完成。

（王　彤）

平衡不完全区组设计

平衡不完全区组设计（balanced incomplete block design，简记为 BIB）又称平衡不完全配伍组设计。它是为解决当实验的处理数大于每个区组中所能容纳的实验单位数时的一种设计方法。在完全随机设计的区组设计中，每个区组内能容纳的实验单位数与拟安排的处理数总是相等的，所以从实验设计到数据分析都比较方便。但有时需要比较的处理较多，而由于某些条件的限制，以致每个区组不能把所有的处理都安排进去。例如在某次营养学实验中，饲料有 A、B、C、D、E 5 种，但每窝白鼠中只能各选出性别相同、体重相近的 3 只，即每个区组内最多只能安排 3 种不同饲料。在这种情况下，就需要采用平衡不完全区组设计。

在 BIB 设计中，设 v 为处理组数，k 为实验组数，r 为每种处理的重复数，b 为区组数，λ 为每 2 种处理同时出现的区组数。数理统计学家根据不同的参数已制成若干种设计方案供选用，见"平衡不完全区组设计参数表"（附表 4）与"平衡不完全区组设计表"（附表 5）。设计时先按 v 和 k 查附表 4 确定另外几种参数 r,b,λ，再从附表 5 中查出适用的设计方案。其随机化步骤是先将设计方案中各区组随机分配给各个实验单位组，然后将设计方案中各区组内的处理组随机分配给实验单位组内的各个实验单位。如上述营养实验研究 $v=5,k=3$，查附表 4 得 $r=6,b=10,\lambda=3$，再从附表 5 中查出适用的设计方案 4。于是在第 1 个区组内安排 A，B，C 3 种饲料，在第 2 个区组内安排 B，C，D 3 种饲料……在第10 个区组内安排 E，A，C 3 种饲料。

BIB 设计具有以下特点：①任何 2 种处理都有机会同时安排在一个区组内，并且同时出现的次数都是一样多的。这个性质使任何 2 种处理之间具有可比性。②每种处理安排在不同区组的次数（即重复数 r）是相等的。由于有这 2 个性质，尽管不能在同一区组内同时比较所有各种处理，但仍体现了处理与区组的"平衡"性。在对资料进行统计分析时，就可以将包含在处理间的区组间之影响及包含在区组间的处理之影响消除掉，使处理组间的差别不致受到区组间差别的影响，结果比较公平合理。

BIB 设计的要求是：①每种处理重复数 r 与处理数 v 的乘积等于区组数 b 与每个区组实验单位数 k 的乘积，即实验单位的总数 n 为 $rv=bk$；②每 2 种处理同时出现的区组数 λ 必须为整数，可由公式 $\lambda=r(k-1)/(v-1)$ 算得。如上例实验单位总数 $n=6\times5=10\times3=30$；$\lambda=6(3-1)/(5-1)=3$。

一般来说，在 BIB 设计中，对于给定数目的处理能用的区组越大，达到均衡所需的重复例数越少。这种设计虽有较广的用途,但设计与计算都较复杂,也不是最有效。

例 上述营养实验按 BIB 设计后,经 4 周喂养,测每只白鼠体重,以所增体重为指标,得结果见表 1,试比较各种饲料对白鼠平均增重有无显著差别?

1)计算各区组合计(B_i)与处理组合计(T_i)及平方和,并求出 $\sum X$, $\sum X^2$。计算方法与配伍组设计的方差分析相同。结果见表 1 右侧的一列及表下半部分第(1)(2)栏。

2)计算修正的区组合计 B'_i 与处理组合计(T'_i)及均数$(\overline{X}'_i)$。其中 B'_i 为第 i 个处理所在配伍组的合计,如饲料 A 分别用于第 1、4、5、6、8、10 个区组,故 $B'_1 = B_1 + B_4 + B_5 + B_6 + B_8 + B_{10} = 16.3 + 16.7 + 12.2 + 20.1 + 21.0 + 15.4 = 101.7$。$T'_i$ 及 $\overline{X}'_i$ 的计算公式为:

$$T'_i = kT_i - B'_i \tag{1}$$

$$\overline{X}'_i = \overline{X} + \frac{T'_i}{\lambda v} \tag{2}$$

其中

$$\overline{X} = \sum X / bk \tag{3}$$

本例 $v = 5, k = 3, \lambda = 3, \overline{X} = 159.7/(10 \times 3) = 5.32$。$T_1 = 40.1, B'_1 = 101.7$,代入公式则得

$$T'_1 = 3 \times 41 - 101.7 = 21.3$$

$$\overline{X}'_1 = 5.32 + \frac{21.3}{3 \times 5} = 6.74$$

余仿此。结果分别见表 1。

表 1　5 种饲料喂养白鼠 4 周后所增体重

配伍组	各饲料组(处理)增加之体重/g					配伍组合计(B_i)
	A	B	C	D	E	
1	7	3.9	5.4			16.3
2		2.8	6.5	9.7		19.0
3			4.5	7.5	2.6	14.6
4	5.8			6.0	4.9	16.7
5	6.4	3.0			2.8	12.2
6	6.0	4.0		10.1		20.1
7		2.6	4.8		2.2	9.6
8	7.8		5.0	8.2		21.0
9		3.8		7.6	3.4	14.8
10	8.0		4.4		3.0	15.4

续表

配伍组	各饲料组(处理)增加之体重/g					配伍组合计(B_i)
	A	B	C	D	E	
(1) 处理合计(T_i)	41.0	20.1	30.6	49.1	18.9	159.7($\sum X$)
(2) 平方和	284.44	68.25	159.06	413.35	64.01	990.11($\sum X^2$)
(3) B'_i	101.7	92.0	95.9	106.2	83.3	
(4) T'_i	21.3	−31.7	−4.1	41.1	−26.6	
(5) $\overline{X}'_i$	6.74	3.21	5.05	8.06	3.55	

3)计算离均差平方和(SS)与自由度(ν),公式为:

$$C = \left(\sum X \right)^2 / (bk) \tag{4}$$

$$SS_{总} = \sum X^2 - C, \quad \nu_{总} = bk - 1 \tag{5}$$

$$SS_{处理} = \frac{1}{\lambda k \upsilon} \sum T'^2_i, \quad \nu_{处理} = \upsilon - 1 \tag{6}$$

$$SS_{区组} = \frac{1}{k} \sum B^2_i - C, \quad \nu_{区组} = b - 1 \tag{7}$$

$$SS_{误差} = SS_{总} - SS_{处理} - SS_{区组}, \quad \nu_{误差} = \nu_{总} - \nu_{处理} - \nu_{区组} \tag{8}$$

将表 1 计算结果代入公式得

$C = (159.7)^2 / 10 \times 3 = 850.1363$

$SS_{总} = 990.11 - 850.1363 = 139.9737$

$\nu_{总} = 10 \times 3 - 1 = 29$

$SS_{饲料} = \frac{1}{3 \times 3 \times 5} [(21.3)^2 + (-31.7)^2 + (-4.1)^2 + (41.1)^2 + (-26.6)^2] = 86.0480$

$\upsilon_{饲料} = 5 - 1 = 4$

$SS_{区组} = \frac{1}{3} [(16.3)^2 + (19.0)^2 + \cdots + (15.4)^2] - 850.1363 = 36.8470$

$\upsilon_{区组} = 10 - 1 = 9$

$SS_{误差} = 139.9737 - 86.0480 - 36.8470 = 17.0787$

$\upsilon_{误差} = 29 - 4 - 9 = 16$

4)列方差分析表,求 F 值。

表 2　5 种饲料喂养白鼠 4 周所增加体重的方差分析表

变异来源	SS	ν	MS	F	P
总变异	139.9737	29			
饲料间	86.0480	4	21.5120	20.15	<0.01
区组间	36.8470	9	4.0941	3.84	<0.01
误　差	17.0787	16	1.0674		

饲料间与区组间均为相差非常显著。从表 1 修正均数 $\overline{X}'_i$ 的大小可看出，饲料 D 所增体重最大，即该饲料可能所含营养物质最丰富，其次为 A、C，而 B、E 相对较差。

[注]

附表 4 中标以(**)号的这些设计可由从 v 个处理组中同时取 k 个的所有可能组合构成。尽管如此，由于这些设计的区组均可分成若干组，使得每个处理在每组出现一次或多次（每出现一次叫一重复），甚至形成推广的约登方，因此也一一列出其具体方案。

标以(*)号的这些设计也可从所有可能组合构成，而且当从 $v \times v$ 拉丁方中去掉最后一列时，得到它的约登方形状，因此这里就一概不给出其具体方案。

（尹全焕　易　东）

部分平衡不完全区组设计

部分平衡不完全区组设计(partially balanced incomplete block design，PBIBD)主要用于药物实验和析因实验的设计。

与其他的完全区组设计一样，部分平衡不完全区组设计定义了一组处理因素 v。对于每一种处理，剩余的 $v-1$ 种处理被划分为一组子集，称为相伴类。这种划分形式通常主要依据处理因素内在的特性，例如联合用药研究。同一水平的因素 1 的处理为第一个相伴类，同一水平的因素 2 的处理为第二个相伴类，同一水平但不属于因素 1 和因素 2 的处理为第三个相伴类。

定义一组处理因素 v 有一个包含 m 个相伴类的结合方案：

①任何两个不同的处理是有确切 i 值的第 i 个相伴类，$1 \leqslant i \leqslant m$；

②每一种处理都有确切的第 i 类的 n_i，$1 \leqslant i \leqslant m$；

③对于第 i 类的任意一对值 x、y，都有一组固定数目的处理，这些处理同时是 x 的第 i 类和 y 的第 h 类，这个数目独立于选择的第 i 对相伴类。

结合方案的参数是 ν 和 n_i，$1 \leqslant i \geqslant m$。因为每一种处理是其他处理的相伴类，$\sum_i n_i = \nu - 1$。

基于有 m 个相伴类结合方案的 ν 种处理的设计是一种 m 个相伴类的部分平衡不完全区组设计（$PBIBD(m)$）。样本量为 k 的 b 个区组，每种处理重复 r 次。如果处理 x 和 y 是第 i 类，则有 λ_i 个区组同时包含 x 和 y。部分平衡不完全区组设计决定结合方案，但是反之不然。

部分平衡不完全区组设计的参数互相是不独立的。计算这些散点图，我们发现，ν 种处理，每种重复 r 次，同时有 b 个区组，每个区组 k 个散点图，从而 $\nu r = bk$。计算对子数时，我们用公式 $\sum_i n_i \lambda_i = r(k-1)$。

假设处理为 1、2、3、4、5、6、7、8、9、10，第一类的配对为 $\{1,6\}$、$\{2,7\}$、$\{3,8\}$、$\{4,9\}$ 和 $\{5,10\}$。其他的处理对为第二类的配对。所以，$\nu = 10$，$n_1 = 1$，$n_2 = 8$。如果设计的区组为 $\{1,2,3,4,5\}$、$\{1,2,3,9,10\}$、$\{1,7,8,4,5\}$、$\{1,7,8,9,10\}$、$\{6,2,8,4,10\}$、$\{6,2,8,9,5\}$、$\{6,7,3,4,10\}$ 和 $\{6,7,3,9,5\}$，则 $b = 8$，$k = 5$，$\lambda_1 = 0$，$\lambda_2 = 2$。

最常用的结合方案是析因结合方案。它包括两类可分的组别和三类矩形。所有这些方案都包含许多类。

对于可分组的结合方案，有 $\nu = mn$ 种处理，这些处理可以看成被分到 m 个亚组（或者处理组），每个亚组有 n 种处理。同一组的处理为第一类，不同组的处理为第二类。于是，$n_1 = n-1$，$n_2 = n(m-1)$。当有两种因素，第一种有 m 个水平，第二类有 n 个水平，同时第二种因素嵌套在第一种因素中时，这种结合方案就自然的产生了。例如，第一种因素是把三种抚养方式中的一种对应于临产母亲，第二种因素是医院。医院以完全相同的方式对待所有的临产母亲，所以医院这个因素就嵌套在抚养方式中。于是，可以比较同种抚养方式内的医院因素和不同医院的抚养方式。如果这两个因素不是嵌套的，而是交叉的，那么对应的结合方案就是矩形结合方案。这种方案有三个相伴类，而且很容易将处理表示为 $m \times n$ 的排列。同一行的处理为第一类（因素 1 的相同的水平），同一列的处理为第二类（因素 2 的同一水平），同时不在因素 1 和 2 同一水平的处理为第三类。联合用药研究就是这种结构形式的一种例子。

其他的方案可以通过重复嵌套和交叉或混合二者来建立。

对于完全双列杂交试验，拉丁方型（L_i-type）结合方案比较合适。在这种方案中，有 n^2 种处理因素，被编排成 $n \times n$ 的排列。在拉丁方型的方案中，同一行或同一列的一对处理因素为第一类，而不在同一行或同一列的处理对为第二类。在拉丁方案中，需要次序为 n 的 $i-2$ 种互相正交的拉丁方。当拉丁方被叠加在正方形矩阵时，出现在同一行、或同一列、或相同标记的格子内的处理对为第一类。于是，$n_1 = i(n-1)$，$n_2 = (n-1)(n-i+1)$，$i \leqslant n-1$。如果 $i = n$，则这种设计就有两个相伴类和 n 个亚组的可分组的方案。如果 $i = n+1$，则所有的处理都是彼此的第一类，部分平衡不完全区组设计就成为平衡不完全区组设计。

重复 $n-1$ 次的格子设计是拉丁方设计的例子。Yates 把格子设计应用在作物品种试验中，格子设计已被许多作者延伸发展，最新的是 Patterson 和 Williams 的 α 设计。

对于完全半双列杂交试验，三角结合方案是合适的。在三角结合方案中，有 $\nu=n(n-1)/2$ 种处理，$n \geqslant 5$。分配这些处理到对角线格子为空的对称的 $n \times n$ 的排列。在同一行或同一列的为第一类，不在同一行或同一列的为第二类。

对于 Kempthorne 和 Curnow 提出，G. W. Brown 创造的部分双列杂交设计，等价于循环结合方案。在循环结合方案中，用整数模 ν 表示处理的名称，通常写作 $Z_\nu = \{0, 1, 2, \cdots, \nu-1\}$。把 $Z_\nu = \{0, 1, 2, \cdots, \nu-1\} = D \cup E$ 分为 $\nu-1$ 个非零的项，其中 $D = \{d_1, d_2, \cdots, d_{n1}\}$。对于每一个 $d_i \in D$，则必有 $\nu-d_i \in D$。对于 D 中不同的元素，有 $n_1(n_1-1)$ 种差异。这些差异必须同等地包含 D 中的每一个元素和 E 中的每一个元素。处理 i 的第一类是 $i+D = \{i+d_1, i+d_2, \cdots, i+d_{n1}\}$ 中的处理，其中总和（系数 ν）通常落在 0 和 $\nu-1$ 之间。

（张晋昕）

格点设计

格点设计（lattice design）包括平方格点设计（square lattice design）及其扩展和格点平方（lattice square）设计及其扩展，前者属于可解的不完全区组设计（resolvable incomplete block design），而后者是每个区组为完全重复的嵌套行列设计（nested row-column design）。

假设有 υ 个处理，每个处理重复 r 次，所有区组的大小 k 都满足 $k < \upsilon$（区组大小小于处理次数的设计即为不完全区组设计），其中如果 b 个区组能够被分成重复次数 $r = \dfrac{bk}{\upsilon}$ 的 $s = \dfrac{\upsilon}{k}$ 个区组的集合，每个集合中是对 υ 个处理的一次完全重复，这种包括 s 个区组的集合称为解集（resolution class），这种情况下的不完全区组设计被称为可解的。Yates 在 1936 年提出的平方格点设计中就是令 $\upsilon = k^2$ 且 $s = k$，可以利用一个由 1 到 υ 的数字组成的 $k \times k$ 矩阵来构建。例如表 1 就是这样一个格点设计，其中包括 9 种处理（$\upsilon = 9$），实验重复 4 次（$r = 4$），每个区组大小为 3（$k = 3$），一共有 12 个区组（$b = 12$），3 个区组为一个集合（$s = 3$），

表 1 一个 3×3 的格点设计

区组编号	重复 A		
1	1	2	3
2	4	5	6
3	7	8	9
区组编号	重复 B		
4	1	4	7
5	2	5	8
6	3	6	9
区组编号	重复 C		
7	1	5	9
8	2	6	7
9	3	4	8
区组编号	重复 D		
10	1	8	6
11	4	2	9
12	7	5	3

注：表中数字为处理编号。

每个集合中都对 9 种处理进行了一次完全的重复。

当重复次数 $r=2$ 时,把 k^2 个处理安排在 $2k$ 个区组中,其中第一次重复的 k 个区组是前述 $k \times k$ 矩阵的各行,第二次重复的 k 个区组是前述 $k \times k$ 矩阵的各列,这种平方格点设计称为简单平方格点设计(simple square lattice design),如表 1 中只取前两个重复的设计。重复次数 $r=3$ 时,把 k^2 个处理安排在 $3k$ 个区组中称为三重格点设计(triple square lattice design),其中第一次重复的 k 个区组是前述 $k \times k$ 矩阵的各行,第二次重复的 k 个区组是前述 $k \times k$ 矩阵的各列,第三次重复是以 k 阶拉丁方的拉丁字母定义各区组,如表 1 中只取前三个重复的设计。$k \neq 6$ 时,把 k^2 个处理安排在 $4k$ 个区组中,把希腊一拉丁方的希腊字母定义第四次重复的各个区组可以得到重复次数 $r=4$ 的四重格点设计(quadruple square lattice design)。如果 $k \neq 3, 6, 10$,那么通过相互正交的拉丁方(mutually orthogonal Latin squares,MOLS)至少可以得到一个 5 次重复的设计。如果 k 是一个素数幂,就存在 $k-1$ 次重复的 MOLS,直至可能的 $k+1$ 次重复。在这种情况下,如果有 $k+1$ 次重复,那么此时方差均衡的拉丁方是一个对称平衡的不完全区组设计(symmetric balanced incomplete block design)BIBD$[k^2, k(k+1), k]$。其中,当 $v=k^2$ 种处理被安排在 $b=k(k+1)$ 个区组,每一区组有 k 次试验和 $r=k+1$ 次重复的平衡不完全区组设计称为平衡格点设计。

由于处理数 v 必须恰好是个平方数(即 $v=k^2$)这一条件太过苛刻,于是又出现一些扩展设计。如立方格点(cubic lattice)设计可以将 $v=k^3$ 种处理安排在 $s=k^2$ 个区组中;而且如果 k 是素数,可构建 $v=k^m (m > 3)$ 的 m 维格点设计;又如采取类似于平方格点的构造方法,用一个由 1 到 v 的数字组成的 $(k+1) \times (k+1)$ 矩阵删去主对角线,把 $v=k(k+1)$ 种处理安排在 $s=k+1$ 个区组中,可得到矩形格点(rectangular lattice)设计。对于 $r > 2$ 情况下所使用的拉丁方必须使每一个拉丁字母位于主对角线上。构建矩形格点的思想可用于任意的 $s > k+1$,无非是可能需要进一步删除更多的主对角线。其中 α 设计是可针对任意 s 的可解设计的扩展。

Yates 在 1940 年介绍的格点平方设计,是 $v=k^2$ 个处理安排在重复次数 $r > 1$ 个 k 行 k 列完全区组中的嵌套行列设计。如果 k 是素数幂,就可能存在一个方差均衡的设计,即平衡格点平方设计。此时 k 是奇数则要求 $r=\dfrac{(k+1)}{2}$,k 是偶数则要求 $r=k+1$。平衡格点平方设计可由平衡平方格点设计构建。如果 k 是奇数,那么一个平衡格点平方的每一次重复就会形成一个区组的行或者列。如果 k 是偶数,那么一个平衡格点平方的每一次重复就会形成一个区组的行和另一个区组的列。如果不是上述的重复数 r,也可以得到一些方差不均衡的拉丁方。Cochran 和 Cox 给出过对于 $k=3, 4, 5, 6, 7, 8, 9, 11, 13$ 时的平衡格点平方设计。

嵌套行列设计和前述平方格点一样,对于处理数 v 的限制也太过严格,故存在有格点矩形(lattice rectangular)设计的扩展。John 和 Williams 讨论过其他可解的嵌套行列设计:α 设计、两重复设计,并可通过算法来产生设计。

如果各水平的乘积正好是 k^2,格点设计也可用于重复区组析因实验。对于平衡设计,主效应和交互效应都存在相同的部分混杂。正是由于格点设计的构建也可类似于析因实验中的混杂,故有时也称为准析因设计(quasi—factorial design)。

在统计分析方面,对于处理和区组效应都视为固定效应时通常采用区组内分析,这在很多统计软件上是容易操作的。如果 s 不那么小,那么使用区组间的信息就是有价值的,这种区组间分析可使用限制性最大似然(restricted maximum likelihood,REML)估计。

(王 彤)

约登方设计和行列设计

区组是用来控制由于不同来源的变异,每一个变异来源组成一个区组因素。两种变异来源的变量可由约登方和行列设计来控制,行和列组成了区组的两个不同的元素。例如,在一个医学研究中,如果每个受试对象都被多次使用,则行和列分别表示受试者和测量的时间。在一个持续几天的动物实验中,动物的胎次和观察天数可以组成区组因素的行和列。下面是一个 4×6 的行列设计,其中包括 4 种处理(如下所示):

1	3	1	4	4	2
2	1	2	3	1	4
4	4	3	2	2	3
3	2	4	1	3	1

D_1 表示区组设计的行因素,而不考虑列因素,D_2 表示区组设计的列因素,不考虑行因素。D_1 和 D_2 分别称作行和列成分设计。在上述的设计中,行成分设计 D_1 是用处理 1 与处理 2、3、4 配对比较得到的平衡变量。列成分 D_2 是完全随机区组设计。在行、列中不同处理的分配是很重要的,以便使设计具有更全面的有效因素,并且个体之间的比较也有高的估计效率。考虑到这些因素,行列设计的定义是建立在 D_1 和 D_2 成分设计的正交的基础上的。由 D_1 和 D_2 完全随机设计组成的设计叫做拉丁方设计。因此,拉丁方设计是由多组行和列组成的行列设计。在拉丁方设计中,各种处理间的地位是相等的,并且每种处理在每列、每栏中都只出现一次。如果实际的限制使 D_1 和 D_2 不能同为完全随机设计,可以去除其中某个,形成不完全随机设计。D_1 是完全随机设计、D_2 是平衡的不完全随机设计的行列设计称为约登方设计。很明显,D_1 和 D_2 的作用是可以互换的。Yates 提出的不完全拉丁方设计(从拉丁方中取出一个行或列)就是约登方设计的一个例子。约登方用系统的平衡不完全区组设计组成了行和列。这种建立方法,后来不久被

Smith 和 Hartley 证实可以应用于所有的系统均衡不完全区组设计。以下是包含 7 种处理的 3×7 的约登方设计：

1	2	3	4	5	6	7
2	3	4	5	6	7	1
4	5	6	7	1	2	3

1　设计的分析

首先，我们分析一般的行列设计，其中 ν 种处理被安排在 p 行和 q 列内。约登方设计的分析将在后面用详细的例子陈述。假定每种处理都被分配到行和列组成的格子内，这就意味着行和列区的分裂是正交的。对一个有效的行列设计的随机化，我们对行和列分别随机的排序。把处理 t 分配到第 i 行和第 j 列组成的实验单元内，以 y_{ijt} 表示这个实验单元的实验效应。由这些数据构成的模型可以表示为：

$$y_{ijt}=\mu+\rho_i+\gamma_j+\tau_t+\varepsilon_{ijt}$$

μ 是总体均数，ρ_i 和 γ_j 分别是第 i 行和第 j 列的作用，τ_t 是处理 t 的作用，ε_{ijt} 是随机误差，是以 0 为均数和 σ2 为方差的独立的分布，$i=1,2,\cdots,p;j=1,2,\cdots q;t=1,2,\cdots,\nu$。令 N_1 和 N_2 分别表示行和列成分设计 D_1 和 D_2 的发病率矩阵。如果第 i 种处理发生在第 j 行（列），那么第 (i,j) 元素 $N_1(N_2)$ 等于 1，否则等于 0。对于估计处理参数缩小的标准用等式 $C_\tau=Q$，其中 $\tau=(\tau_1,\tau_2,\cdots,\tau_\nu)'$，

$$C=r^\delta-\frac{1}{q}N_1N'_1-\frac{1}{p}N_2N'_2+\frac{1}{n}rr'$$

是这个设计的信息矩阵，$r=(r_1,r_2,\cdots,r_v)'$，r_i 是处理 i 重复的次数。r^δ 是元素 r 的对角矩阵，一个基本的转置：

$$Q=T-\frac{1}{q}N_1T_1-\frac{1}{p}N_2T_2+\frac{G}{n}$$

Q 是调整处理总和的向量，1 是元素均为 1 的列矢量，T,T_1,T_2 分别表示处理、行总和、列总和的向量，G 是全部观察数，$n=pq$ 是观察总数，$\hat\tau=\Omega Q$ 给出了标准方程的一个解，其中 Ω 是被推广的满足 $C\Omega C=C$ 的 C 的倒数。需指出，τ 不能单独地被估计，只有处理参数间的差异是可以估计的。调整后处理的均方和 SS 是 $\hat\tau'Q=Q'\Omega Q$。方差分析表组成见表 1。

误差均方 SS 是

$$SS_E=Y'Y-\frac{T'_1T_1}{q}-\frac{T'_2T_2}{p}-Q'\Omega Q+\frac{G^2}{n}$$

信息矩阵 C 的秩小于等于 ν−1，当矩阵 C 的秩等于 ν−1 时，可以认为这种设计是被结合，否则就不是结合的。在结合的设计中所有处理间的比较都是可以估计的。假设所

有处理间的对比都是有意义的,于是将注意力仅仅只集中在结合设计。Shah 和 Khatri,Raghavarao 和 Federer,Russell,和 Sia 已经考虑了行列设计的这种结合性。让 $s'\tau, s'1 = 0$ 表示处理效果间的差异。$s'\tau$ 的最小二乘方估计由变异方差$(s'\hat{\tau}) = s'\Omega s \sigma^2$ 中 $s'\hat{\tau} = s'\Omega Q$ 给出,其方差$(s'\hat{\tau}) = s'\Omega s \sigma^2$。$s'\tau$ 的均方等于 $\dfrac{(s'\Omega Q)^2}{s'\Omega s}$。对于一个约登方设计,$C = (\lambda\nu/p)(I - 1/\nu j)$,$\Omega = (p/\lambda\nu)I$,其中 λ 表示 D_2 中处理对的数目。因此,调整后的处理的均方和是$(p/\lambda\nu)Q'Q$ 和 $s'\hat{\tau} = (p/\lambda\nu)s'Q$,$s'\hat{\tau}$ 的方差为$(p/\lambda\nu)s's\sigma^2$。

表1   方差分析的计算

变异来源	ν	SS
处理(调整)	$\nu - 1$	$Q'\Omega Q$
行方向	$p - 1$	$\dfrac{T'_1 T_1}{q} - \dfrac{G^2}{n}$
列方向	$q - 1$	$\dfrac{T'_2 T_2}{p} - \dfrac{G^2}{n}$
误差	$(p-1)(q-1)(\nu-1)$	SS_E(由减法算得)
总和(修正)	$n - 1$	$Y'Y - \dfrac{G^2}{n}$

2   设计的分类

如果被估计的处理间所有配对比较的方差相同,则这种设计具有方差齐性。对于方差齐性的设计 $C = \alpha[I - 1/\nu j]$ 和 $\Omega = 1/\alpha I$,其中 I 是特征矩阵,J 是一阶平方矩阵,α 是常量(其值由设计本身决定)。约登方是方差齐性的,因为这些设计的方差$(\hat{\tau}_i - \hat{\tau}_j) = (2p/\lambda\nu)\sigma^2, i \neq j = 1,2\cdots,v$。下面由 Pearce 给出的就是方差齐性的设计:

1	4	2	3	1	4
3	3	4	1	2	2
4	2	3	2	4	1
2	1	4	1	3	3
2	2	3	4	1	1
3	4	1	4	3	2

对于这个设计,$\hat{\tau}_i - \hat{\tau}_j$ 的方差为$(3/25)\sigma^2$,$i \neq j = 1,2,3,4$。由 Ash 提出的、被 Kiefer 推广的约登方设计提供了许多方差齐性设计的类型。最早的方差齐性的设计出现在 Kshirsagar 的 $v = 9, p = q = 6$ 的设计中,其中 D_1 和 D_2 均为部分平衡的。在某些实验中,所有处理参数间成对的比较并不是都有同等的重要性。另外还有均衡的,由 Hoblyn 等

及 Pearce 提出的设计是非常有用的,其主要的目的是比较几种检验或新处理与标准处理,即标准对照。在这些实验中,把处理 1 定义为对照,$(\hat{\tau}_1 - \hat{\tau}_i)$ 的方差为 $a_1\sigma^2$,$(\hat{\tau}_i - \hat{\tau}_j)$ 的方差为 $a_2\sigma^2$,$i \neq j = 1,2\cdots,v$,a_1 和 a_2 是常数。在区组设计下,Das 的加强的区组设计是一个 S 型,这种区组设计扩大了每一个平衡不完全区组设计内对照处理重复的次数,这个是用一个对照组重复的常数使一个均衡的不完全区组设计的每个区组增加。在不完全区组设计下,Bechhofer 和 Tamhane 称 S 型设计为均衡处理的不完全区组设计。文献中已经提供了几种建立最佳 S 型区组设计的方法,Hedayat 等和 Majumadar 有具体阐述。在引言中给出的包含四种处理的 4×6 行列设计就是一个 S 型设计,其 $(\hat{\tau}_1 - \hat{\tau}_i)$ 的方差为 $(51/140)\sigma^2$,$(\hat{\tau}_i - \hat{\tau}_j)$ 的方差为 $(48/140)\sigma^2$,$i \neq j = 1,2,3,4$。两者的方差差异很小,这种设计称为非常均衡。总之,对于 S 型设计,$\text{var}(\hat{\tau}_i - \hat{\tau}_i) < \text{var}(\hat{\tau}_i - \hat{\tau}_j)$,$i \neq j = 1,2\cdots,v$,正如下面的这种设计:

1	1	2	3	4
1	1	4	2	3
2	3	1	4	1
3	4	1	1	2
4	2	3	1	

对于这个设计,$\text{var}(\hat{\tau}_1 - \hat{\tau}_i) = 0.3\sigma^2$,$\text{var}(\hat{\tau}_i - \hat{\tau}_j) = 0.4\sigma^2$,$i \neq j = 2,3,4$。Ture 给出了一个 S 型行列设计的效率目录。一些 S 型行列设计可以用 Guptake 等、Kumari 等、Majumadar、Majumadar、Tamhane 和 Pearce 提出的方法来建立。Nair 和 Rao 定义的组内和组间均衡设计不局限于 2 种不同处理。Pearce 认为它们是多部分组成的设计。在析因实验,处理参数间效应的差异代表不同的主效应和交互效应。$s'\tau$ 代表这些单一自由度的主效应和交互效应的标准化差异,标准化是指 $s'\tau = 1$,$i = 1,2,\cdots,v-1$。然后,在方差齐性设计中,$\text{var}(s'\hat{\tau}) = a\sigma^2$,$a$ 是某个常数。在这部分前面给出的方差均衡设计($v=22$,$p=q=6$)就是一个 $\text{var}(s'\hat{\tau}) = 0.06\sigma^2(i=1,2,3)$ 的 22 实验。在析因实验中,由于实际的限制经常会决定使用部分方差均衡设计。在一个析因均衡的部分平衡设计中(Shah 和 Kshirsagar)或 Nair 和 Rao 均衡混杂设计中,所有属于同一主效应或者交互效应的单独自由度间的差异都可以用相同的方差来估计。对于两因素析因效应可能有不等的方差。对两因素实验设计的分类由可分组设计提供。某些可分组设计可能有因素均衡的问题,即涉及两因素以上。当包含两个以上的因素时,一些可分组设计可能具有析因平衡。在一个可分组设计中,所有处理被分为 m 组,每组包含 n 种处理,$v=nm$。同一组内任何两组处理间的配对比较可以用相同的方差估计,方差为 $a_1\sigma^2$;属于不同组的任何两组处理间的配对比较也可以用相同的方差估计,方差为 $a_2\sigma^2$,$a_1 \neq a_2$,a_1 和 a_2 是常数。正如前面提到的,处理标签有合适的编码,这些设计都是均衡析因的两因素实验。如下是一个可分组的行列设计:

1	4	2	6	5	3
2	5	1	3	4	6
3	6	5	1	2	4
4	1	3	2	6	5

Suen 和 Chakravarty 给出了多种两因素及两因素以上的设计。John 和 Lewis 用归纳循环方法建立并给出了一种为析因实验的宽范围行列设计,但是他们设计的份额各因素间可能不均衡。在一般的情况下,Freeman 给出了一系列的部分平衡设计,并且他认为设计是不均等的重复。

如果行成分 D_1 是正交处理,则称设计为行-正交设计。上面给出的可分组设计满足行-正交的条件。行-正交设计的统计特性可以用列成分 D_2 来评估。Clatworthy 提出,多种可分组设计可以通过重新排列变为行-正交行列设计。John 等、Lamacraft 和 Hall 提出的循环设计也提供了一个宽范围的高效的行-正交设计。如果对行(列)参数的估计不依赖与列(行)参数是否包含在设计模型中,行列设计都调整了其正交性。D_1、D_2 信息矩阵和行列设计有相同的特征向量。所有行-正交设计都调整了其正交性。John 和 Eccleston 的 α 设计提出了一组宽范围的高效的调整正交设计,满足不同最优化标准的行列设计已经考虑在内。

(张晋昕)

交叉设计

交叉设计(cross-over design)是一种特殊的自身前后对照设计。实验安排是将受试对象随机分为 2 组,第一组在第一阶段接受 A 处理,在第二阶段接受 B 处理,实验顺序为 A—B;第二组在第一阶段接受 B 处理,在第二阶段接受 A 处理,实验顺序为 B—A。处理因素在实验过程中进行了一次交叉和两阶段实验,故称为二阶段交叉设计(图 1)。处理因素也可以在此基础上再进行一次交叉,形成三阶段交叉设计。交叉设计中,在实验阶段之间需要有一个"洗脱期"(wash-out period),目的是为了避免前一阶段的处理效应对后一阶段的影响。"洗脱期"的长短需根据实验因素的作用来决定,如试验药物的半衰期、药物效应或血中药物浓度等。在药物试验中应注意药效的连锁反应,有的药物虽然在血中已测不出,或血药浓度已恢复至第一阶段前的水平,但仍可保持疗效,遇此情形应延长洗脱期。

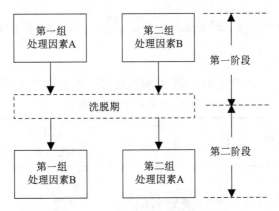

图1　二阶段交叉设计实验流程

交叉设计的优点是:节约样本量;两组间均衡性好;由于 A 和 B 处理因素处于先后 2 个试验阶段的机会是相等的,因此平衡了试验顺序的影响,而且能把处理方法之间的差别与时间先后之间的差别分开统计分析。由于这种设计要求实验对象在 2 种处理前后的其他条件应保持一致,因此该设计的应用受到一定限制。如交叉设计只适用于病情较稳定的慢性迁延性疾病疗效观察,如支气管哮喘、原发性高血压、良性心律失常等。凡有蓄积作用、排泄缓慢、副作用大的药物进行疗效观察,不宜选用该试验。交叉设计实验应尽可能采用双盲法,使研究者和患者都不知道有效药物在哪一阶段使用,以避免产生偏性。

二阶段交叉设计的分组方法:受试对象的例数要求为偶数,并编号。尽量使相邻的第 1、2 号条件相近,第 3、4 号条件相近,余仿此。然后再用随机分配的方法决定,条件相近的 2 个受试对象中若前一个为 A—B 顺序,则后一个即为 B—A 顺序,反之亦然。以下为 20 例实验对象的分组情况,本例查 n=10 的随机排列表(附表 3)的第 2 行随机数字,事先规定第一阶段偶数为 AB 顺序,奇数 BA 顺序,第二阶段相反。

受试者号	1、2	3、4	5、6	7、8	9、10	11、12	13、14	15、16	17、18	19、20
随机数字	6	9	2	7	3	0	1	5	8	4
用药顺序	AB	BA	AB	BA	BA	AB	BA	BA	AB	AB
	BA	AB	BA	AB	AB	BA	AB	AB	BA	BA

例　将 84 名运动员随机分成 2 组,分别接受 2 种处理,一种是布洛芬(A),另一种是安慰剂(B),受试对象随机接受布洛芬或安慰剂,历时 3 周,然后再经过 2 周时间的洗脱期,以消除残留药物的效应,然后再接受第二个 3 周的相反治疗,即原来接受布洛芬改为接受安慰剂,原来接受安慰剂的改为接受布洛芬,以疼痛得分(得分越大说明减轻程度越大)为实验指标,结果如表 1。

1)药物效应。作为 2 个药物效应差的估计为 $\bar{d}_1$ 和 $\bar{d}_2$ 的平均,即 $(\bar{d}_1+\bar{d}_2)/2=(0.071+1.357)/2=0.714$,这表示用 A 后的平均疼痛比用 B 后减轻 0.0714。这个值是否显著可用以下 t 检验公式($\nu=n_1+n_2-2$):

$$t = \frac{\bar{d}}{\sqrt{\frac{S_c^2}{4}(\frac{1}{n_1} + \frac{1}{n_2})}} = \frac{0.714}{0.176} = 4.07 \, (p < 0.001)$$

说明 A 与 B 在 $\alpha = 0.05$ 水准上有差别,在减轻疼痛作用上 A 有显著性。

表 1 交叉设计实验结果

项 目	第 1 组 (先 A 后 B)	第 2 组 (先 B 后 A)
病例数(n_i)	42	42
A 药后疼痛得分－B 药后疼痛得分的差值平均($\bar{d}_i$)	0.071	1.357
标准差(S_i)	1.813	1.376
合并标准差(S_c)*		1.6093

注:* $S_c = \sqrt{\dfrac{(n_1-1)S_1^2 + (n_2-1)S_2^2}{n_1 + n_2 - 2}}$。

2)周期效应 周期效应的定量估计为$(\bar{d}_1 - \bar{d}_2)/2$,它与药物无关。是否显著可用以下 t 检验:

$$t = \frac{\bar{d}_1 - \bar{d}_2}{S_c \sqrt{\frac{1}{n_1} + \frac{1}{n_2}}} = \frac{0.071 - 1.357}{1.6093 \sqrt{\frac{1}{42} + \frac{1}{42}}} = -3.662 \, (p < 0.05)$$

以上说明周期效应是显著的。

3)后遗效应 如果 A 药的反应在第 Ⅰ 阶段大于(或小于)第 Ⅱ 阶段,但 B 药在第 Ⅱ 阶段的反应一致或相反,这种现象在统计学上称为药物效应与周期效应的交互作用。药物周期交互作用的解释常归结为药物的后遗效应,要检验在交叉设计中有无药物后遗作用,可计算每个病人在两阶段的平均反应(见表 2),再比较两组间差别。

表 2 交叉试验用 A 和 B 的平均得分疼痛

项 目	第 1 组 (先 A 后 B)	第 2 组 (先 B 后 A)
病例数	42	42
平均疼痛得分*	3.798	3.536
标准差	1.060	1.056
合并标准差		1.058

注:* 平均疼痛得分 $= \dfrac{\text{用 A 药后疼痛得分} + \text{用 B 药后疼痛得分}}{2}$。

$$t = \frac{3.798 - 3.536}{1.056 \sqrt{\frac{1}{42} + \frac{1}{42}}} = 1.135 \, (p > 0.05)$$

以上说明药物—周期交互作用不显著,因此不能认为药物有后遗效应。如果由以上检验得出药物—周期交互作用显著,则原来分析的药物效应与周期效应就失去意义,这时只能将病人内比较改为病人间比较,在第Ⅰ阶段末进行 A、B 两药的 2 组间比较,放弃第Ⅱ阶段的试验结果。

(党少农)

拉丁方设计

拉丁方设计(latin square design)是由 r 个拉丁字母排成 $r \times r$ 方阵,使每行每列中每个字母都只出现一次,这个方阵叫 r 阶拉丁方或 $r \times r$ 拉丁方。如图 1 所示,3×3 拉丁方,4×4 拉丁方,或 5×5 拉丁方。

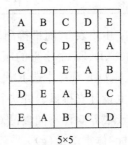

3×3　　　　　4×4　　　　　5×5

图 1　常用的几个基本拉丁方

拉丁方设计是按拉丁方的行、列和拉丁字母分别安排 3 个因素,每个因素具备相同的水平数,其中用拉丁字母安排处理因素,行和列上安排控制因素。它是随机区组设计的扩展,随机区组设计从一个方面(行,即区组)来控制非处理因素对试验结果的影响,而拉丁方设计则是双向区组化设计,从行和列 2 个方面来控制非处理因素对试验结果的影响。

拉丁方设计要求:①必须是三因素同水平的试验。设计时将拉丁字母安排处理因素,行和列安排控制因素,并使行数、列数与处理数都相等;②任两因素间均无交互作用;③各行、列、处理的方差齐。

方法与步骤:

1)根据处理因素的水平数随机选择一个基本型的拉丁方处理的水平数不宜太多,也不能太少,太多行列区组过大,局部控制难以作到;太少误差自由度[$\nu_{误差}=(r-1)(r-2)$]太小,而使试验的灵敏度降低。一般情况下处理水平数在 5~8 时为宜。

2)对基本型拉丁方加以随机化。随机化时必须整行(或列)进行交换,不能将行或列拆散。

例如:5×5拉丁方的随机化。从"10个自然数的随机排列表"中随机指定2行,假如随机指定的是第4行和第9行,在每行中取大于0且小于6的5个随机数。第4行取的是1,3,5,4,2(按此顺序作行随机化),第9行取的是2,4,3,1,5(按此顺序作列随机化)。

A	B	C	D	E
B	C	D	E	A
C	D	E	A	B
D	E	A	B	C
E	A	B	C	D

行随机化→

A	B	C	D	E
C	D	E	A	B
E	A	B	C	D
D	E	A	B	C
B	C	D	E	A

列随机化→

B	D	C	A	E
D	A	E	C	B
A	C	B	E	D
E	B	A	D	C
C	D	E	B	A

3)随机决定各字母所代表的处理(见表1)。其处理数应表示在 r^2 个"小区"中。

表1 "5×5拉丁方"拉丁字母代表的处理随机化

处理	1	2	3	4	5
随机数字	2	4	3	1	5
字母的选拔	B	E	D	A	C

随机数字由附表3"随机排列表($n=10$)"随机指定第9行查得。(第1个随机数字是2,先在A、B、C、D、E 5个字母的顺序中,选第2个字母B代表处理1);再根据随机数字4,从剩下的A、C、D、E顺序中选E代表处理2;余仿此。最后只剩下一个字母C代表处理5。

4)按以上设计安排试验并进行试验观察,根据观察值进行统计分析。

例 比较喂养5种不同食品对小鼠体重增加影响的实验。

观察指标:体重增量(g)

因　素:小鼠种系 甲、乙、丙、丁、戊(每个种系各5只)

加工方法 Ⅰ、Ⅱ、Ⅲ、Ⅳ、Ⅴ

食品种类 A、B、C、D、E(处理)

假定任两因素间无交互作用,按上述方法与步骤进行设计,其实验结果如表2上半部分所示。

表2 5种不同食品对小鼠体重增量

种系	体　重/g					$\sum x_i$	$\bar{x}_i$
	Ⅰ	Ⅱ	Ⅲ	Ⅳ	Ⅴ		
甲	B 81	D 68	C 51	A 41	E 68	309	61.8
乙	D 92	A 56	E 99	C 70	B 52	369	73.8
丙	A 73	C 67	B 63	E 76	D 79	358	71.6
丁	E 82	B 63	A 57	D 75	C 66	343	68.6
戊	C 65	E 85	D 77	B 49	A 46	322	64.4

续表

种系	体 重/g					$\sum x_i$	$\bar{x_i}$
	I	II	III	IV	V		
$\sum x_j$	393	339	347	311	311	1701($\sum X_{ij}$)	
$\bar{x_j}$	78.6	67.8	69.4	62.2	62.2		
食品种类	A	B	C	D	E		
$\sum x_k$	273	308	319	391	410		
$\bar{x_k}$	54.6	61.6	63.8	78.2	82.0		

根据拉丁方设计要求,在进行方差分析前须进行多个方差的齐性检验。因处理数＝行数＝列数,故采用各样本含量相等的 Bartlett 检验公式计算 χ^2 值。本例行的方差齐($\chi^2=5.28,P<0.05$),可用同样的方法说明各列处理的方差齐。然后列一计算表(见表2上右及下半部分)按表3公式计算离均差平方和 SS、自由度 ν、均方 MS 值,结果见表4。

表3 拉丁方设计用方差分析公式

变异来源	SS	ν	MS	F
总	$\sum x_{ij}^2 - C$	r^2-1		
行 间	$\frac{1}{r}\sum(\sum x_i)^2 - C$	$r-1$	$\frac{SS_{行}}{r-1}$	$\frac{MS_{行}}{MS_{误差}}$
列 间	$\frac{1}{r}\sum(\sum x_j)^2 - C$	$r-1$	$\frac{SS_{列}}{r-1}$	$\frac{MS_{列}}{MS_{误差}}$
处理间	$\frac{1}{r}\sum(\sum x_k)^2 - C$	$r-1$	$\frac{SS_{处理}}{r-1}$	$\frac{MS_{处理}}{MS_{误差}}$
误 差	$SS_{总}-SS_{行}-SS_{列}-SS_{处}$	$(r-1)(r-2)$	$\frac{SS_{误差}}{(r-1)(r-2)}$	

表3中 $\sum x_i$ 为第 i 行小计,$\sum x_j$ 为第 j 列小计,$\sum x_k$ 为第 k 种处理小计,校正数 $C=(\sum x_{ij})^2/r^2$,x_{ij} 为第 i 行第 j 列观察值,r 为拉丁方的阶(即行数,列数或处理数)。

表4 方差分析表

变异来源	SS	ν	MS	F	P
总	4982.96	24			
行间(种系)	491.76	4	122.94	1.65	>0.05
列间(加工方法)	908.16	4	227.04	3.05	>0.05
处理间(食品种类)	2690.96	4	672.74	9.05	<0.01
误差	892.08	12	73.34		

$$F_{0.05,(4,12)}=3.26, \quad F_{0.01(4,12)}=5.41$$

方差分析结果,说明在 $\alpha=0.05$ 水准上5种不同食物种类对小鼠体重增加有影响(必要时可进行均数间"两两比较"),而种系及加工方法对体重增加无影响。

该例属于一般拉丁方设计,每种条件组合下只作一次测定。如果某些指标的测定本身有较大程度的变异,还可考虑每种条件组合下重复多个实验对象,作多次重复测定,即拉丁方的重复处理。拉丁方试验中如果有一两个数据漏失时(如动物死亡等),为了不影响资料分析可用统计学方法进行缺项估计。如漏失数据较多又无法补救时,可根据情况作不完全拉丁方资料处理。

拉丁方设计的优点是可以同时研究3个因素,减少实验次数。由于组内变异分离出了行列区组变异,使误差变异进一步减少。但该设计要求处理因素与控制因素的水平数相等,增加了实际操作的难度,限制了应用。

(党少农)

希腊-拉丁方设计

希腊-拉丁方设计(Graeco-latin square design)是拉丁方设计思路的扩展,即在拉丁方设计的基础上进一步分层,从而平衡了行、列、处理等因素。因其是由希腊字母与拉丁字母二者结合构成的方阵,故而得名。下面是一个 5×5 希腊-拉丁方:

$$A\alpha \quad B\beta \quad C\gamma \quad D\delta \quad E\varepsilon$$
$$B\delta \quad C\varepsilon \quad D\alpha \quad E\beta \quad A\gamma$$
$$C\beta \quad D\gamma \quad E\delta \quad A\varepsilon \quad B\alpha$$
$$D\varepsilon \quad E\alpha \quad A\beta \quad B\gamma \quad C\delta$$
$$E\gamma \quad A\delta \quad B\varepsilon \quad C\alpha \quad D\beta$$

在这个方阵中,每个拉丁字母与每个希腊字母在各行各列都只出现一次,并且每个拉丁字母与每个希腊字母的搭配也只出现一次。设计时,令行、列、希腊字母和拉丁字母各代表一种因素。例如在应用重组人肿瘤坏死因子(rh-TNF)促进伤口愈合的实验研究中,欲比较5种不同剂量的效应,同时要观察动物个体间、不同用药部位、给药顺序的差别,就可以使用希腊-拉丁方设计:在行间随机分配5只不同家兔,列间为每只家兔背部切除全层皮肤的5块 $2cm\times2cm$ 创面,希腊字母为每次用药的5种先后顺序,拉丁字母代表5种不同用药滴数,即:A(0)、B(1)、C(2)、D(3)、E(4)。

希腊-拉丁方设计虽可适用于许多小样本资料,但其剩余误差的自由度相对来说常是较小的。因此,为了可靠的估计误差的变异,必要时可将2个处理组相同的希腊-拉丁方结合起来进行设计,以增大样本含量。

例　在上述应用 rh-TNF 促进伤口愈合的实验研究中，每隔一日更换内层敷料，滴药一次，记录伤口愈合时间，得资料如表 1 上半部分，试作方差分析。

表 1　家兔创面不同用药量的愈合时间(d)

动物编号	伤口部位										行合计
	甲		乙		丙		丁		戊		
1	Aα	26	Bβ	21	Cγ	20	Dδ	17	Eε	18	102
2	Bδ	20	Cε	19	Dα	18	Eβ	17	Aγ	25	99
3	Cβ	19	Dγ	20	Eδ	18	Aε	24	Bα	20	101
4	Dε	18	Eα	18	Aβ	24	Bγ	21	Cδ	19	100
5	Eγ	17	Aδ	24	Bε	21	Cα	18	Dβ	17	97
列 $\sum X$	100		102		101		97		99		499
$\sum X^2$	2050		2102		2065		1919		1999		10135
剂量	A		B		C		D		E		
$\sum X$	123		103		95		90		88		
$\overline{X}$	24.6		20.6		19.0		18.0		17.6		
顺序	α		β		γ		δ		ε		
$\sum X$	100		98		103		98		100		
$\overline{X}$	20.0		19.6		20.6		19.6		20.0		

表 1 右侧一列与下半部分为初步计算结果。其方差分析的计算方法和公式与拉丁方设计相同，故离均差平方和的分解计算过程从略，仅将结果列入计算 F 统计量的方差分析表(见表 2)。

由表 2 可见仅剂量间差异具有显著意义。兹将 5 种剂量愈合天数的均数进行两两比较，结果见表 3。

表 2　表 1 资料的方差分析

变异来源	SS	v	MS	F	P
总变异	174.96	24			
家兔间	2.96	4	0.74	1.37	>0.05
部位间	2.96	4	0.74	1.37	>0.05
剂量间	161.36	4	40.34	74.70	<0.01
顺序间	3.36	4	0.84	1.56	>0.05
误差	4.32	8	0.84		

表 3　5 种剂量愈合天数的均数间两两比较结果

剂量	$\overline{X}_i$	各均数间的两两之差			
		$-\overline{X}_A(24.6)$	$-\overline{X}_B(20.6)$	$-\overline{X}_C(19.0)$	$-\overline{X}_D(18.0)$
E	17.6	7.0(21.3)**	3.0(9.13)**	1.4(4.26)*	0.4(1.22)
D	18.0	6.6(20.9)**	2.6(7.91)**	1.0(3.04)	
C	19.0	5.6(17.04)**	1.6(4.87)**		
B	20.6	4.0(12.17)**			

表 3 中各均数间两两之差后边括号内的数字为求得的 q 值,右上角的"**"表示 $P<0.01$,"*"表示 $P<0.05$,无"*"者为 $P>0.05$。本例结论为:剂量为"0"组的创面愈合天数显著长于其他各组;剂量为"1"组也显著长于"2"以上各组;剂量为"2"组同剂量"4"组差别亦有显著性,但剂量"2"与"3"之间、"3"与"4"之间没有显著差别。故本实验提示,用剂量为隔日 3 滴的 rh-TNF 滴入伤口,有明显的加快创面愈合的作用。

(尹全焕　易　东)

析因设计

析因设计(factorial design)是一种多因素的交叉分组设计,它的试验结果可运用方差分析,把总变异分解为众多个因素变异、因素间交互作用的变异以及误差变异。因此,它不仅可以作每个因素各水平间的比较,而且还可以进行各因素间交互作用的分析。

析因设计是一种高效率的试验方法,对各种组合的交互作用具有独特的分析功能,同时又具有直观表达分析结果的优点。此外,析因设计还可以节约样本含量,比将 2 种药物分别进行随机对照实验,可节约样本含量的 1/2,比用 2 种药物相互对比的设计,可节约 1/3 的样本含量。其缺点是统计分析计算较复杂;临床科研中不易获得适于分析交互作用的资料;因素及水平数均不宜过多,否则实验量太大,而且对比分析过于繁琐。

1　2×2 析因设计

2×2 设计表示有 2 个因素,每个因素各有 2 个水平,共有 4 个组合。如以 A_1 表示 A 因素 l 水平,A_2 表示 A 因素 2 水平,B_1 表示 B 因素 1 水平,B_2 表示 B 因素 2 水平,各因素之间相互交叉,组成 2×2 交互作用的实验设计。其列联表如表 1。

表 1　2×2 列联表

B	A	
	A_1	A_2
B_1	A_1B_1	A_2B_1
B_2	A_1B_2	A_2B_2

2×2 析因分析时,应先对 4 个组合的试验结果作方差齐性检验,如已满足齐性要求,即可进行方差分析。

2 交互作用

因素间如存在交互作用,表示各因素不是各自独立的,而是一个因素的水平有改变时,另一个或几个因素的效应也随之变化;反之,则表示各因素具有独立性,一个因素的水平有改变时,其他因素的效应不受影响,析因试验的结果可用方差分析进行假设检验,推断两者的疗效及交互作用。

例1 12 例缺铁性贫血病人的疗效观察,分为 4 组,给予不同治疗,1 个月后检查各组病人的红细胞增加数($\times 10^{12}/L$)。

第 1 组:一般疗法

第 2 组:一般疗法+甲药

第 3 组:一般疗法+乙药

第 4 组:一般疗法+甲药+乙药

甲药与乙药均有"用"与"不用"两个水平,为 2×2 的设计,可以检验甲药与乙药有无交互作用。

表 2 治疗缺铁性贫血 4 种不同疗法 1 个月后红细胞增加数 ($\times 10^{12}/L$)

	一组	二组	三组	四组	合计
	0.8	1.3	0.9	2.1	5.1
	0.9	1.2	1.1	2.2	5.4
	0.7	1.1	1.0	2.0	4.8
合计	2.4	3.6	3.0	6.3	15.3
均数	0.8	1.2	1.0	2.1	1.28

从表 2 中 4 组均数看,二组与四组红细胞平均增加较多,其中又以四组为最多。如果四组红细胞的增加单纯由于加用了甲药的作用而与乙药无关时,理论上红细胞平均增加数四组与二组相同,而现在却相差 0.9,不用甲药的一组与三组相差 0.2,两者的差数为 0.7。即:

第 4 组与第 2 组(用甲药)乙药增加数:2.1−1.2=0.9

第 3 组与第 1 组(不用甲药)乙药增加数:1.0−0.8=0.2

交互作用(以上两差数的差数)=0.7。

通过方差分析的一系列计算得表3、表4的数值。交互作用 $F=37$,$F_{0.01}=11.3$,$F>11.3$,故 $P<0.01$,说明甲药与乙药的交互影响有统计学意义。

表3　甲药与乙药的交互表

		乙药		合计
		不用	用	
甲药	不用	2.4	3.0	5.4
	用	3.6	6.3	9.9
		6.0	9.3	15.3

表4　治疗缺铁性贫血4种不同疗法的方差分析

变异来源	自由度	离均差平方和	均方	F
总处理间	3	2.96		
甲　药	1	1.69	1.69	169
乙　药	1	0.91	0.91	91
交互作用	1	0.37	0.37	37
误　差	8	0.08	0.01	
总变异	11	3.04		

3　多因素不同水平析因设计

多因素的析因设计,也可研究因素间的交互作用,其设计和分析较 2×2 设计虽复杂些,但它能显示出非常高的效率。现以钩端螺旋体培养实验为例说明。

例2　培养钩端螺旋体因素除固定 pH＝7.2～7.4 和温度＝28℃外,对基础液、血清种类、血清浓度和添加剂4个因素进行设计(见表5)。

表5　培养钩端螺旋体的因素及水平

因　素	水　平
基础液(A)	缓冲剂(A_1)　蒸馏水(A_2)　自来水(A_3)
血清种类(B)	兔血清(B_1)　胎盘血清(B_2)
血清浓度(C)	5％(C_1)　8％(C_2)
添加剂(D)	加 B_{12} 及烟酸(D_1)　不加 B_{12} 及烟酸(D_2)

此设计 A 因素为3个水平,其余3个因素均为2个水平,构成 $3×2×2×2＝24$ 种组合,即有24种不同成分的培养液(见表6)。

表 6　钩端螺旋体培养的析因实验设计及结果

| | | 兔血清（B_1） | | 胎盘血清（B_2） | |
		5%（C_1）	8%（C_2）	5%（C_1）	8%（C_2）
缓冲剂（A_1）	加添加剂（D_1）	$A_1B_1C_1D_1$ 6221	$A_1B_1C_2D_1$ 6685	$A_1B_2C_1D_1$ 2796	$A_1B_2C_2D_1$ 3984
	不加添加剂（D_2）	$A_1B_1C_1D_2$ 4201	$A_1B_1C_2D_2$ 6537	$A_1B_2C_1D_2$ 3154	$A_1B_2C_2D_2$ 2892
蒸馏水（A_2）	加添加剂（D_1）	$A_2B_1C_1D_1$ 5301	$A_2B_1C_2D_1$ 6958	$A_2B_2C_1D_1$ 2411	$A_2B_2C_2D_1$ 3163
	不加添加剂（D_2）	$A_2B_1C_1D_2$ 6806	$A_2B_1C_2D_2$ 7152	$A_2B_2C_1D_2$ 3051	$A_2B_2C_2D_2$ 3791
自来水（A_3）	加添加剂（D_1）	$A_3B_1C_1D_1$ 5229	$A_3B_1C_2D_1$ 6387	$A_3B_2C_1D_1$ 3307	$A_3B_2C_2D_1$ 3696
	不加添加剂（D_2）	$A_3B_1C_1D_2$ 3462	$A_3B_1C_2D_2$ 6089	$A_3B_2C_1D_2$ 4794	$A_3B_2C_2D_2$ 2392

　　表 6 由 24 个组合组成，每个组合是一种培养液，如 $A_1B_1C_1D_1$ 组合是由缓冲剂、5% 兔血清加 B_{12} 和烟酸所制成的培养液。又如 $A_2B_1C_2D_2$ 组合是由蒸馏水、8% 兔血清、不加 B_{12} 和烟酸所制成的培养液观察 4 次，每个组合的数字即是 4 次观察的结果。对表 6 中 24 个组合的方差作齐性检验，未满足方差齐性的要求，需要进行数据的平方根变换，得表 7。再用变换后的数据进行方差分析，得表 8。从表 8 的单因素变异来看，血清种类的差别和血清浓度的差别有意义。用兔血清培养优于胎盘血清，用 8% 血清浓度培养优于用 5% 的血清浓度。从交互作用来看，血清种类和血清浓度二者间，基础液与维生素二者间，血清种类、血清浓度和维生素三者间的交互作用有显著性。可认为用兔血清培养时，8% 的浓度优于 5% 的浓度，而用胎盘血清培养时，8% 的浓度与 5% 的浓度相差甚微；用缓冲液或自来水作基础液时，加维生素培养优于不加维生素，而蒸馏水作基础液时，不加维生素培养优于加维生素培养；用 5% 浓度兔血清或 8% 浓度胎盘血清时，加维生素优于不加维生素，而用 5% 浓度胎盘血清时，不加维生素培养优于加维生素培养，用 8% 浓度兔血清培养时，加或不加维生素培养效果无差别。

表 7　表 6 数据的平方根变换值

| | | 兔血清（B_1） | | 胎盘血清（B_2） | |
		5%（C_1）	8%（C_2）	5%（C_1）	8%（C_2）
缓冲剂（A_1）	加添加剂（D_1）	78.87	81.76	52.88	63.12
	不加添加剂（D_2）	64.82	80.85	56.16	53.78
蒸馏水（A_2）	加添加剂（D_1）	70.93	83.41	49.10	56.24
	不加添加剂（D_2）	82.50	84.57	55.24	61.58
自来水（A_3）	加添加剂（D_1）	74.36	79.92	57.51	60.79
	不加添加剂（D_2）	58.84	78.03	69.21	48.91

表 8　钩端螺旋体培养的方差分析

变异来源	平方和	自由度	均方	F	P
总变异	5086.1650	95			
单因素变异					
血清种类 B	2310.7085	1	2310.7085	97.87	<0.01
血清浓度 C	159.3153	1	159.3153	6.74	<0.05
基础液 A	19.9309	2	9.9654	<1	
维生素 D	4.7571	1	4.7571	<1	
交互作用					
B×C	107.8444	1	107.8444	4.56	<0.05
B×A	118.7270	2	59.6353	2.51	
B×D	33.4766	1	33.4766	1.42	
C×A	34.7938	2	17.3969	<1	
C×D	12.4488	1	12.4488	<1	
A×D	153.7675	2	76.8838	3.25	<0.05
A×B×C	116.7202	2	58.3601	2.47	
B×C×D	139.6596	1	139.6596	5.91	<0.05
B×A×D	24.0976	2	12.0488	<1	
C×A×D	8.4369	2	4.2184	<1	
A×B×C×D	138.1292	2	69.0646	2.92	
误差	1701.3516	72	23.6299		

（孙　高　刘延龄）

正交设计

　　正交设计（orthogonal design）是使用一套规格化的正交表，研究与处理多因素、多水平的试验，并利用普通的统计分析方法来分析试验结果的科学方法。由于正交表将各试验因素、各水平间的组合均匀搭配，合理安排，减少了试验次数，得出的数据经过科学处理，能够提供较多的信息。因此它是一种多因素、多水平、高效、经济的试验方法。

　　正交表是合理安排试验和数据分析的主要工具。其表示形式是 $L_N(m^k)$，如：$L_4(2^3)$、$L_3(2^7)$、$L_9(3^4)$ 等。L 表示正交表，N 表示要求试验的次数，或正交表中的行数，

m 表示因子的水平数,k 表示该种水平数的因子数,或者说是该种水平数的正交表列数。因此,$L_4(2^3)$ 表示可安排 3 个两水平因子的要作 4 次试验的正交表,$L_9(3^4)$ 表示可安排 4 个三水平因子要作 9 次试验的正交表。

常用的正交表种类见表 1。由表 1 可见正交设计可用于分析 2~8 个水平、3~63 个因素,共进行 4~64 次试验。因此,它是一种多因素、多水平的实验设计方法。

表 1 常用的正交表种类

水平	名 称
2	$L_4(2^3)$ $L_8(2^7)$ $L_{12}(2^{11})$ $L_{16}(2^{15})$ $L_{20}(2^{19})$ $L_{32}(2^{31})$ $L_{64}(2^{63})$
3	$L_9(3^4)$ $L_{18}(3^7)$ $L_{27}(3^{13})$ $L_{30}(3^{13})$ $L_{31}(3^{40})$
4	$L_{16}(4^5)$ $L_{32}(4^9)$ $L_{64}(4^{21})$
5	$L_{25}(5^6)$ $L_{50}(5^{11})$
复合	$L_8(4\times2^4)$ $L_{16}(4\times2^{12})$ $L_{16}(4^2\times2^9)$ $L_{16}(4^3\times2^6)$ $L_{16}(4^4\times2^3)$ $L_{20}(5\times2^8)$ $L_{12}(3\times2^3)$ $L_{18}(2\times3^7)$ $L_{16}(8\times2^8)$ $L_{18}(6\times3^6)$ $L_{12}(6\times2^2)$

表 2 $L_8(2^7)$ 正交表

试验号	列 号						
	1	2	3	4	5	6	7
1	1	1	1	1	1	1	1
2	1	1	1	2	2	2	2
3	1	2	2	1	1	2	2
4	1	2	2	2	2	1	1
5	2	1	2	1	2	1	2
6	2	1	2	2	1	2	1
7	2	2	1	1	2	2	1
8	2	2	1	2	1	1	2

从表 2 这个简单的正交表,我们可看到正交表有 4 个特点:①每直列都有 4 个"1"和 4 个"2",表示水平 1 和 2 在各列出现的次数完全相同,表现了它的正交性。②表中任意 2 个直列,其横方向的 4 种组合(1,1)、(1,2)、(2,1)、(2,2)各出现 2 次,说明对于任意 2 个直列水平 1 与水平 2 的搭配是均衡的。如果对于 2 个水平的 7 个因素全部组合都作试验,那么就要进行 $2^7=128$ 次试验。由于正交表的设计具有均衡搭配的特点,所组合的 8 个试验具有较好的代表性,因此,只需进行 8 次试验,即可找到最优的试验配方,表现了它的均衡分散性。③在对比某列因素的各水平效果差异时,由于其他列因素的各水平出现的次数都是相同的,则排除了其他因素的干扰,使对比条件具备齐同可比性。如我们要对比分析第 1 列因素 1、2 水平之间的差异,从表 2 中可见第 1 列 4 个 1 水平和 4 个 2 水平,他们分别所对应的 2~7 个因素的 1 与 2 水平都是 2 个,因此在对比第 1 列的 1 与 2 水平的效果时,第 2~7 因素的影响是一致的,如果第 1 列的 1、2 水平效果间有显著性,可

以认为两者有本质差异。同理用于各因素间的对比,其他列因素的影响也是齐同的,表现了它的齐同可比性。④当 A、B 两因素某水平同时存在时,试验效应出现协同作用或拮抗作用。在寻找最优配方条件时,经常要分析因素间的交互作用,多数的正交表提供交互作用所占用的列数,A 与 B 因素的交互作用是用"$A \times B$"来表示的。表示它可用于分析交互作用。

选用正交表的方法是:①根据研究目的,确定试验的因素,选出其中几种主要因素。②确定每个因素的水平,各因素的水平可以相等,也可不等。主要因素的水平可以多些,次要的可以少些。③根据研究课题的主客观条件,决定试验次数。一般认为试验次数较多比较少的样本代表性强,前者更容易找到最优配方,例如 7 因素 2 水平的试验条件,可选择 $L_8(2^7)$、$L_{12}(2^{11})$、$L_{16}(2^{15})$、$L_{20}(2^{19})$ 等。④将正交表的每个试验号重复几次,例如 $L_8(2^7)$ 正交表重复 2 次,就是在同样条件下做 2 个 $L_8(2^7)$ 试验,共 16 次试验。重复可以减少试验误差,提高精密度。一般初筛试验,只要各项因素控制严格,不需要重复。例如,我们欲研究的因子有 2 个:A 和 B,每个因子都是 2 水平的,同时要研究它们之间的交互作用(用 $A \times B$ 表示),那就有 2 种选择:第一是选用 $L_4(2^3)$ 正交表,把因子 A 安排在第 1 列,因子 B 安排在第 2 列,第 3 列便是因子 A 和 B 的交互作用($A \times B$),表头设计如下:

列号　　　1　　2　　　3
因子　　　A　　B　　$A \times B$

在这项设计中,已没有空列,无法从空列获得误差均方的估计,只能用重复试验的方法,即每一号试验重复做 k 次,如果 $k=2$,总共需要做 8 次试验(即 2×4)而不是 4 次试验。第二是选用 $L_8(2^7)$ 正交表,见表 3。

表 3　$L_8(2^7)$ 交互作用表

试验号	列　号						
	1	2	3	4	5	6	7
1		3	2	5	4	7	6
2			1	6	7	4	5
3				7	6	5	4
4					1	2	3
5						3	2
6							1

如果我们把 A、B 两因子分别安排在 $L_8(2^7)$ 正交表的第 1、2 列,那么他们的交互作用在第 3 列,其余四列都是空列,所以表头设计为:

列号　　　1　　2　　　3　　4　5　6　7
因子　　　A　　B　　$A \times B$

由于误差均方可从 4 个空列获得估计,所以不必作重复试验。

再如,某项试验中要研究 A、B、C 3 个因子的主效应,3 个因子都是两水平的,同时要研究交互作用 $A \times B$ 和 $A \times C$,此时至少要求正交表有 5 列,所以要选用正交表 $L_8(2^7)$。

首先把 A、B 两因子安排在第 1、2 列,从 $L_8(2^7)$ 交互作用表可知,第 1、2 列的交互作用在第 3 列,所以不能把因子 C 安排在第 3 列。再看第 4 列,第 1、4 列交互作用是在第 5 列,因此若把因子 C 安排于第 4 列,则交互作用 $A \times C$ 在第 5 列,不会与第 1、2、3 列的效应发生混杂。所以表头设计为:

列号	1	2	3	4	5	6	7
因子	A	B	$A \times B$	C	$A \times C$		

剩下的第 6、7 列是空列,可以作为误差估计用。

正交设计的分析有直观分析法、极差法和方差分析法 3 种:①直观分析法。是把试验结果最好的试验号配方定为最优方案,其优点是简单、直观,但不能确切地判断各因素间的交互作用,也不能估计误差,不能说明分析的精度,因此有可能把较优方案当作最优方案。②极差法。计算各因素各水平的实验值合计即 K_1、K_2、K_3 等,当各因素的水平数相同时,可以直接计算各因素 K 的极差值,即最大 K－最小 K＝极差(R);当各因素的水平数不等时,取 K 的平均值计算极差值。将各因素的极差绝对值 ｜ K ｜ 从大到小顺序排队,即可获得各因素的主次顺序;再选各因素的最大 K 平均值作为最优水平,就得到各因素的主次关系和最优试验配方。其优点是计算简单,确定的最优试验配方有可能超过直观确定的试验号。但缺点是不能计算试验误差,也比较难于分析交互作用,无法排除那些没有显著性的因素。③方差分析法。比前 2 种方法精确,可补其不足。是对试验结果较全面而深入的分析方法,它可根据各因素的显著性水平,排除那些无显著性的因素,也可提供有显著性因素的主次顺序,对多水平因素进行多重比较,并可分析交互影响及重复试验误差。缺点是计算比较复杂,需要增加空列数或重复试验。

下面以实例说明正交设计的意义、设计方案的确定方法及试验结果如何分析。

例 正交设计在改进高分辨染色体制备技术中的应用研究。

1)设计意义。在这项研究中涉及 8 个因素,每个因素分 2 个水平(见表 4),全面试验需作 $2^8 = 256$ 次,但应用正交设计只作 32 次试验便完成了预期任务。选出了最佳制备条件,获得了理想的标本。

表 4　因素与水平

因　　素	1 水 平	2 水 平
A　溴化乙啶(EB)浓度(ug/ml)	10	20
B　EB 作用时间(h)	1	2
C　秋水仙素浓度(ug/ml)	0.025	0.05
D　秋水仙素作用时间(h)	2	1
E　低渗液种类	0.075mol/L KCl	0.4% KCl ＋ 0.4% 枸橼酸钠
F　低渗时间(min)	15	20
G　固定液种类	甲醇 ＋ 冰醋酸 3:1	甲醇 ＋ 冰醋酸 ＋ 三氯甲烷 6:3:1
H　胰酶浓度	0.05%	0.1%

2)试验方案。在研究开始前,想使试验结果精确些,因此使用了 $L_{32}(2^{31})$ 设计,但因表太大在此不便列出,只列了该表代表制备条件因素 A、B、C 等各列及表头设计(见表5、表6)。

表5 表头设计

1	2	3	4	5	6	7	8	9	10
A	B	$A\times B$ $G\times H$	C	$A\times C$	$B\times C$	$D\times E$	D	$A\times D$ $F\times G$	$B\times D$ $F\times H$

11	12	13	14	15	16	17	18	19	20
$C\times E$	$C\times D$	$D\times E$	$A\times E$	E	F	$A\times F$ $D\times G$	$B\times F$ $D\times H$		$C\times F$

21	22	23	24	25	26	27	28	29	30	31
$E\times H$	$E\times G$		$D\times F$ $A\times G$ $B\times H$	G	H	$B\times G$ $A\times H$		$C\times G$	$C\times H$	$E\times F$

表6 试验设计及结果

实验号	1A	2B	4C	8D	15E	16F	25G	26H	Ⅰ	秩	Ⅱ	秩	Ⅲ	秩	综合秩
1	1	1	1	1	1	1	1	1	43	20	4	11.5	9	10	11
2	1	1	1	1	1	2	2	2	20	30	1	26	12	24.5	31
3	1	1	1	2	2	1	2	2	20	30	1	26	12	24.5	31
4	1	1	1	2	2	2	1	1	65	2	9	1	6	3	1
5	1	1	2	1	2	1	1	1	55	7.5	2	17.5	12	24.5	15
6	1	1	2	1	2	2	2	2	44	18	1	26	9	10	17.5
7	1	1	2	2	1	1	2	2	36	26	1	26	10	15	26
8	1	1	2	2	1	2	1	1	44	18	5	7	4	1.5	4
9	1	2	1	1	2	1	1	2	62	3	1	26	9	10	10
10	1	2	1	1	2	1	2	1	66	1	1	26	7	4	7
11	1	2	1	2	1	2	2	1	20	30	2	17.5	12	24.5	28
12	1	2	1	2	1	2	1	2	40	24	6	2.5	9	10	9
13	1	2	2	1	1	1	1	2	42	21.5	2	17.5	11	16	19.5
14	1	2	2	1	1	2	2	1	44	18	1	26	12	24.5	27
15	1	2	2	2	2	1	2	1	42	21.5	3	14	9	10	13

续表

实验号	1A	2B	4C	8D	15E	16F	25G	26H	Ⅰ	秩	Ⅱ	秩	Ⅲ	秩	综合秩
										列号及因素				结果及秩次	
16	1	2	2	2	2	2	1	2	46	13.5	5	7	9	10	5.5
17	2	1	1	1	2	1	2	1	54	9	1	26	12	24.5	23
18	2	1	1	1	2	2	1	2	60	4.5	5	7	12	24.5	8
19	2	1	1	2	1	1	1	2	58	6	6	2.5	9	10	3
20	2	1	1	2	1	2	2	1	40	24	1	26	12	24.5	29
21	2	1	2	1	1	1	2	2	45	15.5	5	7	12	24.5	14
22	2	1	2	1	2	2	1	2	48	11.5	5	7	12	24.5	12
23	2	1	2	2	2	2	1	2	48	11.5	3	14	12	24.5	16
24	2	1	2	2	2	2	2	1	46	13.5	5	7	9	10	5.5
25	2	2	1	1	1	1	2	2	53	10	1	26	12	24.5	24
26	2	2	1	1	2	2	2	1	60	4.5	5	7	4	1.5	2
27	2	2	1	2	2	1	2	1	55	7.5	1	26	12	24.5	22
28	2	2	1	2	2	2	2	2	45	15.5	3	14	12	24.5	17.5
29	2	2	2	1	2	1	2	2	20	30	1	26	12	24.5	31
30	2	2	2	1	2	2	1	1	20	30	2	17.5	9	10	21
31	2	2	2	2	1	1	1	1	40	24	1	26	8	5	19.5
32	2	2	2	2	1	2	2	2	30	27	4	11.5	12	24.5	25

	1A	2B	4C	8D	15E	16F	25G	26H	误差	总
					列号及因素					
K_1	255.5	247	256.5	273	284	297	178.5	242		
K_2	272.5	281	271.5	255	244	231	349.5	286		
SS	9.03	36.13	7.03	10.13	50.00	136.13	913.78	60.5	1501.77	2724.5

3)试验结果的分析。表示每次试验结果的指标有3个：

指标Ⅰ:长染色体百分比(%)；

指标Ⅱ:分裂指数(%),观察结果百分比越大越理想；

指标Ⅲ:染色体交叉次数,观察结果数值越小越理想。

试验的主要目的是找出最理想的制备条件,辅助目的是分析各条件对高分辨染色体的影响,至于其间的交互作用的分析,从专业的角度看,根本没有必要,因此这里既没做,也没列出分析他们使用的交互列。这里所谓理想的制备条件自然应是得到理想结果,用什么指标表示试验结果理想与否,我们采用以下作法:Ⅰ和Ⅱ的观察结果自大而小排列编秩(顺序号),Ⅲ的观察结果自小至大排列编秩,然后3个秩次相加,并重新自小至大排列编秩,得综合秩,很显然综合秩越小试验结果越理想。据此,得到较理想的试验条件依次是4、26、19,但因第4次试验的G显影不清晰,染色体显得膨松,螺旋化不够,不是理想化制备条件,而第 26 次试验的显影清晰可辨,因而是理想的制备条件。因此最佳制备条件是 $A_2B_2C_1D_1E_1F_2G_1H_1$。

4)试验条件(各因素及其水平)对试验结果(综合秩)影响的分析。可使用所介绍 3 种分析方法(直观法、极差法及方差分析法)的任一种,但因只有方差分析方法能作统计推断,所以这里使用它来分析。

分析步骤:

(1)计算自由度:因素的自由度等于水平数减 1,因此都是 1;总自由度等于试验次数减 1,因此是 $32-1=31$;误差自由度为总自由度－各因素自由度之和,因此是 $31-8=23$。

(2)计算离均差平方和 SS:首先计算各因素列的 K_1、K_2,这里的 K_1、K_2 的计算公式分别是因素列中的 1 与 2 对应的综合秩之和,计算结果记在表 6 中各因素列下方。例如因素 A 下方的

$K_1 = 11+31+31+1+15+17.5+26+4+10+7+28+9+19.5+27+13+5.5 = 255.5$

$K_2 = 23+8+3+29+12+14+16+5.5+24+2+22+17.5+31+21+19.5+25 = 272.5$

其次计算各因素的综合秩的离均差平方和,各因素列的离均差平方和计算公式是: $(k_1-k_2)^2/32$。例如因素 A 的离均差平方和 $SS_A = (255.5-272.5)^2/32 = 9.03$。总的离均差平方和 $SS_总$ 的计算公式 $SS_总 = \sum X^2 - (\sum X)^2/32$,这里 X 是各项试验的综合秩,把这些综合秩代入公式可得。$SS_总 = 2724.5$,写到表 6 综合秩列的下方。$SS_误 = SS_总$ 各因素的 SS 之和 $= 1501.77$,写在表 6 中 $SS_总$ 的前面。

分析结果见表 7。

表 7 方差分析表

变量来源	自由度	SS	MS	F
A	1	9.03	9.03	0.138
B	1	36.13	36.13	0.553
C	1	7.03	7.03	0.108
D	1	10.13	10.13	0.155
E	1	50	50.00	0.766
F	1	136.13	136.13	2.085
G	1	913.78	913.78	13.995**
H	1	60.5	60.50	0.927
误差	23	1501.77	65.29	
总	31	2724.5		

注:**表示有统计学意义($P<0.01$)。

(孙 高 魏庆铮 刘延龄)

均匀设计

均匀设计(uniform design)是基于试验点在整个试验范围内均匀散布的从均匀性角度出发的一种试验设计方法。由我国数学家方开泰和王元于 1978 年创立，是数论方法中"伪蒙特卡罗方法"的一个应用。它将数论与多元统计方法相结合，考虑的是试验点在试验范围内均匀散布，挑选试验代表点的出发点是"均匀分散"，而不考虑"整齐可比"，它可保证试验点具有均匀分布的统计特性，使每个因素的每个水平仅做一次试验，从而通过最少的试验来获得最多的信息。实践中可以利用均匀设计表，使各实验因素及水平在实验范围内得到合理的安排，达到使用较少的实验点的目的。

均匀设计表的代号为 $U_n(q^s)$，其中 U 表示均匀设计，"n"表示要做 n 次试验，q 表示每个因素有 q 个水平，s 表示该表有 s 列。例如 $U_7(7^4)$ 表示要做 7 次实验，每个因素有 7 个水平，该表有 4 列(见表 1)。每一种均匀设计表都附有一张使用表，它表明如何在均匀设计表中选用适当的列，以及由这些列所组成的试验方案的均匀度。表 2 是 $U_7(7^4)$ 的使用表，它说明若有 2 个因素应选用 1,3 两列来安排试验；若有 3 个因素，应选用 1,2,3 三列来安排试验。最后一列 D 表示刻划均匀度的偏差(discrepancy)，偏差值越小，表示均匀度越好。

表 1　$U_7(7^4)$ 设计表

	1	2	3	4
1	1	2	3	6
2	2	4	6	5
3	3	6	2	4
4	4	1	5	3
5	5	3	1	2
6	6	5	4	1
7	7	7	7	7

表 2　$U_7(7^4)$ 使用表

s	列号				D
2	1	3			0.2398
3	1	2	3		0.3721
4	1	2	3	4	0.4760

例　为了筛选厚朴丸中 4 味中药厚朴、黄连、木香和干姜的理论最佳配比，采用均匀设计进行实验观察，这 4 个因素分别取了 7 个水平(见表 3)，将这 4 种因素各水平的组合，均按照均匀设计表 $U_7(7^4)$ 排列，配制成不同的配比，并进行试验。每只小鼠单独观察，下铺吸水纸作湿粪计数，以湿粪多少表示腹污程度，及时更换吸水纸，记录各鼠灌番泻叶后 4h 内的湿粪总数，结果见表 4。

表 3 厚朴、黄连、木香和干姜的水平数及其取值*

因素	水 平 数						
	1	2	3	4	5	6	7
厚朴(x_1)	2.000	2.333	2.667	3.000	3.333	3.667	4.000
黄连(x_2)	2.000	2.333	2.667	3.000	3.333	3.667	4.000
木香(x_3)	0.833	1.333	0.667	1.167	0.500	1.000	1.500
干姜(x_4)	1.333	1.167	1.000	0.833	0.667	0.500	1.500

注：* 李卫民,高英,刘东辉等. 均匀设计方法在厚朴丸中筛选最佳配比的应用. 中国实验方剂学杂志,2001, 7(2):18—20.

表 4 厚朴、黄连、木香和干姜的 $U_7(7^4)$ 均匀设计与结果

试验数	厚朴(x_1)	黄连(x_2)	木香(x_3)	干姜(x_4)	湿粪数
1	2.000	2.000	0.833	1.333	5.64
2	2.333	2.333	1.333	1.167	4.43
3	2.667	2.667	0.667	1.000	4.38
4	3.000	3.000	1.167	0.833	4.86
5	3.333	3.333	0.500	0.667	4.28
6	3.667	3.667	1.000	0.500	4.85
7	4.000	4.000	1.500	1.500	5.57

经逐步回归计算,得到线性方程：

$$Y = 20.217 - 0.6999x_1 - 5.5135x_2 - 12.2137x_4 + 0.9125x_2^2 + 6.19x_4^2$$

该方程的复相关系数 $R = 1.000$,标准差 $s = 0.0045$,$F = 18338.47$,$P > 0.01$,回归方程有显著意义。从回归方程可看出实验结果与厚朴(x_1)、黄连(x_2)、干姜(x_4)的剂量大小有相当的关系,与木香(x_3)基本无关。从中医用药理论分析处方可知：该方厚朴为主药,黄连与干姜为臣药,木香为佐使药。上述理论优化的结果是：厚朴为 3.5,黄连为3.0,木香为 0.5,干姜为 1,这应是理论上的理想处方配比。将此理论的配方结果进行实验验证后,证实结果可靠。

均匀设计与正交设计的比较：①正交设计具有正交性,它可估计出因素的主效应及其交互作用;均匀设计是非正交设计,它是通过回归方程估计出因素的主效应及其交互作用,便于各因素的定量分析。②正交设计的数据分析方式简单,且直观分析可以给出试验指标随每个水平变化的规律;均匀设计的数据可用回归分析、最优化和关联度分析等方法来处理。③正交设计多用于各因素的水平数不多时,因为其试验次数至少是水平

数的平方;而均匀设计的试验次数仅与水平数相等,水平数增加时,试验次数随水平数的增加而增加,因此适合于多因素多水平的试验。

在均匀设计的使用中,应注意以下几点:

1)虽然均匀设计试验法在面对研究的因素和水平数目较多时比其他试验设计方法所需的试验次数更少,但不可过分追求少的试验次数,因为均匀设计的试验结果处理一般需要采用回归分析方法完成,过少的试验次数很可能导致无法建立有效的模型,建议试验的次数取因素数的 3~5 倍。

2)均匀设计有 2 种表:U 与 U^*(表 5),通常有"$*$"的均匀设计表有更好的均匀性,应优先选用,但试验数 n 确定后,通常 U_n 表比 U_n^* 表能安排更多的因素,故当因素数 s 较大且超过 U_n^* 的使用范围时,可使用 U_n 表。如有 2 个因素,若选用 $U_7(7^4)$ 的 1,3 列,其偏差 $D=0.2398$,选用 $U_7^*(7^4)$ 的 1、3 列,相应的偏差 $D=0.1582$,后者较小,应优先选用。

表 5　$U_7^*(7^4)$ 表

	1	2	3	4
1	1	3	5	7
2	2	6	2	6
3	3	1	7	5
4	4	4	4	4
5	5	7	1	3
6	6	2	6	2
7	7	5	3	1

表 6　$U_7^*(7^4)$ 使用表

s	列号			D
2	1	3		0.1582
3	2	3	4	0.2132

3)若各分析因素的水平数不一致,则可用混合水平的均匀设计。如在一试验中,有 2 个因素各有 3 个水平,计为 A_1、A_2、A_3 和 B_1、B_2、B_3,有 1 个因素 C 为两水平,C_1、C_2,这个试验的各个因素可以用正交表 $L_{18}(2×3^7)$ 来安排,也可根据因素与水平数,选用均匀设计表 $U_6^*(6^6)$ 来安排个因素。按照使用表的推荐,用 1、2、3 前 3 列,若将 A 和 B 放在前 2 列,C 放在第 3 列,并将前 2 列的水平合并:{1,2}→1,{3,4}→2,{5,6}→3,同时将第 3 列水平合并为两水平:{1,2,3}→1,{4,5,6}→2,于是可得设计表(表 7),这是一个混合水平的设计表[$U_6(3^2×2^1)$],并具有良好的均匀性。

表 7　拟水平设计 $U_6(3^2×2^1)$ 表

	A	B	C
1	(1)1	(2)1	(3)1
2	(2)1	(4)2	(6)2
3	(3)2	(6)3	(2)1
4	(4)2	(1)1	(5)2
5	(5)3	(3)2	(1)1
6	(6)3	(5)3	(4)2

注:$*$ 括号内的设计为 $U_6^*(6^3)$。

(党少农)

系统分组设计

系统分组设计（ hierarchichal classification design ）又称嵌套设计（nested design），在系统分组设计中,有 2 个或 2 个以上实验因素,每个因素又划分为若干水平。与析因设计不同的是,系统分组设计的处理不是各因素各水平的全面组合,而是各因素按其隶属关系系统分组,各因素各水平没有交叉。例如,欲研究 3 种不同的药物降低妇女胆固醇的效果,研究在 6 个不同的医院开展,在这个研究中有 2 个因素需要考虑,分别是药物（A）和医院（B）,由于不同的医院从事药物实验有优劣之分,即 B 因素的水平根据 A 因素的不同而不同。按系统分组设计,当 $A=a_1$ 时 B 因有 2 个水平,分别为医院 1 和医院 2；当 $A=a_2$ 时,B 因素有 2 个水平,分别为医院 3 和医院 4；当 $A=a_3$ 时,B 因素有 2 个水平,分别为医院 5 和医院 6；即 B 因素各水平的变化按 A 因素的不同水平再进行系统分组,共构成 6 个处理组。此时 B 因素不是简单地与 A 因素 3 个水平的全面组合,而是分别嵌套在 a_1、a_2 和 a_3 2 个水平之下。

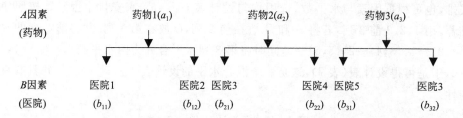

按照因素的隶属关系,在两因素的系统分组设计中,A、B 两因素分别为一级处理因素和二级处理因素,在三因素系统分组设计中,A、B、C 三因素分别为一级、二级、三级处理因素,更多因素的系统分组设计,因素间的隶属关系依次类推。试验的处理组数为最小级别处理因素水平数的合计。

以两因素的系统分组设计为例,假定 A 因素有 I 个水平,在 A 因素第 i 个水平下 B 因素有 J_i 个水平（$i=1,2,\cdots,I$）,则二级处理因素共有 $G=\sum_{i=1}^{I} J_i$ 个水平,所有实验单位应随机等分为 G 组,每组有 r 例。如果用手工进行数据处理,试验结果应按表 1 排列。

表 1　两因素系统分组设计试验结果

A因素	a_1				a_2			...	a_I			合计
B因素	b_{11}	b_{12}	...	b_{1J_2}	b_{21}	b_{22}	...	b_{2J_2}	...	b_{I1}	b_{I2}	... b_{IJ_I}
	x	x	...	x	x	x	x	...	x	x	x	
	x	x	...	x	x	x	x	...	x	x	x	
	⋮	⋮	⋮	⋮	⋮	⋮	⋮		⋮	⋮	⋮	
	x	x	...	x	x	x	x	...	x	x	x	
B因素小计	B_{11}	B_{12}	...	B_{IJ_1}	B_{21}	B_{22}	B_{2J_2}	...	B_{I1}	B_{I2}	... B_{IJ_I}	
A因素小计	A_1				A_2			...	A_I			$\sum x$
平方和	Q_1				Q_2			...	Q_I			$\sum x^2$

$$校正数\ c = \frac{1}{rG}\left(\sum X\right)^2$$

将表 1 中的有关数据代入表 2,得两因素系统分组设计的方差分析表。

表 2　两因素系统分组设计的方差分析表

方差来源	DF	SS	MS	F	P
A(一级处理因素)	$I-1$	$R = \dfrac{1}{kJ}\sum A_j{}^2 - C$			
B(二级处理因素)	$G-I$	$\dfrac{1}{r}\sum B_{ij}{}^2 - C - R$			
误差	$DF_总 - DF_A - DF_B$	$SS_总 - SS_A - SS_B$			
合计	$rG-1$	$\sum X^2 - C$			

　　表 2 中 B 因素的方差表示去除 A 因素影响后,B 因素各水平间的差异,亦可表示为 B/A,即在固定 A 因素某一水平时,考察 B 因素的作用大小。

　　例　试验甲、乙、丙 3 种催化剂在不同温度下对某化合物的转化作用。由于各催化剂所需要的温度范围不同,采用系统分组设计,将催化剂作为一级处理因素,共 3 个水平($I=3$),每种催化剂各自在 3 个温度下试验,共有 $G=3+3+3=9$ 种温度(二级处理因素水平)。令每个温度条件下重复试验 2 次($r=2$),试验结果和方差分析表如下。

表 3　某化合物的转化率

催化剂温度	甲			乙			丙			合计
	70	80	90	55	65	75	90	95	100	
转化率(%)	82	91	85	65	62	56	71	75	85	
	84	88	83	61	59	60	67	78	89	
温度小计	166	179	168	126	121	116	138	153	174	
	(B_{11})	(B_{12})	(B_{13})	(B_{21})	(B_{22})	(B_{23})	(B_{31})	(B_{32})	(B_{33})	
催化剂小计	513(A_1)			363(A_2)			465(A_3)			1341
平方和	43919			22007			36385			102311

注:校正数 $C=99904.5$。

表 4　某化合物转化率的方差分析表

方差来源	DF	SS	MS	F 值	P 值
催化剂	2	1956.0	978.0	177.82	<0.01
温度/催化剂	6	401.0	66.8	12.15	<0.01
误差	9	49.5	5.5		
合计	17	2406.5			

　　由此可得出结论,催化剂对该化合物的转化率有影响($P<0.01$),对于同一催化剂,不同温度对转化率亦有影响($P<0.01$)。

(党少农)

裂区试验设计

　　裂区实验设计(split plot experiment design)又称分割实验设计。它是一种把多个配伍组(即随机区组)实验或拉丁方实验组合起来的实验方法,形成多个裂区。常用于将多个配伍组实验组合。在考查两因素效应时,由于实验单位的自然属性限制或为方便实验操作起见,难于做到完全随机或随机区组设计,可采用裂区设计。

1　意义

某些实验研究,例如要比较几种抗生素的抑菌作用。为了扩大实验范围,提高实验效率,需要将每种抗生素再分成几个不同剂量进行研究。

类似上述这样的实验研究,如果用单因素完全随机设计或配伍组设计,往往无法安排实验,满足不了实验研究的要求,这种情况下,研究者可以采用裂区实验设计,将一个或多个随机区组(配伍组)实验或拉丁方实验结合起来进行。当然,裂区实验设计并不等于随机区组实验或拉丁方实验的简单串连。

2　步骤

1)先选定受试对象作为一级单位,分成几组,分别用一级因素的不同水平(一级处理)作完全随机配伍组或拉丁方设计。

2)每个一级单位再分成几个三级单位,分别接受二级因素的不同水平(二级处理)。

3　注意事项

1)一级处理与一级单位混杂,而二级处理则与一级单位不混杂。设计时要用主要因素差异较小或要求精确度较高的因素作为二级因素。

2)如果甲因素需要实验材料较多,而乙因素需要实验材料较少,则将甲因素列为一级因素,乙因素列为二级因素。

4　实例

研究抗氧药物对心脏的副作用,用雄性小白鼠15只作实验。

抗氨药物有三种:对氨基苯丙酮(PAPP);乙二胺四乙酸二钴(Co-EDTA);硫代硫酸钠($Na_2S_2O_3$)

4.1　实验设计

1)先将15只小白鼠分为5个配伍组,每组3只;每个配伍组分为3个一级单位,药物作为一级处理,每个配伍组内的3只小白鼠各接受一种药物。

2)每个一级单位再分为4个二级单位,时间作为二级处理,对每只小白鼠先后在4个时间上观察其心电图的变化。

3)操作:实验前先记录正常心电图,然后用微量输液器以0.031ml/min的速度从小白鼠尾静脉连续输注药物,同时开始记时,以后每隔20min记录一次心电图。

4.2　实验结果

将小白鼠心电图PRc间期(msec)列入表1:

表 1　小白鼠连续给药 1 h 内的心电图 PRc 间期(msec)

A 因素药物	B 因素观察时间(min)	随机区组					二级单位合计	一级单位合计
		1	2	3	4	5		
PAPP	0	36.8	35.2	34.8	34.8	34.0	175.6	
	20	38.7	42.6	43.1	36.1	35.0	195.5	
	40	38.9	47.4	45.4	46.1	42.5	220.4	
	60	47.0	52.9	46.4	48.2	49.8	244.5	
	小计	161.4	178.1	169.7	165.2	161.3		835.7
Co-EDTA	0	30.0	36.6	29.2	36.0	35.6	167.4	
	20	31.7	36.6	31.2	41.0	39.3	179.8	
	40	37.4	38.8	37.8	52.1	50.8	216.9	
	60	55.6	47.0	57.4	69.6	69.4	299.0	
	小计	154.7	159.0	155.6	198.7	195.1		863.1
Na$_2$S$_2$O$_3$	0	34.0	33.2	31.6	32.0	32.4	163.2	
	20	32.6	32.4	33.2	35.2	38.7	172.1	
	40	30.6	35.8	33.2	33.8	37.0	170.4	
	60	33.2	33.9	33.2	34.8	36.5	171.6	
	小计	130.4	135.3	131.2	135.8	144.6		677.3
随机区组合计		446.5	472.4	456.5	499.7	501.0		2376.1

4.3　统计处理(方差分析)

1)将各组数据合并整理成副表(见表 2)。

表 2　药物×时间

药物	时间				合计
	0	20	40	60	
PAPP	175.6	195.5	220.3	244.3	835.7
Co-EDTA	167.4	179.8	216.9	299.0	863.1
Na$_2$S$_2$O$_3$	163.2	172.1	170.4	171.6	677.3
合计	506.2	547.4	607.6	714.9	2376.1

2)明确一级单位与二级单位的内容。

一级单位:包括配伍组、一级处理(如药物)以及二者交互作用(即一级单位误差);

二级单位:包括二级处理(如时间)、一级处理与二级处理的交互作用、配伍组与一级处理及二级处理的交互作用(即二级单位误差)。

3)该资料的方差分析如下:

表3　方差分析表

变异来源	SS	ν	MS	F
一级单位				
配伍组	203.94	4	50.98	1.09
药物	1006.05	2	503.03	10.79**
误差	372.76	8	46.60	
二级单位				
时间	1645.48	3	548.49	57.74**
药物×时间	1011.54	6	168.59	17.75**
误差	341.97	36	9.50	
合计	4581.73	59		

注：** $P < 0.01$。

4.4　结论

5个配伍组间按 $\alpha = 0.05$ 水准接受 H_0。药物时间以及药物与时间的交互作用均按 $\alpha = 0.01$ 水准拒绝 H_0，接受 H_1，三种药物对心电图 PRc 的影响有统计学意义，其中以硫代硫酸纳毒性较小，随着时间延长，积累剂量增多，对心脏的副作用加剧，提示用于治疗氰化物中毒时不要过量。

（徐天和　石德文）

序贯试验设计

序贯试验设计（sequential trial design）是对受试对象进行逐一试验、逐一分析，将每例（或每对）试验结果绘在序贯图上，这条累积曲线一旦触及"有效"或"无效"界限，就可得到试验结论。这是节省实验次数和免去不必要重复的最好设计方法。

序贯设计预先不需要确定试验例数，也无需集中较多受试者观察疗效。有时可以比固定样本的统计方法节约 30%～50% 受试对象；该设计基本不用计算，而是采用查表、作图的分析法，因此免去大量的统计计算。作图是根据研究者提供的条件，利用公式计算或工具表查得有关系数绘制序贯图。该法常用于控制的临床试验，药物筛选、评价及药理试验，配对病例应用此种设计较为理想。

序贯试验设计要求的条件是：①能较快获得结果的试验。因此在临床试验中，要求获得一个试验结果所需的时间小于后一个病例加入试验所间隔的时间。否则，虽能节约受试例数，却不能节约时间。②仅以单一指标作结论依据的试验。③根据逐一试验的结果，可对样本含量作出增减的试验。

临床研究应用序贯试验的局限性是：①当试验者无法提供同期严格配对的治疗对象以及有效率及无效率水平时，无法采用序贯试验；②不适用于远期随访研究或进行多变量分析；③对疗效差异中等或较小的资料以及慢性试验，序贯试验的显著性检验的效率低于配对或成组均数的显著性检验方法。

序贯试验按观察指标的性质可分为质反应与量反应两类。质反应序贯试验的观察指标是以阳性与阴性、有效与无效表示；量反应序贯试验的观察指标是以连续量表示，如脉搏、体重、血压等。按样本数预先决定与否可分成开放型和闭锁型两类。开放型试验最多样本数（逐次试验数）不预先肯定，在逐一试验的过程中，究竟试验多少样本可使试验终止，视逐一试验结果而定；闭锁型试验最多样本数可预先决定，在逐一试验过程中，试验者自己可肯定试验的样本数不超过一定数必然会使试验终止。按单侧检验和双侧检验可分为单向序贯试验和双向序贯试验。

序贯设计的类型如下：

试验时先要规定试验标准，包括：①试验的灵敏度；②有效及无效水平；③第一类错误（即处理实际无效，错误地认为有效）的概率（单向序贯试验用 α 表示，双向序贯试验用 2α 表示）及第二类错误（即处理实际有效，错误地认为无效）的概率（β）。利用公式或工具表绘出序贯试验图，然后逐一将试验结果在序贯图上绘试验线，根据试验线触及不同界限作出相应结论。

质反应试验适用于评价指标为计数指标，疗效按属性分为"有效"与"无效"的资料；而量反应试验适用于评价指标为计量指标，按累计量作图的资料。开放型的上线（U）与下线（L）之间不封口，适用于受试人数无限制的资料。闭锁型的上线（U）与下线（L）之间有连线封口，适用于有限受试人数的资料。单向的上线（U）与下线（L）平行向上，试验者仅要求回答：①新药优于老药（即接受新药）；②新药不优于老药（即拒绝新药）。而双向序贯试验有 2 组平行线，1 组平行向上，1 组平行向下，试验者除要求回答①、②，还要求回答：③老药优于新药（也是拒绝新药）；配对比较可采用自身配对或异体配对法，以对子为统计单位，凡是疗效相同的对子不作统计，只将疗效不同的对子作图，根据触线情况判断疗效。组间比较是将条件相似的患者，随机进入试验组或对照组，在序贯图上分别画出试验组与对照组的试验线，2 条试验线均触及上线或下线，结论为试验无效，如果试验组的试验线触上线，对照组的试验线触下线，结论为试验有效。

1）开放型质反应序贯设计

以"中药冠心苏合丸对狗冠状静脉窦流量的影响"为例，介绍开放型质反应（单向）序贯设计方法及分析结果。

首先对效应作如下规定：

有效反应：用药后冠窦流量增加 1.8ml/min。

无效反应：用药后冠窦流量不到 1.8ml/min。

试验标准：

①如果试药的有效率最多为 $p_0＝30\%$ 时，结论为试药不合格；

②如果试药的有效率至少为 $p_1＝80\%$ 时，结论为试药合格；

③要求以 95% 或 99% 的正确率得出以上两结论之一。

根据上面 3 项试验标准，查附表 6"质反应单向序贯试验边界系数表"得 a_1、a_2 和 b 值，由此可列出以下 2 对直线方程：

$$U_1:Y＝a_1＋bn \qquad U_2:Y＝a_2＋bn$$
$$L_1:Y＝-a_1＋bn \qquad L_2:Y＝-a_2＋bn$$

式中，U_1 与 L_1 为结论正确率达 95% 的上限与下限，U_2 与 L_2 为结论正确率达 99% 的上限与下限，n 为横坐标，表示试验动物数；y 为纵坐标，表示有效动物数。

查附表 6"质反应单向序贯试验边界系数表"，$p_0＝30\%$ 与 $p_1＝80\%$ 交叉处：$a_1＝1.32$，$a_2＝2.06$，$b＝0.561$，代入上面 2 对直线方程：

$$U_1:Y＝1.32＋0.561n(\alpha＝0.05) \qquad U_2:Y＝2.06＋0.561n(\alpha＝0.01)$$
$$L_1:Y＝-1.32＋0.561n(\beta＝0.05) \qquad L_2:Y＝-2.06＋0.561n(\beta＝0.01)$$

根据 U_1、L_1 与 U_2、L_2 绘成序贯试验图（图 1）。图中的 2 条直线，形成 2 个范围，U_1、L_1 的范围为正常率 95% 的范围，U_2、L_2 的范围为正常率 99% 的范围。图中 7 个黑点是急性心肌梗死组的试验结果，将 7 个黑点连成试验线。3 个白点是对照组的试验结果，均在横坐标的基线上。急性心肌梗死组第 6 个黑点已触及外侧上界的 U_1 线，第 7 个黑点已触及外侧上界的 U_2 线，第 3 个白点使试验线已触及外侧下界的 L_1 线。试验线触及 U_1 或 L_1，表示此时下阳性结论，错误的概率低于 5%；如果触及 U_2 或 L_2，表示此时下阳性结论，错误的概率低于 1%。本例结论：中药冠心苏合丸能增加急性心肌梗死狗的冠窦流量，但对正常狗的冠窦流量无明显影响，这个结论的假阳性率低于 1%。

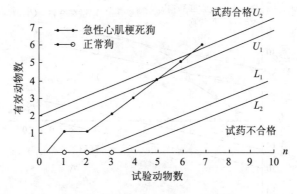

图 1　中药冠心苏合丸对狗冠状静脉窦流量影响的序贯试验图

2)开放型量反应序贯设计

以"冠心苏合丸对麻醉狗心肌耗氧量的影响"为例,说明开放型量反应(单向)序贯设计的方法及结果分析。

试验者已估计出正常麻醉狗心肌耗氧量的标准差最多为 3.38。如试药至少能使心肌耗氧量容积减少 5%,则认为试药有效;如试药对心肌耗氧量无影响,则认为试药无效。假定用药前后的方差彼此独立,则用药后心肌耗氧量的减少量为 θ 的方差为 σ^2:

$$\sigma^2 = 2S^2 = 2 \times 3.88^2$$
$$\sigma = 1.414 \times 3.88 = 4.77$$

因此可将心肌耗氧量的减少量折算成以标准差为单位:

$$\delta = \frac{\theta}{\sigma} = \frac{5}{4.77} = 1.05$$

试验标准为:

①如果试药使心肌耗氧量至少减少 $\delta=1.05$ 标准差时,结论为试药合格;

②如果试药使心肌耗氧量无影响 即 $\delta=0$ 时,结论为试药不合格;

③要求以 95% 或 99% 的正确率得出以上 2 个结论之一。

根据上面 3 项试验标准,查附表 7"量反应单向序贯试验边界系数表",得 a_1、a_2 和 b 值,以 $\sigma=4.77$ 代入下列公式:

$U_1: Y=a_1\sigma+b\sigma n$　　　　$U_2: Y=a_2\sigma+b\sigma n$

$L_1: Y=-a_1\sigma+b\sigma n$　　　　$L_2: Y=-a_1\sigma+b\sigma n$

$U_1: Y=13.4+2.50n(\alpha=0.05)$　　　　$U_2: Y=20.9+2.50n(\alpha=0.01)$

$L_1: Y=-13.4+2.50n(\beta=0.05)$　　　　$L_2: Y=-20.9+2.50n(\beta=0.01)$

由以上 2 对直线方程即可绘出序贯试验图。根据试验记录绘出试验线(图 2)。由于正常麻醉组的试验线触及 99% 上侧界限,因此,能以 99% 正确率得出试药合格的结论;对照组的动物过少,因此,试验线未能触及界限。根据序贯试验结论可认为,中药冠心苏合丸能降低正常麻醉狗的心肌耗氧量,但是否能降低正常狗的心肌耗氧量,由于动物过少,暂不作结论。

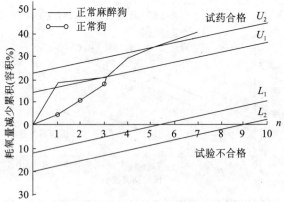

图 2　中药冠心苏合丸对狗的心肌耗氧量影响的序贯试验图

3)闭锁型序贯设计

以氯化苯乙基托品（T）与阿方那特（A）于麻醉期降低血压后恢复血压时间的比较，说明闭锁型序贯设计的方法及结果分析。

T 药优于 A 药,记为 SF;

T 药差于 A 药,记为 FS;

恢复时间相同者不计。

闭锁型检验与开放型检验基本相同,只是中界线与边界线相交而封闭,查附表 8"小样本翼型设计的边界点坐标表"可得边界线和封锁线。

本例作如下规定：

①θ 为 SF 与所有总对子数（SF+FS）的比值。如 SF 为 FS 的 3 倍时,结论为试药 T 优于试验 A,即

$$\theta = \frac{SF}{SF+FS} = \frac{3}{3+1} = 0.75$$

取 $\theta = 0.75$ 的标准是较严格的鉴别。

②要求以 95％的正确率（$2\alpha = \beta = 0.05$）

$\theta = 0.75, 2\alpha = \beta = 0.05$ 查附表 8"小样本翼型设计的边界点坐标表"中 n 和 y 作图即可给出闭锁的图形。因 $\theta = 0.75$ 时 $n = 60, y = \pm 22$,此后 y 绝对值随 n 增加到 62 而减少到 20；在 $n = 62$,将 $y = \pm 18$ 分别与 $y = \pm 20$ 连线,并以 $n = 44, y = 0$ 与 $n = 62, y = \pm 18$ 连线,即得闭锁序贯试验图（图 3）。

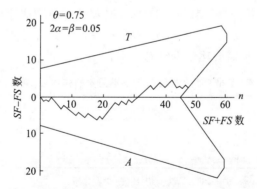

图 3　氯化苯乙基托品与阿方那特降压后恢复血压
时间比较的序贯试验图

本例试验共观察了 53 对病人,其中有 3 对是"相同对",试验至第 49 个"不同对"时,试验触及中界,结论为氯化苯乙基托品与阿方那特效果差别无统计学意义。

（孙　高　刘延龄）

单侧序贯 t 检验

在非序贯问题中,经典的 t 检验经常用于比较方差未知的条件下的两样本均值,在显著性检验的过程中,需要计算观察值标准差的估计。在序贯分析中也可以应用这个办法,并且在序贯分析中与传统 t 检验对应的就是序贯 t 检验。

1 检验步骤

在试验中,配对的两个个体会分别被分配到对照组和新药组。试验得到对照组和对照组的差 d,如果两种处理是等效的,那么差的真值 μ_d 应该是 0,如果差的标准差表示为 σ,那么我们采用统计量 $\delta = \mu_d / \sigma$。

假设新药在某效应大的时候更好,然后,一般而言,研究者会指定两个特定的值 δ_0 和 $\delta_1(\delta_0 < \delta_1)$,如果 $\delta \geqslant \delta_1$ 研究者倾向于接受新药,如果 $\delta = \delta_0 (\leqslant 0)$ 研究者倾向于拒绝新药。在单侧情形下,可以假设 $\delta_0 = 0$,这种选择意味着在新药的效果等于或者低于对照的时候,拒绝新药。通常,δ 的选择依赖于标准差。加入没有办法估计标准差,我们可以采用查表的办法。见表 1。例如,$\alpha = \beta = 0.05$ 时,在 $\delta_1 = 0.5$ 时,非序贯 t 检验需要 45 个样本,但是对应的序贯检验可能需要比较少对的样本。

表 1 非序贯 t 检验对应于不同 δ 的样本量(单侧)

δ	0.4	0.5	0.6	0.7	0.8	0.9	1	1.2	1.4	1.6	2
m	70	45	32	24	19	15	13	10	8	6	5
	—	90	63	47	37	29	25	18	14	12	9

注:第一行为对应 $\alpha = \beta = 0.05$ 的 m,第二行为对应 $\alpha = \beta = 0.1$ 的 m。

在决定了 δ_1 以后,就可以进行序贯 t 检验了。序贯 t 检验的过程实际就是一个在每个阶段不断计算 t 值的过程,但是这是个很难处理的过程。一个更简便的方法是在试验的每个阶段计算一个量 y_m

$$y_m = \sum_{i=1}^{m} d_i \Big/ \sqrt{\sum_{i=1}^{m} d_i^2} \tag{1}$$

这里 d_i 表示每对观察值的差,即新药与标准值的差。$\sum_{i=1}^{m} d_i^2$ 是到目前为止观测到的数据差的平方和,序贯 t 检验按下面的方式给出

$$t = \sum_{i=1}^{m} d_i \sqrt{(m-1)/m\sigma}$$

y_m 与 t 的关系可以按如下方式给出

$$y_m = t \sqrt{m/(t^2 + m - 1)}$$

和开放式定量资料单侧配对序贯试验条目类似,接受和拒绝数最好在试验开始以前进行。计算接受的数量 A_m 以及拒绝的数量 R_m,如果 $R_m < y_m < A_m$,试验将继续。第一次出现 S_m 不位于接受和拒绝数之间的时候,试验结束。假如 $y_m \geqslant A_m$ 接受这个新药,假如 $y_m \leqslant R_m$,则拒绝这个新药。然而直接计算接受数和拒绝数很困难。一个简单办法是给出一个序贯图,该检验是在每个阶段按式(1)计算 y_m。在实际的应用中,Davies(1954年)给出了单侧序贯 t 检验的边界集表,在这些表格中,给出了在 $\delta_1 = 0.10, 0.25(0.25)$,1.00(0.5),2.00,3.00 以及 $\alpha, \beta = 0.01, 0.05, 0.20$ 条件下的上下界。

2　平均样本量(ASN)

序贯 t 检验的 ASN 不易获得。然而比较确定的是得到序贯试验结论要比非序贯检验所需样本量小,比方差已知的序贯分析所需样本量要大。虽然没有关于序贯 t 检验的 ASN 的分析结果,但仍然可以应用推断的结果。推断的估计 ASN 方程的 t 检验是有用的。推断的准则是令:

$$\frac{\text{序贯 } t \text{ 检验 } ASN}{\text{方差已知的序贯 } t \text{ 检验 } ASN} = \frac{\text{非序贯 } t \text{ 检验 } N}{\text{方差已知的非序贯 } t \text{ 检验 } N} \quad (2)$$

例 1　考虑慢性支气管炎痉挛病例,评价的量采用呼吸流速(EFR),即在强迫呼吸的条件下一个实验对象所能排出的最大速率。EFR 的值于每天早晨通过三次成功测量后求平均值得到,通过吸入器给 15 分钟吸入药剂 3ml 或者肾上腺素或者氯化钙。在吸入之后的当天晚上应用替代试验对象再次计算 EFR。序贯分析基于以下规则:

(1)如果氯化钙比肾上腺素平均引起 10 l/min EFR 的增加,将认为氯化钙更优,并且接受它。

(2)如果引起 EFR 的增加,氯化钙不比肾上腺素好,接着拒绝它。

(3)决定式(1)和式(2)的风险不应该超过 0.01。

本例中不知道标准差,而只知道一个粗略的估计,EFR 的标准差的粗略估计是 10l/min。在这种没有标准差的理想估计的情形下,在试验中应用序贯 t 检验是合适的。序贯试验设计有如下性质:

(1)如果 $\delta = 0$,肾上腺素或者氯化钙在治疗支气管扩张方面是等效的,此时氯化钙需要拒绝。

(2)如果 $\delta = \delta_1 = 1$,氯化钙比肾上腺素在治疗支气管扩张方面是更有效的,此时氯化钙需要接受。

(3)两类错误都设定为 0.01,即 $\alpha = \beta = 0.01$。

$\alpha = \beta = 0.01$ 条件下,接受数和拒绝数见表 2。差的累积和与平方和的标准差的比可以与两个值进行比较,即 A_m 与 R_m。

本例中,试验在第四个观察终止,因为 y_m 落在两值以外。在 1‰ 的显著性水平下,可以认为氯化钙不比肾上腺素有效。

表 2　氯化钙比肾上腺素作为支气管扩张器的单侧序贯 t 检验

观察个数	EFR 的增加	y_m	A_m	R_m
1	−9.0	−1.00	—	—
2	−3.8	−1.31	—	−5.80
3	−8.7	−1.64	—	−3.74
4	−10.6	−1.91	2.53	−1.68

注:$\alpha=\beta=0.01$,$\delta_1=1.0$。

3　图形再表示

序贯 t 检验也可以通过画出对应于观察值的上下界,然后根据表中查到的数据画出光滑曲线而得到。上界 U 表示氯化钙优于肾上腺素,下界 L 表示它并不比肾上腺素好。

样本路径是由 (m, y_m) 组成。样本路径由原点出发,当样本路径位于两条边界之间时,试验继续,当它落在外面时可以根据规则(1)和(2)得出结论。一般的单侧序贯 t 检验一般按照如下方式进行。

(1)如果 $\delta=0$,样本路径达到上边界也就是得到没有显著性差别的概率为 α。

(2)如果 $\delta=\delta_1>0$,样本路径达到下界,也就是得到没有显著性差别的概率为 β。

图形检验见图 1。上下界曲线直到有观察值才开始有定义。

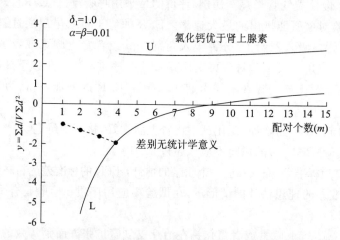

图 1　肾上腺素或者氯化钙在支气管扩张效应比较中单侧序贯 t 检验

例 2　考虑一个关于妊娠毒血症患者饮食的调查。每个因妊娠毒血症住院的妇女与另外一个正常妇女配对。调查他们的纤维摄入量,并且调查指标采用纤维摄入量的平方根,但仍用纤维摄入量的名称。在数据获得以后,立即对它进行分析。计算见表 2。序贯检验按下面规则进行。

(1)如果正常妇女的平均纤维摄入量比妊娠毒血症患者的高,并且达到标准差的

3/4,即 $\delta_1=0.75$,那么可以得出结论,妊娠毒血症患者的纤维摄入量低。

(2)如果正常妇女的平均纤维摄入量不比妊娠毒血症患者的高,即 $\delta_1=0$,那么可以得出结论,妊娠毒血症患者的纤维摄入量没有降低。

表 2　妊娠毒血症患者与正常妇女的平均纤维摄入量的比较

配对个数	正常妇女	妊娠毒血症患者	差	累积差	和
1	2.61	1.70	0.91	0.91	1.00
2	2.95	2.42	0.53	1.44	1.37
3	2.60	2.84	−0.24	1.20	1.11
4	2.05	2.63	−0.58	0.62	0.50
5	3.08	3.41	−0.33	0.29	0.23
6	2.06	1.63	0.43	0.72	0.54
7	3.82	1.96	1.86	2.58	1.13
8	2.55	2.46	0.09	2.67	1.17
9	2.96	1.91	1.05	3.72	1.47
10	4.26	2.26	2.00	5.72	1.77
11	2.68	2.39	0.29	6.01	1.86
12	3.02	3.55	−0.53	5.48	1.67
13	1.93	1.40	0.53	6.01	1.81
14	1.87	1.94	−0.07	5.94	1.79
15	2.52	1.62	0.90	6.84	1.99
16	2.14	1.71	0.43	7.27	2.09
17	2.20	2.75	−0.55	6.72	1.91
18	1.97	1.71	0.26	6.98	1.98
19	2.85	2.61	0.24	7.22	2.04
20	3.65	1.68	1.97	9.19	2.27
21	2.26	2.36	−0.10	9.09	2.25
22	2.80	1.76	1.04	10.13	2.43

在检验条件 $\delta_1=0.75$,$\alpha=\beta=0.05$ 下,可以给出序贯图,样本路径采用表 2 最后一列数据,它在第 22 对时达到上界,结论是妊娠毒血症患者与正常妇女的平均纤维摄入量有差别。

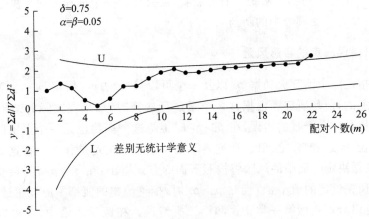

图 2　妊娠毒血症与纤维摄入量的序贯分析

参考文献

[1] Davies O L. Design and Analysis of Industrial Experiments. London：Oliver&Boyd：616.
[2] Xu Duan zheng. Computer analysis of sequential medical trials. Ellis Horwood Limited，1990.

（徐天和　张中文）

开放型定性资料单侧序贯试验

开放型单侧序贯试验是二战期间 A. Wald 提出的，其他可能更适合临床试验的方法也早已被提出，但是在一些条件下，Wald 的方法和其他方法比较起来更加有用。本条目将重点讨论 Wald 方法以及他们的应用。

1　设计一个合适的抽样方法

当对一个病人的处理比较的准则是一个发生或者不发生的事件而不是连续性数据时，不同处理组的的比较通常通过测试不同组受试对象在某特征中的构成比来实现。例如在新药有效性的临床试验中，我们往往会将新药有效性的构成比与标准药进行比较。在固定样本的情况下，经典的检验这种构成比的差别显著性的方法是比较不同组的标准误，一个等价的步骤是将数据置于一个四格表中，并采用 χ^2 检验来处理。

在序贯方法中，我们需要一个个或者一组组的观察进入试验的主体的效应，可以假设试验中收集的表示治疗效果构成比的数据服从二项分布，从而可以简单的由 p 来重新表示。通常研究者会指定两个值 p_0 和 p_1（$p_0 < p_1$），并且在 $p \geqslant p_1$ 时接受这个药物，并且在 $p < p_0$ 时拒绝这个药物。从统计的观点看，需要设计一个抽样方法来决定在指定的 p_0 和 p_1 条件下是否接受调查中的新药。

2　作出错误决定的容忍风险

研究者指定一个治疗成功率 p_0 以及一个可以接受的 p_1（假定 $p_0 < p_1$），p_0 和 p_1 的差可以是任意的，但是研究者根据这 2 个量进行选择时，如果在实际的结果 $p < p_0$ 时接受这个药物将是一个严重的错误，在 $p > p_1$ 时拒绝这个药物也是一个严重的错误。而如果实际的 p 位于 p_0 和 p_1 之间时，研究者不是特别在意决定是什么。在这 2 个量选定之后，研究者在做决定时面临的风险将按照下面的方式给出：在 $p < p_0$ 时，接受药物的概率不应该超过预先设定的值小 α。而在 $p > p_1$ 时，拒绝药物的概率不应该超过预先设定的。β，α 和 β 还可以分别叫做第一类错误和第二类错误。在医学术语中，α 可以被叫做错误正率，β 可以被叫做错误负率。因此，容忍风险是以 4 个值为特征的，分别为 p_0，p_1，α 和

β。这 4 个量的选择不是医学统计问题,它们的选择需要在特定的实例中基于实际背景进行考虑。

3　检验准则

为了确定是否新药优于标准药物,Wald(1947)提出了概率比检验如下。抽样方法满足在 $p<p_0$ 时,接受药物的概率不应该超过 α,而在 $p>p_1$ 时,拒绝药物的概率不应该超过预先设定的 β。针对错误水平(α,β)的假设检验问题 $p=p_0$ 与 $p=p_1$,p 代表治疗成功率。一组有 m 个观察值的样本,有 S_m 个治疗成功的概率如下给出:

$$p^{S_m}(1-p)^{1-S_m} \tag{1}$$

在假设 $p=p_1$ 条件下,(1)等于如下概率。

$$p_{1m}=p_1(1-p_1)^{1-S_m} \tag{2}$$

在假设 $p=p_1$ 条件下,(1)等于如下概率。

$$p_{0m}=p_0(1-p_0)^{1-S_m} \tag{3}$$

Wald 的概率比方法定义概率比如下:

$$\frac{p_{1m}}{p_{0m}}=\frac{p_1(1-p_1)^{1-S_m}}{p_0(1-p_0)^{1-S_m}} \tag{4}$$

选择分别与第一类错误和第二类错误相对应的正常数 α 和 β,在试验的每个阶段,计算概率比 $\dfrac{p_{1m}}{p_{0m}}$,假如

$$B<\frac{p_{1m}}{p_{0m}}<A \tag{5}$$

试验将继续进行,并且观察第 $m+1$ 个样本。如果

$$\frac{p_{1m}}{p_{0m}}\geqslant A \tag{6}$$

试验将会终止,并且拒绝假设 $p=p_0$,接受假设 $p=p_1$。如果

$$\frac{p_{1m}}{p_{0m}}\leqslant B \tag{7}$$

试验同样会被终止,并且接受假设 $p=p_0$,拒绝假设 $p=p_1$。

在错误水平(α,β)条件下,α,β,A 和 B 4 个量的关系为:

$$A=\frac{1-\beta}{\alpha},\ B=\frac{\beta}{1-\alpha} \tag{8}$$

为了计算上的简便,对(5),(6),(7)两侧取 log,并且重新组织不等式。从而它们显然与下面的检验准则等价,如果

$$\frac{\log B}{\log \frac{p_1(1-p_0)}{p_0(1-p_1)}} + m \frac{\log \frac{1-p_0}{1-p_1}}{\log \frac{p_1(1-p_0)}{p_0(1-p_1)}} < S_m <$$

$$\frac{\log A}{\log \frac{p_1(1-p_0)}{p_0(1-p_1)}} + m \frac{\log \frac{1-p_0}{1-p_1}}{\log \frac{p_1(1-p_0)}{p_0(1-p_1)}} \tag{9}$$

试验将会继续。当式(9)第一次不满足后,试验将会终止。

如果

$$S_m \geqslant \frac{\log A}{\log \frac{p_1(1-p_0)}{p_0(1-p_1)}} + m \frac{\log \frac{1-p_0}{1-p_1}}{\log \frac{p_1(1-p_0)}{p_0(1-p_1)}} \tag{10}$$

将接受这个药物。

如果

$$S_m \leqslant \frac{\log B}{\log \frac{p_1(1-p_0)}{p_0(1-p_1)}} + m \frac{\log \frac{1-p_0}{1-p_1}}{\log \frac{p_1(1-p_0)}{p_0(1-p_1)}} \tag{11}$$

将拒绝这个药物。

对于每个 m 值,式(10)的右边被称为接受数量,并且记为 A_m;类似的,(11)式的右边被称为拒绝数量,并且记为 R_m。因此,研究者可以根据从实际考虑出发确定的四个值 p_0,p_1,α 和 β 计算 A_m 和 R_m。研究者也可以在试验进行过程中将 A_m 和 R_m 制成表格。

例 某试验采用一种新型抗吐药剂(一种氯丙嗪结构的化合物)预防吐根诱发的呕吐。在超过 80 个安慰药物检验的基础上,研究者发现能有效阻止呕吐的发生率为 34%。来自安慰剂试验且服从二项分布的这些数据适合作为序贯试验的对照组。序贯试验设计如下。

$p_0 = 0.35$,一个不能接受的有效防呕吐构成比,同时也是在安慰剂对照组中观察到抗吐结果。

$p_1 = 0.75$,一个可以接受的有效防呕吐构成比,同时它也显著优于安慰剂对照组。

$\alpha = 0.01$,接受治疗有效的构成比小于等于 p_0 的最大风险或者概率。

$\beta = 0.01$,拒绝治疗有效的构成比大于等于 p_1 的最大风险或者概率。

接受或者拒绝数,以及试验观察的结果(例如治疗有效次数的和 S_m)见表1。针对每一次观察,计算接受的数量 A_m 以及拒绝的数量 R_m,如果 $R_m < S_m < A_m$,试验将继续。第一次出现 S_m 不位于接受和拒绝数之间的时候,试验结束。假如 $S_m \geqslant A_m$,接受这个药物,假如 $S_m \leqslant R_m$ 则拒绝这个药物。

所有的接受数和拒绝数必须是整数,假如 A_m 不是整数,我们将用大于它的最小整数替代,如果 R_m 不是整数我们将用大于它的最小整数替代。本例中,本试验以最终在第18

个观察值时拒绝本抗吐药剂终止。

表 1　一种新抗吐药剂的序贯分析

观察数量 m	接受数 A_m	治疗有效的个数 S_m	拒绝数 R_m
1	—	0	—
2	—	0	—
3	—	1	—
4	—	2	—
5	—	2	0
6	—	2	0
7	7	2	1
8	8	2	1
9	8	3	2
10	9	4	2
11	9	5	3
12	10	5	4
13	11	6	4
14	11	7	5
15	12	7	5
16	12	7	6
17	13	7	6
18	13	7	7
19	14		8
20	14		8

注:在 $Wald$ 的设计中,$p_0=0.35$,$p_1=0.75$,$\alpha=0.01$,$\beta=0.01$。

p_0 是一个不能接受的治疗有效构成比,一般有研究者根据过去经验来猜测。p_1 可以是调查者任意设计的,可以是基于特定调查领域的特别知识的令人满意的或者可以接受的治疗有效构成比,也可以是调查者考虑 p_0 和 p_1 的不同代表者重要的医学进展。

4　图示法再表示

序贯的步骤也可以以图示法的形式给出。由式(10)和式(11)可知,A_m 和 R_m 实际是 m 的线性函数。观察数 m 可作为横坐标,治疗有效个数 S_m 可以作为纵坐标。于是可以做出两条平行线,上界和下界分别用 U 和 L 表示。

$$U: y = a_1 + bm$$
$$L: y = a_0 + bm$$

U 的截距由下式给出：

$$a_1 = \frac{\log A}{\log \dfrac{p_1(1-p_0)}{p_0(1-p_1)}} \tag{12}$$

L 的截距由下式给出：

$$a_2 = \frac{\log B}{\log \dfrac{p_1(1-p_0)}{p_0(1-p_1)}} \tag{13}$$

U 和 L 是平行的，它们的共同斜率是：

$$b = \frac{\log \dfrac{1-p_0}{1-p_1}}{\log \dfrac{p_1(1-p_0)}{p_0(1-p_1)}} \tag{14}$$

假如 $\alpha = \beta$，将满足 $a_1 = -a_0 = a$，因此上下限变成

$$U: y = a + bm$$
$$L: y = -a + bm$$

这两条界限是在试验开始前画的。上界是接受域的边缘，下界是拒绝域的边缘，上下界之间的区域不做决定。随着试验的进行研究者画出一个简单的路径，画这个由原点出发的简单路径需要根据以下原则。

1) 每一个参与本试验的主体的观察值需要在结果得出后马上画出。

2) 如果某一个观察值的结果是治疗有效，那么样本路径应该按斜对角从上一个单元的路径出发向上向右移动。

3) 如果某一个观察值的结果是治疗无效，那么样本路径应该从上一个单元的路径出发向右移动。

4) 在样本路径位于未决定区域，例如徘徊于上下限之间时，试验将继续。

5) 如果样本路径达到上限或者接受域，将接受这个药物并终止试验。

6) 如果样本路径达到下限或者拒绝域，将拒绝这个药物并终止试验。

图 1 给出了处理例 1 的图示法步骤，取 $\alpha = \beta = 0.01$，$p_0 = 0.35$，$p_1 = 0.75$，解方程(12)(13)(14)。公共斜率为 $b = 0.556$，截距 $a = 2.676$。上下界分别为

$$U: y = 2.676 + 0.556m$$
$$L: y = -2.676 + 0.556m$$

图 1 显示试验在第 18 个观察时结束，并且拒绝新药，这与表 1 中结果一致。为了上下限计算的简单，附表 6 "质反应单向序贯试验边界系数表" 给出了公共截距 b，以及分别对应于错误水平 $(0.05, 0.05)$ 以及 $(0.01, 0.01)$ 的上下限截距 a_1 和 a_0。

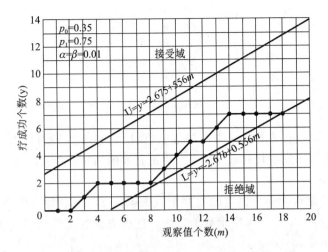

图1　Wald 设计的确定抗吐药剂有效率的序贯分析

5　序贯试验的平均样本量(ASN)

前面已经指出序贯试验的样本个数不是一个常数而是随机变量,因为在试验的任意阶段决定终止过程取决于到当时为止的观察值。例如,前面介绍的抗吐药剂的序贯分析,观察值数量可能是超过7的任意整数。序贯试验中的样本量可能比固定样本的样本量更大吗?答案是它是可能存在的但可能性很低。另外一个感兴趣的问题是一个特定的序贯试验中样本路径达到边界平均需要多少样本量。为了回答这个问题,人们考虑很多具有特定边界的路径并且当每一个路径碰到边界的时候确定观察值个数。然后我们可以计算路径碰到边界的观察值个数的平均值。序贯试验达到边界的观察值个数的平均值被称为平均样本量(ASN)。

在序贯分析的理论分析中,Wald(1947)得出了具有特定边界集的近似数学表达。这种表达的唯一特色是它取决于治疗成功的构成比。Wald 计算 ASN 的公式如下。

假如治疗成功总体构成 p 等于 $p_0 (< p_1)$,ASN 表达如下:

$$\bar{n}_0 = \frac{(1-\alpha)\log B + \alpha \log A}{p_0 \log \dfrac{p_1(1-p_0)}{p_0(1-p_1)} - \log \dfrac{1-p_0}{1-p_1}} \tag{15}$$

假如治疗成功总体构成 p 等于 $p_1 (> p_0)$,ASN 表达如下:

$$\bar{n}_1 = \frac{\beta \log B + (1-\beta)\log A}{p_1 \log \dfrac{p_1(1-p_0)}{p_0(1-p_1)} - \log \dfrac{1-p_0}{1-p_1}} \tag{16}$$

假如治疗成功总体构成 p 等于有接受和拒绝边界的公共斜率 b,ASN 将达到最大值,例如最大 ASN 可以表达为:

$$\bar{n}_{\max} = \frac{\log A \log B}{\log \dfrac{p_1}{p_0} \log \dfrac{1-p_0}{1-p_1}} \tag{17}$$

在已知斜率 b 以及截断 a_1 和 a_0 的条件下,表达式(15),式(16),式(17)可以转化为简单形式如下:

$$\bar{n}_0 = \frac{(1-\alpha)a_0 + \alpha a_1}{p_0 - b} \tag{18}$$

$$\bar{n}_1 = \frac{\beta a_0 + (1-\beta)a_1}{p_1 - b} \tag{19}$$

$$\bar{n}_{max} = -\frac{a_0 a_1}{b(1-b)} \tag{20}$$

这些和 $\bar{n}_0$, $\bar{n}_1$, $\bar{n}_{max}$ 有关的公式可以被解决,做决定必要的平均样本量将被确定。一般来说,p_0 已知并且研究者任意选 p_1,为做决定必要的 ASN 将变大,但是将依然比其它的标准统计技术小。

研究者可以任意选择一个固定的观察个数来确定 p_1,用以替代传统的在 p_0 已知的条件下选择 p_1 然后确定平均观察个数的方法。这种方法的优势是研究者可能在有限次观察中完成他的试验。

在例 1 中令 $\alpha=\beta=0.01$, $p_0=0.35$, $p_1=0.75$,我们由式(18),式(19),式(20)得,$\bar{n}_0=14$, $\bar{n}_1=13$, $\bar{n}_{max}=29$。

6 截断设计

序贯试验并不提供观察个数的确定上限。观察值个数可能很大,但是超过两倍、三倍的平均样本量的概率很小。有时需要设定一个确定的上限,如 $m_t=2ASN$ 或者 $m_t=3ASN$,研究者可以在 $m=m_t$ 时就截断试验。也就是说,即使按传统的序贯方法得不到最终的决定,也就是 $m \leqslant m_t$,研究者也将在 $m=m_t$ 时终止试验。此时需要制订一个合理的确定接受或者拒绝一个药物检验假设的规则:如果 m_t 次观察后治疗成功个数 S_{m_t} 最少是 $\frac{(A_{m_t}+R_{m_t})}{2}$,研究者接受这个药物;如果 $S_{m_t} < \frac{(A_{m_t}+R_{m_t})}{2}$,研究者拒绝它。

在例 1 中应用截断序贯试验,试验在 $m_t=28$ 时截断,这接近 ASN 的 2 倍以及 $\bar{n}_{max}$。见图 2。为了避免出现大样本,序贯图表被在 $m_t=28$ 时截断,截断线为一个破折线,它分别在 a 点和 b 点截断上下界。a 点和 b 点的中点 c 作为临界点。研究者在路径到达截断线并且高于 c 时,接受新药,在低于 c 时,拒绝新药。

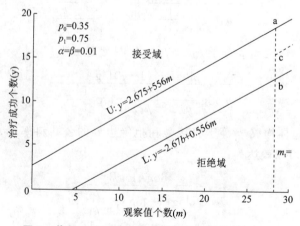

图 2 截断设计的确定抗吐药剂有效率的序贯分析

参考文献

Xu Duan zheng. Computer analysis of sequential medical trials. Ellis Horwood Limited,1990.

（徐天和　张中文）

开放型定性资料单侧配对序贯试验

　　上面提到的序贯试验的使用中存在的一个缺陷是处理的效应以及所需样本量与病人的个体特征例如年龄、性别、以及症状的严重程度等显著相关。感染一个特殊疾病的机会也随着住房、饮食习惯及职业的变化而变化。基于这些原因,医学研究者进行试验时在他们认为重要的因素上保持试验个体和对照个体的相似性,一个非常有效率的尽最大可能消除这种个体间区别的方法就是配对。通常,设计这样的试验在组内研究处理个体和对照个体的效应。个体的配对考虑年龄、性别、疾病的严重程度等可能影响测量指标的效应的因素。配对有时也针对一个个体进行,并对该个体测量两次,分别称为处理前取值和处理后取值。自身配对一般用于在两种情形下测量一个个体。例如,研究者会在一个个体服用抗高血压药物前后测量他的血压。对于任意配对来说,两个体测度的差别是两个处理或者步骤的效应的差别的估计。

　　配对的目的是采用尽可能相似的对象(除了研究者故意设定的不同处理外)从而使得比较更精确。

　　安排相似的个体配对进入试验,其中一个个体安排到一个处理组。假设已经选择了好的判断标准,使得我们可以将每一个病人处理后有显著改善归类为"成功",把没有显著改善归类为"失败"。如果我们将成功记为"S",将失败记为"F",那么每一对的结果只有四种可能,"SS","FF","SF","FS",其中,第一个字母代表检验组个体,第二个字母代表对照组个体,见表1。

表1　定性配对试验的四种结果

编号	处理		结果	配对类型
	检验	对照		
(1)	"S"	"S"	"SS"	结点型
(2)	"F"	"F"	"FF"	结点型
(3)	"S"	"F"	"SF"	非结点型
(4)	"F"	"S"	"FS"	非结点型

由表 1 可知,(1)型和(2)型配对被称为结点型配对,因为处理组和检验组结果是相同的。(3)型和(4)型配对称为非结点型配对,该型配对能够反映出哪种处理更好,例如,(3)型体现检验组更好,(4)体现对照组更好。在实际的序贯试验中,结点型配对是被忽略的,因为它们不能体现是检验组好还是对照组好。序贯试验仅考虑非结点型配对结果,如果检验组比对照组更好,那么多数配对类型应该是"SF",如果对照组比检验组更好,那么多数配对类型应该是"FS"。如果检验组成功的概率为 p_1,对照组成功的概率为 p_0,那么处理组和试验组的病人序列可以看成随机二项序列,并且从长期趋势看成功的概率分别为 p_0 和 p_1。四种类型的配对概率为:

配对类型	概率
"SS"	$p_0 p_1$
"FF"	$(1-p_0)(1-p_1)$
"SF"	$(1-p_0)p_1$
"FS"	$p_0(1-p_1)$

为了度量对照组和检验组的真正区别,我们需要计算非结点型配对"SF"和"FS"的期望比,即

$$u = \frac{p_1(1-p_0)}{p_0(1-p_1)} \tag{1}$$

如果 $u=1$,那么 $p_0=p_1$,此时检验组优于对照组;如果 $u>1$,那么 $p_0<p_1$,此时检验组和对照组是等效的;如果 $u<1$,那么 $p_0>p_1$,检验组比对照组差。检验 $p_0=p_1$ 与 $p_0<p_1(p_0>p_1)$ 同检验 $u=u_0=1$ 与 $u=u_1(>1)$ 或者 $u=u_1(<1)$ 是等价的。假如研究者相信对照组的效率绝对不会超过检验组,他可以选择 $u_1>1$。选择 $u_0=1$ 意味着对照组成功的概率 p_0 是由研究者在试验之前过去经验得到的,p_1 是预先计划的一个可以接受的检验组概率,u_1 可以由式(1)计算得到。u_0,u_1 选定以后,研究者愿意承担风险可按如下方式描述:

在 $u<u_0=1$ 条件下,接受检验的概率不应该超过预先指定的值 α;在 $u=u_1>1$ 条件下,拒绝检验的概率不超过预先指定的值 β。于是,研究者承受的风险就是以如下四个值为特征的,分别为:α,β,u_0 和 u_1。

1 公式法

概率比检验法是针对假设检验问题 $H_0:p=p_0(u=u_0)$ 与 $H_1:p=p_1(u=u_1)$,满足我们所需条件的检验方法。对于配对个数 m,接受数为:

$$A_m = \frac{\log\frac{1-\beta}{\alpha}}{\log u_1 - \log u_0} + m\frac{\log\frac{1+u_1}{1+u_0}}{\log u_1 - \log u_0} \tag{2}$$

拒绝数为:

$$R_m = \frac{\log\frac{\beta}{1-\alpha}}{\log u_1 - \log u_0} + m\frac{\log\frac{1+u_1}{1+u_0}}{\log u_1 - \log u_0} \tag{3}$$

接受和拒绝数最好在试验开始以前进行。计算接受的数量 A_m 以及拒绝的数量 R_m，观察需成对进行，每组都是一个来自检验组一个来自对照组。研究者忽略结点配对，"SS"与"FF"，并计算非结点个数"SF"。令 T 表示非结点配对"SF"的个数，当 $R_m < T < A_m$ 时，研究者应该继续取配对，第一次出现 T 不位于接受数和拒绝数之间的情况时，终止试验。如果最终出现 $T \geqslant A_m$ 检验将被接受，假如最终出现 $T \leqslant R_m$，将拒绝检验。

例　选取一组确认心绞痛最少六个月，心电图不正常，但没有心肌梗死症状的病人为研究对象。他们服用冠状的，股骨的血管扩张的复合心血管化合物，强双氧水马来酸盐，用以评价心绞痛和硝化甘油代谢。用药的具体计划是分别给病人 100mg 药物和安慰剂，顺序按随机数给出。完成六周的过程之后，记录病人的药物或者安慰剂的偏好。根据病人的日报告卡，数一下心绞痛的个数。如果服用药物的感受到心绞痛的病人个数少于服用安慰剂的感受到心绞痛的病人个数。记录偏好药物以及"SF"，对应的，如果服用安慰剂的感受到心绞痛的病人少，记录偏好安慰剂以及"FS"。序贯试验的评判准则如下：

1)如果非结点型配对"SF"与"FS"的期望比是 2，即 $u = u_1 = 2$，则认为药物比安慰剂是更有效的。

2) 如果非结点型配对"SF"与"FS"的期望比是 1，即 $u = u_0 = 1$，则认为药物和安慰剂是等效的。

3)在药物和安慰剂是等效的的条件下，接受药物的概率不超过 0.05。

4)在药物比安慰剂更有效的条件下，拒绝药物的概率不超过 0.05。

α, β, u_0 和 u_1 分别取值 0.05, 0.05, 1, 2 并带入式(2)和式(3)，得到接受数和拒绝数，见表 2。试验在第 15 次试验终止，并接受强双氧水。

表 2　强双氧水缓解心绞痛的序贯分析

观察的配对数量 m	非结点类型	拒绝数 R_m	治疗有效的个数 S_m	接受数 A_m
1	'SF'	—	1	—
2	'SF'	—	2	—
3	'FS'	—	2	—
4	'SF'	—	3	—
5	'SF'	—	4	—
6	'SF'	—	5	—
7	'FS'	—	5	—
8	'SF'	—	6	—
9	'SF'	1	7	—
10	'SF'	1	8	—
11	'SF'	2	9	11
12	'SF'	2	10	11
13	'SF'	3	11	12
14	'SF'	3	12	13
15	'SF'	4	13	14
16	'SF'	5	14	14
17		5		15
18		6		15

注：$u_0 = 1, u_1 = 2, \alpha = 0.05, \beta = 0.05$。

2 图示法再表示

序贯的步骤也可以以图示法的形式给出。A_m 和 R_m 是 m 的线性函数，"SF"以及"FS"的总个数 m 作为横坐标，"SF"的总个数作为纵坐标。

于是可以做出两条平行线,上界和下界分别用 U 和 L 表示。

$$U: y = a_1 + bm$$
$$L: y = a_0 + bm$$

U 的截距由下式给出:

$$a_1 = \frac{\log A}{\log u_1 - \log u_0} \qquad (4)$$

L 的截距由下式给出:

$$a_2 = \frac{\log B}{\log u_1 - \log u_0} \qquad (5)$$

U 和 L 是平行的,它们的共同斜率是:

$$b = \frac{\log \dfrac{1+u_1}{1+u_0}}{\log u_1 - \log u_0} \qquad (6)$$

假如 $\alpha = \beta$,将满足 $a_1 = -a_0 = a$,此时这两条平行线简化为:

$$U: y = a + bm$$
$$L: y = -a + bm$$

这两条界限是在试验开始前画的。上界是接受域的边缘,下界是拒绝域的边缘,上下界之间的区域不做决定。随着试验的进行研究者画出一个简单的路径,画这个由原点出发的简单路径需要根据以下原则。

1)每一个参与本试验的配对的观察值需要在结果得出后马上画出。

2)如果试验的结果是结点型的配对,即"SS"或者"FF",研究者将舍弃该对数据,在序贯图中也不划出任何曲线。

3)如果试验的结果是"SF",那么样本路径应该按斜对角从上一个单元的路径出发向上向右移动。

4)如果试验的结果是"FS",那么样本路径应该从上一个单元的路径出发向右移动。

5)在样本路径位于未决定区域,例如徘徊于上下限之间时,试验将继续。

6)如果样本路径达到上限或者接受域,将接受这个药物并终止试验。

7)如果样本路径达到下限或者拒绝域,将拒绝这个药物并终止试验。

α, β, u_0 和 u_1 的取值分别为 $0.05, 0.05, 1, 2$。解(4)(5)(6),得上下界为:

$$U: y = 4.248 + 0.585m$$
$$L: y = -4.248 + 0.585m$$

详见图 1。

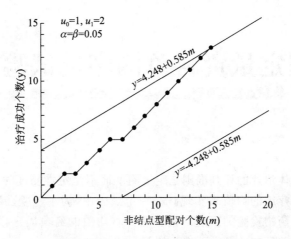

图 1　强双氧水有效性的序贯试验

图 1 显示样本路径在第 16 个病人到达上界。为了简化得到上下界的计算。我们给出了对应于不同 u_1 的在 $\alpha=\beta=0.05$ 以及 $\alpha=\beta=0.01$ 时的截距以及斜率。见附表 9"开放式定性资料单侧配对序贯试验的边界系数表"。

3　平均样本量

参考单侧开放涉及定性序贯试验平均样本量的计算公式,并分别用 $u_0/(1+u_0)$ 及 $u_1/(1+u_1)$ 替代原公式中的 p_0 和 p_1,得公式如下:

如果 $u=u_0$,ASN 可以表达为:

$$\bar{n}_0=\frac{(1-\alpha)a_0+\alpha a_1}{\dfrac{u_0}{1+u_0}-b} \tag{7}$$

如果 $u=u_1$,ASN 可以表达为:

$$\bar{n}_1=\frac{\beta a_0+(1-\beta)a_1}{\dfrac{u_1}{1+u_1}-b} \tag{8}$$

如果 $u=p/(1+p)$,ASN 将达到最大值,并可以表示为:

$$\bar{n}_{\max}=-\frac{a_0 a_1}{b(1-b)} \tag{9}$$

参考文献

Xu Duan zheng. Computer analysis of sequential medical trials. Ellis Horwood Limited,1990.

（徐天和　张中文）

开放型定量资料单侧序贯试验

　　当研究一个个体治疗的评判准则是定量测度而不是定性测度时,往往通过比较显示不同特征的不同治疗组的均值来实现。在一个试验中,为了检验药物的有效性,研究者可以与标准组比较药物检验的反应。检验两样本均值的经典固定样本方法一般是在基于正态总体且载方差已知的条件下进行的 $U\text{-test}$。

　　在我们所讨论的序贯方法中,我们需要一个个或者一组组的观察个体效应。用 x 表示的该效应是一个随机变量,它随着个体的不同取值也不同。通常可以假设 x 是服从正态分布的,方差 σ^2 已知,均值 θ 未知。接下来还需假定 θ 变大或者变小时检验药物更令人满意。接下来就是确定两个特定的值 θ_0 和 $\theta_1(\theta_0 < \theta_1)$,然后研究者就倾向于在 $\theta \geqslant \theta_1$ 时接受这个药物,并且在 $\theta \leqslant \theta_0$ 时拒绝这个药物。在这种情形下,研究者就对在指明两个值 θ_0 和 θ_1 的条件下如何设计一个抽样方法以决定是应该接受被研究的检验药物还是拒绝它感兴趣。

1　作出错误决定的容忍风险

　　在指明两个值 θ_0 和 θ_1 的条件下,我们认为如果在实际的结果 $\theta \geqslant \theta_1$ 时拒绝这个检验药物是一个错误,在 $\theta < \theta_0$ 时接受这个检验药物也是一个错误。在 θ 位于 θ_0 和 θ_1 之间时,研究者将不会特别介意做出什么决定。在 θ_0 和 θ_1 确定以后,研究者能容忍的错误风险可以按如下合理的方式给出。在 $\theta < \theta_0$ 时,接受药物的概率不应该超过预先设定的值小 α。而在 $\theta \geqslant \theta_1$ 时,拒绝药物的概率不应该超过预先设定的小 β。因此,容忍风险是以四个值为特征的,分别为 θ_0 和 θ_1,α 和 β。这四个量的选择不是医学统计问题,它们的选择需要在特定的实例中基于实际背景进行考虑。

2　检验准则

　　为了确定是否新药优于标准药物,Wald(1947)提出了概率比检验如下。抽样方法满足在 $\theta < \theta_0$ 时,接受药物的概率不应该超过 α,而在 $\theta \geqslant \theta_1$ 时,拒绝药物的概率不应该超过预先设定的小 β。针对错误水平 (α, β) 的假设检验问题:$\theta = \theta_0 \text{vs} \theta = \theta_1$。序贯检验按如下方式给出。令 $x_1, x_2, \cdots, x_m$ 是成功观察到的效应值,样本 $x_1, x_2, \cdots, x_m$ 在 $\theta = \theta_0$ 条件下的联合概率密度函数为:

$$p_{0m} = (2\pi)^{-m/2}\sigma^{-m}\exp\left[-\frac{1}{2\sigma^2}\sum_{i=1}^{m}(x_i - \theta_0)^2\right]$$

样本 $x_1, x_2, \cdots, x_m$ 在 $\theta = \theta_1$ 条件下的联合概率密度函数为：

$$p_{1m} = (2\pi)^{-m/2} \sigma^{-m} \exp\left[-\frac{1}{2\sigma^2} \sum_{i=1}^{m} (x_i - \theta_1)^2\right]$$

在试验的任意阶段都会计算概率比 $\dfrac{p_{1m}}{p_{0m}}$，如果

$$B < \frac{p_{1m}}{p_{0m}} < A \tag{1}$$

试验将继续进行。如果

$$\frac{p_{1m}}{p_{0m}} \geqslant A \tag{2}$$

试验将会终止，并且拒绝假设 $\theta = \theta_0$，接受假设 $\theta = \theta_1$。如果

$$\frac{p_{1m}}{p_{0m}} \leqslant B \tag{3}$$

试验同样会被终止，并且接受假设 $\theta = \theta_0$，拒绝假设 $\theta = \theta_1$。

在错误水平 (α, β) 条件下，α, β, A 和 B 4 个量的关系为：

$$A = \frac{1-\beta}{\alpha}, \quad B = \frac{\beta}{1-\alpha} \tag{4}$$

对（1）式、（2）式、（3）式取对数，然后可以将它们依次分别重新写为：

$$\frac{\sigma^2}{\theta_1 - \theta_0} \log B + m \frac{\theta_1 + \theta_0}{2} < S_m < \frac{\sigma^2}{\theta_1 - \theta_0} \log A + m \frac{\theta_1 + \theta_0}{2} \tag{5}$$

$$S_m \geqslant \frac{\sigma^2}{\theta_1 - \theta_0} \log A + m \frac{\theta_1 + \theta_0}{2} \tag{6}$$

$$S_m \leqslant \frac{\sigma^2}{\theta_1 - \theta_0} \log B + m \frac{\theta_1 + \theta_0}{2} \tag{7}$$

其中，$S_m = \sum\limits_{i=1}^{m} x_i$。

分别定义 m 次观察时的接受数 A_m 和拒绝数 R_m 为

$$A_m = \frac{\sigma^2}{\theta_1 - \theta_0} \log A + m \frac{\theta_1 + \theta_0}{2} \tag{8}$$

$$R_m = \frac{\sigma^2}{\theta_1 - \theta_0} \log B + m \frac{\theta_1 + \theta_0}{2} \tag{9}$$

接受和拒绝数最好在试验开始以前进行。计算接受的数量 A_m 以及拒绝的数量 R_m，如果 $R_m < S_m < A_m$ 试验将继续。第一次出现 S_m 不位于接受和拒绝数之间的时候，试验结束。假如 $S_m \geqslant A_m$ 接受这个药物，假如 $S_m \leqslant R_m$ 则拒绝这个药物。

例 1　将序贯试验方法用于 30 只兔子的（促）尿钠排泄的筛选试验，在处理 3 小时后

收集尿液。尿液中的钠表示为 $\mu Eq/kg/h$。对照组和处理组都收集大量数据。研究者发现均值和方差是相关的(例如均值增大时,方差也变大),所以对观察值求平方根以减弱这种相关性,合并变换后的对照组和处理组数据的方差,我们得到方差为 11.6。由对照组和处理组兔子得到的信息,假如利尿剂使钠排泄物比对照组的动物多出 2.25 倍或以上,我们就认为它是有效的。如果钠排泄物最高不超过对照组动物的 1.2 倍,就认为利尿剂是无效的。将这些数值转化为变换后的数据,定义如下临界水平:

$$\theta_0 = \sqrt{106 \times 1.2} = 10.41, \quad \theta_1 = \sqrt{106 \times 2.25} = 14.25$$

其中,106 是对照组的平均值。第一类错误令为 0.1,第二类错误令为 0.05。在每一个阶段检验动物 3 个,于是 $\sigma^2 = \dfrac{11.6}{3} = 3.87$,$\alpha = 0.1$,$\beta = 0.05$。将它们带入式(8)和式(9)就可以得到接受数与拒绝数。抽样过程如下:

1)3 个兔子检验药物,逐个给出尿液中的钠 $Z = Na^+ Eq/kg/h$,这 3 个值分别记为 Z_1,Z_2,Z_3。

2)计算 $Y_1 = \sqrt{Z_1}$,$Y_2 = \sqrt{Z_2}$,$Y_3 = \sqrt{Z_3}$

3)$x_1 = \dfrac{Y_1 + Y_2 + Y_3}{3}$

4)将 x_1 与 1 阶段接受数和拒绝数进行比较。假如 $S_1 \geqslant A_1$,接受利尿剂,假如 $S_1 \leqslant R_1$,拒绝它。假如 $R_1 < S_1 < A_1$,进行 5)。

5)再次按 1)和 2)进行,对 3 只兔子进行测定,并计算 x_2,并根据 x_1 和 x_2 计算 S_2,然后将 S_2 与第 2 阶段的接受数与拒绝数进行比较。假如 $S_2 \geqslant A_2$,接受利尿剂,假如 $S_2 \leqslant R_2$,拒绝它。假如 $R_2 < S_2 < A_2$,则取下一组兔子,按相同方式继续进行这一过程。

本例中,接受数与拒绝数以及指定的利尿剂速尿灵(强效利尿剂)见表 1。在本试验中,试验在第 2 阶段终止,并且结果是接受该利尿剂。

在临床试验中,θ_0 是一个不能接受的均值,一般有研究者根据过去经验来猜测。θ_1 可以是调查者任意指定的,可以是基于特定调查领域的特别知识的令人满意的或者可以接受的均值,或者是调查者考虑 θ_0 和 θ_1 的区别代表着重要的医学进展。

表 1　一种利尿剂的序贯分析

观察阶段 m	拒绝数 R_m	反应的和 S_m	接受数 A_m
1	9.42	12.23	14.60
2	21.75	42.18	26.93
3	34.08		39.26
4	64.41		51.59
5	58.74		63.92
6	71.07		76.25

注:$\theta_0 = 10.41$,$\theta_1 = 14.25$,$\sigma^2 = 3.87$,$\alpha = 0.1$,$\beta = 0.05$。

3 图示法再表示

序贯的步骤也可以以图示法的形式给出。由式(10)和式(11)可知，A_m 和 R_m 实际是 m 的线性函数。观察数 m 可作为横坐标，治疗有效个数 S_m 可以作为纵坐标。于是可以做出两条平行线，上界和下界分别用 U 和 L 表示。

$$U：y=a_1+bm$$
$$L：y=a_0+bm$$

U 的截距由下式给出：

$$a_1=\frac{\sigma^2}{\theta_1-\theta_0}\log\frac{1-\beta}{\alpha} \tag{10}$$

L 的截距由下式给出：

$$a_0=\frac{\sigma^2}{\theta_1-\theta_0}\log\frac{\beta}{1-\alpha} \tag{11}$$

U 和 L 是平行的，它们的共同斜率是：

$$b=\frac{\theta_1+\theta_0}{2} \tag{12}$$

假如 $\alpha=\beta$，将满足 $a_1=-a_0=a$，因此上下限变成

$$U：y=a+bm$$
$$L：y=-a+bm$$

这两条界限是在试验开始前画的。上界是接受域的边缘，下界是拒绝域的边缘，上下界之间的区域不做决定。随着试验的进行研究者画出一个简单的路径，画这个由原点出发的简单路径需要根据以下原则。

1)每一个参与本试验的主体的观察值需要在结果得出后马上画出。

2)令首个观察值为 x_1，显然 $S_1=x_1$，然后就画一个从原点 $(0,0)$ 移动到 $(1,S_1)$ 的样本路径。

3)如果样本路径达到上限或者接受域，将接受这个药物并终止试验。

4)如果样本路径达到下限或者拒绝域，将拒绝这个药物并终止试验。

5)在样本路径位于未决定区域，例如徘徊于上下限之间时，试验将继续，即再进行一小组试验。

6)令第 2 个观察值为 x_2，显然 $S_2=x_1+x_2$，然后就画一个从 $(1,S_1)$ 移动到 $(2,S_2)$ 的样本路径。

7)如果增加样本之后，样本路径仍然位于两线之间，就取第三个观察值 x_3，并按相同的方式继续这个过程。

在例 1 中令 $\theta_0=10.41$，$\theta_1=14.25$，$\sigma^2=3.87$，$\alpha=0.1$，$\beta=0.05$，然后，解方程(10)～(12)。公共斜率为 $b=12.23$，上截距为 $a_1=2.269$，下截距为 $a_0=-2.269$。上下界分别为：

$$U: y = 2.269 + 12.23m$$
$$L: y = -2.269 + 12.23m$$

在本试验中,试验在第 2 阶段终止,并且结果是接受该利尿剂。见图 1。

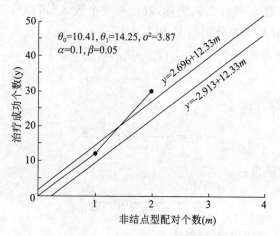

图 1 Wald 设计的确定利尿剂有效率的序贯分析

4 平均样本量(ASN)

定量资料序贯试验观察值个数不是预先设定的,而是随机变量。在序贯试验理论分析中,Wald(1947) 得出了具有特定边界集的近似数学表达。这种表达的唯一特色是它取决于接受域和拒绝域的总体均值。Wald 计算 ASN 的公式如下。

如果总体均值 $\theta = \theta_0$,ASN 可按如下表达:

$$\bar{n}_0 = \frac{(1-\alpha)a_0 + \alpha a_1}{\theta_0 - b} \tag{13}$$

如果总体均值 $\theta = \theta_1$,ASN 可按如下表达:

$$\bar{n}_1 = \frac{\beta a_0 + (1-\beta)a_1}{\theta_1 - b} \tag{14}$$

如果治疗成功总体均值 θ 等于或者近似等于接受和拒绝边界的公共斜率 b,ASN 将达到最大值,例如最大 ASN 可以表达为:

$$\bar{n}_{\max} = -\frac{a_0 a_1}{\sigma^2} \tag{15}$$

其中,a_0 和 a_1 分别代表上下边界的截距。σ^2 是观察值的总体方差。这些和 $\bar{n}_0$,$\bar{n}_1$,$\bar{n}_{\max}$ 有关的公式可以由上面的公式直接解出,终止序贯试验的平均样本量将被确定。一般而言,θ_0 是对照组均值,研究者一般知道他的具体取值;θ_1 是治疗组均值,可以任意选择。θ_0 和 θ_1 的区别反映了重要的医学进展。如果 θ_1 设置的与 θ_0 过近,做决定所需的 ASN 就会偏大,但一般而言仍然会比标准的统计方法小。

在例 1 中,$\theta_0 = 10.41, \theta_1 = 14.25, \sigma^2 = 3.87, \alpha = 0.1, \beta = 0.05$。应用这些值解式 (13)~(15),我们得到 $\bar{n}_0 = 1.25, \bar{n}_1 = 1.05, \bar{n}_{\max} = 1.71$。$ASN$ 必须是整数,但一般这些

解并非整数。然后可以用 $\bar{n}_0 = 2, \bar{n}_1 = 2, \bar{n}_{\max} = 2$ 来替代,结果与表 1 一致。

5 截断设计

为了避免可能出现的样本量过大问题,研究者可以在 $m = m_t$ 时就截断试验。也就是说,即使按传统的序贯方法得不到最终的决定,也就是 $m \leqslant m_t$,研究者也将在 $m = m_t$ 时终止试验。此时一个合理的确定接受或者拒绝一个药物检验假设的规则,如果 m_t 次观察后治疗成功个数 S_{m_t} 最少是 $\dfrac{(A_{m_t} + R_{m_t})}{2}$,研究者接受这个药物,如果 $\dfrac{S_{m_t} < (A_{m_t} + R_{m_t})}{2}$,研究者拒绝它。截断效应取决于前 m_t 次观察,和 α, β 相关的截断当然取决于 m_t。Wald 在他的理论与数学发展序贯分析中,将 m_t 设置为期望观察次数的 3 倍,因为序贯试验在 $m < m_t$ 时终止试验的概率近似于 1。Wald 提出序贯步骤可以在 $m_t = 2ASN$ 或者 $m_t = 3ASN$ 截断。这种截断方法看起来是非常合理的,因为观察值个数超过 m_t 的概率是非常小的。

例 2 测量健康人多种化合物的利尿活性。尿量是服从正态分布的,24 小时尿量表示摄入量的比例。计算每个主体 3 个对照日,每日的方差,不仅要记录对照日三天的数据,还要记录接下来三天的数据。研究者仅报告首个处理日数据,标准差是 14.1,方差是 198.81。序贯分析按如下方式进行。假如检验药物使得 24 小时尿量提高 17.3%,检验药物可以被认为是一个好的药物;假如检验药物不提高 24 小时尿量,检验药物可以被认为不是一个好药物。接受一个无效药物的概率令为 0.01,拒绝一个有效药物的概率也定为 0.01。即 $\alpha = \beta = 0.01$,$\sigma^2 = 198.81$,$\theta_0 = 0$ 和 $\theta_1 = 17.3$,然后,解方程(10)(11)(12)。公共斜率为 $b = 8.65$,上截距为 $a_1 = 52.81$,下截距为 $a_0 = -52.81$。解(13),(14),(15),我们得到 $\bar{n}_0 = 6, \bar{n}_1 = 6, \bar{n}_{\max} = 14$。检验在 $m_t = 18$ 截断,也就是 $3ASN$。他比最大平均样本量略大,用截断设计法处理例 2 过程见图 2。

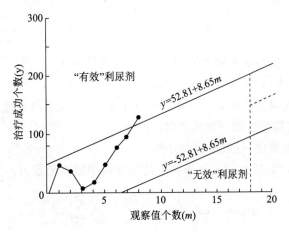

图 2 确定利尿剂有效性的截断设计序贯分析

参考文献

Xu Duan zheng. Computer analysis of sequential medical trials. Ellis Horwood Limited,1990.

(徐天和　张中文)

开放型定量资料单侧配对序贯试验

我们在本条目中考虑配对序贯试验,并且给予每个受试对象一个测度值,记录对照组和实验组测度值的差值。我们假设差值服从正态分布,均值 $\bar{d}$ 未知,标准差 σ 已知。假如处理组优于对照组,那么均值 $\bar{d}$ 的真值就大于 0 或者小于 0。然后,作为处理组和对照组不同的一个测度,我们应该用 $\bar{d}/\sigma$ 来代替 $\bar{d}$。

在序贯试验中,我们应该一个个或者一对对的观察主体效应。两个不同测度值的差代表着一对中处理效应和对照效应的差值的估计。假设处理组的 $\bar{d}$ 更大。然后,一般而言,研究者会指定两个特定的值 δ_0 和 $\delta_1(\delta_0 < \delta_1)$,如果 $\delta \geq \delta_1$ 研究者倾向于接受处理效应,如果 $\delta \leq \delta_0$,研究者倾向于拒绝处理效应。如果研究者认为对照组的效应不可能超过处理组,显然一个比较合理的假设是 $\delta_0 = 0$。δ_0 的选择意味着研究者将在处理组和对照组是等效的条件下拒绝处理效应。在这种情形下,研究者需要设计一个抽样计划以决定是否接受该处理,并拒绝指定的 δ_1。

为了设计一个合适的序贯试验,我们需要给出处理组和对照组的差的度量。我们选择差值和标准差的比值。

1 检验准则

在确定序贯试验的检验准则之前,我们首先要确定一个 δ_1。然后可以计算序贯的概率比,对于检验水准为 (α, β) 的检验 $\delta = \delta_0 = 0$ 与 $\delta = \delta_1(>0)$。在 $\delta = \delta_0 = 0$ 时,接受处理的概率不应该超过预先设定的值 α。$\delta = \delta_0 = 0$ 而在 $\delta = \delta_1$ 时,拒绝处理的概率不应该超过预先设定的 β。序贯检验按如下方式给出:

让 x 表示 δ 的观察值,且服从正态分布。

样本 $x_1, x_2, \cdots, x_m$ 在 $\delta = \delta_0 = 0$ 条件下的联合概率密度函数为:

$$p_{0m} = (2\pi)^{-m/2} \sigma^{-m} exp\left[-\frac{1}{2\sigma^2}\sum_{i=1}^{m} x_i^2\right]$$

样本 $x_1, x_2, \cdots, x_m$ 在 $\delta = \delta_1$ 条件下的联合概率密度函数为:

$$p_{1m} = (2\pi)^{-m/2} \sigma^{-m} exp\left[-\frac{1}{2\sigma^2}\sum_{i=1}^{m} (x_i - \delta_1)^2\right]$$

在试验的任意阶段都会计算概率比 p_{1m}/p_{0m},如果

$$\frac{\beta}{1-\alpha} < p_{1m}/p_{0m} < \frac{1-\beta}{\alpha} \tag{1}$$

试验将继续进行。如果

$$\frac{p_{1m}}{p_{0m}} \geqslant \frac{1-\beta}{\alpha} \tag{2}$$

试验将会终止,并且接受处理效应。如果

$$\frac{p_{1m}}{p_{0m}} \leqslant \frac{\beta}{1-\alpha} \tag{3}$$

试验同样会被终止,并且拒绝该处理效应。

对(1)式、(2)式、(3)式取对数,然后可以将它们依次分别重新写为:

$$\frac{\sigma}{\delta_1}\log\frac{\beta}{1-\alpha}+\frac{\delta_1}{2}\sigma m < S_m < \frac{\sigma}{\delta_1}\log\frac{1-\beta}{\alpha}+\frac{\delta_1}{2} \tag{5}$$

$$S_m \geqslant \frac{\sigma}{\delta_1}\log\frac{1-\beta}{\alpha}+\frac{\delta_1}{2}\sigma m \tag{6}$$

$$S_m \leqslant \frac{\sigma}{\delta_1}\log\frac{1-\beta}{\alpha}+\frac{\delta_1}{2}\sigma m \tag{7}$$

其中,$S_m = \sum_{i=1}^{m} x_i$。

分别定义 m 次观察时的接受数 A_m 和拒绝数 R_m 为

$$A_m = \frac{\sigma}{\delta_1}\log\frac{1-\beta}{\alpha}+\frac{\delta_1}{2}\sigma m \tag{8}$$

$$R_m = \frac{\sigma}{\delta_1}\log\frac{1-\beta}{\alpha}+\frac{\delta_1}{2}\sigma m \tag{9}$$

接受和拒绝数最好在试验开始以前进行。计算接受的数量 A_m 以及拒绝的数量 R_m,如果 $R_m < S_m < A_m$,试验将继续。第一次出现 S_m 不位于接受和拒绝数之间的时候,试验结束。假如 $S_m \geqslant A_m$,接受这个处理,假如 $S_m \leqslant R_m$,则拒绝这个处理。

例 通过结扎犬的左冠状动脉前降支来制备急性心肌梗死的模型。测定每只犬在结扎后缺血期以及服用中国传统中草药——安息香 1 小时后的动脉和冠状窦血流量之间的氧含量的差异。通常,在 LAD 结扎犬模型可展现出动脉和静脉窦血之间的氧含量水平梯度性的扩大,例如 MA-VO$_2$ 增加。

设计一个序贯试验来检验是否苏合香药丸比安慰剂在降低动静脉氧差方面更有效。动静脉氧差的标准差估计为 4.77%。苏合香药丸用药前后的差是 d。为了测量这种区别,研究者取 $\delta_0 = 0, \delta_1 = 5.00/4.77 = 1.05$。两类错误$(\alpha, \beta)$均取为 0.01,将它们带入公式(8)、式(9)得接受数和拒绝数见表 1。试验在第三对观察时拒绝了安慰剂,在第 7 对观察时接受了苏合香药丸。

表 1　缓解心绞痛中药苏合香药丸的序贯分析

观察阶段 m	拒绝数 A_m	反应的和 (S_m) 安慰剂	苏合香药丸	接受数 R_m
1	−18.37	−10.42	8.01	23.38
2	−15.87	−15.5	10.03	25.88
3	−13.36	−16.87	15.05	28.39
4	−10.86		30.16	30.39
5	−8.36		30.2	33.44
6	−5.85		33.55	35.9
7	−3.35		40.35	38.4
8	−0.84			40.91
9	1.66			43.41
10	4.16			45.92

注：$\delta_0=0, \delta_1=1.05$。

2　图示法再表示

序贯的步骤也可以以图示法的形式给出。观察数 m 可作为横坐标，治疗有效个数 S_m 可以作为纵坐标，A_m 和 R_m 是 m 的线性函数。于是可以做出两条平行线，上界和下界分别用 U 和 L 表示。

$$U: y = a_1\sigma + b\sigma m$$
$$L: y = a_0\sigma + b\sigma m$$

U 的截距由下式给出：

$$a_1\sigma = \frac{\sigma}{\delta_1}\log\frac{1-\beta}{\alpha}$$

故有

$$a_1 = \frac{1}{\delta_1}\log\frac{1-\beta}{\alpha} \tag{10}$$

L 的截距由下式给出：

$$a_0\sigma = \frac{\sigma}{\delta_1}\log\frac{\beta}{1-\alpha}$$

故有

$$a_0 = \frac{1}{\delta_1}\log\frac{\beta}{1-\alpha} \tag{11}$$

U 和 L 是平行的，它们的共同斜率是：

$$b\sigma = \frac{\delta_1}{2}\sigma$$

故有
$$b=\frac{\delta_1}{2} \qquad (12)$$

假如 $\alpha=\beta$，将满足 $a_1=-a_0=a$，因此上下限变成

$$U: y=a\sigma+b\sigma m$$

$$L: y=-a\sigma+b\sigma m$$

这两条界限是在试验开始前画的。上界是接受域的边缘，下界是拒绝域的边缘，上下界之间的区域不做决定。随着试验的进行研究者画出一个简单的路径，画这个由原点出发的简单路径需要根据以下原则：

1）每一个参与本试验的主体的观察值需要在结果得出后马上画出。

2）令首个观察值为 x_1，显然 $S_1=x_1$，然后就画一个从原点 $(0,0)$ 移动到 $(1,S_1)$ 的样本路径。

3）如果样本路径达到上限或者接受域，将接受这个药物并终止试验。

4）如果样本路径达到下限或者拒绝域，将拒绝这个药物并终止试验。

5）在样本路径位于未决定区域，例如徘徊于上下限之间时，试验将继续，即再进行一小组试验。

6）令第 2 个观察值为 x_2，显然 $S_2=x_1+x_2$，然后就画一个从 $(1,S_1)$ 移动到 $(2,S_2)$ 的样本路径。

7）如果增加样本之后，样本路径仍然位于两线之间，就取第三个观察值 x_3，并按相同的方式继续这个过程。

在例 1 中，我们令 $\sigma=4.77$，$\delta_1=1.05$，$\alpha=0.1$，$\beta=0.1$，并解方程(10)～(12)。公共斜率是 2.504，上截距 $a_1\sigma$ 为 20.875。于是上下边界变为：

$$U: y=20.875+2.504m$$

$$L: y=-20.875+2.504m$$

安慰剂的样本路径在第三个观察值时终止，并且被拒绝，苏合香药丸的样本路径在第 7 个观察时终止并且被接受。见图 1。

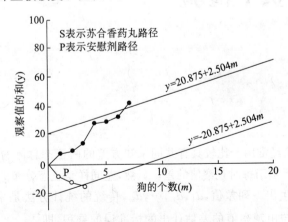

图 1   苏合香药丸有效性的序贯图

为简化数值求解边界的计算，特定的公共斜率已经计算，见附表 7"量反应单向序贯

试验边界系数表"。

3 平均样本量

ASN 的计算公式如下：

如果 $\delta = \delta_0 = 0$，ASN 可按如下表达：

$$\bar{n}_0 = \frac{(1-\alpha)a_0 + \alpha a_1}{\theta_0 - b} \tag{13}$$

如果 $\delta = \delta_1$，ASN 可按如下表达：

$$\bar{n}_1 = \frac{\beta a_0 + (1-\beta)a_1}{\theta_1 - b} \tag{14}$$

如果 $\delta = \delta_1 / 2$，ASN 将达到最大值，此时最大 ASN 可以表达为：

$$\bar{n}_{max} = -a_0 a_0 \tag{15}$$

其中，b，a_0 和 a_1 由式(10)，式(11)，式(12)得到。对于例 1，得 $\bar{n}_0 = 8$，$\bar{n}_1 = 8$，$\bar{n}_{max} = 19$。苏合香药丸的结果与表 1 中结果一致，但是对于安慰剂，本方法得到结果偏大。这种现象揭示了安慰剂可能能提高 $MA\text{-}VO_2$，而非降低。

参考文献

Xu Duan zheng. Computer analysis of sequential medical trials. Ellis Horwood Limited，1990.

（徐天和，张中文）

双侧序贯 t 检验

1 检验步骤

双侧序贯 t 检验经常用于比较具有共同未知方差的两正态总体的均值，观察值按顺序成对获得。数据分析基于每对观察值的差。显然，差同样是正态分布的，并且方差未知。

一次试验会产生出一列差值，$d_1, d_2, \cdots, d_m$，传统的统计方法是采用配对 t 检验。采用的统计量 t 是 $\bar{d}$ 与由观察值的差估计出的标准误的乘积，即

$$t = \bar{d}\sqrt{m-1}/\sigma$$

双侧序贯 t 检验需要在每个阶段不断计算 t 值,但是这是个很难处理的过程。一个更简便的方法是在试验的每个阶段计算一个量 z:

$$z = (\sum_{i=1}^{m} d_i)^2 / \sum_{i=1}^{m} d_i^2$$

这里 d_i 表示每对观察值的差,$\sum_{i=1}^{m} d_i^2$ 是到目前为止观测到的数据差的平方和,显然 z 是非负的,z 和 t 的关系式为:

$$z = t^2 m / (t^2 + m - 1)$$

双侧序贯 t 检验与单侧序贯 t 检验的步骤类似。一列差值 $d_1, d_2, \cdots, d_m$ 表示用新药受试对象的效应减去对照的效应。为了度量效应的差别我们采用统计量 $\delta = \mu_d / \sigma$。研究者需要选择 δ 的一个临界值 $\delta_1 (>0)$,表示新药优于对照;以及另外一个临界值 $-\delta_1$,表示新药劣于对照。双侧序贯假设检验问题为:零假设 $H_0 : \delta = \delta_0 = 0$ 与备择假设 $H_1 : \delta = \delta_1 > 0$ 或 $H_2 : \delta = -\delta_1 < 0$。

双侧序贯 t 检验可能得到如下三个结论:

1)接受零假设,即根据试验数据,并不能确认 $\delta = 0$ 是错误的。换句话说,也就是不能认为新药和对照有显著的统计学差异。

2)拒绝零假设,接受备择假设 $H_1 : \delta = \delta_1 > 0$,并且在试验数据的基础上认为 $\delta > 0$。换句话说,结论是新药效果优于对照药物。

3)拒绝零假设,接受备择假设 $H_2 : \delta = -\delta_1 < 0$,并且在试验数据的基础上认为 $\delta < 0$。换句话说,结论是新药效果不如对照药物。

在双侧序贯 t 检验中,需要确定三个值,δ 的临界值 δ_1,第一类错误 2α,第二类错误 β,δ 的选择依赖于标准差,如果标准差未知,需要给出估计。如果标准差不易估计也可以采用查表的办法。见表 1。该表中给出了 $2\alpha = \beta = 0.05$ 以及 $2\alpha = \beta = 0.01$ 时对应不同临界值 δ 的 m 值。

表 1　非序贯 t 检验对应于不同 δ 的样本量(双侧)

δ	0.4	0.5	0.6	0.7	0.8	0.9	1	1.2	1.4	1.6	2
m	85	54	39	29	23	19	16	12	9	8	6
	150	100	71	53	41	34	28	21	16	13	10

在确定了 $2\alpha, \beta, \delta$ 以后,我们可以查附表 11"错误水平为 $(0.05, 0.05)$ 双侧序贯 t 检验边界点"和附表 12"错误水平为 $(0.01, 0.01)$ 双侧序贯 t 检验边界点",得到 z 值的上下界。

2　平均样本量

序贯 t 检验的 ASN 不易获得。然而比较确定的是得到序贯试验结论要比非序贯检验所需样本量小,比方差已知的序贯分析所需样本量要大。虽然没有关于序贯 t 检验的 ASN 的分析结果,但仍然可以应用推断的结果。推断的估计 ASN 方程的 t 检验是有用的。推断的准则是令：

$$\frac{\text{序贯 } t \text{ 检验 } ASN}{\text{方差已知的序贯 } t \text{ 检验 } ASN} = \frac{\text{非序贯 } t \text{ 检验 } N}{\text{方差已知的非序贯 } t \text{ 检验}} \tag{1}$$

例如，在 $2\alpha = \beta = 0.05$ 以及 $\delta_1 = 0.5$ 条件下对于已知标准差的双侧序贯 t 检验的 ASN 可以按下面的公式估计

$$\overline{n}_1 = \frac{2\left[(1-\beta)\log\dfrac{1-\beta}{\alpha} - \beta\log\dfrac{1-\alpha}{\beta}\right]}{\delta_1^2} \tag{2}$$

当 $\delta = 0.5$ 时，ASN 是 34，当 $\delta = 0$ 时，ASN 为 26，当 $\delta = 0.25$ 时，ASN 为 43。与等价的非序贯 t 检验以及已知方差的非序贯均值比较的检验的样本量分别为 54 和 52。将这些值带入式(1)。则在错误水平(0.05,0.05)条件下，当 $\delta = 0.5$ 时，双侧序贯 t 检验的 ASN 是 36，当 $\delta = 0$ 时，ASN 为 38，当 $\delta = 0.25$ 时，ASN 为 40。

例 1 比较两种药物，第一种是阿司匹林，作为标准；第二种是强的松(肾上腺皮质激素)，对病人进行为期两周的试验，每个病人在第一周服用一种药物，在第二周服用另外一种药物。对于一个病人先服用阿司匹林再服用强的松(肾上腺皮质激素)，另外病人采用相反的顺序。

药物的效应通过病人的握力来评价。握力差定义为服用阿司匹林周的握力减去服用强的松周的握力。为了排除自然改进的影响，将一个先服用阿司匹林的病人的握力差与一个先服用强的松病人的握力差求和。这样就给出一对病人一个值。表 2 给出了双侧序贯 t 检验对应于 $\delta_1 = 0.85$，以及错误水平(0.05,0.05)的边界值。双侧序贯 t 检验的计算见表 3。

表 2　双侧序贯试验的边界点

配对个数	上界	下界	配对个数	上界	下界
6	5.58	—	16	6.08	1.00
7	5.51	—	17	6.19	1.14
8	5.50	—	18	6.31	1.28
9	5.51	0.11	19	6.43	1.42
10	5.56	0.23	20	6.55	1.56
11	5.61	0.35	22	6.81	1.85
12	5.69	0.48	24	7.07	2.14
13	5.77	0.61	26	7.34	2.43
14	5.87	0.74	28	7.61	2.73
15	5.97	0.87	30	7.89	3.03

注：$\delta_1 = 0.85, 2\alpha = \beta = 0.05$。

表3　阿司匹林与强的松比较的序贯 t 检验

配对个数	握力差		d_i	$\sum d_i$	z
	先吃强的松	先吃阿司匹林			
1	10	−30	−20	−20	1
2	2	−56	−54	−74	1.65
3	0	−30	−30	−104	2.57
4	−7	−39	−46	−150	3.55
5	16	−60	−44	−194	4.55
6	18	−51	−33	−227	5.51
7	46	−78	−32	−259	6.46

　　表 3 的最后一列组成了一个样本路径见图 1。试验在第 17 对观察值时终止。样本路径显示,强的松具有很强的效应,所以试验很快就终止了。

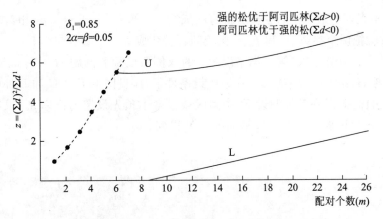

图 1　强的松和阿司匹林在缓解风湿性关节炎上的比较

参考文献

Xu Duan zheng. Computer analysis of sequential medical trials. Ellis Horwood Limited,1990.

(徐天和,张中文)

Armitage 设计

序贯设计中，获得比较一般的截断设计的方法是由 Armitage(1957)设计的，Armitage 提出了一系列此类序贯方法，称为闭锁型序贯设计。本条目将对已经在临床试验中被广泛应用的 Armitage 设计进行介绍。

将分别具有 p_1 和 p_2 成功率的 2 种药物用于受试对象。成对的受试对象被随机分配到两个药物组，分别记录两组的成功与失败信息。新药成功旧药失败的对子记为"SF"，新药失败旧药成功的对子记为"FS"。去掉新旧药都成功的对子和都失败的对子，该序贯方法的伯努利数据只基于非结点数据，即"SF"和"FS"。

令 θ 表示非结点数据"SF"的期望构成比，那么

$$\theta = \frac{p_2(1-p_1)}{p_2(1-p_1)+p_1(1-p_2)}$$

其中，p_1 表示老药的成功率，p_2 表示新药的成功率。$\theta > 0.5$ 与 $p_2 > p_1$ 相对应。这样通过这个参数就把两个参数 p_1 和 p_2 的比较问题转化成了一个参数与 0.5。

考虑第一类错误为 2α，第二类错误为 β 的双侧假设检验问题 $H_0 : \theta = 0.5$ 与 $H_1 : \theta = \theta_1 > 0.5$ 或者 $H_2 : \theta = 1 - \theta_1 < 0.5$。在原假设条件下，序贯图上下界 U 和 L 外的区域包含了预先设定的概率 α；在备择假设下，中间区域包含了预先设定的概率 β。限制性双侧序贯试验可以由上下界 U 和 L 以及截断 $m = N$ 得到。

这里

U: $y = a + bm$

L: $y = -a - bm$

并且

M: $m = N$

检验水平为 (α, β) 的检验 H_0 与 H_1 以及有相同检验水平的检验 H_0 与 H_2，与开放型检验相同，边界为：

$$a = \frac{2\log[(1-\beta)]/\alpha}{\log[\theta_1/(1-\theta_1)]} \quad \text{与} \quad b = -\frac{\log[4\theta_1(1-\theta_1)]}{\log[\theta_1(1-\theta_1)]} \tag{1}$$

然而，直线 U 和 L 应该在横坐标 $m = N$ 增加一个竖线。为了达到错误水平 $(2\alpha, \beta)$，首先应该确定截距点 N，为了确定 N，Armitage 应用扩散过程。拒绝原假设 H_0 的概率可以由扩散近似得到：

$$\beta = F\left[\frac{a-(2\theta_1-1-b)N}{\sqrt{4\theta_1(1-\theta_1)N}}\right] - \exp\left[\frac{2a(2\theta_1-1-b)}{4\theta_1(1-\theta_1)}\right] F\left[\frac{-a-(2\theta_1-1-b)}{\sqrt{4\theta_1(1-\theta_1)N}}\right] \quad (2)$$

其中，$F(x)$ 为标准正态分布的分布函数，a 和 b 按公式(1)给出。

方程(2)形式上很复杂，在确定了 α, β, θ_1 以后，可以得到 N 的数值解。例如双侧假设检验问题 $H_0: \theta = 0.5$ 与 $H_1: \theta = 0.8$ 或者 $H_2: \theta = 0.2$。开放型双侧序贯检验的上下界为：

U: $y = 5.248 + 0.322m$

L: $y = -5.248 - 0.322m$

阶段点 N 可以由截断近似得到。将 $a = 5.248, b = 0.322, \theta_1 = 0.8$ 带入方程(2)，我们得到：

$$0.05 = F\left[\frac{5.248 - 0.278N}{0.8\sqrt{N}}\right] - \exp\left[\frac{2(5.248)(0.278)}{0.64}\right] F\left[\frac{-5.248 - 0.278N}{0.8\sqrt{N}}\right]$$

或者

$$0.05 = F\left[\frac{6.560}{\sqrt{N}} - 0.3475\sqrt{N}\right] - 95.507 F\left[\frac{-6.560}{\sqrt{N}} - 0.3475\sqrt{N}\right]$$

可以证明，$N = 43$ 为上述方程的解，进而限制性序贯图的边界为：

U: $y = 5.248 + 0.322m$

L: $y = -5.248 - 0.322m$

M: $m = 43$

因为外边界 U 和 L 仅能在点集 $\{M\}$ 相交，于是应该用离截距点 $m = 43$ 最近的属于点集 $\{M\}$ 的点 $m = 44$ 代替。

为了将 Armitage 设计的截断点与固定设计的等价样本量进行对比，我们计算如下方程：

$$N_0 = [\theta_1(1-\theta_1)u_\beta + 0.5u_\alpha]^2 / (\theta_1 - 0.5)^2$$

其中，u_α 和 u_β 分别表示标准正态分布的 $100(1-\alpha)\%$ 和 $100(1-\beta)\%$ 分位数。在 $\alpha = 0.025$ 以及 $\beta = 0.05$ 条件下，$u_\alpha = 1.960$ 并且 $u_\beta = 1.645$，$\theta_1 = 0.8$ 时，$N_0 = 30$，$\theta_1 = 0.85$ 时，$N_0 = 20$。对于不同 θ_1 错误水平分别为 $(0.05, 0.05)$ 与 $(0.01, 0.05)$ 的截断点 N，边界参数 a 和 b 以及等价的样本量 N_0 见附表10。

显然，开放型双侧序贯试验在两种药没有显著性差异的条件下可以更早作出决定，因为此时开放型设计比限制性方法倾向于更早的达到中间区域。见图1。

在限制性序贯分析中，一个修订的边界同样在得到没有显著性差距的结论条件下起到减少观察个数的作用。边界的修订可以采用类似图1的楔形边界点 M′ 来代替 M 的方式。M′ 可以通过取 M 上的特定点，然后给出两条与横坐标有 45 度角直线得到(最高可接受点低于 C，最低可接受点高于 D)。该楔形边界具有一个简单的解释，因为序贯路径不能上升或者下降超过 45°，在所有可选择的路径起点中，存在一个特定的位置满足路径不再与上下边界相交。因此，如果路径是在 $y = 0$ 以及第 26 个观察点，试验就可以结束了,因为即使剩余的观察点全部属于一种,也达不到上下界了。换句话说,即使剩余所有观察值都是"SF"或者"FS",任何样本路径也不会在 $m=N$ 之前与上下界相交。显然,修改边界 M' 的应用不会对错误水平$(2\alpha,\beta)$有任何影响,但是会减少 ASN。

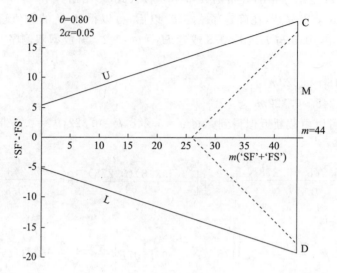

图 1 截距点 $m=44$, $2\alpha=\beta=0.05$,$\theta=0.80$ 具有楔形边界点的限制性序贯设计

例 (Freireich et al. 1963)检验 6-MP 持续缓解肾上腺皮质类固醇引起的急性白血病的效应。因为该临床试验对人的生命有重要影响,所以回答 6-MP 是否比安慰剂能显著有效是个重要的伦理问题。又考虑到序贯试验可以比较快的得到结果,所以研究者更倾向于采用序贯的方法研究该问题,本例选择 Armitage 闭锁型设计,并选择$2\alpha=\beta=0.05$,θ=0.75,选择的研究对象均为 20 岁以下。这些病人中,有 67% 的急性白血病是完全或者部分由肾上腺皮质类固醇引起的,对病人进行配对,其中一个分配到 6-MP 组,另外一个分配到安慰剂组。如果其中有一个比配对个体具有更好的缓解作用,那么就形成一对非结点数据,即"SF"或"FS"。这个结果是个很好的二项试验的应用,因为几乎可以肯定的是每对数据均为非结点数据。试验结果见表 1,序贯图见图 2。每对的结果见图,试验在第 21 对观察结束。

表 1 序贯试验中 6-MP 与安慰剂的比较(闭锁型:$2\alpha=\beta=0.05$,$\theta=0.75$)

配对	缓解持续周数		偏优	非结点类型
	6-MP	安慰剂		
1	10	1	6-MP	"SF"
2	7	22	安慰剂	"SF"
3	32	3	6-MP	"SF"
4	23	12	6-MP	"SF"
5	22	8	6-MP	"SF"
6	6	17	安慰剂	"FS"

续表

配对	缓解持续周数		偏优	非结点类型
	6-MP	安慰剂		
7	16	2	6-MP	"SF"
8	34＋	11	6-MP	"SF"
9	32＋	8	6-MP	"SF"
10	25＋	12	6-MP	"SF"
11	11＋	2	6-MP	"SF"
12	20＋	5	6-MP	"SF"
13	19＋	4	6-MP	"SF"
14	6	15	安慰剂	"FS"
15	17	8	6-MP	"SF"
16	35＋	23	6-MP	"SF"
17	6	5	6-MP	"SF"
18	13	11	6-MP	"SF"
19	9＋	4	6-MP	"SF"
20	6＋	1	6-MP	"SF"
21	10＋	8	6-MP	"SF"

注："＋"指在报告的时候病人仍在缓解。

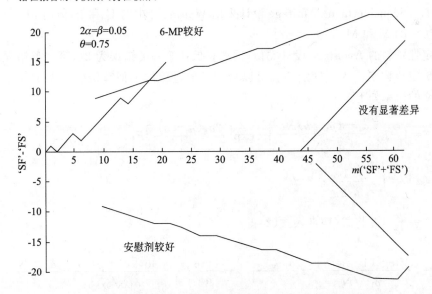

图2　6-MP 持续缓解肾上腺皮质类固醇引起的急性白血病的效应

（徐天和　张中文）

Schneiderman-Armitage 设计

Schneiderman 与 Armitage 1962 年提出一系列序贯方法，叫做"楔形闭锁"方法。可以用该方法来检验方差为 σ^2 正态总体的均值 μ。该方法可以有一个相对较小的平均样本量，并保持特定的第一类错误和第二类错误。

为了检验，本条目只考虑检验方差为 σ^2 正态总体的均值 μ 的双侧检验问题。检验假设为：$H_0:\mu=0$ 与 $H_1:\mu=\mu_1$ 或者 $H_2:\mu=-\mu_1$，第一类错误为 2α，第二类错误为 β。Wald 的序贯概率比检验给出 4 个边界，分别为 U，M，L 以及 M'，如下：

$$\text{U}:y=a_1+bm \qquad\qquad \text{M}:y=a_2+bm$$
$$\text{L}:y=-a_1-bm \qquad\qquad \text{M}':y=-a_2-bm$$

其中，

$$a_1=\frac{\sigma^2}{\mu_1}\log\frac{1-\beta}{\alpha}, a_2=\frac{\sigma^2}{\mu_1}\log\frac{\beta}{1-\alpha}, b=\frac{\mu_1}{2} \tag{1}$$

Schneiderman 与 Armitage 的一系列序贯方法与 Wald 的方法类似，只是规定样本量不超过 N_1，Schneiderman-Armitage 设计采用 Wald 设计中的 U 和 L，但用 M：$m=N_1$ 替换原方法中的 M 和 M'。

与定性资料的 Armitage 设计类似，需要在保证第一类错误为 2α，第二类错误为 β 的条件下确定极限点。为了确定 N_1，可以采用扩散过程的近似算法。与 U 或者 L 在 N_1 之前相交的概率如下：

$$\beta=1-F\left[\frac{a_1-(\mu_1-b)N_1}{\sigma\sqrt{N_1}}\right]-\exp\left[\frac{2a_1(\mu_1-b)}{\sigma^2}\right]F\left[\frac{-a_1-(\mu_1-b)N_1}{\sigma\sqrt{N_1}}\right] \tag{2}$$

其中，$F(x)=\displaystyle\int_{-\infty}^{x}\frac{1}{\sqrt{2\pi}}e^{-t^2/2}dt$。

令 $\delta_1=\dfrac{\mu_1}{\sigma}$，并将式（1）带入式（2）得：

$$\beta=F\left\{\frac{\log[(1-\beta)/\alpha]}{\delta_1\sqrt{N_1}}-\frac{\delta_1\sqrt{N_1}}{2}\right\}+\frac{1-\beta}{\alpha}F\left\{-\frac{\log[(1-\beta)/\alpha]}{\delta_1\sqrt{N_1}}-\frac{\delta_1\sqrt{N_1}}{2}\right\}$$

因为 α,β,δ_1 或者是已知的或者是调查者确定的，公式（3）可用于求 N_1，或者求 δ_1 $\sqrt{N_1}$，Schneiderman 与 Armitage 给出了常用的 α,β 下 δ_1 $\sqrt{N_1}$ 的值，见表 1。

表 1　不同的 $2\alpha, \beta$ 下 $\delta_1\sqrt{N_1}$ 的取值

β	2α		
	0.10	0.05	0.01
0.10	3.41	3.72	4.32
0.05	3.92	4.22	4.80
0.01	4.95	5.23	5.79

例如,对于方差为 1 的假设检验问题:$H_0:\mu=0$ 与 $H_1:\mu=1$ 或者 $H_2:\mu=-1$,第一类错误 $2\alpha=0.05$,第二类错误 $\beta=0.05$。我们可以得到上下界。

U:$y=3.638+0.5m$

L:$y=-3.638-0.5m$

由表 1 知 $\delta_1\sqrt{N_1}=4.22$,因 $\delta_1=1$,近似得 $N_1=18$。故闭锁性序贯图的三个边界为:

U:$y=3.638+0.5m$

L:$y=-3.638-0.5m$

M:$m=18$

与二项数据闭锁性序贯设计类似,可以在不影响两类错误的条件下通过将 M:$m=N_1$ 替换为楔形边界的方法来减少 ASN。

修正闭锁型设计可以按如下方式进行,朝原点方向移动中间边界,组成一个楔形边界。这些点是由零假设为真时与外边界相交的概率为 e 的点组成。然而这种修正会影响错误水平。Schneiderman 与 Armitage 通过将阶段点由 N_1 移到 N_1' 来补偿这种偏差,从而使得错误水平可以保持不变。

选择 $e=\alpha\beta/[(1-2\alpha)(1-\beta)]$ 给出 Wald 的开放型设计,根据中间值 e 给出楔形设计,在楔形设计时,较大的 e 对应较大的 N_1',并且内部区域会靠近原点。另一方面,较小的 e 内部区域会远离原点。不同 e 的 Schneiderman-Armitage 设计见图 1。

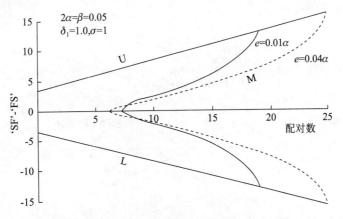

图 1　不同 e 值的 Schneiderman-Armitage 设计

例　初步研究表明慢性支气管炎患者的胆碱酯酶浓度会升高,并且这种变化与疾病严重程度成比例,为了对该问题进行深入研究,本条目选择 Schneiderman-Armitage 设计。

试验对象为确诊的慢性支气管炎患者,每位患者与一个作为对照的正常人配对,试验中确定每对受试对象的胆碱酯酶活性(SCA),每个受试对象的 SCA 由早晨的两次成功度数的均数得到,获得每对数据后立即对试验结果进行评价。在每对数据中令病人的 SCA 为 x_1,对照正常人的 SCA 为 x_2,记 x_1 与 x_2 的差为 d,d 的正负分别代表慢性支气管炎患者的 SCA 高于或者低于对照组。由 60 名正常人得到 SCA 的值为 $0.41\mu M/ml$,进而 d 的标准差为

$\sigma=\sqrt{2}\times0.41=0.58\mu M/ml$,Schneiderman-Armitage 设计基于以下准则:

(1)如果慢性支气管炎患者的 SCA 比对照组的高,并且达到一个标准差单位($\delta_1=1$),则可以得到结论,慢性支气管炎患者的 SCA 比正常人高。

(2)如果慢性支气管炎患者的 SCA 比对照组的低,并且达到一个标准差单位($\delta_1=-1$),则可以得到结论,慢性支气管炎患者的 SCA 比正常人低。

(3)如果慢性支气管炎患者的 SCA 与对照组的相同,并且差别确实是 $\delta=0$,则可以得到结论,慢性支气管炎患者的 SCA 与正常人没有差别。

(4)错误的得到(1)(2)(3)结论的概率都不超过 0.05。

换言之,本 Schneiderman-Armitage 设计基于以下条件:$2\alpha=\beta=0.05$,$\delta_1=1$,$\sigma=0.58$。由公式(1)得到两个外边界为:

U:$y=2.11+0.29m$

L:$y=-2.11-0.29m$

$\delta_1=1$,$\sigma=0.58$ 的边界点见表 2。

表 2　Schneiderman-Armitage 设计的边界点

m	7.47	8.00	9.00	10.00	11.00	12.00	13.00	14.00	15.00
y	0.00	0.46	0.87	1.22	1.62	2.03	2.49	2.96	3.48
m	16.00	17.00	18.50	18.00	18.91				
y	4.06	4.76	5.63	6.26	7.59				

注:$2\alpha=\beta=0.05$,$\delta_1=1$,$\sigma=0.58$。

楔形边界序贯图见图 2。

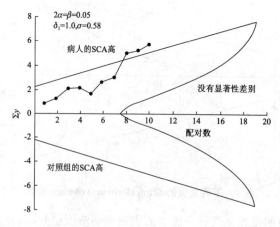

图 2　慢性支气管炎患者与正常人的血清胆碱酯酶活性

本例的样本路径达到 10 对受试对象,并且在第 8 对达到上边界,这显示慢性支气管炎患者的 SCA 比正常人高。具体计算过程见表 3。

表 3　慢性支气管炎患者与正常人的血清胆碱酯酶活性比较

m	SCA/(μM/ml)		差 $d = x_1 - x_2$	$y = \sum d$
	病人 x_1	对照 x_2		
1	3.28	2.36	0.92	0.92
2	2.60	2.40	0.20	1.12
3	3.32	2.40	0.92	2.04
4	2.72	2.52	0.20	2.24
5	2.38	3.04	−0.66	1.58
6	3.64	2.64	1.00	2.58
7	2.98	2.56	0.42	3.00
8	4.40	2.40	2.00	5.00
9	2.54	2.29	0.25	5.25
10	3.00	2.51	0.49	5.74

（徐天和　张中文）

重复测量设计

1　概念

在生物学和医学研究中,重复测量设计是应用非常普遍的一种设计类型。此设计具有 6 个突出的特点:其一,在不同的 p 个时间点上从同一受试对象身上对某指标进行 p 次重复观测;其二,测自同一受试对象的多个数据之间具有不等的相关性,间隔越近的数据相关性越强,间隔越远的数据相关性越弱;其三,测定时间有时是等距的,有时是不等距的;其四,有时部分受试对象在某个或某些时间点上出现缺失数据;其五,观测指标有时是定量的,有时是定性的;第六,通常与重复测量有关的因素为时间,但有时是部位或来自同一个体的多个平行样品。

　　根据资料的性质,可将重复测量设计资料分为重复测量设计定量资料和重复测量设计定性资料。根据试验中包含的重复测量因素的个数和总试验因素的个数,可将重复测量设计分为:具有一个重复测量的单因素设计,具有一个重复测量的 $k(k\geqslant2)$ 因素设计,具有两个重复测量的两因素设计,具有两个重复测量的 $k(k\geqslant3)$ 因素设计等。表 1 分别给出了具有一个重复测量的单因素设计、具有一个重复测量的两因素设计和具有两个重复测量的两因素设计定量资料的数据结构。表 4 为具有一个重复测量的两因素设计定性资料的数据结构,实验分组因素为 A,并在 2 个时间点上对每一个受试对象进行疗效评价,此处疗效设定为 4 级。

　　以上诸多特点决定了重复测量设计资料的统计分析的复杂性,此处以介绍重复测量设计定量资料的统计分析方法为主。关于重复测量设计定性资料的统计分析,请参阅相关文献。

表 1　具有一个重复测量的单因素设计定量资料的数据结构

受试对象编号	观测指标(单位)				
	观测时间:	1	2	⋯	p
1		y_{11}	y_{12}	⋯	y_{1p}
2		y_{21}	y_{22}	⋯	y_{2p}
⋮		⋮	⋮		⋮
n		y_{n1}	y_{n2}	⋯	y_{np}

表 2　具有一个重复测量的两因素设计定量资料的数据结构

A因素	受试对象编号	观测指标(单位)				
		观测时间:	1	2	⋯	p
A_1	1		y_{111}	y_{112}	⋯	y_{11P}
	2		y_{121}	y_{122}	⋯	y_{12p}
	⋮		⋮	⋮		⋮
	n_1		$y_{1n_1 1}$	$y_{1n_1 2}$	⋯	$y_{1n_1 p}$
⋮						
A_m	1		y_{m11}	y_{m12}	⋯	y_{m1p}
	2		y_{m21}	y_{m22}	⋯	y_{m2p}
	⋮		⋮	⋮		⋮
	n_m		$y_{mn_m 1}$	$y_{mn_m 2}$	⋯	$y_{mn_m p}$

表 3　具有两个重复测量的两因素设计定量资料的数据结构

受试对象编号	观测指标(单位)						
	重测因素 A 和 B:	$A_1(B_1$	⋯	$B_k)$	⋯	$A_p(B_1$	⋯	$B_k)$
1		y_{111}	⋯	y_{11k}	⋯	y_{1p1}	⋯	y_{1pk}
2		y_{211}	⋯	y_{21k}	⋯	y_{2p1}	⋯	y_{2pk}
⋮		⋮		⋮		⋮		⋮
n		y_{n11}	⋯	y_{n1k}	⋯	y_{np1}	⋯	y_{npk}

表 4　具有一个重复测量的两因素设计定性资料的数据结构

实验因素 A	疗效			例数
	时间：	治疗前	治疗后	
A_1		1	1	n_1
		1	2	n_2
		⋮	⋮	⋮
		4	4	⋮
⋮		⋮	⋮	⋮
A_m		1	1	⋮
		1	2	⋮
		⋮	⋮	⋮
		4	4	n_N

注:"疗效"之下表体内的 1、2、3、4 分别代表递进的 4 个等级。

2　统计分析方法

2.1　方差分析

2.1.1　一元方差分析

与一般方差分析一样,重复测量设计定量资料方差分析要求资料满足正态性和方差齐性。同时,由于重复观测值之间的自相关性,还要求资料满足 H 型协方差矩阵,这可通过球性检验来考察。当资料不满足球对称性时,可采用 G-G 法(Greenhouse-Geisser)或 H-F 法(Huynh-Feldt)进行校正。

以表 2 形式的重复测量设计定量资料为例,其方差分析见表 5。

表 5　表 2 形式资料的方差分析表

变异来源	DF	SS	MS	F 值	P 值
总变异①	$N-1$	$\sum_{i=1}^{m}\sum_{j=1}^{n_i}\sum_{k=1}^{p}y_{ijk}^2-C$			
个体 S②	$mn-1$	$\frac{1}{p}\sum_{i=1}^{m}\sum_{j=1}^{n_i}y_{ij.}^2-C$			
因素 A③	$m-1$	$\sum_{i=1}^{m}\frac{y_{i..}^2}{n_i p}-C$	MS③	MS③/MS④	⋯
误差1④	②-③	②-③	MS④		
因素 T⑤	$p-1$	$\sum_{k=1}^{p}(y_{..k}^2/\sum_{i=1}^{m}n_i)-C$	MS⑤	MS⑤/MS⑦	⋯
A×T⑥	③×⑤	$\sum_{i=1}^{m}\sum_{k=1}^{p}\frac{y_{i.k}^2}{n_i}-C-③-⑤$	MS⑥	MS⑥/MS⑦	⋯
误差2⑦	①-②-⑤-⑥	①-②-⑤-⑥	MS⑦		

其中，$C = y_{...}^2 / N$，$y_{...} = \sum_{i=1}^{m} \sum_{j=1}^{n_i} \sum_{k=1}^{p} y_{ijk}$，$y_{ij\cdot} = \sum_{k=1}^{p} y_{ijk}$，$y_{i\cdot k} = \sum_{j=1}^{n_i} y_{ijk}$，$y_{i\cdot\cdot} = \sum_{j=1}^{n_i} \sum_{k=1}^{p} y_{ijk}$，

$y_{\cdot\cdot k} = \sum_{i=1}^{m} \sum_{j=1}^{n_i} y_{ijk}$，$N = p \sum_{i=1}^{m} n_i$。

例1 研究 2 种药物对大鼠肌电图频数的影响，将 12 只大鼠随机均匀分入 2 个药物组中，分别在用药前、用药后 5min 和用药后 10min 从每只大鼠身上重复观测其肌电图频数。资料见表 6。试分析药物种类、时间及二者的交互作用对肌电图频数均值的影响有无统计学意义；若交互作用有统计学意义，试进一步分析各时间点上 2 种药物对肌电图频数均值的影响有无统计学意义。

表 6　2 种药物作用于大鼠前后 3 个不同时间点上测得的结果

药物 A	鼠号	肌电图频数（次/s）		
	观测时间(min)：	0	5	10
噻胺酮	1	8.5	5.5	5.0
	2	9.0	5.5	5.0
	3	8.5	7.0	5.5
	4	8.5	5.5	5.0
	5	8.5	6.0	5.5
	6	9.0	4.5	6.0
氯胺酮	1	7.5	8.0	8.0
	2	7.5	8.0	8.0
	3	9.5	8.5	6.5
	4	9.0	9.0	8.5
	5	8.0	8.5	8.0
	6	8.5	8.0	8.0

对表 6 资料进行球性检验，其结果显示：资料满足球性要求（基于正交分量变量分析的结果为 Mauchly's Criterion＝0.971，转换为 $\chi^2 = 0.262$，对应的 $P = 0.877$，即不必对一元方差分析所算得的各变异来源所对应的 P 值进行 G－G 法或 H－F 法校正）。将表 6 资料代入表 5 的公式中，得方差分析结果，见表 7。

表 7　例 1 资料的方差分析结果

变异来源	DF	SS	MS	F 值	P 值
总变异	35	75.805			
鼠间 S	11	26.305			
药物 A	1	23.361	23.361	79.340	＜0.0001

续表

变异来源	DF	SS	MS	F 值	P 值
误差 1	10	2.944	0.294		
时间 T	2	24.388	12.194	30.276	<0.0001
$A \times T$	2	17.055	8.527	21.172	<0.0001
误差 2	20	8.055	0.402		

由表 7 可知,药物与时间之间的交互作用有统计学意义。此时,研究者希望知道:时间 T 控制在 0、5、10min 时,2 种药物(A_1 和 A_2)对大鼠肌电图频数影响之间的差异有无统计学意义。各离均差平方和 SS 是按单因素两水平设计定量资料方差分析计算得到的,并以表 7 中误差 1 作为误差项,结果见表 8。

表 8 在各特定时间点上 2 种药物作用效果的比较

变异来源	DF	SS	MS	F 值	P 值
$(A_1 \ vs \ A_2)/T_1$	1	0.333	0.333	1.13	0.3124
$(A_1 \ vs \ A_2)/T_2$	1	21.333	21.333	72.45	<0.0001
$(A_1 \ vs \ A_2)/T_3$	1	18.750	18.750	63.68	<0.0001
误差 1	10	2.944	0.2944		

统计和专业结论:噻胺酮与氯胺酮相比,使大鼠肌电图频数明显降低($\bar{y}_{A_1}=6.56$、$\bar{y}_{A_2}=8.17$,$P<0.0001$);具体地说,用药前后不同时间点上大鼠肌电图频数呈明显的下降趋势($\bar{y}_{T_1}=8.50$、$\bar{y}_{T_2}=7.00$、$\bar{y}_{T_3}=6.58$,$P<0.0001$);药物与时间之间存在交互作用($P<0.0001$),具体地说,用药前,两个均值(8.67 与 8.33)之间的差别无统计学意义($P=0.3124$);用药后 5 和 10min 时,两对均值(5.67 与 8.33)、(5.33 与 7.83)之间的差别均有统计学意义,其中噻胺酮的肌电图频数的均值低于氯胺酮的肌电图频数的均值。

2.1.2 多元方差分析

多元方差分析是一元方差分析的扩展。它是同时对多个结果变量进行方差分析,累积多个结果变量的信息从而得出统一的结论。它着重分析受试对象在多个结果变量基础上的整体信息,而不是个别结果变量的单独信息。当我们把重复测量资料在 p 个观测时间点上获得的结果变量的观测值看成 p 个结果变量时,它就是一种多元定量资料。因此,采用多元定量资料方差分析模型来分析重复测量资料不存在理论问题,具体计算方法和计算结果从略。

2.1.3 混合效应模型

重复测量设计定量资料一元方差分析和多元方差分析都是采用最小平方法原理拟合一般线性模型,前者对协方差结构有较为严格的假定,而后者则对协方差结构毫无限制,均不够理想。

混合效应模型是一般线性模型的扩展,它假定协方差具有某种形式的结构,克服了一元方差分析和多元方差分析的不足,它允许资料存在某种相关性及协方差矩阵的多样性,且能充分利用含缺失值的受试对象资料,是目前处理重复测量设计定量资料的理想方法。

混合效应模型可使用的协方差结构较多,SAS 软件 9.2 版中就提供了多达 30 余种协方差结构,常用的协方差结构为以下 5 种:VC(方差分量型模型)、CS(复合对称型模型)、UN(无结构型模型)、AR(1)(一阶自回归型模型)和 SP(POW)(空间幂型模型)。采用混合效应模型分析重复测量设计定量资料,计算较为复杂,常借助统计软件予以实现。

通常情况下,可以 Akaike 的信息准则 AIC 值或 Schwarz 的信息准则 BIC(或叫 SBC)值来选择协方差结构模型。AIC 值和 BIC 值越小,协方差结构模型拟合效果越好;若 2 个协方差结构模型拟合的 AIC 值和 BIC 值接近,还可参考 $-2\log L$(-2 res log likelihood)的数值,小者为优。设 2 个协方差结构模型分别包含 $q+v$ 和 q 个参数,可用这 2 个模型的对数似然函数值构造出似然比统计量,采用 χ^2 检验进行推断,见公式(1)。

$$\chi_v^2 = -2\log L_q - (-2\log L_{q+v}) \tag{1}$$

式中,χ_v^2 服从自由度为 v 的 χ^2 分布,$-2\log L_q$ 和 $-2\log L_{q+v}$ 分别为含 q 和 $q+v$ 个协方差参数的模型的对数似然函数值。

若似然比统计量对应的 P 值大于设定的显著性水平,则 2 个协方差结构模型对资料的拟合效果之间的差异无统计学意义,此时可选择参数个数较少的那个协方差结构模型。若似然比统计量对应的 P 值小于设定的显著性水平,则 2 个协方差结构模型对资料的拟合效果之间的差异有统计学意义,此时应选择参数较多的那个协方差结构模型。

VC、CS、UN、AR(1)和 SP(POW)5 种协方差结构模型包含的参数个数分别为:1、2、$p(p+1)/2$、2 和 2。其中,p 为协方差矩阵的整体维数,等于受试对象被重复观测的次数。

例 2 沿用表 6 资料,试采用混合效应模型分析 2 种药物对肌电图频数均值的影响有无统计学意义。

对于本资料,分别采用 VC、CS、UN、AR(1)和 SP(POW)5 种协方差结构模型进行拟合,各模型拟合资料的有关信息见表 9。

表 9　5 种协方差结构模型拟合表 6 资料的信息

判断准则	VC	CS	UN	AR(1)	SP(POW)
AIC	67.8	69.5	76.0	69.8	69.8
BIC	68.3	70.4	78.9	70.7	70.7
$-2\log L$	65.8	65.5	64.0	65.8	65.8

注:各模型中待估计的协方差结构中参数的个数依次为:1、2、6、2、2。

可发现 VC 协方差模型所含参数个数最少,而 $-2\text{Log}L$ 值最小的则是 UN 协方差模型。现比较这 2 个模型的拟合效果有无统计学差异,$\chi^2 = 65.8 - 64.0 = 1.8 < \chi^2_{0.05,5} = 11.07$,故 $P>0.05$,2 个模型的拟合效果之间的差异没有统计学意义,应以参数个数较少的 VC 协方差结构模型的分析结果为准,其结果见表 10。

表 10　VC 协方差结构模型分析表 6 资料的结果

变异来源	F 值	P 值
药物	63.71	<0.0001
观测时间	33.26	<0.0001
药物×观测时间	23.26	<0.0001

统计和专业结论：药物种类、观测时间及二者的交互作用均有统计学意义，即 2 种药物对肌电图频数均值的影响不同，且不同观测时间点上肌电图频数也不完全相同。具体的专业结论需要结合因素各水平下的平均值的大小方可给出，此处从略。

2.2　回归分析

2.2.1　正交多项式回归模型分析

为克服重复观测数据的自相关性，拟合观测值关于测定时间 t 之间的正交多项式，通过比较 m 组正交多项式之间同阶的系数，用以推论 m 种处理所产生的效应随时间变化的趋势是否一致。此法的优点是可以比较 m 条曲线的变化趋势；缺点是不能明确回答在各时间点上，m 种处理之间的差异大小。

正交多项式回归分析的前提条件：重复观测的时间间隔相等（不等时，算法较复杂，此处从略）。设间隔为 I，重复观测 p 个不同时间点，则 $t=1+$（观测时间−起始时间）$/I$，即 $t=1,2,\cdots,p$。具体算法参见例 3。

例 3　沿用表 6 资料，试拟合正交多项式回归模型，比较 2 条回归曲线的变化趋势。

第 1 步：根据正交多项式表，计算表 6 中每只大鼠所对应的正交多项式系数 b_k（$k=0,1,2$）。第 1 行算法列于表 11 中，其他各行算法相同，全部结果列于表 12 中。

表 11　表 12 中第 1 行正交多式系数计算过程

时间点	观测指标			重复观测值
t	$\psi_0(t)$	$\psi_1(t)$	$3\psi_2(t)$	$y(t)$
1	1	-1	1	8.5
2	1	0	-2	5.5
3	1	1	1	5.0
$L_k=\sum_{t=1}^{3}[\lambda_k\psi_k(t)]y(t)$	19.0	-3.5	2.5	
$S_k=\sum_{t=1}^{3}[\lambda_k\psi_k(t)]^2$	3	2	6	
$b_k=L_k/S_k$	6.333	-1.750	0.416	

注：λ_k 是为使它与 $\psi_k(t)$ 之积为整数而引入的系数，本例 λ_0、λ_1、λ_2 分别为 1,1,3,在查正交多项式表时会同时给出；b_k 就是所求的正交多项系数。

表 12　表 3 资料的正交多项式系数计算结果

药物 A	鼠号	b_0	b_1	b_2
A_1	1	6.333	−1.750	0.416
	2	6.500	−2.000	0.500
	3	7.000	−1.500	0.000
	4	6.333	−1.750	0.416
	5	6.666	−1.500	0.333
	6	6.500	−1.500	1.000
	合计	39.333	−10.000	2.666
	均值	6.555	−1.666	0.444
A_2	1	7.833	0.250	−0.083
	2	7.833	0.250	−0.083
	3	8.166	−1.500	−0.166
	4	8.833	−0.250	−0.083
	5	8.166	0.000	−0.166
	6	8.166	−0.250	0.083
	合计	49.000	−1.500	−0.500
	均值	8.166	−0.250	−0.083

第 2 步:写出各药物组的正交多项式

$$\hat{y}(t) = \bar{b}_0[\lambda_0 \Psi_0(t)] + \bar{b}_1[\lambda_1 \Psi_1(t)] + \cdots + \bar{b}_{p-1}[\lambda_{p-1}\Psi_{p-1}(t)] \tag{2}$$

式(2)中 $\bar{b}_k$ 为各药物组 b_k 之均值, $\Psi_k(t)$ 为 t 的 k 阶幂函数, 当 $k=0,1,2$ 时, $\Psi_k(t)$ 依次为 $1, t-\bar{t}, (t-\bar{t})^2 - \dfrac{p^2-1}{12}$; 当 k 取更大值, $\Psi_k(t)$ 的表达式可以从有关专著中查得, p 为重复观测点数, $\bar{t}$ 为 $1,2,\cdots,p$ 的均值。本例 $p=3$、$\bar{t}=2$, 于是

A_1 组:

$$\hat{y}(t) = 6.555 - 1.666(t-2) + 0.444 \times \left[(t-2)^2 - \frac{3^2-1}{12}\right]$$
$$= 14.333 - 6.999t + 1.333t^2$$

A_2 组:

$$\hat{y}(t) = 8.166 - 0.25(t-2) - 0.083 \times \left[(t-2)^2 - \frac{3^2-1}{12}\right]$$
$$= 7.833 + 0.749t - 0.249t^2$$

第 3 步:m 个处理组间各 $\bar{b}_k$ 值的比较。

设 b_{ijk} 为第 i 组 j 行的 k 阶正交多项式系数，$N_0 = \sum_{i=1}^{m} n_i$、$C = p^2 \left(\sum_{i=1}^{m} \sum_{j=1}^{n_i} b_{ij0} \right)^2 / N$，共可列出 p 个方差分析表，用以比较各正交多项式系数均值的组间差别。$\bar{b}_k (k = 0, 1, 2, \cdots, p-1)$ 的比较公式见表 13。

本列 $N = 3 \times 6 \times 2 = 36$、$N_0 = 6 + 6 = 12$、$p = 3$、$C = 3^2 \times (39.333 + 49.000)^2 / 36 = 1950.694$，将表 12 中 b_0、b_1、b_2 三列数据分别代入表 13 相应公式计算，结果列入表 14 中。

统计和专业结论：由于大鼠是被完全随机地分入 2 个药物组，故只要 $\bar{b}_k (k = 0, 1, 2)$ 的组间比较有一个有显著性意义，则可认为不同药物组正交多项式的差别有统计学意义。本例 $\bar{b}_0$、$\bar{b}_1$、$\bar{b}_2$ 间比较均有 $P < 0.0001$，故两种药物作用后大鼠肌电图频数随时间变化的趋势是不相同的。由两组的正交多项式方程可知：当 $t = 1, 2, 3$ 时，A_1 组 $\hat{y}(t) = 8.67$、5.67、5.33；A_2 组 $\hat{y}(t) = 8.33$、8.33、7.83。这说明使用噻胺酮后，大鼠肌电图频数下降快，而使用氯胺酮后，大鼠肌电图频数下降很缓慢。

表 13 组间两两比较的方差分析公式（S_k 见表 11）

方差来源	DF	SS	MS	F 值	P 值
对于 $\bar{b}_0$ 的比较					
合计	$N_0 - 1$	$p \sum_{i=1}^{m} \sum_{j=1}^{n_i} b_{ij0}^2 - C$			
组间	$m - 1$	$p \sum_{i=1}^{m} \left[\sum_{j=1}^{n_i} b_{ij0} \right]^2 / n_i - C$			
误差	$N_0 - m$	相减			
对于 $\bar{b}_k$ 的比较					
合计	$N_0 - 1$	$S_k \sum_{i=1}^{m} \sum_{j=1}^{n_i} b_{ijk}^2$			
组间	$m - 1$	$S_k \sum_{i=1}^{m} \left[\sum_{j=1}^{n_i} b_{ijk} \right]^2 / n_i$			
误差	$N_0 - m$	相减			

表 14 两药物组间 $\bar{b}_k$ 比较的方差分析公式

方差来源	DF	SS	MS	F 值	P 值
对于 $\bar{b}_0$ 的比较					
合计	11	26.305			
组间	1	23.361	23.361	79.340	<0.0001
误差	10	2.944	0.294		
对于 $\bar{b}_1$ 的比较					

续表

方差来源	DF	SS	MS	F 值	P 值
合计	11	38.750			
组间	1	34.083	34.083	73.036	<0.0001
误差	10	4.666	0.466		
对于 $\bar{b}_2$ 的比较					
合计	11	10.750			
组间	1	7.361	7.361	21.721	<0.001
误差	10	3.388	0.338		

2.2.2 多水平模型分析

多水平模型（multilevel model）又称随机系数模型、随机效应模型、分层线性模型、方差分量模型和混合模型等，由 Harvey Goldstein 于 1985 年提出，它将 Ⅱ 型方差分析理论与多元统计分析相结合，可以处理具有层次结构特征的数据。多水平模型的主要思想是通过分解各水平上的方差，并考虑解释变量对方差的影响，充分利用各水平内的聚集信息，从而获得回归系数的有效估计，并提供正确的标准误和置信区间。

以仅含一个解释变量 x 的二水平模型为例，其模型为：

$$y_{ij} = \beta_{0j} + \beta_{1j}x + \varepsilon_{ij} \tag{3}$$

其中，i 为一水平单位，j 为二水平单位，$i=1、2、\cdots、n_j$，$j=1、2、\cdots、m$。β_{0j} 和 β_{1j} 为随机变量。

假设 $\beta_{0j} = \beta_0 + \mu_{0j}$，$\beta_{1j} = \beta_1 + \mu_{1j}$，其中 β_0 和 β_1 均为固定效应参数，μ_{0j} 和 μ_{1j} 为二水平上的随机变量，ε_{ij} 为一水平上的随机变量，且 $\mu_{0j} \sim N(0, \sigma_{\mu_0}^2)$，$\mu_{1j} \sim N(0, \sigma_{\mu_1}^2)$，$\varepsilon_{ij} \sim N(0, \sigma_{e0}^2)$，$\text{cov}(\mu_{0j}, \mu_{1j}) = \sigma_{\mu_{01}}$，$\text{cov}(\varepsilon_{ij}, \mu_{0j}) = \text{cov}(\varepsilon_{ij}, \mu_{1j}) = 0$

所以，式(3)又可表示为：

$$y_{ij} = \beta_{0j} + \beta_1 x + (\mu_{0j} + \mu_{1j}x + \varepsilon_{ij}) \tag{4}$$

多水平模型的参数估计可采用 H. Goldstein(1985)提出的迭代广义最小平方法(Iterative Generalized Least Squares, IGLS)或 H. Goldstein(1989)提出的限制迭代广义最小平方法(Restricted Iterative Generalized Least squares, RIGLS)。计算较为复杂，常借助统计软件予以实现，此处不再详细介绍。

例 4 某研究者欲观察心室再同步(CRT)起搏治疗慢性心力衰竭(CHF)的长期疗效，选择 15 例有严重器质性心脏病的 CHF 患者。15 例患者均植入 CRT 治疗，分别记录患者在植入前及植入后 1 个月、3 个月、6 个月、12 个月时左室舒张末期内径(LVEDd)的大小，见表 15。请进行合适的统计分析。

本资料为具有一个重复测量的单因素设计一元定量资料，可借助二水平模型来分析。患者为二水平单位，5 个时间点上的重复测量为一水平单位。观测时间以哑变量形式表示，给哑变量赋值的方法和赋值结果见表 16。

表 15　15 例 CHF 患者手术前后左室舒张末期内径变化

患者编号			左室舒张末期内径(mm)		
	观测时间:	治疗前	植入 1 个月	植入 3 个月	植入 6 个月	植入 12 个月
1		67.8	64.4	59.8	59.4	58.8
2		59.0	56.8	55.1	50.6	42.8
3		89.8	85.9	81.4	81.3	77.4
4		60.7	62.0	59.2	58.6	53.8
5		68.3	65.5	62.6	64.4	57.4
6		80.6	78.5	78.1	73.8	71.2
7		75.8	75.4	68.1	66.8	67.1
8		90.5	89.8	87.8	85.0	83.8
9		77.7	74.2	73.8	69.0	68.7
10		78.0	77.1	73.7	71.6	68.3
11		80.2	78.6	80.1	76.9	70.0
12		63.8	64.7	58.2	58.6	57.4
13		83.1	83.3	80.8	80.9	74.6
14		72.0	70.5	65.3	65.3	65.5
15		89.6	87.7	82.5	82.0	79.2

表 16　观测时间的哑变量设置

观测时间	哑变量及其赋值			
	t_1	t_2	t_3	t_4
治疗前	0	0	0	0
植入 1 个月	1	0	0	0
植入 3 个月	0	1	0	0
植入 6 个月	0	0	1	0
植入 12 个月	0	0	0	1

建立二水平模型：

$$y_{ij} = \beta_0 + \beta_1 t_1 + \beta_2 t_2 + \beta_3 t_3 + \beta_4 t_4 + \mu_{0j} + e_{0ij} \tag{5}$$

借助多水平模型专用软件 MLwiN 得到模型(5)固定效应和随机效应的 IGLS 估计结果，见表 17 和表 18。

表 17　对模型(5)中参数的固定效应的估计结果

参数	估计值	标准误	U 值	P 值
β_0	75.793	2.600	29.151	0.000
β_1	−1.500	0.606	−2.475	0.013
β_2	−4.693	0.606	−7.744	0.000
β_3	−6.180	0.606	−10.198	0.000
β_4	−9.393	0.606	−15.500	0.000

表 18　对模型(5)中参数的随机效应的估计结果

水平	参数	估计值	标准误	U 值	P 值
2	σ_μ^2	98.621	36.213	2.723	0.006
1	σ_e^2	2.755	0.503	5.477	0.000

由于模型中未设置"治疗前"作为哑变量,故 β_0 的估计值(75.793)即为治疗前 LVEDd 的平均值,$\beta_0+\beta_1$、$\beta_0+\beta_2$、$\beta_0+\beta_3$、$\beta_0+\beta_4$ 的值就是植入 CRT 后 1 个月、3 个月、6 个月和 12 个月时 LVEDd 的平均值,依次为 74.293、71.100、69.613 和 66.400。表 17 中 $\beta_1 \sim \beta_4$ 对应的 U 检验反映了植入术后各时间点与治疗前 LVEDd 的差值有无统计学意义。可见,置入术后各时间点与治疗前 LVEDd 的差值之间的差别均有统计学意义。表 18 是对随机效应的估计,即对各层随机变量方差、协方差的估计。二级单位上随机效应参数 $\sigma_\mu^2=98.621$,反映了不同患者间 LVEDd 值围绕平均水平的波动情况。一级单位上随机效应参数 $\sigma_e^2=2.755$,反映了各患者内部不同测量时间上 LVEDd 值围绕平均水平的波动情况。$\sigma_\mu^2>\sigma_e^2$,说明患者内部不同时间点上的变异相对于患者间的变异来说要小很多,但 σ_e^2 对应的 P 值为 0.000,说明其仍具有统计学意义。

3　样本含量估计

具有一个重复测量的两因素设计(且仅含 2 个处理组时)定量研究中,每个处理组所需的样本含量 n 的计算公式为:

$$n=\frac{2}{\delta^2}\left\{\sigma_\mu^2+\frac{1+(K-1)\rho_c}{K}\sigma_e^2\right\}(U_{\alpha/2}+U_\beta)^2 \tag{6}$$

其中,u 代表每组中所需样本含量,δ 为两组间可以识别的最小差异,σ_μ^2 为个体间差异的方差,σ_e^2 为重复测量误差,$U_{\alpha/2}$、U_β 为标准正态分布的 $\alpha/2$ 和 β 分位数。$\rho_c=\frac{\sigma_1^2}{(\sigma_1^2+\sigma_2^2)}=\frac{\sigma_1^2}{\sigma_e^2}$,称为条件相关系数,其中 σ_1^2 为重复测量因素主效应的方差,σ_2^2 为个体内多次测量的随机效应的方差。K 为重复测量次数,$1+(K-1)\rho_c$ 通常叫做样本含量膨胀因子,其值大于等于 1。

对于仅含 2 个处理组的具有一个重复测量的两因素设计定量研究,提倡两处理组样本含量相等,因为此条件下的统计效率要比总例数不变而两处理组样本量不等时高。若确需两处理组样本量不等,则应根据一定的样本含量换算关系式求得所需的最小样本含量,以确保达到规定的检验效能。

参考文献

[1] 杨树勤.中国医学百科全书:医学统计学.上海:上海科学技术出版社,1985:222-224.

[2] 金丕焕,陈峰.医用统计方法.3版.上海:复旦大学出版社,2009:421-426.

[3] 杨珉,李晓松.医学和公共卫生研究常用多水平统计模型.北京:北京大学医学出版社,2007:1-68.

[4] 胡良平.具有重复测量的多因素设计类型及方差分析.中国卫生统计,1990,7(5):20.

[5] 曹秀堂,赵清波,徐勇勇,等.不等距重复观测数据的多层次模型分析方法.第四军医大学学报,1997,18(2):172-175.

[6] 徐勇勇.重复观测数据团体比较的正交回归模型.中华预防医学杂志,1991,25(5):306.

[7] 胡良平.具有重复测量设计的多元方差分析.中国卫生统计,1993,10(5):14.

[8] Stanek EJ, Kline G. Estimating prediction equations in repeated meastlres designs. Stastistics in Medicine. 1991,10:119-130.

[9] Davis C. Semiparametric and nonparamntric methods for the analysis of repeated measuremets with applications to dinical t~als. Statistics in Medicine. 1991,10:1959-1980.

[10] Frison L, Pocock S. Repeated measures in clinical trials:analysis using mean summary statistics and its implications for design. Statistics in Medicine. 1992,11:1685-1704.

(胡良平　高　辉)

调查设计

有些研究不需要对观察对象施加任何干预措施,只是被动地对现场发生的实际情况进行调查,此种研究称为调查研究。调查设计是调查研究工作全过程的计划,是调查研究工作的先导和依据,一般包括专业设计和统计设计,二者是紧密结合的。此处主要介绍统计设计。统计设计包括资料搜集、整理与分析。周密细致的调查计划是提高工作质量和效率,保证调查工作顺利进行的关键。调查设计的基本内容如下:

1 明确调查目的和指标

首先应根据科研工作的需要明确调查目的。虽然各项科研的具体目的不同,但从阐明问题来说,可以将调查目的分为两类:一类是了解总体参数(如某病发病率,环境中某有害物质的平均浓度等)以说明总体特征;另一类是研究事物间的相关联系(如某病发病与特殊生活习惯的关系,环境污染与健康的关系等)以探索病因。这些都要通过具体指标来说明。因而必须把根据调查目的制定的指标具体化。如怀疑某地为肝癌高发区,拟进行现场调查,其目的是为了摸清肝癌发病情况及其地理分布,为防治工作提供依据,为病因研究提供线索。由于这个调查目的比较抽象,还要根据调查目的制订出具体的调查指标:反映年龄发病趋势的指标年龄别死亡率及反映发病的地区分布情况的各县肝癌死亡率。调查指标要精选,选择灵敏度高、特异度高、有客观检查作依据的指标。一般而言,相同条件下,计量指标比计数指标灵敏,调查较少例数即能看出问题。同时,调查目的要明确,指标要具体,重点突出,一次调查只能解决一个或几个问题,不可贪多求全、面面俱到。否则,所得资料可能有的无用或用处很少,必需的资料反而缺漏,既浪费人力、财力和时间,又影响资料的准确性。

2 确定调查方法

研究者可根据调查目的的不同选择不同的调查方法。如若是了解总体参数,可用普查或抽样调查;若是研究事物的相关联系,如在病因研究中,经常要了解某病的发生是否与个人的某些特征、习惯、既往经历、生活或生产环境等有联系,常用病例对照研究或队列研究;若说明事物的典型特征可用典型调查。

3 确定调查对象和数量

调查对象是根据调查目的、任务确定的调查总体的同质范围。在作参数估计时确定好调查对象尤为重要。观察单位是所调查的总体或样本的个体。观察单位可以是一个人,一个家庭,一个集体单位,也可以是"人次"或采样点。如某地肝癌调查,总体的同质范围是该地某年全部常住人口,观察单位是"人"。调查对象只限于同属该地区和时间范围的常住人口。

根据调查目的和调查方法,以及调查指标的要求,确定所要调查的观察对象的数量。不同性质的资料所需观察对象数量不同。若做抽样调查需做样本含量的估计,即在保证调查结论有一定可靠性的条件下确定最少的观察单位数,估计方法有公式法和查表法,具体可参见样本含量估计条目。

4 制定调查表

把调查项目按提问的逻辑顺序列成表格供调查使用就是调查表,调查表的格式可分为一览表和单一表。一览表每张可填多个观察单位,适于项目较少的调查,填写方便,一般用划记法整理,如表1。单一表每张只填一个观察单位,适用于观察单位和项目较多时。单一表整理方便,在过去常用分卡法整理,现在多用计算机统一处理,如表2。调查表的填写应力求简便清楚,多用选择、填空以及简单的符号(如"√"、"+"、"-")或数字表示,尽量少用文字回答。一般应编制填写说明。

表1 居民食管癌死亡调查一览表

村	姓名	性别		出生		死亡		诊断依据						诊断结果			备注
		男	女	年	月	年	月	X线	细胞病理	临床表现				是	否	可疑	
										1	2	3	4				

调查者_____　　　　　　　调查日期_____年_____月_____日

说明:①本表只填写全部死者中初步推定为食管癌的死者。

②临床表现代号:"1"进行性吞咽困难,"2"食物反流,"3"胸骨后闷、胀、痛,"4"进行性消瘦或恶病质。

③"性别"、"诊断依据"和"诊断结果"等项目在相应栏目内划"√"。

表2 单一调查表举例

居民食管癌死亡调查表

住址_____县_____乡_____村_____居民组_____ □□□□□□□

死者姓名_____　　　　　　　　　　　　　　　　　　　□

性别　1男　2女　　　　　　　　　　　　　　　　　　　　□

死亡日期_____年____月____日　出生日期_____年____月____日

死亡实足年龄_____岁　　　　　　　　　　　　　　　　□□□

诊断依据

　　检查:

　　　　X线　　　　　1阳性　2阴性　3可疑　　　　　　□

　　　　细胞病理　　　　1阳性　2阴性　3可疑　　　　　□

　　临床表现:

　　　　进行性吞咽困难　　　　1阳性　2阴性　3可疑　　□

　　　　食物反流　　　　1阳性　2阴性　3可疑　　　　　□

　　　　胸骨后闷、胀、痛　　　1阳性　2阴性　3可疑　　□

　　　　进行性消瘦或恶病质　　　1阳性　2阴性　3可疑　□

　　　　病程_____月　　　　　　　　　　　　　　　□□□

诊断结果　　1是　2否　3可疑　　　　　　　　　　　　　□

调查人:_____　　　　　　　　　　调查日期:_____年____月____日

说明:调查人只在横线上填写文字或数字,在相应的代码上画"○",不填写右侧的编码,待登记、复查完毕再填写。

4.1 调查项目

它包括分析项目和备查项目。分析项目是直接用于整理计算调查指标所必需的内容。如整理肝癌调查指标就必须调查肝癌死者的诊断结果；死亡年、月，性别，死时实足年龄和地名等几个项目。还必须借助有关部门或进行抽样估算，搜集该地男、女各年龄组人数。

备查项目是为了保证分析项目填写的完整、正确，便于检查复核、查补和更正而设置的，通常不直接用于分析。如在调查表中列出了死者的姓名和住址，有助于确定观察单位和查考；列出死者的死亡年月，可核对是否为所调查年份的死者，还可结合"出生年月"换算"死时实足年龄"；列出"诊断依据"有助于核对"诊断结果"；列出"调查者"和"调查日期"有助于查询调查情况和明确责任。

调查项目要精选。分析项目不可少，备查项目不宜多，不必要的项目不列。各个项目的定义要明确，使人一看就懂，不致误解，尽量作到不加说明或少加说明也能标准统一。如疾病分型，正常或异常等界限都应明确规定，不能模棱两可。一般应采用公认标准区分。项目的答案通常有封闭式、开放型和半开放型 3 种设计：①封闭式选择答案，宜多选用。它是针对某一问题所有的可能性同时提出两个或多个固定答案，如"是"、"否"、"不明"，供调查时根据实际情况选择。其优点是对准主题，简单明了，记录整理方便。缺点是有时固定答案太少不能概括所有实际情况。固定答案太多，会给调查带来确切判定的困难。②开放式选择答案。适用较为复杂的情况。即不限制答案的范围，让调查对象尽量谈出自己的意见和真实情况。优点是可以补充固定选择答案的不足。缺点是容易离题，调查时花费时间较多，不便整理汇总。③半开放式。封闭式与开放式设计相结合，在封闭式问题的基础上增加开放式的问题。例如：您认为个人帐户存入的钱能解决您年老多病时的医疗费用吗？a. 能　　b. 不能，若不能，原因是_____。

4.2 调查表的编码

为便于计算机对调查表资料的处理，对调查表需要保存、整理、分析的项目的结果进行编码。可根据变量的类型赋予相应不同的编码。定性变量，如性别可赋值 1、2，血型 A、B、AB、O 可分别赋值 1、2、3、4，但此时的 1、2 及 1、2、3、4 仅代表各自的类别，无其他实际意义，此种编码只能用于分类统计而不可用做回归分析；为达到能回归分析的目的，分析时可对变量进行哑元化处理，即性别赋值 0、1，血型 A 可赋值 1、0、0，血型 B 赋值 0、1、0，血型 AB 赋值 0、0、1，血型 O 赋值 0、0、0。连续性数值变量，可取原始数据，如身高（cm）、体重（kg）、血压（kPa）。等级变量，可按等级的次序编码，如病情轻、中、重可分别赋值 1、2、3，这样的编码一方面代表各自的病情，另一方面随数字的递增病情加重，但统计时请注意这些数字之间不一定是等距离关系。同时，每张调查表都要有一个编号，内容包括被调查者的详细住址、邮编、联系电话、电子邮件地址及个人流水号。

设计调查表是调查设计中关键而困难的环节，调查表设计的好坏直接关系到整个调查的成败。应周密考虑各个调查项目能否满足调查指标的要求，项目是否简单明确，如何统一标准，调查表要便于填写和整理分析，作到心中有数，减少失误。

5 收集调查资料

收集调查资料的方式可分为两大类：

5.1 直接观察法

由调查员到现场对调查对象进行直接观察、检查、测量或记数来取得资料。如在青少年生长发育调查中，由调查人员直接对青少年进行身高、体重、胸围等指标的测量。该法的优点是直观性和可靠性好，可比较客观地现场收集第一手资料，直接记录调查的事实情况，所得资料较真实可信，同时可保证有较高的应答率。缺点是所需人力、物力、财力、时间较多。

5.2 采访法

根据被调查人员的回答来搜集资料，形式有访问、信访、电话调查和开调查会等，其中访问和信访最常用。访问，即由调查员根据调查表格向被调查者口头询问，将答案填入调查表。调查的成功与否除调查表格的设计外，还要有经验丰富的调查人员。信访是将问卷装入信封，通过邮局寄给选定的调查对象，并要求调查对象按规定的时间和要求填好问卷寄给调查者。该法的优点是保密性强，调查区域广，费用较低，无调查员偏差。缺点是回收率低，花费时间长，填答问卷质量不易控制，调查对象受限制。电话调查，即通过电话采访完成的调查，优点是节约费用和时间，缺点是调查内容不易深入，访问成功率较低。开调查会，即利用召开知情人座谈会的形式来搜集资料。优点是资料收集快，效率高，缺点是对座谈会主持人要求高，有些涉及隐私和保密的问题不宜谈，受时间限制不可能深入细致的座谈。

6 调查资料的整理与分析

收集的原始资料大多是零散的、不系统的，只能反映事物的表面现象。只有对大量的原始资料进行加工汇总，使之系统化、条理化，才能通过统计分析，深入研究事物的本质和规律。

6.1 资料的计算机录入和数据净化

将调查表中的每一项资料代码输入计算机，为将错误控制在最低限度：

①建立的数据库应设置编码范围，如性别的编码为 0～1，超过此范围为错；

②提供每一录入员 1 份记录格式的详细说明；

③开始录入前几个个案时，研究人员应在场；

④对同一资料，由 2 名录入员分别重复录入，若两次录入不一致，计算机杜绝录入，显示并核对第 1 次录入；

⑤录入后，抽查部分或全部调查表，以了解输入质量；

⑥数据净化，即对错误的或不合理的数据进行处理。可用计算机统计软件进行统计，寻找超出范围、有极端值或逻辑错误的数据。

6.2 设计分组

目的是将性质相同的观察单位合在一起，将性质不同的观察单位分开，把组内的共性，组间的差异性或相似性显示出来。但是只有抓住被研究事物最主要的、本质的特征

(分组标志)进行分组,才能揭示出事物内部的规律。分组有两种:a 质量分组,即按被研究事物特征的类别来分组,如将观察单位按性别、职业、疾病分类、某项检查阳性或阴性等分组;b 数量分组,即按被研究事物特征的数量大小来分组。如将观察单位按年龄大小、血压高低等分组。质量分组和数量分组往往结合使用,如把性别分组与年龄分组结合起来,可分析食管癌死亡率同一性别的年龄差异和同一年龄组的性别差异。分组数的多少决定于研究目的、资料的性质和观察单位数的多寡。分组数不宜过多或过少。分组过少,可能掩盖组间的本质差异;相反,如组数过多,分组太细,则各组的观察单位数变少,数据不稳定也会看不清楚它的规律性。当还不太了解被研究现象的变化规律时,设计分组宁可先细一些,汇总资料后再按实际情况作必要的并组,这很容易;反之,设计分组一开始就很粗,汇总资料后,要想再分细一些,只有重新分组汇总。

为了便于资料间的相互比较,必须注意到习惯的分组方法。例如研究年龄别死亡率时,年龄(岁)分组,习惯上分为:0～,1～,5～,10～,……每 5 岁或 10 岁一组。数量分组的界限要清楚,既不要互相包含,也不要留有空隙。如将年龄组写成 0～1,1～5,5～10,……这样的分组界限不清,容易产生不同的理解。

6.3 资料汇总

按分组要求,将原始资料分别归入各组,一般用计算机汇总,例数较少时亦可用手工整理。手工整理汇总的步骤如下:

①设计整理表:整理表是用于原始资料整理归组的表格,是提供分析资料的过渡性表格,是按调查指标或分析表格的要求而设计的(见表 3)。拟出整理表后,还应说明根据调查表中哪些调查项目整理归组。

表 3　某地区寄生虫病患者的年龄分布(整理表)

年龄/岁	阳性人数划记	频数
0～		
1～		
5～		
10～		
15～		
20～		
25～		
…		
60～		
合计		

②归组方法:按整理表的分组,将原始资料分别归入各组的过程叫归组。一般采用

划记法或分卡法：a 划记法就是归组时用划"正"字来记数，方法简便易行，但易出错。因此划记时要小心谨慎，至少要划两遍以资核对。常用于观察单位数量不多，调查项目较少的归组。b 分卡法就是直接把原始记录卡分别归入各组。经过核对然后清点每组卡片的张数，就是该组的观察单位数。此法易于核对和检查错误，常用于观察单位数较多，调查项目较复杂的资料归组。如果调查表为一览表时，须先将分析项目的原始记录转抄到"过录卡片"上，然后再用分卡法归组。现在由于计算机的应用，以上方法均已逐渐不用。在归组之前，必须对原始资料进行检查复核，然后做必要的补正；归组后，应检查表内数据，看各组数字是否等于总数，表内有关数字应相符。

6.4 统计分析

制订统计分析的计划，即考虑最后选用何种方法进行统计分析，反过来，可根据事先确定的统计分析方法，对收集和整理的资料的内容和方法提出进一步要求，以免事先不确定好统计分析方法而最终收集、整理的资料不满足统计分析方法的要求。根据研究目的、资料的性质和统计方法的应用条件，正确选择统计分析方法，编制适当的统计表和必要的统计图，结合专业知识，得出结论。

7 调查的组织与实施

由于调查现场条件复杂且情况多变，所以要求调查者考虑周密。

7.1 预调查

在正式调查之前，特别是在大规模的调查之前，须在小范围内进行预调查，预调查的方式应与正式调查相同，以检查调查的实际效果，并由预调查反馈的信息对调查方案做修改完善。当预调查成功后即可大批量印制调查表并正式调查使用。

7.2 组织计划

包括建立强有力的组织机构，宣传动员、选择和培训调查员，时间进度安排，任务的分工与联系，经费预算，调查质量控制等。只有组织计划明确，才能使调查步调一致，按时完成调查。

在实施调查过程中应及时总结经验，发现问题及时纠正和改进。对调查得来的原始资料及时进行检查和补正，保证资料的完整性和正确性。检查资料有无错误可从以下两方面着手：a：逻辑检查。即根据项目的性质及其相互关系检查填写内容有无前后矛盾、逻辑错误。b：计算检查。即验算计算项目有无错误。资料经检查无误后统一编号保存。

参考文献

[1] 杨树勤.中国医学百科全书：医学统计学.上海：上海科技出版社,1982：44—47.

[2] 郭祖超.医学统计学.北京：人民军医出版社,1999：164—166.

[3] 杨树勤.卫生统计学.3 版.北京：人民卫生出版社,1990：125—143.

[4] 谭红砖.现代流行病学.北京：人民卫生出版社,2001：114—122.

（王 玖 徐天和）

普 查

普查（overall survey），也称全面调查（complete survey），一般定义指为某一特定目的在特定的时间内对一定范围内的所有观察单位进行调查。如我国的六次人口普查。理论上，只有普查才能获得总体参数。普查没有抽样误差，但往往非抽样误差较大。

流行病学中对普查（sensus）定义为，指为了解某人群健康状况或某疾病的患病率，在特定时点或时期内对特定范围内人群中每一个成员所做的调查或检查。一般小规模的普查可在几天或几周内完成，大规模的普查可在几个月内完成；"特定范围"既可以是某个单位或某个居民点，某个地区，甚至全国；也可指某种特征的人群，如儿童（≤14 岁）的体格检查。普查一般都是用于了解总体某一特定"时点"的情况，如年中人口数，时点患病率等。普查工作多在全国或较大范围内进行，需要耗费大量人力、物力和财力，因此，只有在有可能和必要时才能组织实施普查。

普查的目的：①二级预防：早期发现、早期诊断和早期治疗病人，如妇女的宫颈癌普查。②了解疾病和健康状况的分布，如高血压的普查；③了解当地居民的健康水平，如儿童营养状况调查；④了解人体各类生理生化指标的正常值范围，如青少年身高、体重的测量调查。

普查的适用条件：①调查目的明确；②调查项目简单，对疾病的检测手段和方法简易且准确、创伤小，易被群众接受；③普查的疾病患病率较高，并能及时治疗；④有足够的人力、物资和设备。

普查的方式一般有 2 种：①组织专门的普查机构，负责完成普查任务，如我国的人口普查；②自行填报方式，即利用调查单位的原始记录和核算资料，颁布一定的调查表格，由填报单位按一定的要求自行填报，如卫生部要求各医院填报的卫统－32 报表。快速普查，是一种特殊的普查。按调查的方式，属于第二种普查方式，即利用原始资料或核算资料由填报单位填报，普查的任务和资料报送越过中间一切环节，普查资料直接报送到最高级普查机构汇总。快速普一般调查内容少、涉及范围较小的项目。

普查的优点：①调查对象为全体目标人群，不存在抽样误差；②实现二级预防外普及医学卫生知识；③全面描述疾病的分布与特征，可以较全面地获得病因线索比较容易为公众接受。缺点：①工作量大，花费高，组织工作复杂；②调查内容有限；③调查对象多，易出现重复或遗漏；④质量不易控制。

普查时应该注意以下问题：①规定统一的标准时点。如我国的第六次人口普查，确定标准时点为 2010 年 11 月 1 日零时。②确定统一的调查期限。普查时最好在普查范围内同时进行,并尽可能在短期内完成,以保持方法和步调一致,保证调查资料的时效性。③普查项目和指标要统一,不能随便变更。同时,普查项目和指标一致性便于历次调查资料的对比分析,发现某种现象的变化情况。

参考文献

[1] 盖宝横. 中国医学百科全书:流行病学. 上海:上海科学技术出版社,1984:26-29.
[2] 叶临湘. 现场流行病学. 北京:科学出版社,2003:31.
[3] 曾光. 现代流行病学方法与应用。北京:北京医科大学中国协和医科大学联合出版社,1994:53-60.
[4] 李立明. 流行病学. 北京:人民卫生出版社,2008:42-43.

(贾改珍 王 玖)

典型调查

典型调查(typical survey)是一种非全面调查,它是从众多的调查研究对象中,有意识地选择若干个具有代表性的典型单位进行深入、周密、系统地调查研究。典型调查的单位是指其标志值在总体的全部单位中具有充分代表性的单位,它可以是一个人,一个病例,一个家庭,一个组织或一个社区。典型调查的作用在于认识同类事物的一般特征和本质,通过对具有代表性的某些现象进行典型调查研究,就可以认识同类性质的一般特征和规律。

典型调查要求搜集大量的第一手资料,搞清所调查的典型中各方面的情况,作系统、细致的解剖,从中得出用以指导工作的结论和办法。典型调查适用于调查总体同质性比较大的情形。同时,它要求研究者有较丰富的经验,在划分类别、选择典型上有较大的把握。实施典型调查的主要步骤是:①根据研究目的,通过多种途径了解研究对象的总体情况;②从总体中初选出备选单位,加以比较,慎重选出有较大代表性的典型;③进点(典型)调查,具体搜集资料,分析研究资料,得出结论。

一般来说,典型调查有两种类型:①一般的典型调查,即对个别典型单位的调查研究。在这种典型调查中,只需在总体中选出少数几个典型单位,通过对这几个典型单位的调查研究,用以说明事物的一般情况或事物发展的一般规律。如调查几个卫生先进或后进单位,用于总结经验教训。②具有统计特征的划类选点典型调查,即将调查总体划分为若干个类,再从每类中选择若干个典型进行调查,以说明各类的情况。

典型调查的优点在于调查范围小、调查单位少、灵活机动、具体深入、节省人力、财力和物力等。其不足是由于调查多是一个案例，既无明确的总体，又非概率抽样，故无法计算抽样误差，一般不能从统计学上对总体进行推论；但有时用典型推论总体也是可以的，但典型单位必须对总体具有充分的代表性，而在实际操作中选择真正有代表性的典型单位比较困难，而且还容易受人为因素的干扰，从而可能会导致调查的结论有一定的倾向性。

案例：能否用烟台市莱山区的生育率来推论烟台市城区的生育率？如果莱山区育龄妇女与人口的比例，育龄妇女的年龄、职业、文化、经济以及结婚、避孕等影响生育率的因素对烟台市城区的育龄妇女来说，具有典型性，有充分的代表性，那就可以用莱山区的生育率来推论烟台市城区的生育率，但这毕竟不是统计学推论，故用此种推论时，必须十分小心。

参考文献

[1] 盖宝横. 中国医学百科全书：流行病学. 上海：上海科学技术出版社，1984：26－29.

[2] 耿贯一. 流行病学. 北京：人民卫生出版社，1995：159－206.

[3] 曾光. 现代流行病学方法与应用. 北京：北京医科大学中国协和医科大学联合出版社，1994：53－60.

[4] J·M·英格兰. 医学研究中统计学与流行病学方法. 王仁安，译. 北京：人民卫生出版社，1980：97－101.

（贾政珍　李炽民　李克均）

横断面调查

1　概念

横断面调查（cross－sectional study）又称现况调查（prevalence survey），是通过对特点时点（或期间）和特定范围人群中的有关变量（或因素）与疾病或健康状况关系的描述，即调查这个特定群体中的个体是否患病和是否具有某些变量（或特征）等情况，从而描述所研究的疾病（或某种健康状况）以及有关变量（因素）在目标人群的分布，进一步比较分析具有不同特征的暴露组与非暴露组的患病情况或患病组与非患病组的暴露情况，为研究的纵向深入提供线索和病因学假设。从观察时间上说，调查是在特定时间内进行,即在某一时点或在短时间内完成,犹如时间维度的一个断面,故称之为横断面调查。从观察分析指标来说,这种调查所得到的疾病率,一般为在特定时间内调查群体的患病频率,故也称之为患病率调查(prevalence study)。它是流行病学工作中最常用的方法之一。

2　目的

1)掌握目标群体中疾病或健康状况的分布。例如,通过我国 1979～1980 年进行的高血压抽样调查,可以了解我国高血压的总患病率,以及高血压在各地区、城乡、年龄、性别中的分布情况。

2)提供疾病的病因研究的线索。例如,在对肝硬化的横断面调查中发现肝硬化患者人群中饮酒的比例明显高于非肝硬化人群,从而提出酗酒可能与肝硬化有关的病因假设。

3)确定高危人群。确定高危人群是早发现、早诊断、早治疗的首要步骤。例如,为了预防和控制冠心病与脑卒中的发生,需要将目标人群中罹患这类疾病危险性较高的人鉴别出来。现有的知识认为高血压是这类疾病的一个重要危险因素,据此应用横断面调查可以发现该目标人群中的全部高血压患者,确定为高危人群。

4)评价疾病监测、预防接种等防治措施的效果。通过不同阶段重复开展横断面调查,既可以获得开展其他类型流行病学研究的基线资料,也可以通过对不同阶段患病率差异的比较,对防治策略、措施的效果进行评价。例如,对某地区儿童进行乙肝疫苗接种前后的乙肝患病率调查,通过比较可以评价接种效果。

3　特点

1)横断面调查开始时一般不设对照组。在设计实施阶段,往往根据研究目的确定研究对象,然后查明该研究对象中每个个体在某一特定时点上的暴露(特征)和疾病的状态,最后在资料处理与分析阶段,才根据暴露(特征)的状态或是否患病的状态来分组比较。

2)横断面调查关心的是某一特定时点上或时期内某一群体中暴露和疾病的状况及其之间有无联系。横断面调查的特定时间,理论上这个时间应该越集中越好。

3)横断面调查在确定因果联系时受到限制。一般而言,横断面调查所揭示的暴露与疾病之间的统计学联系,仅为建立因果联系提供线索,是分析性研究(病例对照研究和队列研究)的基础,而不能以此作因果推论。

4)对不会发生改变的暴露因素,可以提示因果联系。诸如性别、种族、血型等不会因是否患病而发生改变的因素,横断面调查可以提示相对真实的暴露(特征)与疾病时间先后顺序的因果联系。

4　种类

根据研究对象的范围可分为普查和抽样调查。

1)普查(census):即全面调查。是指在特定时点或时期、特定范围内的全部人群(总体)均为研究对象的调查。这个特定时点应该较短。特定范围是指某个地区或某种特征的人群。

2)抽样调查(sampling survey):指通过随机抽样的方法,对特定时点、特定范围内人群的一个代表性样本的调查,以样本的统计量来估计总体参数所在范围,即通过对样本中的研究对象的调查研究,来推论其所在总体的情况。

5 设计要点

1)明确调查目的和类型:然后根据具体的研究目的来确定采用普查还是抽样调查。

2)确定研究对象:如果是普查,在设计时可以将研究对象规定为某个区域内的全部居民,或其中的一部分,如儿童,即≤14岁者。如果是抽样调查,则首先要明确该抽样研究的总体是什么,其次要确定采用何种抽样方法及其抽取多大的样本等。抽样调查选择研究对象的基本原则是保证每一个研究对象是以等同的机率从其总体中选出的,即研究样本要有代表性。

3)确定样本含量和抽样方法:决定横断面调查的样本大小的因素来自多个方面,但其主要是①预期的现患率(P);②对调查结果精确性的要求,即允许误差(d)越大,所需样量就越小。③要求的显著性水平(α),α值越小,即显著性水平要求越高,样本量要求越大。抽样方法分为非随机抽样和随机抽样。随机抽样方法有单纯随机抽样、系统抽样、分层抽样和整群抽样和多级抽样。

4)确定收集资料的方法:方法一经确定,就不能变更。一般有两种方法:一是通过测定或检查的方法,如测定血压是否正常、HBsAg是否阳性等。另一是通过直接用调查表询问研究对象,让其回答或回忆暴露或疾病的情况。

5)常见偏倚及其控制:偏倚是指从研究设计、实施、数据处理和分析的各个环节中产生的系统误差,以及结果解释、推论中的片面性,导致研究结果与真实值之间出现倾向性的差异,从而错误地描述暴露于与疾病之间的联系。横断面调查中偏倚产生的原因主要有:①主观选择研究对象,具有随意性。②任意变换抽样方法。③调查对象不合作或因种种原因不能或不愿意参加调查从而降低了应答率,此种现象称为无应答偏倚。若应答率低于10%就较难以以调查结果来估计整个研究对象的状况。④所调查到的对象均为幸存者,无法调查死亡的人,不能全面反映实际情况,此种现象又称之为幸存者偏倚。由以上原因导致的偏倚主要是选择偏倚,其最终导致研究样本缺乏代表性而使研究结果不能外推。⑤询问调查对象有关问题时,种种原因导致回答不准确从而引起偏倚(报告偏倚)或调查对象对过去的暴露史或疾病史等回忆不清,特别是健康的调查对象由于没有疾病的经历,而容易将过去的暴露等情况遗忘,而导致回忆偏倚。⑥调查员有意识地深入调查某些人的某些特征,而不重视或马虎对待其他一些人的这些特征而导致的偏倚,为调查偏倚。⑦资料收集、病患等情况的测量中由于测量工具、检验方法不正确,化验技术操作不规范等导致的系统误差则会介入测量偏倚。偏倚是可以避免的,主要措施有:①严格遵照抽样方法的要求,确保抽样过程的随机化原则的完全实施;②提高研究对象的依从性和受检率;③正确选择测量工具和检测方法;④组织好研究工作,调查员一定要经过培训,统一标准和认识;⑤做好资料的复查、复核等工作;⑥选择正确的统计分析方法,注意辨析混杂因素及其影响。

6 资料分析

现以 Ferris 和 Anderson(1962)所进行的一个关于慢性呼吸道疾病与吸烟、空气污染的横断面调查资料为例。其中,有关吸烟和慢性呼吸道疾病的资料经整理如表1所示。

表1 吸烟与慢性呼吸道疾病的横断面调查结果

	吸烟	不吸烟	合计
现患病人	142	38	180
非病人	12000	13100	25100
合计	12142	13138	25280

根据表1,即可计算出吸烟组和不吸烟组的慢性呼吸道疾病的现患率,其分别为 142/12142＝11.69‰和38/13138＝2.89‰;也可按患病和非患病组计算各自的暴露率,即慢性呼吸道疾病患者中吸烟的暴露为142/180＝78.89%;而非病人中吸烟的暴露率则仅为12000/25100＝47.81%。除此描述外,尚须进行统计学的显著性检验和必要时进行吸烟与慢性呼吸道疾病之间关系的危险度估计分析。本例可用 χ^2 检验,以分别说明患病组与非患病组的吸烟暴露率,和不同暴露状态(吸烟、不吸烟)组的现患率有无显著性差别。两个率的显著性检验方法如 u 检验、Poisson 检验等也可根据不同适用条件选用。

(林　林　李炽民　李克均)

前瞻性调查

1 概念

前瞻性调查(prospective study),又称为队列研究(cohort study)、发生率研究(incidence study)、随访研究(follow-up study)及纵向研究(longitudinal study)等。前瞻性调查是将一个范围明确的人群按是否暴露于某可疑因素及其暴露程度分为不同的亚组,追踪其各自的结局,比较不同亚组之间结局的差异,从而判定暴露因子与结局之间有无因果关联及关联大小的一种观察性研究方法。这里观察的结局主要是与暴露因子可能有关的结局。

2 特点

1)属于观察法。前瞻性调查中的暴露不是人为给予的,不是随机分配的,而是在研究之前已客观存在的,这是前瞻性调查区别于实验研究的一个重要方面。

2)设立对照组。与回顾性调查相同,前瞻性调查也必须设立对照组以资比较。对照组可与暴露组来自同一人群,也可以来自不同的人群。

3)观察方向由"因"及"果"。在前瞻性调查中,一开始(疾病发生之前)就确立了研究对象的暴露状况,而后探求暴露因素与疾病的关系,即先确知其因,再纵向前瞻观察而究其果,这一点与实验研究方法是一致的。

4)能确证暴露与结局的因果联系。由于研究者能切实知道研究对象的暴露状况及随后结局的发生,且结局是发生在确切数目的暴露人群中,所以能据此准确的计算出结局的发生率,估计暴露人群发生某结局的危险程度,因而能判断其因果关系。

3 目的

1)检验病因假设。一次前瞻性调查可以只检验一种暴露与一种疾病之间的因果关联(如吸烟与肺癌),也可同时检验一种暴露与多种结果之间的关联(如可同时检验吸烟与肺癌、心脏病、慢性支气管炎等的关联)。

2)评价预防效果。有些暴露有预防某结局发生的效应,即出现预防效果。如大量的蔬菜摄入可预防肠癌的发生,戒烟可减少吸烟者肺癌发生的危险等,这里的预防措施(如蔬菜摄入和戒烟)不是人为给予的,而是研究对象的自发行为。这种现象又被称为"人群的自然实验"。

3)研究疾病自然史。临床上观察疾病的自然史只能观察单个病人从起病到痊愈或死亡的过程;而前瞻性调查可以观察人群从暴露于某因素后,疾病逐渐发生、发展,直至结局的全过程,包括亚临床阶段的变化与表现,这个过程多数伴有各种自然和社会因素的影响,前瞻性调查不但可了解个体疾病的全部自然史,而且可了解全部人群疾病的发展过程。

4 类型

前瞻性调查依据研究对象进入队列时间及终止观察的时间不同,分为前瞻性(prospective)、历史性(historical)和双向性(ambispective)三种。

1)前瞻性:研究对象的分组是根据研究开始时(现时)研究对象的暴露状况而定的。此时,研究的结局还没有出现,还需要前瞻观察一段时间才能得到,这样的设计模式称为即时性(concurrent)或前瞻性队列研究。

2)历史性:研究对象的分组是根据研究开始时研究者已掌握的有关研究对象在过去某个时点的暴露状况的历史材料作出的;研究开始时研究的结局已经出现,其资料可从历史资料中获得,不需要前瞻性观察,这样的设计模式称为非即时性(non-concurrent)或历史性队列研究。

3)双向性:也称混和型队列研究,即在历史性队列研究之后,继续前瞻性观察一段时间，它是将前瞻性队列研究与历史性队列研究结合起来的一种设计模式。

5   设计要点

1）确定研究因素。研究因素在前瞻性调查中常称为暴露因素或暴露变量，暴露因素通常是在横断面调查和回顾性调查的基础上确定的。一般应对暴露因素进行定量，除了暴露水平以外，还应考虑暴露的时间，以估计累积暴露剂量。同时还要考虑暴露的方式，如间歇暴露或连续暴露、直接暴露或间接暴露、一次暴露或长期暴露等。暴露的测量应采用敏感、精确、简单和可靠的方法。

2）确定研究结局。研究结局是指随访观察中将出现的预期结果事件，也即研究者希望追踪观察的事件。研究结局的确定应全面、具体、客观。结局不仅限于发病、死亡，也有健康状况和生命质量的变化；既可是终极的结果（如发病或死亡），也可是中间结局（如分子或血清的变化）；结局变量既可是定性的，也可是定量的，如血清抗体的滴度、尿糖及血脂等。结局变量的测定，应给出明确统一的标准，并在研究的全过程中严格遵守。

3）确定研究现场与研究人群。由于前瞻性调查的随访时间长，因此，现场选择除要求有足够数量的符合条件的研究对象外，还要求当地的领导重视，群众理解和支持，最好是当地的文化教育水平较高，医疗卫生条件较好，当然，也要考虑现场的代表性。研究人群包括暴露组和对照组，暴露组中有时还有不同暴露水平的亚组。根据研究目的和研究条件的不同，研究人群的选择有不同的方法。暴露人群即对待研究因素有暴露的人群。根据研究的方便与可能，通常有下列四种选择：职业人群、特殊暴露人群、一般人群、有组织的人群团体。设立对照是分析流行病学的基本特征之一，其目的是为了比较，为了更好地分析暴露的作用。因此，选择对照组的基本要求是尽可能保证与暴露组的可比性。选择对照人群的常用形式有下列四种：内对照、外对照、总人口对照、多重对照。

4）确定样本大小。计算样本量时需考虑抽样方法、暴露组与非暴露组的比例、失访率等。影响样本含量的主要因素有一般人群（对照人群）中所研究疾病的发病率（p_0）、暴露组与对照组人群发病率之差（d）、要求的显著性水平（α）和把握度（$1-\beta$）。

5）资料收集与随访。在研究对象选定之后，必需详细收集每个研究对象在研究开始时的基本情况，包括暴露的资料及个体的其他信息，这些资料一般称为基线资料或基线信息（baseline information）。研究对象的随访是前瞻性调查中一项十分复杂细致，又至关重要的工作，随访的对象、内容、方法、时间、随访者等都直接与研究工作的质量相关，因此，应事先计划、严格实施。

6）质量控制。前瞻性调查费时、费力、消耗大，加强实施过程，特别是资料收集过程中的质量控制显得特别重要，一般的质量控制措施包括调查员应有严谨的工作作风和科学态度；在资料收集前，应对所有参加调查者进行严格的培训；制定调查员手册；严格监督。

6   资料的分析

随访结束以后，首先应对资料进行审查，了解资料的正确性与完整性。对有明显错误的资料应进行重新调查修正，或剔除；对不完整的资料要设法补齐。在此基础上，先对资料做描述性统计，即描述研究对象的组成及人口学特征、随访时间及失访情况等，分析两组的可比性及资料的可靠性；然后才作推断性分析，分析两组率的差异，推断暴露的效应及其大小。

6.1 基本整理模式

表 1 前瞻性调查资料归纳整理表

	病例	非病例	合计	发病率
暴露组	a	b	$a+b=n_1$	a/n_1
非暴露组	c	d	$c+d=n_0$	c/n_0
合计	$a+c=m_1$	$b+d=m_0$	$a+b+c+d=t$	

式中 a/n_1 和 c/n_0 分别为暴露组的发病率和非暴露组的发病率，是统计分析的关键指标。

6.2 率的计算

结局事件的发生率的计算是前瞻性调查资料分析的关键，根据观察资料的特点，可选择计算不同的指标。例如：累积发病率（cumulative incidence）、发病密度（incidence density）、标化死亡比（standardized mortality ratio，SMR）等。

6.3 显著性检验

由于前瞻性调查多为抽样研究，当发现两组率有差别时，首先要考虑抽样误差的可能，进行统计学显著性检验。当研究样本量较大，p 和 $1-p$ 都不太小，如 np 和 $n(1-p)$ 均大于 5 时，样本率的频数分布近似正态分布，此时可应用正态分布的原理来检验率的差异是否有显著性，即用 U 检验法来检验暴露组与对照组之间率的差异；如果率比较低，样本较小时，可改用直接概率法、二项分布检验或泊松（Poisson）分布检验；率差的显著性检验可以利用四格表资料的卡方检验；对 SMR 或 SPMR 的检验，实际是所得结果值偏离 1 的检验，其检验方法可用 χ^2 检验或计分检验（score test），详细方法可参阅有关书籍。

6.4 效应的估计

前瞻性调查的最大优点就在于它可以直接计算出研究对象的结局的发生率，因而也就能够直接计算出暴露组与对照组之间的率比和率差，即相对危险度 RR（relative risk）与归因危险度 AR（attributable risk），从而可直接准确地评价暴露的效应。

7 偏倚及其防止

前瞻性调查在设计、实施和资料分析等各种环节都可能产生偏倚，因此，在各阶段都应采取措施，预防和控制偏倚的产生。常见偏倚的种类有选择偏倚（selection bias）、失访偏倚（lost to follow-up）、信息偏倚（information bias）、混杂偏倚（confounding bias）。偏倚是可以控制的。选择性偏倚一旦产生，往往很难消除，因此应采取预防为主的方针；通过尽可能提高研究对象的依从性来防止失访偏倚；选择精确稳定的测量方法、调准仪器、严格实验操作规程、同等地对待每个研究对象、提高临床诊断技术、明确各项标准、严格按规定执行是防止信息偏倚的重要措施；在研究设计阶段可利用对研究对象作某种限制、在对照选择中采用匹配的办法、严格遵守随机化的原则等措施能够防止混杂偏倚的产生。

8　优点与局限性

8.1　优点

①于研究对象暴露资料的收集在结局发生之前,并且都是由研究者亲自观察得到的,所以资料可靠,一般不存在回忆偏倚。

②可以直接获得暴露组和对照组人群的发病或死亡率,可直接计算出 RR 和 AR 等反映疾病危险关联的指标,可以充分而直接地分析暴露的病因作用。

③由于病因发生在前,疾病发生在后,因果现象发生的时间顺序上合理,加之偏倚较少,又可直接计算各项测量疾病危险关联的指标,故其检验病因假说的能力较强,一般可证实病因联系。

④有助于了解人群疾病的自然史。有时还可能获得多种预期以外的疾病的结局资料,分析一种因素与多种疾病的关系。

⑤样本量大,结果比较稳定。

8.2　局限性

①不适于发病率很低的疾病的病因研究,因为在这种情况下需要的研究对象数量太大,一般难以达到。

②由于随访时间较长,对象不易保持依从性,容易产生各种各样的失访偏倚。同时由于跨时太长,研究对象也容易从半途中了解到研究目的而改变他们的态度。

③研究耗费的人力、物力、财力和时间较多,其组织与后勤工作亦相当艰巨。

④由于消耗太大,故对研究设计的要求更严密,资料的收集和分析也增加了一定的难度,特别是暴露人年的计算较繁重。

⑤在随访过程中,未知变量引入人群,或人群中已知变量的变化等,都可使结局受到影响,使分析复杂化。

（林　林　李炽民　李克均）

追踪性调查

追踪性调查(follow-up studies)又称追踪观察,是对一批固定观察单位有间隔的、较长时期(如几年、十几年或几十年)的追踪观察,以获得动态变化资料,通过分析,找出规律,得出结论。追踪性调查的一种特殊形式为前瞻性调查(prospective study),它是将研究人群按是否暴露于某因素分为两组,随访观察在一定时期内两组人群某事件(如发病或死亡)发生情况,并进行两组间的比较,以研究某因素与该事件的发生是否存在因果关联,验证研究者的假说。这是一种由"因"及"果"的研究。多用于需长期观察的研究课题,比如追踪儿童少年生长发育或某批群体健康状况、危险因素对人体健康的影响、疾病自然发展史、疾病预后和远期防治效果等。追踪性调查的实施应考虑如下问题:

1 对照问题

根据研究课题需要与否确定是否设立对照。长期观察一批同质人群情况的动态变化为不设对照的设计,例如追踪观察一批正常 7 岁儿童到 18 岁的生长发育状况可设或不设对照。追踪观察一批儿童疫苗接种效果,如利用他们的血清免疫水平消长曲线进行评价,为同批前后对照;若观察他们的流行病学效果,则应另设对照。观察比较某种慢性病(如克山病)各型病人发病若干年(如 14 年)后生存率,各型病人组这间就形成互为对照。设立对照时应注意暴露组与对照组资料的可比性。

2 确定研究对象

应根据调查需要确定调查对象,要注意调查群体对总体的代表性、组间的可比性和自身的同质性。为此,常采用随机抽样或用配对方法分组,分组界限要有详尽规定,做到合理。例如追踪观察正常儿童生长发育状况,要选择多个有代表性的普通小学和健康儿童,不应选择条件特殊的学校(如体育、舞蹈或聋哑学校),对有畸形、残疾和患有某些影响身体发育的器质性疾病的患者不能作为观察单位。观察病例也必须确诊。

3 确定样本含量

长期观察同批对象,所需样本一般较小。例如,用一次横断面调查 7~18 岁儿童少年的生长发育水平,按每岁组调查 150 人计算,需调查 1800 人,而追踪性调查,如组织得好,只需 150 人即可,并能减少选择性偏倚,提高结果的精密度。追踪观察某病远期防治效果或疾病预后,可用估计总体率或总本均数时的样本含量的计算方法:如有对照比较,采用相应的假设检验时的样本含量估算公式。当追踪观察危险因素(或保护因素)的作用并同时设有对照时,参见本分卷条目"前瞻性(队列列研究)样本含量"估算方法。为了弥补失访人数,实际的样本含量要比估算的大一些。

4 资料收集与随访

一般采用调查问卷完成,收集的资料除基底资料外,还必须具有各个时段的观察结果(如某病发生)及其产生原因或影响因素(如某危险因素),并有观察单位的结局(如生存、死亡)。调查资料来源于:①现成的常规记录,由当地医疗卫生机构、公安、职工所在单位提供,如生命统计、出生死亡登记、传染病报告卡、病历、尸体解剖和职工人事登记,有关职业变更、迁移、出差等。②从观察单位或知情人直接收集,例如生活习惯(吸烟、饮酒等)、生活方式、经济状况、生存、死亡等资料,可通过访视或通信获得。③医学检查或检验项目,例如身高、体重、血清抗原或抗体水平。④环境监测指标,例如调查人群的工作环境中有害物质的浓度等。

同时应注意确定观察期限与随访时间。一般来说,追踪性调查的观察期限取决于被研究事物危险因素的特性。例如研究癌症与危险因素关系需要观察数年时间,每年随访一次即可,因为从接触危险因素到发病甚至死亡多需若干年。

5 资料分析

资料类型不同,分析方法亦往往不同。①病例随访资料,通过分析比较不同样本生存期或缓解期的长短,以判断治疗方法的优劣、疾病预后的好坏和保健措施的成效。当观察例数较少时,可作生存率曲线分析、时序检验或游程检验;观察例数较多时,可用寿命表法分析,即比较两样本的某时点生存率用 Mentel 检验。②作危险因素分析时,可应用"前瞻性调查"的分析方法,例如危险度分析、分层分析、剂量分反应关系的分析。③儿童少年生长发育的追踪性调查,除应用一般介绍的形态指标、机能指标,以及评价方法外,尚能以曲线回归拟合的方法,建立数学模型,例如某地出生追踪观察到 7 岁的儿童体重发育水平用曲线拟合。④观察一批群体情况动态变化,有时需要应用升降趋势检验。最后,分析资料的全面分析,结合专业知识,应用科学推理方法,作出调查结论,写研究报告。

6 偏倚控制

选择性偏倚较大,常见为失访偏倚。在设计时,严格调查对象的选择及样本含量的问题。培训合格的调查员。调查时,加强资料的初审和复审。整理核对原始资料。避免失访的措施为:①尽量选择近处的人群调查,方便随访。②被调查人群流动性较小,选常住人口。③事先做好调查人群的思想工作,争取积极配合。④根据观察单位的具体情况,商定联系办法,确保及时了解他们的详细去向,做好记录。⑤反复随访,定期至现场调查。⑥当与被调查人见面有困难时,向知情人询问。注意填写失访原因调查表,分析失访人员的失访原因及属性构成情况,计算应答率,估计对结果的影响。若失访人群与未失访人群在主要特征上无区别,则认为偏倚不大,当应答率小于 90% 时,作结论应谨慎。

7 优点和缺点

追踪性调查的优点是在两组对比中,可直接观察某因素与疾病发病的联系,并能占计其联系程度,其调查对象为固定人群或有已知的特定人群,所得资科能估计发病率和死亡率,产生的偏倚较少。但缺点是调查对象的人数要求众多,对罕见病尤其要增多调查对象人数,因而耗费人力和财力较大,观察时间又较长,如果一旦致病因子未被选入观察时,结果就会落空,损失就更大。追踪性调查由于观察时间较长,观察单位易于失访,调查人员难于固定和坚持,如组织不好,多种偏倚可能出现,同样影响调查质量,因此实际应用时难度较大。总之,应根据调查目的、研究课题的必要性和可行性综合考虑是否采用追踪性调查。

参考文献

[1]　陆守曾. 医学统计学. 中国统计出版社,2002;229-232.

[2]　中国医学科学院卫生研究所.卫生统计学.北京:人民卫生出版社,1978;210.

[3]　钱宇平.流行病学.2 版.北京:人民卫生出版社,1987;106.

［4］　杨树勤.中国医学百科全书：医学统计学.上海：上海科技出版社,1985：210.

［5］　徐天和.中国医学统计百科全书：医学研究统计设计分册.北京：人民卫生出版社,2004：77－79.

（贾改珍　杨振明　高纯书）

回顾性调查

1　概念

回顾性调查（retrospective studies）与前瞻性调查（prospective studies）互相对应，均是采用观察法探索和分析因果联系的一种研究方法，但研究的起点和终点不同。前者由现在的"结果"追溯其以往的"原因"；后者由现在的"原因"追踪其将来出现的"结果"。回顾性调查不是回忆性调查，如癌症死亡回忆性调查，而是采用病例与对照比较的形式进行研究，因此又称病例对照研究（case－control study）。病例对照研究是以现在确诊的患有某特定疾病的病人作为病例，以不患有该病但具有可比性的个体作为对照，通过询问，实验室检查或复查病史，搜集既往各种可能的危险因素的暴露史，测量并比较病例组与对照组中各因素的暴露比例，经统计学检验，若两组差别有意义，则可认为因素与疾病之间存在着统计学上的关联。在评估了各种偏倚对研究结果的影响之后，再借助病因推断技术，推断出某个或某些暴露因素是疾病的危险因素，而达到探索和检验疾病病因假说的目的。这是一种回顾性的，由结果探索病因的研究方法，是在疾病发生之后去追溯假定的病因因素的方法。

2　类型

1）病例与对照不匹配：在设计所规定的病例和对照人群中，分别抽取一定量的研究对象，一般对照数目应等于或多于病例人数。此外没有其它任何限制与规定。

2）病例与对照匹配：匹配或称配比（matching），即要求对照在某些因素或特征上与病例保持一致。匹配分为频数匹配（frequency matching）和个体匹配（individual matching）。1∶1匹配又称配对（pair matching），1∶2、1∶3、……1∶R匹配时，称为匹配。配比的目的，首先在于提高研究效率。其次在于控制混杂因素。所以匹配的特征或变量必须是已知的混杂因子，或有充分的理由怀疑为混杂因子。

3）病例对照研究的衍生类型有巢式病例对照研究、病例-队列研究（case-cohort study）、单纯病例研究（case only study）、病例交叉研究（case-crossover design）、病例时间对照设计（case-time-control design）等。

3　设计要点

1）提出假设。根据所了解的疾病分布特点和已知的相关因素，广泛查阅文献基础上，提出病因假设。

2）明确研究目的，选择适宜的对照形式。如果为广泛地探索疾病的危险因子，可以采用不匹配或频数匹配；若研究的是罕见病，或能得到的符合规定的病例数很少时，选择个体匹配方法；若想以较小的样本获得较高的检验效率，可采用 $1:R$（或 $1:M$）的匹配方法，R 值不宜超过 4。

3）病例与对照的基本来源有两个。医院的现患病人、医院、门诊的病案，及出院记录，称为以医院为基础的病例对照研究；社区、社区的监测资料或普查、抽查的人群资料，称为以社区为基础的病例对照研究。选择对照时必须考虑对照的代表性，对照与病例的可比性，以及可能出现的选择偏倚等。

4）样本含量的估计。影响样本大小的因素主要有 4 个：研究因素在对照组中的暴露率 P_0；预期的该因素引起的相对危险度 RR 或暴露的比值比 OR；希望达到的检验显著性水平 α；希望达到的检验把握度（$1-\beta$）。

5）获取研究因素的信息。变量的选定取决于研究的目的或具体的目标。与目的有关的变量不但绝不可少（如吸烟与肺癌关系的研究中，有关调查对象吸烟或不吸烟的信息），而且应当尽量细致和深入（如还应调查吸烟持续的时间、每日吸烟量、烟的种类等）以获得较多的信息。每项变量都尽可能地采取国际或国内统一的标准。定性的指标可通过询问而获得是与否，经常、偶尔等信息。通过询问、仪器或实验室检查可获得定量的资料。

6）资料的收集。主要靠询问调查对象填写问卷收集信息资料。有时需辅以查阅档案、采样化验、实地查看或从有关方面咨询获得。

4　资料的分析

4.1　描述性统计

1）描述研究对象的一般特征：描述研究对象人数及各种特征的构成，例如性别、年龄、职业分布等。

2）均衡性检验：为检验病例组与对照组的可比性，比较病例组和对照组某些基本特征是否相似。

4.2　统计性推断

病例对照研究中表示疾病与暴露之间联系强度的指标为比值比（odds ratio，又译比数比、优势比、交叉乘积比，简称 OR）。所谓比值（odds）是指某事物发生的可能性与不发生的可能性之比。OR 的含义与相对危险度相同，指暴露组的疾病危险性为非暴露组的多少倍。OR>1 说明疾病的危险度因暴露而增加，暴露与疾病之间为"正"关联；OR<1 说明疾病的危险度因暴露而减少，暴露与疾病之间为"负"关联。但是，在不同患病率和不同发病率的情况下，OR 与 RR 是有差别的。疾病率小于 5％时，OR 是 RR 的极好近似值。无论以暴露比值和非暴露比值计算，或是以有病比值和无病比值计算，比值比的结

果都是一样的,OR 恒等于 ad/bc。

4.2.1　不匹配不分层的资料分析

1)每个暴露因素可整理成表 1 的四格表形式。

表 1　病例对照研究资料整理表

暴露或特征	疾病		合计
	病例	对照	
有	a	b	$a+b=n_1$
无	c	d	$c+d=n_0$
合计	$a+c=m_1$	$b+d=m_0$	$a+b+c+d=t$

2)利用 χ^2 检验,检验病例组与对照组两组的暴露率有无统计学的显著差异。

$$\chi^2=(ad-bc)^2 n/[(a+b)(c+d)(a+c)(b+d)]$$

3)计算暴露与疾病的联系强度 OR。

$$OR=ad/bc$$

4)OR 的可信区间(confidence interval, CI.)。前面计算的 OR 值是关联程度的一个点估计值,即用一次研究(样本人群)所计算出来的一次 OR 值。考虑到抽样误差,可按一定的概率(称为可信度)来估计总体 OR 的范围,即 OR 的可信区间,其上下限的值为可信限。

4.2.2　匹配资料的分析。

1)将资料整理成四格表。

表 2　1∶1 配对病例对照研究资料整理表

对照	病例		对子数
	有暴露史	无暴露史	
有暴露史	a	b	$a+b$
无暴露史	c	d	$c+d$
对子数	$a+c$	$b+d$	t

2)χ^2 检验。用 McNemar 公式计算:$\chi^2=(b-c)^2/(b+c)$

3)计算 OR。$OR=c/b(t\neq0)$

4)计算 OR 的 95％可信区间。用 Miettinen 公式:OR_U,$OR_L=OR^{(1\pm1.96/\sqrt{\chi^2})}$

5　常见偏倚及其控制

1)选择偏倚(selection bias):由于选入的研究对象与未选入的研究对象在某些特征上存在差异而引起的误差。常发生于设计阶段。①入院率偏倚(admission rate bias)也叫 Berkson 偏倚。当利用医院病人作为病例和对照时,由于对照是医院的某一部分病人,而不是全体目标人群的一个随机样本,又由于病例只是该医院或某些医院的特定病例,因为病人对医院及医院对病人双方都有选择性,所以作为病例组的病例也不是全体病人的随机样本,所以难免产生偏倚,特别是因为各种疾病的入院率不同导致病例组与对照组某些特征上的系统差异。尽量采用随机选择研究对象,在多个医院选择对象等方法以减少偏倚程度。②现患病例－新发病例偏倚(prevalence－incidence bias),又称奈曼偏倚(Neyman bias)。调查对象选自现患病例,可能得到很多信息可能只与存活有关,而未必与该病发病有关,从而高估某些暴露因素病因作用。另一种情况,某病的幸存者改变了生活习惯,从而降低了某个危险因素的水平,明确规定纳入标准为新发病例,或有可能做队列研究,同时将暴露程度、暴露时间和暴露结局联系起来做结论可减少偏倚程度。③检出征侯偏倚(detection signal bias)也称暴露偏倚(unmasking bias)。病人常因某些与致病无关的症状而就医,从而提高了早期病例的检出率,致使过高地估计了暴露程度,而产生的系统误差。如果延长收集病例的时间,使其超过由早期向中、晚期发生的时间,则检出病例中暴露者的比例会趋于正常。④时间效应偏倚(time effect bias)慢性疾病,从开始暴露于危险因素到出现病变往往经历一个较长的时间过程。那些暴露后即将发生病变的人,已发生早期病变而不能检出的人,或在调查中已有病变但因缺乏早期检测手段而被错误地认为是非病例的人,都可能被选入对照组,由此产生的误差。在调查中尽量采用敏感的疾病早期检查技术,开展观察期充分长的纵向调查。

2)信息偏倚(information bias):又称观察偏倚(observation bias)或测量偏倚(measurement bias),是在收集整理信息过程中由于测量暴露与结局的方法有缺陷造成的系统误差。①回忆偏倚(recall bias)由于被调查者记忆失真或不完整造成结论的系统误差。选择不易为人们所忘记的重要指标做调查,并重视问卷的提问方式和调查技术,将有助于减少回忆偏倚。②调查偏倚(investigation bias):可能来自于调查对象及调查者双方。病例与对照的调查环境与条件不同,或者调查技术、调查质量不高或差错以及仪器设备的问题等均可产生调查偏倚。采用客观指征、合适的人选参加调查、调查技术培训、复查等方法做好质量控制,检查条件尽量一致、检查仪器应精良、严格掌握试剂的要求等均可望减少偏倚。

3)混杂偏倚(confounding bias):当研究某个因素与某种疾病的关联时,由于某个既与疾病有制约关系,又与所研究的暴露因素有联系的外来因素的影响,掩盖或夸大了所研究的暴露因素与疾病的联系。这种现象或影响叫混杂(confounding)或混杂偏倚(confounding bias),该外来因素叫混杂因素(confounding factor)。防止办法:在设计时利用限制的方法,配比的方法;资料分析阶段采用分层分析或多因素分析模型处理。

6　优点与局限性

6.1　优点

①特别适用于罕见病的研究,有时往往是罕见病病因研究的唯一选择。

②虽有更多的机会发生偏倚和错误的推论,但是相对更省力、省钱、省时间,并且较易于组织实施。

③该方法不仅应用于病因的探讨,而且广泛应用于许多方面,例如疫苗免疫学效果的考核及爆发调查等。

④可以同时研究多个因素与疾病的联系,适宜于探索性病因研究。

6.2 局限性

①不适于研究人群中暴露比例很低的因素,因为需要很大的样本量。

②选择研究对象时,难以避免选择偏倚。

③暴露与疾病的时间先后常难以判断。

④获取既往信息时,难以避免回忆偏倚。

参考文献

[1] 郭祖超.医用数据理统计方法,3 版.北京:人民卫生出版社,1988:704.

[2] 钱宇平.流行病学.2 版.北京:人民卫生出版社,1987:78.

[3] 王天根.医学现场调查研究工作手册.北京:人民卫生出版,1989:60.

[4] 章扬熙.流行病研究统计方法实例.沈阳:沈阳出版社,1989:145.

(林 林 杨振明 高纯书)

随机抽样

随机抽样(random sampling)又称为概率抽样,这一概念产生于 20 世纪初叶,目前随机抽样的理论与方法现已成为统计学的重要组成部分。所谓随机抽样指调查者用概率论和随机原则(random principle)为依据抽取样本,然后以样本统计量推断总体参数的一种研究方法。随机抽样应遵循的原则是随机化和适当样本含量。狭义的抽样技术就是随机抽样技术,广义的抽样技术还包括非随机抽样技术(如有意抽样、机会或偶遇抽样、定额抽样、典型调查、雪球抽样等)。常用的随机抽样方法有:简单随机抽样(simple random sampling)、分层抽样(stratified sampling)、系统抽样(systematic sampling)、整群抽样(cluster sampling)与多阶段抽样(multi-stage sampling)等。

1 基本特点

1)明确性。能够明确表明一个样本中包含哪些个体。

2)随机性。样本的抽取遵循随机性原则,以排除人的主观随意性或目的性,即访问员没有权利自己去选择被访问的对象,从而调查总体中每个单位都有机会被抽中。

3)推断性。可以运用概率估计的方法对总体数量特征进行推断。样本与总体的关系可以通过抽样分布规律来描述,因此可以运用概率估计的方法,对总体数量特征做出具有一定概率保证程度的推断。

4)可控性。抽样误差(sampling error)可以计算并加以控制。抽样误差是由于随机抽样而不是由于具体调查而产生的,抽样调查估计量的精度是抽样误差大小的度量。

2 评价

与非随机抽样方法相比,随机抽样的优点是能够保证样本的代表性;避免人为干预所产生的误差;能对抽样误差进行估计;可以保证调查达到实现给定的精度要求;在设计阶段即可根据需要对抽样误差的大小及调查结果的可信度加以控制;能确定最优的样本例数。

需要指出的是,随机抽样不同于等概率抽样(sampling with equal probability),即总体中的每个个体被抽中的概率可以相等,也可以不等,当抽样单位大小不等时也会采用不等概率抽样(sampling with unequal probability)。

参考文献

[1] 李金昌.应用抽样技术.北京:科学出版社,2006.

[2] 施锡铨.抽样调查的理论和方法.上海:上海财经大学出版社,1996.

[3] 樊鸿康.抽样调查.北京:高等教育出版社,2000.

[4] 方积乾.卫生统计学.北京:人民卫生出版社,2011.

(韩春蕾 徐天和)

抽样总体

抽样总体(sampled population)系指根据研究目的所确定的研究对象中所有观察个体的集合,样本将从该集合中抽取,且由样本得出的结论可以推断抽样总体本身。抽样总体中的每一个体成员被称为基本单位(elementary unit)。例如,欲研究某城市成人的吸烟率,那么,该城市的所有成人为抽样总体,而该城市的每一个成人为基本单位,用于研究的样本将根据某种抽样方法所挑选的该城市的某些成人构成,通过对该样本的吸烟率的研究,可推断该城市成人的吸烟率。在抽样过程中,有时直接抽取基本单位形成样本比较困难,或者花费昂贵,这时,采用间接的方法,即通过抽取包含基本单位的所谓目录单位(enumeration units, listing units)构成样本。每个目录单位包含一个或多个基本单位,当包含一个基本单位时,目录单位即基本单位。例如,欲研究某县居民的麻疹疫苗接种率,则该县所有居民为抽样总体,每一个居民是总体中的基本单位。显然,要获取该县准确的、最新的、完整的居民登记资料相当困难,而获得该县家庭的目录清单则容易得多,这种情况下,抽样从抽取目录单位—家庭着手,继之以抽取的家庭中的所有成员构成样本。但需注意,对目录单位的抽样应能代表对基本单位的概率抽样,否则,所形成的样本可能带有偏性。

(陈平雁)

抽样框

在进行抽样前,需将总体划分为有限个互不重叠的部分,即抽样单位(sampling units)。总体中的每一个基本单位属于且只属于某一个抽样单位,每一个抽样单位如同目录单位一样,包含一个或多个基本单位。将抽样单位编制成目录,就形成了抽样框(sampling frame)。抽样框应具有这样的特性,即无论采用何种方法从该抽样框中抽样,每个基本单位均有一定的概率被选入样本。不同抽样方法的抽样框不尽相同。单纯随机抽样和系统抽样的抽样单位为基本单位或目录单位。分层抽样需分别确定每一层的抽样框,其抽样单位亦为基本单位或目录单位。整群抽样以整群为抽样单位。对于多阶段抽样,各阶段抽样框中的抽样单位不同。例如,对全国哮喘病的调查,抽样单位在第一至第五阶段分别为省、市、县(区)、乡(街道)和家庭,这里,家庭是最小一级的抽样单位,城乡居民则为基本单位,全国的每一个居民均有一定概率被选入样本。

参考文献

[1] Cochran WG. Sampling Techniques. 3rd ed. New York：John Wiley & Sons,1977.

[2] Ilersic AR Pluck RA. Statistics. 14th ed. London：HFL Ltd,1979.

[3] Levy PS,Lemeshow S. Sampling for Health Professionals. Belmont：Lifetime Learning Publications, 1980.

(陈平雁)

简单随机抽样

简单随机抽样(simple random sampling)也称单纯随机抽样、纯随机抽样、完全随机抽样,或简称随机抽样,指抽样者不作任何主观选择,随机地从调查对象总体中抽取样本进行调查的方法,因此全部可能的样本被抽中的概率都相等。简单随机抽样是等概率抽样,是最简单、最基本、最完善的抽样方式,构成了抽样理论的基础。

具体抽样时,可根据观察单位是否被放回分为放回简单随机抽样(重复抽样)和不放回简单随机抽样(不重复抽样)两种。前者指从总体中随机抽取一个样本单位,观测后放回总体,然后再随机抽取下一个样本单位,依次重复,直到抽够 n 个样本单位为止;后者的不同之处是观察单位第二次被抽中时不计入样本例数。与放回简单随机抽样相比,不放回简单随机抽样各次处理不相互独立,数学处理相对简单,且在同等条件下抽样误差要小(抽样效率高),因此现实中一般多被采用。

样本的抽选方法是首先将总体的每个单位从小到大进行编号,然后随机抽号,将抽到号码对应的单位入样,直到抽够 n 个单位为止。常用的方法有抽签法和随机数法,后者又分为随机数字表(附表 1)、随机数骰子、利用摇奖机抽选或利用计算机产生伪随机数[①]抽选等方法。

1　抽样误差公式

样本均数(或率、比例)的计算公式见《描述性统计分册》算术均数(或率)条目。抽样误差用标准误表示,计算公式如下:

样本均值的标准误:
$$s_X = \sqrt{[1-f]\frac{s^2}{n}} \tag{1}$$

样本比例的标准误:
$$s_P = \sqrt{[1-f]\frac{p(1-p)}{n-1}} \tag{2}$$

式中 n 为样本例数,N 为总体例数,s 为样本标准差,p 为样本率或比例,$f = n/N$ 称为抽样比(sampling fraction)。$(1-f)$ 为有限总体校正系数(finite population correction,FPC)。当 $f = n/N$ 很小(比如小于 0.05 时),该校正系数可忽略不计;当 n 较大时,式中的 $p(1-p)/(n-1)$ 亦可近似为 $p(1-p)/n$。

可以证明,样本均数(或率、比例)和标准差分别为总体均数(或率、比例)和标准差的无偏估计量,样本均数(或率、比例)的标准误也分别是总体均值(或率、比例)的标准误的无偏估计量。故在样本均数(或率、比例)和标准差已知的条件下,给定一定的置信水平,可得总体均值(或率、比例)的置信区间。

2　样本量的确定公式

样本量太大则不符合抽样调查的宗旨,容易产生非抽样误差;而样本量太小则抽样误差偏大,无法保证估计精度的要求;只有合适的样本量才可控制抽样误差。确定样本量的基本原则是在固定的费用下,尽力提高估计精度或者在必需的估计精度要求下使费用尽量减少。精度通常用绝对允许误差和相对允许误差的上限来表示。影响样本量大

---

① 　伪随机数:计算机产生的伪随机数具有循环周期,并不能保证随机性,故名伪随机数。

小的因素有绝对允许误差、相对允许误差以及变异系数^{①}的上限等。

2.1 估计总体均值的样本量

$$n = \frac{n_0}{1 + \frac{n_0}{N}} \tag{3}$$

其中，

$$n_0 = \frac{S^2}{S_{\bar{x}}^2} \tag{4}$$

式中，S^2 为总体方差。在不放回简单随机抽样中，若总体例数 N 很大，或 $\frac{n_0}{N} < 0.05$，则以 n_0 确定近似样本量；若 N 不大，则用式（3）确定样本量。在放回简单随机抽样中，n_0 为所确定的样本量。可见，为得到同样的精度，放回简单随机抽样比不放回简单随机抽样所需的样本量要大。

在给定绝对允许误差 Δ、相对允许误差 γ 和变异系数 CV 的上限的条件下，样本量确定公式见式（5）～（7）：

$$n_0 = t_{\alpha/2, n-1}^2 S^2 / \Delta^2 \tag{5}$$

$$n_0 = t_{\alpha/2, n-1}^2 S^2 / (\gamma^2 \overline{X}^2) \tag{6}$$

$$n_0 = S^2 / (CV^2 \overline{X}^2) \tag{7}$$

上式中当样本量足够大时，$t_{\alpha/2, n-1}$ 可用 $Z_{\alpha/2}$ 来表示。由于总体 $\overline{X}$ 和 S^2 均未知，故常用样本 $\bar{x}$ 和 s^2 来代替。

2.2 估计总体比例的样本量

若估计的是总体中具有某种属性的单位所占的比例 P，可得：

$$n = \frac{n_0}{1 + \frac{n_0 - 1}{N}} \tag{8}$$

其中，

$$n_0 = \frac{P(1-P)}{S_P^2} \tag{9}$$

同理，可分别求得在给定绝对允许误差 Δ、相对允许误差 γ 和变异系数 CV 的上限的样本量确定公式：

$$n_0 = t_{\alpha/2, n-1}^2 P(1-P) / \Delta^2 \tag{10}$$

$$n_0 = t_{\alpha/2, n-1}^2 P(1-P) / (\gamma^2 P) \tag{11}$$

$$n_0 = (1-P) / (CV^2 P) \tag{12}$$

例 1 某中学有学生 2000 人，欲调查患近视眼学生的比例。若用简单随机抽样法从中抽取 100 人作为样本，可先将全校学生按名册顺序编号为 $1, 2, 3, \cdots, 2000$，然后在随机数字表中（附表 1），任意指定一个起始点，按同一个方向依次抄录 0001～2000 范围内的 100 个随机数（本例每个随机数为 4 位），凡在前面已经抄录过的随机数均弃去不用。如

---

① 变异系数：总体中个体的变异程度。变异系数越小，所需样本量越少。

本例从第 10 行第 7 列开始向下抄录所得的随机数为：1731，1805，0653，1809，1299，0391，…。

若调查得样本患近视眼的比例为 30%，其标准误为：

$$s_p = \sqrt{\left[1-\frac{n}{N}\right]\frac{p(1-p)}{n-1}}$$

$$= \sqrt{\left[1-\frac{100}{2000}\right]\frac{0.3(1-0.3)}{100-1}}$$

$$= 0.0449$$

故患近视眼学生的所占比例 95% 的区间估计为 $p \pm 1.96 s_p = 0.3 \pm 1.96 \times 0.0449 = (0.212,0.388)$。

例2 若将例 1 中已经获得的 100 名学生的资料视为预调查，相对误差上限为 10%，置信水平为 95%，则由式(11)计算所需样本含量为：

$$n_0 = t_{\alpha/2,n-1}^2(1-P)/(\gamma^2 P) = 1.96^2 \times (1-0.3)/(0.1^2 \times 0.3) = 896.37 \approx 897 \text{ 人}。$$

3　评价

适用条件：①总体所包含的观察单位数较少，容易编码；②欲研究的变量值在总体中分布较均匀。优点：简单直观、随机性强，排除了主观色彩；均数（或比例）及其标准误的计算简便。缺点：总体较大时不易组织调查，抽到的样本分散，反而误差过大，影响调查效果。

参考文献
[1]　李金昌．应用抽样技术．北京：科学出版社，2006．
[2]　施锡铨．抽样调查的理论和方法．上海：上海财经大学出版社，1996．
[3]　樊鸿康．抽样调查．北京：高等教育出版社，2000．
[4]　方积乾．卫生统计学．北京：人民卫生出版社，2011．

（韩春蕾　郑俊池）

分层抽样

分层抽样(stratified sampling)又称类型抽样或分类抽样，即先将总体内的全部抽样单位按某一特征或标志划分为不同类别(统计上称为"层"，strata)，在每层内分别独立地进行抽样。若每层都是简单随机抽样,则称为分层随机抽样,一般所说的分层抽样就是分层随机抽样。分层抽样层内单位间比较相似,使每一层的方差变小,从而提高对整个总体的估计精度。

1 分层的标准

基本原则是层内方差小,层间方差大。具体包括:
(1)按调查对象的不同类型划分,使得层内单位具有相同性质。
(2)层内单位的标志值越接近越好,层间单位的标志值差异越大越好。
(3)现实应用中,为了抽样组织的方便,通常按照行政管理机构设置进行分层。

2 简单估计法

依据样本例数在各层中的分配方法的不同,分层抽样可分为两种:

2.1 比例分配(proportionate stratification)

大层多抽,小层少抽,各层中抽取的比例与该层在总体中所占的比例相同。即按总体各层的抽样单位的多少,成比例地将样本分配到各层,所得样本即为总体的"缩影"。按比例分配的分层抽样属于等概率抽样,是最为常用的分层抽样法。所用公式如下:

样本均数和标准误:

$$\bar{x} = \frac{1}{N} \sum N_i \bar{x}_i = \frac{\sum x}{n}$$

$$s_{\bar{x}} = \sqrt{\left[1 - \frac{n}{N}\right]\left[\sum \frac{n_i}{n} s_i^2\right]/n}$$

样本率和标准误:

$$p = \frac{\sum n_i p_i}{n}$$

$$s_p = \frac{1}{n} \sqrt{\left[1 - \frac{n}{N}\right] \sum n_i^2 \frac{p_i(1-p_i)}{n_i - 1}}$$

其中,N_i表示第i层的单位数,n_i表示第i层抽取的样本数,$\bar{x}_i$、p_i、s_i分别表示第i层的样本均数、样本率和标准差。

2.2 最优分配(optimum allocation)

变异大的层多抽,变异小层少抽,即层内抽样单位数越多、变量的变异越大,则分配到该层的样本例数也应越多。这种抽样方法可以减小抽样误差,因此又称为最优分配。最优分配法属于不等概率抽样,样本均数与率的计算须用加权法。当层间的变异较大,且有较为可靠的资料估计标准差时,最优分配法可比比例分配法获得更高的抽样精度。所用公式如下:

样本均数和标准误:

$$\bar{x} = \frac{1}{N} \sum N_i \bar{x}_i$$

$$s_{\bar{x}} = \frac{1}{N} \sqrt{\sum N_i^2 \left[1 - \frac{n_i}{N_i}\right]\left[\frac{s_i^2}{n_i}\right]}$$

样本率和标准误：

$$p = \frac{1}{N} \sum N_i p_i$$

$$s_p = \frac{1}{N} \sqrt{\sum N_i^2 \left[1 - \frac{n_i}{N_i}\right]\left[\frac{p_i(1-p_i)}{n_i-1}\right]}$$

在样本例数不变的情况下，与按比例分配法相比，最优分配法虽然能使抽样误差减小，但变化的幅度并不大（一般情况下，若各层间的率均在 0.2～0.8 之间时，计算得的方差差别不会很大）。因此，对于率的抽样而言，一般情况下未必应用最优分配法作分层抽样。

3　各层样本量的确定

总样本量的确定可参考简单随机抽样。在总样本量一定时，研究各层应该分配多少样本量具有重要的意义。合适的样本量分配可以使估计量方差达到最小，从而提高抽样效率。

2.1　比例分配（proportionate stratification）

用总体中各层的抽样单位数 N_i 乘以抽样比 n/N 即可求得从各层抽取样本的例数 n_i。各层分配的例数：$n_i = N_i \dfrac{n}{N}$

2.2　最优分配（optimum allocation）

当不同层中每个样本单位的平均调查费用差别较大时，最优分配法还应考虑调查费用的大小，当考虑每个抽样单位的平均调查费用时，样本在各层中的分配略有不同。

均数的抽样各层分配的例数：

$$n_i = n \frac{N_i \sigma_i / \sqrt{c_i}}{\sum N_i \sigma_i / \sqrt{c_i}}$$

率的抽样各层分配的例数：

$$n_i = n \frac{N_i \sqrt{\pi_i(1-\pi_i)} / \sqrt{c_i}}{\sum N_i \sqrt{\pi_i(1-\pi_i)} / \sqrt{c_i}}$$

其中，c_i、σ_i、π_i 分别表示第 i 层的调查费用、标准差和总体率。

2.3　尼曼分配（Newman allocation）

尼曼分配是最优分配的特殊情况，即每层的抽样费用相同。

均数的抽样各层分配的例数：$n_i = n \dfrac{N_i \sigma_i}{\sum N_i \sigma_i}$

率的抽样各层分配的例数：$n_i = n \dfrac{N_i \sqrt{\pi_i(1-\pi_i)}}{\sum N_i \sqrt{\pi_i(1-\pi_i)}}$

例 某地共有中学生(女性)5400人,今欲调查其近视眼患病率,已知初中、高中学生(女性)数及三年前调查的近视眼患病率如表1的1~3栏所示。若确定样本例数为270人,请按比例分配与最优分配确定城乡的调查人数。

表1 按比例分配与最优分配城乡抽取人数

层别	人数 N_i	既往患病率 π_i	比例分配 $n_i = N_i \times (0.05)^*$	最优分配 权数△	n_i
初中	2900	0.45	145	0.54	146
高中	2500	0.55	125	0.46	124
合计	5400	—	270	1.00	270

注: * 0.05 为抽样比(270/5400),△权数$= N_i \sqrt{\pi_i(1-\pi_i)}/\sum N_i \sqrt{\pi_i(1-\pi_i)}$。

评价:

适用范围:对不同层的比较,各层间具有明晰的区分界限时。

优点:样本具有较好的代表性,抽样误差较小,可以提高估计精度;各层可根据调查对象的特征采取不同的抽样方法或资料收集方式,从而便于依托行政管理机构进行组织和实施;统计分析内容更丰富,不仅能对总体进行估计,还可以对不同层进行独立分析,也可以比较不同层间的差异。

参考文献

[1] 李金昌. 应用抽样技术. 北京:科学出版社,2006.
[2] 施锡铨. 抽样调查的理论和方法. 上海:上海财经大学出版社,1996.
[3] 樊鸿康. 抽样调查. 北京:高等教育出版社,2000.
[4] 方积乾. 卫生统计学. 北京:人民卫生出版社,2011.

(郑俊池 韩春蕾)

系统抽样

系统抽样(systematic sampling)又称等距抽样或机械抽样,将所有个体按照在开始的时候先抽取一个随机数,得到一个样本点,然后按照某种规律(等距或不等距),顺次得到整个样本的一种抽样组织方式。对大规模的抽样调查来讲,相比于其他方式逐个随机地抽取数目众多的样本点而言要方便得多。

1 分类

1.1 线性系统抽样

根据总体含单位的个数 N 及要抽取的样本容量 n,确定一个抽样距 $K(K=N/n)$。先将总体各单位按任意的顺序排列并编号,从 $1-K$ 号中随机抽一号码入样,例如 i_0 号入样,则以后每隔 K 个取一个入样,即 i_0+SK 号入样($0{\leqslant}S{\leqslant}n-1$)。

1.2 圆圈系统抽样

对线性系统抽样法的改进,适用于 N/n 不恰好为整数时。将总体 N 个单位的排序看作一个首尾相连的圆圈,取最接近 N/n 的整数为 k,随机抽取起点 i,沿圆圈按顺时针方向每隔 k 个单位抽取一个单位,直到抽到 k 个单位为止。

2 有序排列下的系统抽样

当总体的观察单位排序后有周期趋势或近似线性增加(减少)的趋势时,总体各单位标志值和排队顺序之间表现为完全或近似的线性趋势关系,导致整个样本出现偏低或偏高的"趋向性偏差",从而使抽样估计的效率降低。

为减少系统抽样可能带来的偏差,可采用以下修正方法:

1)首尾校正法。即将不加权的均值估计量改变为加权的估计,加权时样本中所有中间单位的权数都是1,第一个和最后一个单位的权重不同,

分别为:

$$i+\frac{n(2i-k-1)}{2(n-1)k}$$

和

$$i-\frac{n(2i-k-1)}{2(n-1)k}$$

2)多随机数字起始点法。随机起点个数一般$\geqslant$5 个,按照抽样距在下一段再进行抽取,其余依次类推。

3)对称系统抽样法。即使相邻的两个段中所抽取的序号处于对称的位置,这样,当第一段中的随机起始点处于较低的位置时,第二段中的随机起始点即可处于较高的位置,从而可消除因随机起始点的位置不同所致的偏差。对号码 $1\sim k$ 随机抽取一个单位。若第 r 号单位入样,则 $2k-r+1,2k+r,4k-r+1,4k+r,\cdots,(n-2)k+r,nk-r+1$ 号单位皆入样,称为平衡系统抽样法(分组对称抽样法);若第 r 号单位入样,则 $k+r,2k+r,\cdots,(n-1)k-r+1,nk-r+1$ 号单位皆入样,称为修正系统抽样法(总体对称抽样法)。随机法系统抽样法为单纯随机抽样与系统随机抽样相结合的方法,与前者相比,所抽得的样本在总体中的分布更均匀,同时又比系统抽样的随机性强。

4)中心系统抽样法。k 为抽样距离,将总体视为 k 组,将第一组的位置居中的单位 $Y_{k/2}$ 作为抽样起点,依次取出 $Y_{k/2+k},Y_{k/2+2k},\cdots,Y_{k/2+(n-1)k}$ 入样。

3 等概率系统抽样的公式

3.1 均值

未知总体均值 $\bar{Y}$ 的估计量为系统样本的均值 $\bar{y}_{sy}$：

$$\bar{y}_{sy} = \frac{1}{n}\sum_{j=1}^{n} y_{rj} = \frac{1}{n}\sum_{j=1}^{n} Y_{rj}$$

3.2 方差

估计量 $\bar{y}_{sy}$ 的方差为：

$$V(\bar{y}_{sy}) = E(\bar{y}_i - \bar{Y})^2 = \sum_{i=1}^{k}(\bar{y}_i - \bar{Y})^2 P_i = \frac{1}{k}\sum_{i=1}^{k}(\bar{y}_i - \bar{Y})^2$$

$\bar{y}_i$ 表示等距样本内的平均数。

此外，由于系统随机抽样无专用的标准误计算公式，往往按单纯随机抽样的办法来估计样本含量。

例1 采用圆圈系统抽样法，从 21 人中抽取 4 人，$K = 21/4 = 5.25$，取整数 5 作为抽样间隔，可从随机数字表（附表 1）内任取一个随机数，比如 3，则随机抽样的起始号即为 3，然后依次加抽样间隔 5，可得：3,8,13,18。

例2 从 1000 人中随机抽取 100 人，采用修正系统抽样法入样。假如所抽得的 1~10 范围内的随机数为 4，则应抽取序号为 4,14(4+10),24(4+20),…,974(4+970),987(99×10−4+1),997(100×10−4+1) 的抽样单位作为样本。

4 评价

适用条件：一般情况下均可适用，尤其适用于大规模的抽样调查。

优点：①抽样方法简便易行，全部抽样过程中，只需要用一次随机数字表；②可使样本中的观察单位在总体中均匀分布，增强样本对总体的代表性；③对欲研究的变量的变异程度较大的总体，抽样误差小于单纯随机抽样的抽样误差，抽样估计效率高。

缺点：①当总体的观察单位有顺序周期趋势或线性增加（或减小）的趋势时，该抽样方法将产生明显的偏性，不进行修正或修正不当其抽样误差会大于简单随机抽样法的抽样误差；②无专门用于此抽样方法的抽样误差的计算公式；③抽样框内所包含的抽样单位数不能太大，而且应能较容易的排序；④由于系统抽样只有一个随机起点，因此其估计量方差的无偏样本估计十分困难。

参考文献

[1] 李金昌．应用抽样技术．北京：科学出版社，2006.

[2] 施锡铨．抽样调查的理论和方法．上海：上海财经大学出版社，1996.

[3] 樊鸿康．抽样调查．北京：高等教育出版社，2000.

[4] 方积乾．卫生统计学．北京：人民卫生出版社，2011.

（韩春蕾　郑俊池）

整群抽样

整群抽样(cluster sampling)是先将总体划分成 K 个"群",每个"群"内包括若干个观察单位,然后以"群"为初级抽样单位,从总体中随机抽取 k 个"群",被抽取的各个"群"所包括的全部观察单位(称为基本抽样单位)组成样本。如拟在某校的学生中展开某项调查,可从全校的 K 个班级中随机抽取 k 个班,然后对这 k 个班级中的每个学生均进行调查。

如果在一个有限总体里(含 K 个"群")随机抽取 k 个"群",调查其中的每个个体,则样本均数 $\overline{X}$ 及其标准误 $S_{\overline{X}}$(或样本率 P 及其标准误 S_p)的计算公式如下:

1)各"群"内基本抽样单位数 m_i 不全相等时

$$\overline{X} = \frac{K}{Nk}\sum X = \frac{K}{Nk}\sum m_i \overline{X}_i$$

$$S_{\underline{X}} = \frac{K}{N}\sqrt{\left[1-\frac{k}{K}\right]\left[\frac{1}{k(k-1)}\right]\sum_{i=1}^{k}\left[T_i - \overline{T}\right]^2}$$

式中,N 为总体中全部的基本抽样单位数;$\sum X$ 为样本中各"群"的基本抽样单位数之和,$\overline{X}_i$ 为样本中第 i"群"的均数;T_i 为样本中第 i"群"的基本抽样单位数之和,$\overline{T}$ 为各 T_i 的均数,$\overline{T} = \sum T_i / k$。

$$p = \frac{K}{Nk}\sum a_i$$

$$S_p = \frac{K}{N}\sqrt{\left[1-\frac{k}{K}\ \frac{1}{k(k-1)}\right]\sum_{i=1}^{k}\left[a_i - \overline{a}\right]^2}$$

式中,$\sum a_i$ 为样本中各"群"的阳性数之和,$\overline{a}$ 为样本中各"群"的平均阳性数。

2)各"群"内基本抽样单位数 m_i 相等时

$$\overline{X} = \frac{1}{km}\sum X$$

$$S_{\overline{x}} = \sqrt{\left[1-\frac{k}{K}\right]\left[\frac{1}{k(k-1)}\right]\sum_{i=1}^{k}\left[\overline{X}_i - \overline{X}\right]^2}$$

$$p = \frac{1}{km}\sum a_i$$

$$S_p = \sqrt{\left[1 - \frac{k}{K}\right]\left[\frac{1}{k(k-1)}\right]\sum_{i=1}^{k}\left[\overline{p_i} - \overline{p}\right]^2}$$

式中，p_i 为样本中第 i "群"的阳性率，其余符号的含义同上。

对于在一个无限总体内的整群抽样，其标准误的计算应在以上相应公式中去掉在有限总体中抽样的校正数 $\left[1 - \frac{k}{K}\right]$。

整群抽样的优点是便于组织，节省人力物力。缺点是在样本例数相同的情况下比单纯随机抽样的抽样误差要大，这是因为样本中被抽取的基本抽样单位未能广泛地散布在总体中所造成的。由于整群抽样时只需要知道关于"群"的抽样框而无需知道各"群"内的基本抽样单位名单，故在实际工作中颇为常用。"群"间差异越小，调查结果的精度越高。因此，在组织整群抽样时，当样本的基本抽样单位例数确定后，宜增加抽样的"群"而相应地减少"群"内的基本抽样单位数。

（张罗漫　孟　虹）

多阶段抽样

多阶段抽样（multistage sampling）的名称是相对于通过一次抽样而产生一个完整样本的单阶段抽样（如单纯随机抽样、系统抽样、分层随机抽样或整群抽样）而言的，又称多级抽样。其整个抽样过程分为若干个阶段进行，一般是先将总体分成若干个初级（或一级）抽样单位，用某种抽样方法抽取若干个初级抽样单位，称为第一阶段抽样；然后将被抽到的各个初级抽样单位分别分成若干个次级（或二级）抽样单位，再分别用某种抽样方法从中抽取若干个次级抽样单位，称为第二阶段抽样；若次级抽样单位就是基本抽样单位，则该抽样方法称为两阶段抽样法。类似地可以定义三阶段或四阶段抽样法。如调查某市小学生视力情况，可使用两阶段抽样方法，第一阶段用整群抽样方法从该市中随机抽取若干个小学校，第二阶段再从被抽到的学校中用单纯随机抽样或系统抽样方法各随机抽取部分学生作调查。又如研究大气污染，可使用四阶段抽样法，第一阶段抽取城市，第二阶段抽取市区，第三阶段抽取测试点，第四阶段抽取样品。

在实际调查现场往往存在可供多阶段抽样使用的自然分段，如城市的市—区—街道—居委会，农村的县—乡—村—村民组，工厂的厂—车间—班组，部队的军区—军—旅—营—连—排—班，等等。各阶段的抽样单位是不同的，每一阶段都要在前一阶段的基础上建立一个完善的供本阶段使用的抽样框。可以结合实际情况，在各阶段采用不同的抽样方法。分阶段过多，在理论和实践上都会产生困难，一般以划分两或三个阶段，最多四个阶段为宜。当各阶段抽样方法不同时,其样本均数(或率)及其标准误的计算亦随之而异。分层随机抽样、整群抽样与两阶段抽样 3 种方法的比较见表 1。

表 1　分层随机抽样、整群抽样与两阶段抽样 3 种方法的比较

抽样方法	一级抽样单位	二级抽样单位	精度(样本例数相同时)	提高精度的办法
分层随机抽样	抽取全部	抽取部分	高于单纯随机抽样	层内差异尽可能小
整群抽样	抽取部分	抽取全部	低于单纯随机抽样	缩小群间差异
两阶段抽样	抽取部分	抽取部分	低于单纯随机抽样,高于整群抽样。	减少同一级抽样单位间的差异

(张罗漫　孟　虹)

快速评价抽样

快速评价抽样(rapid assessment sampling)是为适合现代社会信息收集速度的需要,卫生工作者同社会研究工作者一起在抽样调查和测量方法等方面进行了适当的改进,使得在更短的时间内、更少的花费的基础上收集可靠的信息,为卫生决策与评价服务,这类方法被称为快速评价抽样。

通过全面的调查(如人口普查)不仅可以全面地、准确地掌握有关情况,而且可以为抽样调查提供抽样框。但是,全面调查需要消耗大量的人力、物力和财力,调查周期长,往往不能及时地反映卫生状况与需求。而且在一些情况下不能进行全面调查,就必须采用非全面调查的方法。非全面调查中的抽样调查因其具有省、快、广、准的特点,深受广大理论与应用工作者的重视,已广泛地应用于实际调查中。

由于传统的抽样调查方法在抽样设计、随机化等方面有严格的要求,往往不能及时、准确地测量卫生状况,掌握卫生需求,评价卫生服务质量,因而必须建立快速评价抽样方法,从而更加合理地利用有限的卫生资源。

目前已建立并广泛应用的快速评价抽样方法有:

1　社区诊断(community diagnosis)

这一方法的基本原理在 20 世纪 50 年代人类学家参与卫生研究时就已应用,并随着社会医学理论的发展不断完善。该方法的本质是参与,强调研究人员在现场收集资料时要利用当地的助手一起参加。它是一种将定性与定量相结合的方法,在研究设计上要具有弹性,使研究具有可以进一步发现新问题的优点,在调查中采用非深入的访谈(indepth interwing)。在实际调查中,强调收集和分析数据的速度和灵活性,将现场工作限定在一

段时间内,但在设计时并不过分考虑研究所花费的时间和方法上的简洁。

2 快速乡村评估

对于农村的卫生调查往往在选择对象、调查时间(如愿在旱季进行调查)等存在偏倚,为寻求克服常规调查偏倚的系统解决方法,在英国的国际研究发展中心于 1978 年和 1979 年两次举办研讨会。研讨会上介绍了一项在危地马拉的调查,这项调查由五位社会学家和五位农业学家参加,在一周就完成了全部调查,所采用的是快速乡村评估(rapid rural appraisal,简称为 RRA)。快速乡村评估强调利用现有数据,利用专业训练的小组,当地居民介入数据收集等工作。这种调查方法重视有关方法的综合,重视各种信息的利用。虽然存在重复劳动的缺点,但所收集的数据具有较好的有效性与可靠性。

3 快速流行病学评估

为促进发展中国家改进流行病学技术以评估卫生问题和卫生规划,在 1981 年由国际发展科技会(DOSTID)资助 18 项取名为快速流行病学评估(rapid Epidemiologic Assessment,简称 REA)的研究项目。流行病学评价传统上包括对干预措施效果的评价,对公共卫生资源分布及其流向合理性评价以及对监测和管理系统的评价,其广义概念也可以包括对卫生事业重要性的评价。REA 方法就是对流行病学方法改进以探索对卫生服务、疾病控制和规划及卫生问题做出及时、有效的决策。DOSTID 资助的研究有六个方面:

3.1 区域调查及抽样方法

传统的调查方法是采用抽样方法选定调查单位,然后调查这些单位的每一样本。抽样方法常用的有:简单随机抽样、分层随机抽样和整群抽样。WHO 在扩大计划免疫规划(EPI)中成功应用了一种快速、准确、经济和易实施的简化的整群抽样方法。这种被称为 EPI 整群抽样的方法首先从研究地区随机选择 30 个组群,然后在每一组群中随机选择一名儿童,最后在距离这名儿童最近的家庭中再调查其余 6 名儿童,这一方法最初用于审评天花的免疫覆盖率,现已被 WHO 推广,广泛地用于审评各种疾病的免疫覆盖率以及急性营养不良的快速审评等许多方面。

另一项被 WHO 近来推崇的方法是批质量保证抽样方法(lot quality assurance sampling,简称 LQAS),该方法原是工业上对成批产品验收的抽样方法,近十年来已作为快速流行病学研究的一种方法,逐步应用到卫生项目的监测和评价,成功地应用于儿童免疫覆盖率和医院病案调查。

3.2 监测方法

Langmuir 博士给监测下的现代定义是:通过对发病率、死亡率以及其他数据的系统地归纳、评价,以对疾病的发病分布和趋势进行连续观察。监测不能代替调查,它是一种掌握卫生状况变化的工具。天花的灭绝主要依赖监测系统提供资料和掌握计划免疫的效果。传统的监测方法有:常规报告、哨点监测和基于社区的报告(community-based reporting)。常规报告需要较多的人力、物力投入,据美洲地区 7 个国家的统计,常规卫生信息系统的花费占卫生系统工资总额的 10%~25%。

　　快速流行病学评价不是采用全部的医院、诊所等作为哨点的办法,而由医院、诊所按自愿作为哨点,这些哨点提供的真实、可靠、及时的数据可用为该地区总体趋势的指标,从而减轻了收集和分析数据的负担。美国应用这一方法对城市流感发病进行监测,当每周报告统计数字超过长时期的平均阈值,表明流感流行或暴发。这种方法对于发达国家和发展中国家都是一种替代常规监测的有效方法,对于自愿参加哨点所带来的偏倚,Lobet 等提出了解决办法。

3.3　筛查及个体危险度的测定

　　PEA 寻求建立另一种更加快捷的确定可从干预措施受益的高危个体的方法,新的方法在灵敏度和特异度上必须达到一定的要求。针对如何确定营养不良儿童,提出了许多简便的测定方法。传统的营养不良的指征需要测量特定身高的体重或特定年龄的体重,但是这 2 种测量在现场的条件下不易进行。利用测量上臂臂围来确定则就容易、快速和花费少,而且非卫生工作者容易掌握。研究表明,对于确定营养不良的儿童测臂长同标准方法相比灵敏度和特异度都不差,并且这一方法很容易被掌握。

3.4　社区危险度及健康状况的指标

　　与个体危险度测定不同,社区危险度指标寻求建立确定公共卫生工作和卫生服务应被指导的危险人群或需要特殊照顾的群体的改进方法。社区危险度测定指标为将有限的卫生资源用于最需要或获益最大的人群提供了有效的手段。

　　在危地马拉的一项社区儿童营养不良的调查中,采用在校儿童的身高、体重作为测定指标,大大地简化了调查方法,并且由于调查地区的儿童就学率很高,所以调查方法是可靠的。此外,诸如用血红蛋白的测量评估高原地区孕妇铁质缺乏,用血吸虫病(不需要实验室诊断)作为测量水质的指标等,都在实践中证明是简便、可靠的测定社区危险度及健康状况的指标。

3.5　病例对照的评价方法

　　病例对照可以用来评价卫生服务的质量,早期的一项病例对照方法的应用是对哥伦比亚儿童卫生服务的评价,将有无卫生服务作为危险因素来评价其对卫生状况的影响。采用病例对照方法可以得出快速可靠的结论。

　　病例对照方法已作为评价疫苗效果的有效方法,对于一组患病的病例和一组未患病的对照按免疫史进行比较,计算比数比以衡量疫苗的效果。第一项发表的研究是卡介苗预防肺结核效果的评价,其他类似的应用还有脑膜炎疫苗的效果及其在临床上持续时间效果的评价。计算表明免疫效果的评价,对照研究与传统的队列研究效果相似。

3.6　快速评价方法

　　为评价卫生服务的实施及质量,WHO 在 20 世纪 80 年代末创立了快速评价方法(rapid evaluation methods,简称 REM)。REM 通过精确、快速、经济地收集所需的信息分析和决策来评价卫生保健服务的实施,从而完善卫生服务的管理。REM 设计用于满足不同类型管理者在不同环境下的需要,采用分层抽样的方法。调查时根据不同类型的调查信采用不同的收集信息方法:门诊出口处访谈(从患者角度评价卫生保健设施及服务),与卫生工作者交谈,工作执行情况的观察,社区和工作人员的专题小组讨论,临床记录的检查,对设施、设备及供应品的检查,家庭访问等。为保证调查的可靠性,所调查的资料必须进行质量控制。

4 EPI 抽样调查方法

世界卫生组织在发展中国家实施扩大计划免疫规划（expanded programme on immunization，简称 EPI）时，遇到许多地方卫生主管部门不能随时提供特定疾病的发病率、死亡率和免疫覆盖率等信息的问题。WHO 为此组织有关专家，建立起一种相对于标准抽样方法更快速、经济、易实施的获取准确信息的抽样调查方法，这种方法被称为 EPI 调查方法。

EPI 调查方法的基本理论为：在儿童免疫覆盖率的调查中，评价的目标年龄（如 2～13 月龄）组内的儿童，不易用简单随机抽样法罗列出全部名单，而且这种方法抽到的儿童分布相当分散，调查也较费时、费力。

EPI 调查的原理是将调查人群按地理条件（村、居委会）分为 M 组群（或称抽样单位），每个抽样单位内的人数已知。按两阶段进行抽样，第一阶段选从 M 组中应用随机方法抽出 m 个亚组，人口数较多的组比人口数较少的组有更多的机会被抽取到。由于只是在 m 组中调查目标人群，而不是从整个人群中去选择，因此大大节省了调查的时间及费用。

第二阶段是从被选到的 m 组中，再随机抽样 n 个儿童。为简化起见，在 EPI 调查中，采用调查 30 个组群（抽样单位），每组群按调查年龄要求，调查 7 名儿童（$n=7$），总共 210 名儿童。具体做法是在抽样了的 m 组中，如按户选样中央部位的学校或市场作为起点，随机选一个方向（东、南、西、北）后，再随机选出一户人为调查起始户，对调查户中目标年龄儿童进行免疫接种史的了解，然后按户调查下去，直到访问到 7 名儿童为止，若最后一户有 2 名以上的儿童，就全部调查，因而样本数可能大于 210。

根据 WHO 及我国的应用实践表明 EPI 调查方法的实际应用效果是理想的。

但是，由于选定调查起始户后逐户调查，这些住户往往居住在同一地区，水源供应、暴露疾病或接受预防接种的机会均有相似之处，所得结果有可能低估或高估了真正人群的免疫覆盖率。其他如在如何选择相邻住户的问题上，调查起始户是否随机抽样，无人在家时是不是被调查，没有接种卡片资料可查等问题上均可造成调查的偏倚。而且，这一抽样调查方法未对各抽样组群的人数进行考虑。针对所存在的这些问题，已研究出一些改进的快速评价抽样方法。

（陈平雁）

临床试验分期

临床试验主要是指新药（中药、化学药品）在正式应用于临床治疗前有关药物疗效和安全性在人体上进行的试验。新药临床试验的分期为了和国际接轨，国家药品监督管理局于 1999 年又作了新的规定,由原来的Ⅲ期临床试验改为Ⅳ期临床试验。并强调指出,临床研究必须遵循我国《药品临床试验管理规范》(GCP)的有关规定。新药临床试验的分期详见表 1。

表 1　各期临床试验的比较

	Ⅰ期临床试验	Ⅱ期临床试验	Ⅲ期临床试验	Ⅳ期临床试验
目的	初步的临床药理学及人体安全性评价试验,为制定给药方案提供依据。	对新药有效性及安全性作出初步评价,推荐临床用药剂量。	扩大的多中心临床试验,进一步评价新药的有效性、安全性。	新药上市后监测。在广泛使用条件下考察疗效和不良反应(注意罕见不良反应)。
适应范围	一、二类新药;三类药含毒性药材或配伍禁忌者;四类药改剂型同时,对工艺作了重大改动,变成有效部位药物者;五类药增加新的适应征,需明显加大剂量,延长疗程,方中又含毒性药材者。	第一、二、三、四、五类新药。	第一、二、三类新药。	一、二类新药;对于三类含毒性药材或配伍禁忌(十八反、十九畏)者及四类药改剂型的同时,对工艺作了重大改动变成有效部位药物者,视情况可要求进行Ⅳ期临床试验。
设计要求(1)受试对象	无严重心、肝、肾、血功能障碍的成年健康志愿者及少数适宜病人。受试例数为 20～30 例,男女数量最好相等(非随机)。	应采用严格的随机双盲同期对照试验方案,试验组与对照组例数均等。试验组例数不少于 100 例,主要病证不少于 60 例。采取多中心临床试验,每个中心所观察的例数不少于 20 例。	要求遵循随机对照的原则,视需要可采取盲法或开放。该期为扩大的多中心临床试验,试验组例数一般不低于 300 例,对照组与治疗组的比例不低 1:3,其中主要病证不少于 100 例。每个中心病例数 20 例。	要求遵循随机的原则,本期受试对象为更加广泛的人群,一般可不设对照组。新药试生产期间的临床试验单位不少于 30 个,病例数不少于 2000 例。罕见或特殊病种,可说明具体情况,申请减少试验例数。
(2)给药方案	在对新药药理、毒理研究的基础上,确定用于人体的初试剂量,乃至对临床最大耐受量作出估计。	临床试验的给药剂量、次数、疗程和有关合并用药等可根据药效试验及临床实际情况,或Ⅰ期临床试验结果,在保证安全的前提下,予以确定。	探索在不同人群中的给药方案,试验方案可设计不同的用药剂量、次数和疗程。临床试验的用药剂量可根据药效试验及临床实际情况,依据Ⅱ期临床试验结果,在保证安全的前提下,予以确定。	探索在更加广泛的不同人群中的具体给药方案(如剂量),观察药物相互作用及联合用药对疗效的影响。

续表

	Ⅰ期临床试验	Ⅱ期临床试验	Ⅲ期临床试验	Ⅳ期临床试验
（3） 疗效观察 与判断		综合疗效评定一般分为：临床痊愈、显效、进步、无效四级，注重显效以上的统计；若无临床痊愈可能，则分为临床控制、显效、进步、无效四级。抗肿瘤药，其近期疗效可分为：完全缓解、部分缓解、稳定、进展四级，以完全缓解为有效。	疗效评定标准与Ⅱ期临床试验相同。	疗效观察包括远期疗效和毒性、剂量、药物相互作联合用药；疗效评定标准与Ⅲ期临床试验相同。
（4） 不良反应 的观察 与处理	不良反应与研究药品是否存在因果关系，即①被研究药品与发生不良反应之间的时间关系；②被研究药品与发生不良反应之间是否存在量效关系；③被研究药品停药后不良反应是否有所缓解；④在严密观察并确保受试者身心安全的情况下，重复给药时不良反应是否再次出现。对试验中出现的不良反应须认真处理并应随访。	应结合药物成分特点，设计严密的不良反应观察方案（包括客观安全性指标）；试验中须密切观察和记录各种不良反应（包括症状、体征、实验室检查），分析原因，作出判断。统计不良反应发生率。	与Ⅱ期临床试验相同。	应详细记录不良反应的表现（包括症状、体征、实验室检验等）并统计发生率。在长期的实践中还应注意药物潜在危险性及自发性的药物不良反应（ADRs）。

（姜　明）

盲法试验

在临床试验中，病人对治疗的反应除治疗因素的作用外，病人心理状态也有很大影响。若病人知道自己接受了何种处理（被分配入试验组或对照组），会产生各种心理影响,从而使受试者可能产生一些非特异性反应而影响试验结果。另外,研究者或其他相关工作人员知晓受试者的分组情况,可能因他们的主观成见或不自觉偏性而影响对结果的判断,出现较大的估计误差。

如研究者知道受试者接受的是试验组处理,可能有意或无意地比对照组更关心,并影响受试者的态度,从而产生偏性。为消除以上偏倚,可采用盲法(blind method)。

盲法系指按试验方案的规定,在试验结束之前,不让参与研究的受试者或研究者,或其他有关工作人员知道受试者被分配在何组(试验组或对照组),接受何种处理。其中,不使受试者知道自己被分配在试验组或对照组,接受何种处理,而研究者和其他相关人员知道的,称为单盲(single blindness)。而参与试验的受试者和研究者均不知道受试者被分配到何组,接受何种处理的,称为双盲(double blindness)。双盲法设计是临床试验中常用的试验方法。

在实施双盲时应注意以下几个问题:

1)对照药品与安慰剂的制备要达到不被研究者和病人识别。双盲试验中需要安慰剂或对照药品配合使用,以避免对照组产生不同于试验组病人的各种心理作用。所谓安慰剂是指一种无药理作用的"假药"或无治疗疗效的"处理",它与试验用的药物或疗法,在药物剂型或处理上都不能为受试者所识别。当安慰剂对病人病情不利时,可用对照药品——标准药。标准药是公认的疗效比较肯定的药物,它也应与试验药的色、形、味相同,标准药是一种积极的安慰剂。有时对照药或安慰剂的外观不同于试验药,可采用双模拟技术,改变剂型和胶囊技术加以解决。①双模拟技术:制备与试验药外观相同的安慰剂 A 和与对照药外观相同的安慰剂 B。如果受试者为试验组,则服用试验药和安慰剂 B;如果为对照组则服用对照药和安慰剂 A。各药和其安慰剂的服用方法相同。②改变剂型:当试验药与对照药剂型不同时,可考虑改变剂型,如将对照药由片剂改为粉剂,不足之处是由于剂型的改变可能导致药物药代动力学的改变,因此,改变剂型要首先进行不同剂型的生物等效性试验以证明等效。③胶囊技术:即将试验药与对照药分别装入一个外型完全相同的胶囊,根据受试者为试验组或对照组情况服用相应装试验药或对照药的胶囊。

2)要有应急信件的配置。由于双盲试验受试者和研究都不知道受试者的分组情况,为考虑受试者的安全,需为每个受试者准备一个应急信件。当受试者发生严重不良事件或病人需紧急处理抢救时,研究者可视情况决定是否拆阅信件,应急信内封有该受试者所属组别(试验组或对照组)。

参考文献

[1] 苏炳华. 新药临床试验统计分析新进展. 上海:上海科学技术文献出版社,2000:13-22.

[2] 贺石林,陈修. 医学科研方法导论. 北京:人民卫生出版社,1998:52-53.

（王　玖）

试验预案

指临床试验开始前,针对研究目的、试验设计方案、试验方法等科学地制定一个完整的试验计划。在由许多研究者或单位共同协作完成的情况下,拟定一份目的明确、对象意义清楚、研究程序标准化的方案至关重要。试验预案(preparation of protocols)的制订没有统一的格式和标准,表1列举的内容要目可供一般参考。

表1　临床试验预案内容要目

1. 研究背景（文献综述与评论）

2. 研究目的

3. 病例选择标准

4. 应记录的变量

5. 疗效评价方法

6. 试验步骤

7. 样本含量估计

8. 统计设计类型

9. 数据管理

10. 统计分析方法

11. 误差与偏倚的控制措施

12. 偏离方案的处理

13. 课题负责人及主要参加人员与分工

其中部分条目说明:

1　研究目的

与要解决的问题有着密切的联系,应根据不同问题建立所要验证的各种假设,明确主要和其次要达到的预期目标。临床研究分为探索性研究和验证性研究,探索性研究主要包括I期和II期临床试验,如研究药物动力学、药物剂量、有效性和安全性等;验证性研究主要指III期临床试验,决定一种药物或治疗方法是否可以推广。通常情况,一次临床试验要解决的问题不能太多,研究设计应确保最低目标能够达到。例如在一项溶栓药物的临床试验中,其主要目标是：与注射用瑞替普酶相比，探讨静脉注射重组人尿激酶原溶栓治疗急性 ST 段抬高性心肌梗死的有效性、安全性；其最低目标是，在有效性上尿激酶原的有效率不低于瑞替普酶有效率的 10%，但在安全性上重组人尿激酶原优于瑞替普酶。

2　病例选择标准

受试对象的选择是非常重要的，因为试验结果会直接关系到药物在整个人群中的使用方式和适用范围。病例可以从医院门诊或住院病人中选取，两种选取方式各有优缺点。一般情况，门诊病人来源充足，试验能经得起日常生活各种因素的干扰，但病历记录粗糙，条件不易控制。住院病人记录完整，环境单一，条件易于控制。因此对于较为细致深入的试验，应首选有明确诊断的住院病人。选择病例必须明确入选标准和排除标准，如研究某药对原发性高血压的疗效，可以规定舒张压大于 95mmHg，原发性的患者为入选病例，对各种继发性的高血压则排除在外。再例如，溶栓药物试验，要求持续性缺血性胸痛发作在 6 小时以内，心电图至少 2 个或 2 个以上肢体导联 ST 段抬高≥0.1mV，或在相邻 2 个或 2 个以上胸导联 ST 段抬高≥0.2mV。

病例选择应注意几点：①选入的病例应是最有可能从新疗法受益的患者；②选入的病例应便于观察随访，而且具有较好的依从性；③尽量排除可能由于其他疾病中途退出试验的病例，如关于心脏疾病的临床试验，应排除患有严重肝肾病的心脏病患者，因为这些疾病可能导致出现与本试验无关的合并症或过早死亡。

3　应记录的变量

在试验处理尚未进行前应记录基线变量。基线变量主要包括受试个体的不同的人口统计学和医学特征，如与入选/剔除条件有关的年龄、性别、怀孕与否等；此外，还要记录疾病史、体检中对各种体征的临床观察，如生命体征、身高、体重、血压、心电图，以及实验室常规检查，如血常规、生化、尿常规等。所有的病人都应采集这些基线数据，因为这些信息概括了受试对象的总体特征，同时也是药物安全性分析必要的数据。试验的主要分析终点（或主要反应）是需要记录的最重要信息，它包括在处理前和处理后一些疾病症状和体征的变化，如生化检测、由医生观测到的临床体征、病人主诉的一些症状变化等，这些数据将成为判断药物是否有效的重要依据。

4　疗效评价方法

不同处理效应比较的方式由对结局变量的测量方式决定，如结局为死亡或一些疾病状态的发生等事件，通常取不同处理组各自的事件发生率作为比较的对象；如果结局为血脂、血糖、血压等连续型变量，通常要测定每个人在特定时间点与基线相比结局变量的变化值，然后计算样本的统计量（如均数或率）；由量表得分再将其化成等级结局变量衡量疗效也是一种常用的方法。无论采用何种结局指标，选择具有更好的特异性、灵敏性，对说明处理效果最有意义的评价指标是我们应该遵循的基本原则。

对于验证性研究，主要疗效指标的选择十分重要，通常情况下只选 1～2 项，若主要指标未达到预期的效果，试验将不能通过相关机构（如 SFDA）的审核。因此，如果主要指标选择不当,可能导致整个临床试验失败。次要指标则可以多选几项。例如,溶栓药物临床试验的主要指标可以选择:冠状动脉造影显示使用溶栓药物开始后 90 分钟内梗死动脉的再通率;次要指标:给予溶栓药物开始后 48 小时内梗死动脉再闭塞率、心肌酶学指标酶峰出现时间及各部位出血率。

5 样本含量

临床试验必须保证一定数量的病例数,样本含量的确定,有可供使用的公式或工具表(参见"样本含量")。按照实验设计的一般要求,如果有两个比较组,通常按 1∶1 等含量分配,这时统计检验的效率最高。但在临床试验中,有时一种新疗法与标准疗法相比,试验者对旧疗法的基本情况已比较清楚,想对新疗法深入了解,而病例又不是很多,或者其中一种疗法较难实施等,这时可按 3∶2 或 2∶1 的比例随机分配。在试验预案中,应该给出确定样本含量的依据,并说明采用现有样本量的检验效能。

需要注意的是,按照公式计算出的样本例数是在统计推断基础上得到的估计量,实际中为了保证一种新药具有推广性和安全性,在法规上要求有最小的样本量。例如我国要求 Ⅱ 期临床试验阶段试验组至少 100 例,Ⅲ 期试验阶段要求试验组必须保证 300 例,Ⅳ 期试验为 2000 例。

6 统计设计类型

同一临床试验,一般可有多种统计设计方案,如何选择不同的设计方案可根据处理因素和需要控制因素的多少结合临床实际情况进行。在临床上使用最多的是平行处理设计,即两组或多组处理在试验中并行进行,每一受试者只接受一种处理;交叉设计也是可以使用的一种设计方法,它的特点是不同处理可以在同一受试对象上按不同的顺序进行;更复杂的如果有两个处理因素,每一处理因素具有不同的水平,则可以采用析因设计。

平行处理设计的试验,按照样本量设计的不同可以分为两种类型:固定样本试验和序贯试验。多数的试验选择固定样本试验,即开始时根据各种条件(如试验资金)或通过样本量计算方法确定样本量。序贯实验是一种不固定样本量的方法,即在事先给定 Ⅰ 类错误和 Ⅱ 类错误的基础上对零假设进行检验,当达到预期目标时终止试验,理论上需要更小的样本量。但由于序贯试验对于终止条件的依赖颇为严格,而且要求处理实施后不久便可以测定出"有效"或"无效",因此序贯设计在临床试验中的应用常常受到限制。目前,可以在试验过程中改变各种设计参数的适应性设计愈来愈受到人们的重视,但尚未得到广泛的应用。

7 数据管理

临床试验的数据管理工作极其重要,一个新药临床试验完全有可能因为数据质量问题而失败。而优质的数据管理工作不仅为统计分析提供真实可靠、可用性高的数据,为相关主管部门提供翔实的原始记录以便于监管,也可以加速临床试验进程,及时发现问题,从而缩短临床试验周期,提高效率并规避风险。数据管理工作的核心是对病例报告表(case report form,CRF)填写的质量控制。主要包括:研究者填写临床试验记录的要求、监查员对数据记录的监查、病例报告表的移交、数据库建立及数据录入、逻辑检查与质疑、数据锁定等内容。

8 统计分析

应标明所要使用的统计分析软件的名称、版本。统计分析主要包括基线描述、主要终点指标的统计推断、次要指标和各种辅助指标的统计描述及推断、安全性分析等。试验预案中应明确给出分析数据集的选择方法，以及各部分需要使用的统计学方法；特别是主要终点指标的分析，应详细说明使用的统计模型与方法，采用双侧检验或单侧检验的理由，是否需要对指定的协变量进行调整分析等。如果是Ⅰ期临床试验，还需要对个体做详细的分析和描述。

9 误差与偏倚的控制

由于临床试验以人为观察对象，不能如实验室研究或动物实验那样严格控制非处理因素，应制定出减少观测误差，避免出现偏性的措施，如统一操作规程、测量方法，加强试验监督，采用盲法试验等。

10 数据和安全性监测

可由 5～8 人组成监测试验进程委员会，包括如下人员：试验设计人员、医学专家、试验管理人员、生物统计学专家。该委员会负责监管病人的安全、监测副作用的出现和评估效能。委员会有权在试验过程中复审试验结果，按原方案进行效能分析，并对是否继续或中止试验给出意见。

（李　康）

完全随机分组

完全随机分组（complete randomization）又称简单随机分组（simple randomization），是最基本和最简单的一种随机化分组方法。其目的是用随机化的方式来控制非处理因素对实验结果的影响，通常认为经过随机化处理后，非处理因素在各个处理水平上随机分布，这样就可将实验结果的差异归于不同处理的影响。Fisher 在 1926 年阐述了随机化方法在农业试验中的应用，更一般的应用方法是在他的《Statistical Methods for Research Workers》书中，这本书强调了统计推断中随机化方法的重要性。Diehl 基于疫苗来治疗一般性感冒的临床试验被认为是第一个随机化的例子。

完全随机分组可用于动物实验和临床实验研究,基本方法是利用随机数字表或计算机产生的随机数,将每一受试对象随机地分配到各处理组中。完全随机分组的方法有多种,如果是动物实验,可以根据体重的大小进行编号,然后给与一个随机数字,再对随机数字的大小进行排序,根据排列的顺序进行分组。例如有 12 只实验动物,随机分成 2组,可规定排序号 1~6 号分配到处理组,7~12 号分配到对照组;如果分成三组,则可以规定排序号 1~4 号分配到第一组,5~8 号分配到第二组,9~12 分配到第三组。

编 号:	1	2	3	4	5	6	7	8	9	10	11	12
随机数:	21	83	54	19	32	06	14	92	65	43	38	17
排序号:	5	11	9	4	6	1	2	12	10	8	7	3

如果是临床试验,可以先将病例按就诊或入院的顺序编号,然后用查随机数字表或计算机产生随机数的方法把每个病例随机分配到各组中去。由于临床试验患者通常是按照时间顺序先后进入试验,应尽量避免研究者知道下一例病人将分配到哪一组,否则易导致在对象选择上出现偏倚。具体可用如下 2 种方法。

方法一:由研究者事先根据病例编号,按上述动物实验的方法用随机数分配好,然后将分组内容用信封按顺序封存,信封标明试验的序号,待病人就诊或入院后依次拆开,按内容指示分配至某组内接受相应的处理。

方法二:Richard(1958)设计了一种随机分配卡(见表 1)。其原理是利用病人的入院号码,再加上入院日期,取其末尾两位数,按表查看应入何组。由于入院号码及日期具有一定的随机性,所以基本能够满足随机化分组的要求(有时称之为拟随机分组,quasi-randomization)。如试验分为 2 组,某病例入院号为 01573,入院日期为 7 月 9 日,取入院号码最后两位 73 加入院日期 9 得 82,十位数为 8,个位数为 2,查表 1 得 T,故分入试验组。同理可以利用随机数字表设计出多组随机分配卡,按上述方法进行分组。

表 1　病人随机分配卡(2 组)

个位数	十位数									
	0	1	2	3	4	5	6	7	8	9
0	T	C	C	C	T	C	T	T	C	T
1	C	C	T	T	C	C	T	C	T	C
2	T	C	T	C	C	T	C	T	T	C
3	C	C	T	T	T	C	C	C	C	T
4	T	C	T	C	T	C	T	C	C	C
5	T	C	C	T	T	C	T	C	C	C
6	C	C	C	T	C	T	C	T	T	C
7	C	C	T	C	T	C	T	C	C	T
8	C	C	C	C	T	C	T	T	T	C
9	C	C	C	T	C	T	C	T	T	T

在临床试验中,随机化可以避免在分组时选择病人的偏倚,即通过随机化平衡治疗组和对照组之间存在的差异,这些差异可能是已知的预后因子,也可能是一些未知不可

测量的因子。在统计学方面,随机化则是统计学推断的基础。

完全随机分组方法的主要优点是比较简单,缺点是很可能在固定的时间点上使各组病例数分配不平衡。另外在样本含量比较小的情况下,对结果可能产生影响的非处理预后因素在各组中的分布不易平衡,从而降低试验结果的可靠性。

(李　康)

有限随机分组

为使随机分组满足一定的要求,如要求各组例数相同,在随机化过程中增加某些限制条件的随机分组方法称有限随机分组(restricted randomization)。临床试验中完全随机分组方法并不一定很适用,这一方面由于研究者通常希望在试验期间和最后分析阶段,各比较组的样本含量大致相同,而临床试验的患者是陆续进入试验的,难以满足这一要求。另一方面受预后因素影响,患者变异较大,在中、小样本试验中使用完全随机分组方法,不易使各比较组中的非处理因素达到平衡,因此实际中用得较多的是有限随机分组方法。传统上其主要类型和方法有 2 种:区组随机分组(按时间分段随机化)和分层随机分组(按预后因素分层随机化)。此外还有适应性随机分组等方法。具体内容详见有关条目。

(李　康)

区组随机分组

区组随机分组亦称区段随机分组(blocked randomization)。临床试验中为了保证各对比组的病例数相同,特别是在需要进行阶段分析的情况下,维持不同期间各组例数的平衡,可用此法进行分组。基本方法是,将病例按照就诊或入院的顺序划分为若干区段(称为区组),每个区段的人数相等,并且为组数的若干倍数,然后依次将各区组内的病例随机等分到各组中。区组内的病例数越多,随机化越完全,但同时也容易造成两组例数在同一时间内不均衡,一般取 4~8 人。具体可采用如下 2 种方法。

方法一：设处理组数为 k，每个区组内人数为 b，总样本含量为 N。根据 k 和 b 的大小列出全部排列组合数，然后用抽签或查随机排列表等方法把各种排列分配到各区组。如 $k=2, b=4, N=24$，有：

排列	随机数排序
1. AABB	5
2. BBAA	3
3. ABAB	1
4. BABA	2
5. ABBA	6
6. BAAB	4

如：第一区组分组的结果为 ABAB；第二区组分组的结果为 BABA；余类推。

方法二：各区组内随机分组，可根据分配给每个受试者的随机数进行排序（记作 R），然后根据序数规定组别。例如，把区组内 4 个受试者分 A、B 两组，可规定 R：1～2 为 A 组，3～4 为 B 组；区组内 6 个受试者分 A、B、C 三组，可规定 R：1～2 为 A 组，3～4 为 B 组，5～6 为 C 组；其余可类推。如欲将 120 名病例用区组随机分组的方法分为 A、B 两组，可取每区组内受试人数为 6，共划分 20 个区组；规定 R：1～3 为 A 组；4～6 为 B 组，从随机数字表某一位置顺序摘录或由计算机程序产生 6 个两位数字，则第一区组内的分组过程如下：

就诊序号	1	2	3	4	5	6
随机数	39	07	10	63	76	35
排序(R)	4	1	2	5	6	3
组别	B	A	A	B	B	A

另外 19 个区组，重复以上过程即可得到各区组的分组结果，最终 A、B 两组各 60 例。

区组随机化还有一个优点，即如果患者的类型或某些特征在研究期间发生了潜在的变化，在区组内仍然可比。不足之处是，如果区组内患者例数较少，研究者容易知道下一例病人将分到哪一组，至少区组内最后一个病例的分组是确定的，故在选择病例时易出现偏差。为了避免出现这一问题，可以在试验期间采用不同的区组长度或采用盲法进行试验。

（李　康）

分层随机分组

分层随机分组（stratified randomization）是一种限制性的随机化分组方法。当非处理因素（临床上称预后因素）对疗效影响较大时，为了保证试验组与对照组均衡可比，可采用分层随机分组方法。分层随机意味着在分类变量上的亚组随机化,即根据已知的预后因素将病例先分为若干层(如年龄、病情、有无合并症等),然后对每层的患者用区组随机分组方法进行分配(参见"区组随机分组")。例如在治疗高血压病的疗效研究中,将病人按如下几个因素进行分层:

舒张压	靶器官损害	胆固醇水平
<14kPa	−	<6mmol/L
≥14kPa	+	≥6mmol/L

共有 $2\times2\times2=8$ 层。如果层内随机化区组长度 $b=4$,结果形如表1。

表1 分层随机分组

层	舒张压 (kPa)	靶器官	胆固醇 (mmol/L)	分组
1	<14	−	<6	ABBA BABA …
2	<14	−	≥6	ABAB BBAA …
3	<14	+	<6	⋮
4	<14	+	≥6	⋮
5	≥14	−	<6	⋮
6	≥14	−	≥6	⋮
7	≥14	+	<6	⋮
8	≥14	+	≥6	AABB ABAB …

分层随机化的层数一般不宜过多,否则一些层的人数将会过少,不利于分析对比。因此,应少选几个对预后影响较大的因素作为分层因素(1~3个),并适当控制各因素的水平数。如果有多个医院联合参加试验,可把不同医院作为一个分层因素。本法较适合中小样本的临床试验,在样本含量较大时,如数百例以上,简单随机分组基本能够保证非处理因素在各组内分布达到相对平衡,一般不需要分层随机化;即使最终试验组和对照组的基线情况不一致,也可用分层或多变量分析法对研究结果进行分析与评价。

(李 康)

适应性随机分组

临床试验分组过程中,对新入选病例不是事先已随机分配好或按相同的概率进行分组,而是根据前面分组或试验情况,用不同的概率决定该受试者的组别,称适应性随机分组(adaptive randomization)。它主要有两种类型:基线适应性分组(baseline adaptive randomization)和反应适应性分组(response adaptive randomization)。

1 基线适应性分组

以研究对象基本状态作为分组依据,即每增加一个新受试者都计算一下各组预后因素的不平衡性,然后决定分入各组的概率,以保证预后因素在各组分布的不平衡性趋于最小。此法适合有较多预后因素需要控制的中小样本的临床试验。分组方法如下:

设 X_{ik} 表示第 $k(k=1,2,\cdots,T)$ 组第 i 个预后因素某水平下的病例数,X_{ik}^t 表示一个新病例分配到第 t 组后的病例数,有

$$X_{ik}^t = \begin{cases} X_{ik}, & t \neq k \\ X_{ik}+1, & t=k \end{cases}$$

如果用 $B(t)$ 表示新病例进入 t 组后所有预后因素的不平衡性,可取 $B(t)$ 最小的结果为分组概率最大的一组。$B(t)$ 有许多种定义方法,Pocock 和 Simon(1975)给出了一种基本定义形式:

$$B(t) = \sum_i w_i \mathrm{Var}(X_{i1}^t, X_{i2}^t, \cdots, X_{iT}^t) \tag{1}$$

$$\mathrm{Var}(X_{i1}^t, X_{i2}^t, \cdots X_{iT}^T) = \frac{\sum_i (X_i^t - \overline{X}_i^t)^2}{T}$$

式中,T 表示处理组数,Var 表示方差函数,w_i 表示第 i 个预后因素相对重要性的权重。还可以用更简单的全距(range)定义

$$B(t) = \sum_i w_i \mathrm{Range}(X_{i1}^t, X_{i2}^t, \cdots X_{iT}^T) \tag{2}$$

即假定新病例进入 t 组后,预后因素在各组的不平衡性为其对应水平的各组例数的极差加权之和。按上述方法求出 $B(t)$ 后,由小到大取其分组概率,即取 $p_1 \geqslant p_2 \geqslant \cdots \geqslant p_T$,$\sum p_k = 1$。具体可按如下 2 种方式选取:

$$p_k = \begin{cases} p, & k=1 \\ \dfrac{1-p}{T-1}, & k \neq 1 \end{cases} \tag{3}$$

其中,$k=1,2,\cdots,T$,p 为指定的概率值($p>1/T$)。或

$$p_k = q - \frac{2k(Tq-1)}{T(T+1)}, \quad k=1,2,\cdots,T \tag{4}$$

式中,q 为一指定常量,其取值范围为 $1/T < q < 2/(T-1)$。

例1 用 3 种不同疗法治疗 II 型糖尿病患者,观察血液流变学变化及对凝血功能的影响,考虑年龄、病程和有无血管并发症 3 个预后因素(见表 1),若规定其权数依次为 1、2、3,前 20 名患者适应性随机分配结果如表 1。第 21 个患者年龄 53 岁,病程为 3 年并伴有血管并发症,问应如何分组?

表 1   20 名糖尿病患者适应性随机分配结果

分组	年龄（岁）			病程（年）			并发症	
	≤45	45~55	>55	<2	2~5	>5	−	+
疗法 1	0	1	4	1	3	2	3	4
疗法 2	1	3	5	3	2	1	3	2
疗法 3	1	3	2	1	3	3	4	4
合计	2	7	11	5	8	6	10	10

根据式(1)

$$B(1) = 1 \times \text{Var}(1+1,3,3) + 2 \times \text{Var}(3+1,2,3) + 3 \times \text{Var}(4+1,2,4)$$

其中

$$\text{Var}(1+1,3,3) = \frac{(2-8/3)^2 + (3-8/3)^2 + (3-8/3)^2}{3} = 0.2222$$

$$\text{Var}(3+1,2,3) = \frac{(4-9/3)^2 + (2-9/3)^2 + (3-9/3)^2}{3} = 0.6667$$

$$\text{Var}(4+1,2,4) = \frac{(5-11/3)^2 + (2-11/3)^2 + (4-11/3)^2}{3} = 1.5556$$

即

$$B(1) = 1 \times 0.2222 + 2 \times 0.6667 + 3 \times 1.5556 = 6.222$$

其余类似有

$$B(2) = 1 \times \text{Var}(1,3+1,3) + 2 \times \text{Var}(3,2+1,3) + 3 \times \text{Var}(4,2+1,4) = 2.222$$
$$B(3) = 1 \times \text{Var}(1,3,3+1) + 2 \times \text{Var}(3,2,3+1) + 3 \times \text{Var}(4,2,4+1) = 7.556$$

可以看出,该例分入第二组能够使预后因素的不平衡性最小。利用式(3),取 $p_1 = 2/3$,有 $p_2 = 1/6$, $p_3 = 1/6$,即分入第二组的概率最大。

若根据式(2)计算,有

$$B(1) = 1 \times (3-2) + 2 \times (4-2) + 3 \times (5-2) = 14$$
$$B(2) = 1 \times (4-1) + 2 \times (3-3) + 3 \times (4-3) = 6$$
$$B(3) = 1 \times (4-1) + 2 \times (4-2) + 3 \times (5-2) = 16$$

$B(2)$ 最小,结果与上相同。

基线适应性分组的优点是能够尽可能地保证各组预后因素的平衡,在样本量不够大、存在重要预后因素影响时可以使用这种方法。缺点是操作比较复杂,而且不容易做到事前对预后因素进行正确的估计。

2   反应适应性分组

以前面的试验结果作为下一例分组的依据,尽可能使新入选的病例接受"最好"的治疗,此法主要出于医学伦理学方面的考虑。Zelen(1969)给出了一个基本的分组准则:有2个对比组,如果前一例患者治疗成功,下一例患者仍分入该组接受治疗;如果治疗失败,下例患者则分入另一组接受治疗。第一例患者分入何组可随机决定。若用 S 表示治疗成功,F 表示治疗失败,分组过程如下所示:

对照组　　SSF　SF　S…

试验组　　SSF　SF

　　反应适应性分组方法仅限于能够很快得出结果,并且只有 2 个处理组的临床试验。另外这种分组方法有一个明显的缺点,由于研究者事先已知道下一例患者的分组情况,易出现选择性偏倚。

(李　康)

试验监测

　　试验监测主要指临床试验的监测(monitoring)。主要有两个目的,一是对反应变量的监测,以便及时地进行期中分析或中止试验。二是质量监测。为了保证临床试验的质量,主要监测内容包括以下几个方面。

1　临床方面

　　1)病人的入组情况　如有多少符合"纳入条件"的患者入组,有多少患者拒绝入组(注明拒绝入组的理由),各个时间段入组患者的比例。

　　2)随访情况　如入组患者的入组时间分布,平均随访间隔,各个随访时间的检查项目,失访患者的失访时间及失访原因。

　　3)患者记录　如临床报告有关问卷项目是否齐全,基线数据是否完全,记录遗漏的项目及原因。

　　4)试验计划执行情况　如有多少患者未实行随机分组,未执行分组方案的原因。

2　数据方面

　　1)登记表格的填写和改正。

　　2)数据编码的增补。

　　3)数据分类与统计中的问题,如计算机故障,程序运行报错等。

3　实验室方面

1）按质量控制标准进行重复检验，检查各项检查结果的误差是否有时间趋势。
2）送检样品数、退回样品数、报废样品数。
3）报告及时率。

4　影像检查

1）检查份数。
2）重复读片的一致性。

（李　康）

期中分析与成组序贯试验

通常的临床试验总是根据事前试验设计的要求，全部取得整个样本的试验结果后，再进行统计处理以判断检验假设的正确性。期中分析则是在临床试验过程中对中间试验结果进行监测（monitoring），一旦试验组和对照组的疗效出现差别，则立即停止试验，序贯方法是其主要方法之一。

序贯试验（sequential trial）就是对受试对象进行逐个（或逐对）的试验并在每一次试验结果出现后就以累计的信息进行一次检验，一旦可以作出拒绝或不能拒绝检验假设的判断，即可停止试验并对整个试验结果作出结论。根据统计资料的性质，序贯试验可分为质反应序贯试验（用定性指标，如治愈与否，缓解与否等）和量反应序贯试验（用计量指标，如体重、胆固醇含量等）。但序贯试验用于临床的主要缺点是，要求受试者较快地出现治疗结果，只适用于类似止痛、麻醉这样能在短期内见效的急性试验，难以用于最常见的几天或几周才能知道结果的中、短期临床试验。另外，在许多临床试验中，受试者往往成批地进入试验，不允许有治疗的等待时间，不能满足序贯设计逐一试验逐一分析的要求。为了克服以上缺点，1977 年 Pocock 提出了成组序贯的方法。该方法假定有 A，B 两种处理，治疗结果 X 服从正态分布，其总体均数分别为 μ_A 和 μ_B，并且有公共方差 σ^2。给出检验假设 $H_0 : \mu_A = \mu_B$，$H_1 : \mu_A \neq \mu_B$ 和 Ⅰ、Ⅱ类错误的概率分别为 α, β，在试验前将受试者按进入试验的时间划分为 N 个大组（时间段），每大组有 $2n$ 个受试者。按常规随机化分组的方法，将每大组的受试者随机等分为两组，每组 n 例，分别接受 A，B 两种处理。令 $\overline{X}_{Aj}$ 和 $\overline{X}_{Bj}$ 分别表示第 j 个时间段 A，B 两种处理的治疗结果之均数，则在第 i 个时间段后 $(j \leqslant i)$，可计算

$$\overline{d}_i = \frac{1}{i} \sum_{j=1}^{i} (\overline{X}_{Aj} - \overline{X}_{Bj}) \tag{1}$$

和服从 $N(0,1)$ 分布的统计量

$$u_i = \frac{\sqrt{in}\,\overline{d}_i}{\sqrt{2\sigma^2}} \tag{2}$$

由于公式（2）是对累积资料进行重复性检验（repeated significance tests），如果定 $\mu_{a/2}=1.96$ 为显著性界值，则Ⅰ类错误的概率随着检验次数而增加，具体数值见表1。

表 1　重复检验拒绝 H_0 的概率

检验次数	1	2	3	4	5	10	20	50	∞
拒绝 H_0 的概率	0.05	0.08	0.11	0.13	0.14	0.19	0.25	0.32	1.00

为了使重复检验的Ⅰ类错误概率仍为 α，须对 μ_i 的检验水准进行校正。校正后的检验水准叫做名义检验水准（nominal significant level），记作 α'，对应的显著性界值为 Z_i，并且满足

$$P(\,|u_1|\geqslant Z_1 \text{ 或 } |u_2|\geqslant Z_2 \text{ 或}\cdots\text{或 } |u_N|\geqslant Z_N) = \alpha \tag{3}$$

"成组序贯的名义水准与显著性界值"见附表13。

对于一个具体问题，给定 δ,α,β 和 N，可以查附表14"成组序贯设计参数 Δ 值表"，由公式 $\Delta=\sqrt{n}\delta/(\sqrt{2}\sigma)$ 估计 n，进行成组序贯的设计。例如，给定 $\delta=0.5\sigma,\alpha=0.05,1-\beta=0.90,N=5$，查附表14 得 $\Delta=1.592$，可算得 $n=2\times\left(\dfrac{1.592}{0.5}\right)^2\approx21$。即每个时间段需要 $2\times21=42$ 个受试者。由附表13 可知，每次检验用公式2 计算，名义水准为 $\alpha'=0.0158$，显著性界值为 $Z=2.413$。

关于重复检验次数 N 的选择，一般认为进行一、二次检验即中止试验的情况最为理想。如果不是期望试验结果会出现重大差别，重复检验的次数不宜超过5次。

成组序贯方法亦可推广到其他统计检验，有关计算公式如下：

1）σ^2 未知时均数 t 检验

$$t_i = \frac{\sqrt{in}\,\overline{d}_i}{\sqrt{2S_c^2}},\ \nu=2(in-1) \tag{4}$$

其中，S_c^2 表示样本的合并方差，作为 σ^2 的估计值。检验界值用 $t_{\alpha'/2,\nu}$，α' 为附表13 中的名义水准。

2）率的假设检验

$$u_i = \sqrt{2}\,\frac{r_A(in-r_B)-r_B(in-r_A)}{\sqrt{in(r_A+r_B)(2in-r_A-r_B)}} \tag{5}$$

其中，r_A、r_B 分别表示第 i 次检验时 A组和 B组已出现的"阳性"结果发生数，检验结果用

附表 13 判定。

3）Willcoxon 秩和检验

$$u_i = \frac{\left| R_A - \frac{1}{2} in(2in+1) \right|}{in\sqrt{\frac{1}{6} in + \frac{1}{12}}} \tag{6}$$

其中，R_A 表示第 i 次检验时 A 组的秩和，检验结果用附表 13 判定。

一般地说，Pocock 等人的成组序贯方法适合于中、短期临床试验的期中分析，对于评定慢性病（如肿瘤）疗效的长期临床试验，则可采用生存分析中的有关检验统计量进行期中分析，主要方法有 Alling 发展的 Wilcoxon 检验，Halperin 和 Ware 又发展了 Alling 的方法，用于截尾数据的分析，进一步还可推广到 Mantel-Haenszel 检验。

（赵清波）

生存质量研究的设计

1 背景

1.1 生存质量的概念

生存质量（quality of life，QOL）又译为生活质量、生命质量等，在社会学领域中，一般认为译为生活质量为佳，而在医学、伦理学领域则译为生存质量更能反映其学科特征。生存质量的研究最先始于美国的社会学领域（20 世纪 30 年代），在医学领域作为主题词使用则出现于 20 世纪 60 年代。迄今为止，生存质量尚无一个公认的、完整的定义，但以下几点是比较公认的：

1）生存质量是一个多维的概念，包括身体功能、心理功能、社会功能等；

2）生存质量是主观的评价指标（主观体验），应由被测者自己评价；

3）生存质量是文化依赖性的，必须建立在一定的文化价值体系下；

4）生存质量资料是多时点性和多终点性的资料。

因此，世界卫生组织（WHO）生存质量研究组将生存质量定义为：不同文化和价值体系中的个体对与他们生活目标、期望、标准以及所关心事物有关生活状态的体验，包括个体的生理、心理、社会功能及物质状态 4 个方面。

生存质量不仅受躯体和社会环境因素的影响，同时也受情感和在这种环境下存在的反应的影响。因此，从社会或者全局的角度来说，生存质量的测量包括社会和环境指标，比如你有经济适用房吗？在一年当中你居住的地方有多少天会受到空气污染？这些都是大家关注的问题。Kaplan 和 Bush 提出，在医学领域中生存质量和健康相关生存质量（health related quality of life，HRQOL）是可以互换的。

1.2　健康相关生存质量（HRQOL）

1948 年，世界卫生组织（WHO）给健康的定义是：健康是一种躯体、精神与社会和谐融合的完美状态，而不仅仅是没有疾病或身体虚弱。这个定义给出了健康的概念轮廓。Wilson 和 Cleary 提出了一个反映健康—结局之间关系的概念模型。具体的健康结局包括 5 个层次：①生物与生理因素，包括实验室检测结果、放射性扫描、躯体检查和临床诊断结果等。②症状，即病人对躯体、情感、认知上出现的异常情况的理解。③功能状况，包括躯体功能、社会功能、情感功能和认知功能等四方面。④一般健康概念，包括病人对过去与现在健康的评价，对未来健康的展望及关心程度。⑤对健康状况的总体感受。总体生存质量的评估都会受到上述所有因素的影响，具体内容如图 1 所示。

生物与生理因素 → 症状 → 功能状况 → 一般健康状况 → 对健康状况的总体感受

图 1　5 个层次的健康结局

健康相关生存质量有不同的定义，目前对健康相关生存质量的内涵和范围的理解尚存在分歧，大多数学者认同以下观念：认为健康相关生存质量的内容是与医学有关的，是除经济、环境条件以外，病人的生理、心理、精神、社会多方面功能的综合反映，其涵义是多维的、主观的，它主要注重疾病和治疗对个体健康的影响，对临床、伦理、和卫生决策有重要意义。

2　健康相关生存质量的测量

Guyatt 等认为生存质量测量"工具"不仅包含问卷（量表），还包括数据收集方法（调查方法）和统计分析方法（分值算法）以及对健康状态测量的解释。这些方面对 HRQOL 的评价是很重要的。

2.1　HRQOL 测量从测量形式来分

可归纳为访谈法、观察法、主观报告法、症状定式检查法和标准化量表法等 5 种。其中标准化量表法（使用已有量表，通过患者对量表中问题的回答来评价患者的健康相关生存质量）是测量生存质量最普遍的方法。

2.2　HRQOL 测量从内容分

包括两方面：健康状况评价与病人偏好评价。心理测量学和计量经济学的研究角度的不同促成这两方面的发展。①在健康状况评价中，病人健康状况多数都是自测的，是一系列问题的综合反映。这个分数既可反映不同病人间 HRQOL 水平的差别，也可反映同一个病人 HRQOL 随时间的变化。这些测量可以是通过一个总的问题去评价病人目前的生存质量，也可以用一系列问题去评价病人最近一段时间各方面的生存质量。测量的内容是多方面，比如疾病和治疗对病人主观的影响（脱发使您烦扰吗？），症状的发作频率和严重程度（您有疼痛吗？），以及评价总的健康状况（您怎么评价您的生存质量？），等等。因此，健康状况测量常用于临床试验中治疗疗效的比较。②病人偏好评价主要是基于效用（utility）理论的测量方法。效用值表示个体对不同健康状态的偏好程度，它是个体在不确定的情况下作出的优先选择，表现出他们对某种健康状况的倾向和偏爱，反映了个体的主观感受，并受年龄、经济收入、教育程度等多种因素的影响。效用值通常用 $0\sim1$ 的数值来表示，1 代表完全健康，0 代表死亡。它也可以为负数，表示比死亡更糟糕的疾病状态，如无意识或长期卧床伴严重疼痛等。常见的评价方法包括：时间权衡法（time-trade-off，TTO，又称时间取舍法或时间交换法），标准博弈法（standard gambling，SG，又称标准赌博法），意愿支付法（willingness-to-pay，WTP）等。时间权衡法是通过询问患者愿意折让多少时间的寿命以换取更好的健康状态。例如，一个病人愿意用 5 年目前这样的健康状态去换取 4 年完美的健康（折让一年），那么这个病人的效用值是 0.8。标准博弈法是让病人从两种假设的治疗情景中找出一个能使这两种治疗情景等效的点。例如，面对疾病患者通常有两种治疗方案，一种是没有复发风险但会影响健康相关生存质量的根治疗法（概率为 P），另一种是选择不治疗而保持某种慢性疾病状态（i），其中 P 值是变化的，直至患者在治疗和不治疗两种选择中保持中立，此时即定义 i 状态的效用值为 P。意愿支付法是建立在效用基础上的一种测量健康改善价值的方法，它认为人的价值由两部分组成，一是个体的健康；一是个体的收入（可消费的非健康物品）。常用的量表有欧洲生存质量问卷（EQ-5D），完好质量量表（WQB），健康效用指数量表（HUI）等。效用值常用于经济评价和政策研究中质量调整生存年（QALYs）的计算，如 Q-TwiST 法。

2.3　HRQOL 的测量可以通过不同的方式来反映他们的研究目的

主要有两种：总体指标法和特定领域剖面法。①总体指标法是以经济学上预期效用理论为基础，通常将量表得分转换成单一数值的分数来代表整体的生存质量情况。它通过一个问题去评价调查对象的生存质量，仅产生一个总体的评价结果，是一种比较直观的方法，但很难为患者治疗时提供决策依据，常用于成本—效用的分析。②特定领域剖面法是对健康相关生存质量的各个维度进行多方位的评价（比如躯体、情感、功能、社会健康等维度，每个维度由多个条目组成），产生多个数值，然后对多个数值进行分析，从而分析被测量对象的生命质量综合情况，这种方法也称为多属性评价（Multi-Attribute Assessment）。常见的测量量表有疾病影响量表（SIP），诺丁汉健康量表（NHP），McMaster 健康指数（MHIQ），简明 36 条目健康问卷（MOS SF-36），世界卫生组织生存质量量表（WHOQOL）等。这两种方法都有以下缺陷：第一，当问题固定的时候，不同的人对问题的理解不同，会产生一系列不同的值。第二，要构建一个包括健康相关生存质量的所有内容的指标是不可能的，不同维度的权重对健康相关生命质量的解释也是很重要的。因为一个测量健康相关生命质量的指标不能检测到维度之间的改变，比如一个特定的解释对一个维度有"抬高"的解释作用，但对另一个维度有"减低"的解释作用，两者合在一起就会互相抵消，看不到变化的发生。

2.4　HRQOL 测量从测量的目标人群分

分为普适性测量（generic instrument）和疾病特异性测量（disease-specific）。生存质量测量工具也相应分为普适性量表和疾病特异性量表两种。①普适性量表的测试对象是一般人群以及患有两种及以上疾病的群体，不具有特殊针对性。其优点是可以了解疾病对健康状况的整体影响,允许在不同疾病之间进行比较。缺点是不能充分集中于目标问题,可能丢失临床上比较重要的体征变化,反应度较差。最常用的几个普适性量表有MOS SF-36、疾病影响量表(SPI)、世界卫生组织-100 条目生存质量量表(WHOQOL-100)和诺丁汉健康量表(NHP)等。②疾病特异性量表是根据所研究疾病的实际情况而设计,测试对象是患有特定疾病的人群,或者某些特殊的人群。其优点是能反映特定疾病比较重要的方面,能抓住自然病程或治疗中较小但有重要临床意义的体征变化,反应度比较好。缺点是不能在不同疾病之间进行比较,仅限于特定的疾病群体和干预措施。常见的量表有 FLCI(用于癌症病人)、DC-CT(糖尿病病人量表)、SGRQ(St George 呼吸疾病量表)等。

2.5 HRQOL 测量也可以分为客观测量与主观测量。

即使是相同的健康状态,在不同的观测者而言,获得的评价结果也未必相同。因此健康状态的测量可以客观地评价症状或者各种功能的情况,比如,调查对象会被问到症状发作的次数和症状的严重程度,或者"您可以步行一英里吗?"等。也可以主观评价症状对研究对象的影响,比如"某些症状使您烦恼吗?"、"症状影响您的日常活动吗?"等。很多测量工具都包含上述两个方面,具体内容主要取决于研究目的:鉴别症状程度呢?还是评价疾病和治疗对研究对象的影响?

与客观测量比较,主观测量是否有较低的信度和效度?这在生存质量研究中尚存争议。对于同一个可观察的症状,病人和经过培训的专业人员的评价是不同的。如果以专业人员的评价为金标准,那么某些有用的信息就会被忽略,比如病人是怎样评价他们的健康状况,特别是情感和社会功能方面的情况。主观测量和客观测量都存在测量误差,没有哪种方法可以在任何情况下都是精确的。在健康相关生存质量研究中最广泛使用的测量必须满足信度高,对好的预测效度敏感,测量误差小等条件。相反,某些生物医学终点(客观的)也可能包括高的测量误差(比如血压的测量)和差的预测效度(比如肺功能测试)。

3 健康相关生存质量量表的制定

3.1 量表的构成元素及层次结构

根据测定对象和目的的不同,量表的构成略有差异,但一般均含条目(item)、方面(facet)和领域(domain)三大部分。条目是量表最基本的构成元素,是不能再分割的最小构成单位。所备选的有关条目的集合称为条目池(item pool)。一个量表的好坏在很大程度上取决于条目的选择。方面由若干条目组成,领域由若干方面组成,量表由若干领域组成,领域又常称为子量表或者亚量表。

3.2 条目的反应形式

不同的量表(问卷)有不同的条目形式,使用最广泛的形式是 Likert 式条目,它要求被测者在等距离的一些有序的程度词语(选项)间选择答案,如很差、差、中等、好、很好等。研究对象最多能区分 7～10 个选项,如果选项分得过多(＞10)或过少(＜5),信度和敏感度都会降低,故很多研究都选用 5 点法。也有研究使用两分类条目和视觉模拟评估尺(visual analog scale,VAS)。视觉模拟评估尺是一条长 10cm 的水平或垂直线,两端表示 2 种最极端的情况,要求被调查对象在直线上标记出他的健康状况,多用于疼痛程度的评估。视觉模拟评估尺有几个缺陷：首先，它要求研究对象手眼协调并用，这对于有神经系统疾病或者有刺痛麻木感的病人或者老年人来说是不合适的；其次，它不能用于电话评价或者采访的形式；最后，它需要额外的数据处理步骤，如要测量标记的位置。因此一个比较好的形式是数字模拟尺，它要求病人用 0～100 之间的数字来说明他们的健康状况。大多数健康相关生存质量量表都是由一系列 Likert 式问题组成的。将逆向问题反向编码后，用所有反应项的总和或者平均值来表示量表的分数。如果考虑条目的加权方式，评分问题会很复杂。为了便于解释，越来越多的研究用 0～100 之间的数字来给反应项评分（100 表示最好的健康状况）。

3.3 研究时间跨度

在量表的编制过程中，还要注意研究时间跨度和条目评分对健康相关生存质量评价的影响。生存质量量表经常要求研究对象评价某一特定时间段内的健康情况，比如过去7 天，过去 2 个星期等。回忆时间的长短主要取决于研究目的，若进行某些特定疾病或者治疗期较短的健康状况评价，量表就应该设计较短的回忆时间；若是普适性量表，就应该设计较长的回忆时间。

3.4 健康相关生存质量测定的关键是选择或制定测定量表

量表的制定一般包括如下步骤：①明确研究对象及目的；②设立研究工作组；③测定概念的定义及分解；④提出量表条目形成条目池；⑤确定条目的形式及回答选项；⑥指标分析及筛选；⑦预调查及量表考评；⑧修改完善。

4 健康相关生存质量测量工具的发展和考核

4.1 量表的发展

量表是生存质量研究的主要工具，随着医学模式和健康观念的转变，生存质量研究在国际范围内迅猛发展，世界卫生组织概括了量表的 4 种不同的方法：①自主创制，适用于本国语言文化背景的新量表；②翻译现成的国外量表，通过改造使其适用于本国语言文化背景；③兼顾不同的文化背景，由若干国家合作共同制定一个适用于多个国家的量表；④采用主观评定的形式，由被测量的个体自己定义其自认为重要的生存质量领域，并评价自己在相应领域的功能状况，这种情况一般不需要固定形式的量表。目前大部分的生存质量测定量表都产生并应用于英语或法语国家，由于文化类型的不同，不能将量表直接移植后应用，而要进行适当的改造，使之成为适合本国文化背景的新量表，并进行现场预试及考评后才能使用。因此，当量表用于不同的人群时，量表的翻译和跨人群考核是十分重要的，特别是对量表的条目反复进行翻译和回译（检查等价性的重要程序）。同时要考虑量表的文化调适，主要包括以下 4 个等价性：概念等价性（conceptual equivalence）、语义等价性（semantic equivalence）、技术等价性（technical equivalence）和标量等价性（scalar/metric equivalence）。量表在不同国家的使用，效度也可能不同。在不同的文化背景下具有相同生存质量（简称为"能力"）的不同群体对同一条目的反应概率不同，这被称为项目功能差异（differential item functioning，DIF）。常用项目反应理论（IRT）和 Rasch 模型来检测跨文化的项目功能差异。

4.2 测定量表的选择

健康相关生存质量的研究设计除包括调查设计的所有原则外还要注重测量工具的选择。在进行现场调查研究的过程中选取适当的测量量表是完成研究的重要环节。通常情况下,测量量表根据研究目的和目标人群来选择。多数研究会选择疾病特异性量表来进行特定疾病人群的健康相关生存质量评价,而普适性量表一般用于健康人群生存质量状况的测量以及与疾病人群进行对比的情况中。多数情况下,量表的选择和使用是参照国外同类研究的报道而定的。Ware 认为有 2 个原则可以指导测量工具的选择。如果研究的是一般人群,建议多用正向定义的测量。因为一般人群大概有 15％的人有慢性疾病,10％～20％有潜在的精神损伤,若采用负向定义的健康问题,剩下的 70％～80％的人的信息不能测量出来。但如果研究的是特定的疾病群体,建议多采用连续的负向定义的健康问题。若研究的是疾病的变化过程,就应该选择能区分疾病或者治疗不同阶段患者的测量工具。总之,没有哪种测量工具能应用于任何人群。例如,主要用于检测调查对象在家里的日常活动能力的问题,如果用于医院的病人,就可能会产生偏倚。

4.3 样本含量估计

健康相关生命质量研究和一般临床实验一样,在研究的过程中首先需要考虑样本含量的问题。这里我们从生存质量资料的特点和分析目的着手,提出一些估计的原则:

1)根据测评目的确定样本含量:如果测评目的是反映一般人群的健康状况,样本含量可适当大一些(比如每层 100 例以上)。如果测评目的是用于临床上分析治疗前后差异,样本含量可小一些,能发现差异即可。

2)根据一般多变量分析的经验和方法确定。生存质量包含多个领域和多个条目,是多终点的资料,可借鉴一般多变量分析的样本含量估计的经验和方法。Kendall 认为作为一个粗糙的工作准则,样本含量可取变量数的 10 倍。一般认为至少是变量数的 5～10 倍。

3)其他方法。对于较难得到的病例,样本含量不会太大,此时可以将条目的数据合计得到领域得分或者以小的方面作为分析变量。分析的因素尽量减少,对于需要按照某些因素(如性别、民族、城乡等)分层分析的情况,需要每一层都有足够的样本含量。对于临床试验,如果生存质量分析所需样本量远远小于整个临床试验的样本量,则可以从整个样本中随机抽取一部分样本来测量生存质量,以减少工作量。

4.4 量表的考核

修订量表制成后,应当随机抽取一部分研究对象进行研究,得到一系列数据,再运用相应的统计学方法,对量表进行信度、效度、反应度以及其他指标的检验。量表的考核包括以下 4 个方面:

1)可行性(feasibility):该分析主要解决量表是否容易被人接受及完成量表的质量问题,可用患者完成量表时间、可接受程度、受试者对量表的理解程度和满意程度等来评价。

2)信度评价:信度(reliability),指测量工具的稳定性,即在相同条件下对同一调查对象重复测量结果的一致程度。衡量信度的方法有以下几种:

①重测信度(test-retest reliability),指在不同的时间点用同一工具表测定同一调查对象 2 次,2 次结果的一致程度。2 次测定时间间隔以 2～4 周为宜,样本量为 20～30 人,且在这段间隔时间内调查对象的主要调查指标没有发生变化。对问卷重测信度的评价

分析时,当评估的变量是等级或分类变量时,可用 Kappa 系数来评估;当评估的变量是连续变量,则用组内相关系数（intra-class correlation coefficient,ICC）来评价。一般信度系数大于 0.75 表示重测信度好,而低于 0.4 表示差。若结果表明某个问卷项目的信度系数低于 0.4,则要考虑对该项目进行修改或者删除该项目。

②内部信度（internal reliability）,又称内部一致性,反映问卷中条目之间的相关程度。通常用克朗巴赫 α 系数（Cronbach's α coefficient）和分半信度系数 r 来评价问卷的内部信度。克朗巴赫 α 系数反映问卷条目之间的一致性,而分半信度系数反映的是两半问卷所测分数间的一致性。值得注意的是,许多问卷测量的内容包括几个领域,宜分别对其估算 α 系数,否则整个问卷的内部一致性较低。一般要求问卷的 α 系数大于 0.80。

③测评者之间的一致性（inter-rater reliability）,指不同测评者在同一时间点对同一对象进行测定的一致性程度。常用 Kappa 系数来评价。

3）效度评价:在量表的考评中,效度评价是最重要和最难做的一个方面。效度表示测量工具的测量结果与真实情况的接近程度,采用效度系数来衡量。效度是个多层面的概念,可从不同角度来衡量:

①表面效度（face validity）,是指测量结果与人们头脑中的印象或学术界形成的共识的吻合程度,如果吻合度高,则表面效度高。表面效度属专家评价的主观指标。有些问题的调查,直接提问得不到真实的回答,须"牺牲"表面效度,以换取其他效度。

②内容效度（content validity）,是指测量内容的适合性和相符性,即从内容上看所选题目是否符合测量目的和要求。内容效度的具体测评方法是计算每个条目的得分与其所属领域得分的相关性,相关系数大,说明内容效度好。

③效标效度（criterion validity,又称准则效度）,是指测量结果与一些能够精确表示被测概念的标准之间的相关程度。效标效度用测量分数与效标分数之间的相关系数来衡量。根据比较标准与测量结果之间是否在时间上有延迟,又分为:a. 预测效度（predictive validity）,是指测量结果与测量对象在一段时间以后的表现（预测标准）之间的相关程度,相关程度越高,预测效度就越高。b. 同时效度（Concurrent validity）,是指测量结果与一个已断定具有效度的现有指标之间的相关程度,相关程度越高,同时效度就越高。效度系数通常较低,一般以 0.4~0.8 之间比较理想。

④结构效度（construct validity）,指问卷的条目设置是否符合设计时的理论构想。要确定一个问卷的结构效度,则该问卷不仅应与测量相同特质或构想等理论上有关的变量有高的相关,也应与测量不同特质或构想等理论上有关的变量有低的相关。前者称为聚合效度（convergent validity）,后者称为区别效度（discriminate validity）。评价某调查问卷的结构效度可分为两步:首先是提出结构假设,然后对结构假设进行验证。评价结构效度常用的统计方法是因子分析,看那些潜在的公共因子是否概括了所要调查的主要内容。

4）反应度（responsiveness）:指量表反映微小生存质量变化（包括微小的具有临床意义的体征变化）的能力。天花板和地板效应（floor or ceiling effect）会影响量表的反应度。如果调查对象对问题的反应严重的偏于两个极端选项中的一个,微小生存质量变化就不容易被检测到。

5 生存质量研究资料的统计分析方法

5.1 缺失数据

在数据收集过程中,实验中存在的退出、拒访等缺失数据的存在会使统计分析更复杂。在研究设计和实施过程中可以加强质量控制,尽量减少缺失数据的出现。处理问题条目缺失的简单方法是用具有完全数据的同类个体的该问题条目的均数代替缺省值。

5.2 统计分析方法

健康相关生存质量是多维度多条目的资料,因此是多变量(多终点)资料。与一般资料的统计分析相似,生存质量量表的统计分析包括统计描述和统计推断。这里主要阐述统计推断分析方法。推断性统计分析方法按分析方向可以分成横向资料和纵向资料。①横向资料的比较包括单变量和多变量分析。单变量分析可以用常规的 t 检验、方差分析和秩和检验等比较两组或多组量表总分和各领域或方面得分,在进行多重比较的过程中,为了避免假阳性错误的增加,可以对检验水准做 Bonferroni 校正。常用的多变量分析方法是 Hotelling T^2 检验和多元方差分析(MNANOVA)。这两种方法要求资料来自多元正态分布,且各组协方差矩阵相等,要求数据是完全的,因此只能在死亡率很低和依从性很好的临床试验资料分析中应用。量表属于多指标的综合状况评价,所以许多综合评价方法也同样可以用在量表的评价中,如 O'Brien 的参数及非参数综合法、扩展的TOPSIS 法和扩展的模糊判别法等。②当研究设计不是一次性地测量研究对象的某量表测定值,而是在不同时间多次重复测量时,则需要做纵向资料比较的统计分析。纵向资料分析的目的有 3 个:第一,比较同一组人群不同时间点的量表测定值,说明量表测定值在时间上的变化规律;第二,比较两组或多组人群的量表测量值在时间上的变化规律,说明不同处理对人群某量表测量值变化规律的影响;第三,既比较不同组间又比较不同时点某量表测量值的变化规律。如果把不同时点同一指标看作多个指标,可以用多变量的Hotelling T^2 检验和多元方差分析,但这 2 种方法没有考虑重复测量值间的相关性。此外还可以用重复测量资料的方差分析、多变量方差分析、轮廓分析等。

5.3 临床解释

一个新的测量值要让医生和病人能理解,首先要制定一个有临床意义的范围。比如血红蛋白的测量,首先要制定一个正常值范围,有了正常值范围,这个读数才有临床意义。但读数的解释也没那么简单,比如测定值的变化是利还是弊,可能要根据病人的年龄、性别、目前的健康情况等情况来解释。生存质量的测量结果的解释也是类似的。不同的研究有不同的临床解释含义。当作出一个治疗决定的时候,可以将有序的信息变量转换为分类变量(两分类),然后结合其他信息来做出选择。例如,医生在考虑是否需要给病人治疗措施时,除了考虑性别和病史外,还要考虑病人目前的血红蛋白含量(正常还是异常)。但在临床随机试验中,如果研究的目的是评价治疗措施的效果,我们就应该根据连续或有序的血红蛋白含量来评价治疗效果的好坏。因此,生存质量中临床解释的不同主要在于研究的是个体还是群体。定义生存质量评分的临床显著性有两种方法:基于分布的方法和基于锚的方法。

1)基于分布的方法(distributional methods)

基于评分分布的方法被表述为效应大小和变异的比值，即量表能测出不同对象、不同时间目标特征变化的能力。效应大小可以是两组的差异或者一个组组内的变化。变异包括对照组的标准差、变化量的标准差和测量组的标准误。Cohen 在心理学研究中将这种方法称为效应值（effect size）。这个方法的优点是在研究中容易得到。但它也有很多缺点，比如很多医生不理解这个"效应值"，怀疑用它划分的有临床意义的差异的真实性。同时不同的研究由于选择标准不同得到的变异也不同，这对定义效应值的大小也有影响。

2）基于锚的方法（anchor-based methods）

基于锚的方法是基于生存质量测量评分与独立测量（锚）之间的关系。锚是指对病人的健康、疾病状况和治疗情况评价有效的测量。这个锚必须是可解释的，并且与生存质量有适当的关联。基于锚的方法具体的有很多种。一种是基于锚的测量和生存质量测量的差异将调查对象分成不同的组。例如，根据功能的受限程度（没有受限，中等受限，完全受限）将调查对象分为 3 组，这 3 组的平均分分别为 80、70、50。类似的，调查对象根据生存质量的测量分组，然后根据锚标准描述结果。前者，平均分为 80 的组死亡率为 5%，均分为 60 的组死亡率为 20%；而后者，得分为 50 的人中有 32% 的人可以没有困难地行走一个街区，得分为 60 的人中有 50% 的人可以没有困难地行走一个街区（基于 SF－36 躯体功能量表）。也就是得分为 50 的人中有 32%（没有受限）的死亡率为 5%，得分为 60 的人中有 50% 人（没有受限）的死亡率为 5%。另一种方法是找出最小临床重要差异值（MCID），这个值可帮助研究人员和临床工作者判断评分的改变是否达到临床上重要的差异，以及协助解释分数改变的意义。代表连续两次评量所得数值的差异（如治疗前后评量所得差异值）是否超过随机测量误差的阈值，即数值改变若大于或等于最小临床意义上的差异，医务人员可以判定病人产生了真正的进步，而不是测量误差所致。

6   生存质量测评的应用

目前，生存质量测评已广泛应用于社会各领域，成为不可缺的重要指标和评定工具。在医学领域主要用于以下方面：

1）人群健康状况的测评。包括普通人群、老年人、儿童、在职员工及其他普通人群的健康状况的测量。测评的目的在于了解一般人群、特定人群的综合健康状况，甚至作为一种综合的社会经济和医疗卫生指标，以便比较不同国家、不同地区、不同民族人民的生活质量和发展水平以及对其影响因素的研究。随着人口老龄化的发展，老年人的生理和心理健康问题愈显重要，对这一人群健康相关生命质量的评价具有重要的社会价值和人口学意义。

2）肿瘤及慢性病患者生存质量的测评。随着人民生活水平的提高，我国疾病流行模式从传染性疾病和营养缺乏疾病向非传染性的慢性疾病转变，特别是癌症、心脏病、糖尿病、关节炎和精神失常（包括痴呆症）等慢性病发展，已经成为当今医学领域 HRQOL 应用研究的主流。此研究的目的是通过对肿瘤及慢性病患者的测评，分析其影响因素，进而从临床治疗和护理的角度对提高患者生存质量提出相应的对策。

3）药物疗效和治疗方案的评价与选择。除了反映综合健康状况外，HRQOL 在评价临床治疗方案的效果时，注重的是患者的自身感觉或主观体验，并通过对患者在不同疗法或措施中生命质量的改善和比较,为评价治疗与康复的效果提供新的指标,甚至可能完全改变原有的治疗、护理、康复的方案和规范。

4)预防性干预及社区卫生服务中的应用研究。随着预防医学和初级卫生保健的发展,对社区人群的预防保健措施的效果评价日益重视。通过基线资料的测量了解社区人群的健康状况,为规划、实施和评价社区卫生服务提供依据。建立社区人群的生存质量档案,找出影响人群健康的主要问题,进而制定社区卫生规划。

5)卫生资源配置与利用决策分析。随着生存质量研究的深入和广泛开展,传统的发病率、死亡率和期望寿命已不能适应新形势的需要。人们愈来愈倾向于用"质量调整生命年(QALYs)"这一指标来综合反映投资的效益。还有以残疾率为基础的"残疾调整寿命年(DALYs)"。这些指标不仅通过寿命反映人群的健康状况,还结合对生存质量和残疾状况的量表测评结果,反映生存人群的健康状况,综合健康和死亡两个方面信息,更全面反映人群总体健康状况,是更好的健康统计指标。

6)护理学的应用研究。量表测评在护理学的应用非常广泛,包括对患者护理效果的评价,对护理质量与效率的评价,对护理人员素质的评价,患者满意度的评价,患者心理护理的效果评价等。

7)生存质量在中医研究中的应用。近年来,人们不仅将国际上通用的一些量表应用于中医的临床研究中,用于量化评定患者的心理状态、主观症状、中医药临床疗效及其与中医证候的关系等,而且还初步开始了一些与中医证候有关的量表制订工作,以期对某种证候的诊断与严重程度作出评定。比如中华生存质量量表的研制。

8)探讨健康影响因素与防治重点。生存质量已经作为一个健康与生活水平的综合指标,对生存质量影响因素的探讨有利于找出防治重点,从而促进整体健康水平的提高。

(张晋昕)

临床决策分析

临床上对病人的多种可能诊断中确定其中符合的一种,对多种可能的治疗方法选择其中最佳一种的具体决定过程,称为临床决策。临床决策分析有多种方法,这里局限于以概率为理论基础的临床决策分析。

用概率进行临床决策分析的理论依据是 Bayes 定量。以某医生诊断一个病人是否患疾病 A 为例。首先,这个病人是所有 A 病患者中的一个随机成员,所有 A 病患者在就诊患者中的比率为 π_A,称之为先验概率(prior probability)。通过询问和检查结果得到"该病人为 A 患者"的概率,称之为后验概率(posterior probability)。之所以称之为"后验",是因为这个概率是建立在询问和检查结果之上的概率。可以直观推论,如询问和检查结果是 A 病的常见症状,后验概率应该大于先验概率;反之,若询问和检查结果不是 A 病的常见症状而是其他病的常见症状,则后验概率应该小于先验概率。

例 1 某临床科室三种最常见的疾病分别为 A,B,C,先验概率分别为 π_A,π_B,π_C,这 3 种病均会出现 1、2、3、4 种症状,只是各症状在这 3 种病中出现的概率不同,如 A,B,C 3 种病出现第 1 症状的概率分别为 p_{A1},p_{B1} 和 p_{C1},其余见表 1。

表 1 4 种症状的概率分布

疾病	症状				合计
	1	2	3	4	
A	p_{A1}	p_{A2}	p_{A3}	p_{A4}	1.0
B	p_{B1}	p_{B2}	p_{B3}	p_{B4}	1.0
C	p_{C1}	p_{C2}	p_{C3}	p_{C4}	1.0

如果病人表现出的是第 3 种症状,医生诊断的决策过程为:

1)计算出现第 3 种症状的概率:

$$\pi_A P_{A3} + \pi_B P_{B3} + \pi_C P_{C3}$$

2)计算该症状在不同疾病中出现的后验概率:

$$A: \frac{\pi_A P_{A3}}{\pi_A P_{A3} + \pi_B P_{B3} + \pi_C P_{C3}}$$

$$B: \frac{\pi_B P_{B3}}{\pi_A P_{A3} + \pi_B P_{B3} + \pi_C P_{C3}}$$

$$C: \frac{\pi_C P_{C3}}{\pi_A P_{A3} + \pi_B P_{B3} + \pi_C P_{C3}}$$

3)选择后验概率最大者为诊断疾病。

对于在 2 种治疗方法中选择其中一种的决策,有 2 种决策方式。一是采用经典的假设检验方法,即给定 $H_0: \mu_1 - \mu_2 = 0$(乙疗法的疗效与甲疗法相当,选甲疗法),$H_1: \mu_1 - \mu_2 < 0$(乙疗法优于甲疗法,选乙疗法),根据两类错误的概率 α,β 决定分组试验的样本 n_1,n_2,再由试验结果的 P 值作出接受 H_0 还是接受 H_1 的决策。二是根据观察样本,分别计算 $d = \bar{x}_1 - \bar{x}_2$ 的后验概率之比

$$\frac{\alpha_0}{\alpha_1} = \frac{\pi_o f(d \mid \mu_1 - \mu_2 > 0)}{\pi_1 f(d \mid \mu_1 - \mu_2 < 0)}$$

进而得到 Bayes 因子

$$B = \frac{\alpha_0 / \alpha_1}{\pi_0 / \pi_1} = \frac{f(d \mid \mu_1 - \mu_2 > 0)}{f(d \mid \mu_1 - \mu_2 < 0)}$$

当 $B > 1$ 时,选择甲疗法;$B < 1$ 时选择乙疗法。假定 d 服从正态分布

$$N\left[\mu_1 - \mu_2, \left(\frac{1}{n_1} + \frac{1}{n_2}\right)\sigma^2\right]$$

给判定甲优于乙的标准 $\mu_1-\mu_2=\delta_{甲}$，判定乙优甲的标准 $\mu_1-\mu_2=\delta_{乙}$，则

$$B=\exp\left\{\frac{n_1 n_2}{2(n_1+n_2)\sigma^2}\left[(2d-\delta_{甲}-\delta_{乙})(\delta_{甲}-\delta_{乙})\right]\right\}$$

与经典假设检验方法相比，Bayes 因子更能反映临床决策思想，即：不是甲优于乙（$H_0:\mu_1>\mu_2$），就是乙优于甲（$H_1:\mu_1<\mu_2$）。这里没有考虑 $\mu_1=\mu_2$ 的情况，因为只有当甲、乙两疗法的疗效不同时，才会有决策的问题。

（徐勇勇）

诊断试验

诊断试验（diagnostic test）是指为评价诊断方法而进行的临床试验。按诊断项目分，诊断试验可分为单项诊断试验和多项诊断试验，多项诊断试验又可分为联合诊断试验和序贯诊断试验。按变量分，可分为单变量诊断试验和多变量诊断试验，单变量诊断试验属于单项诊断试验，多变量诊断试验既可以是单项诊断试验，也可以是多项诊断试验。按有无标准对照分，可分为标准对照诊断试验和参照诊断试验（reference test），如无特指，诊断试验一般是指前者，本条目也仅阐述前者，因关于后者的评价方法仍在探讨中。对诊断试验的最早理论评价是以 Yerushalmy(1947)提出灵敏度（sensitivity）和特异度（specificity）为标志，虽然同年 Berkson(1947)也提出了效用度（utility）和耗费度（cost）的概念，但未被广泛采纳。Youden(1950)将灵敏度和特异度综合，建立了 Youden 指数（Youden's index）。Vecchio(1966)提出的预测值（predictive value）属后验概率指标的概念，Metz 等(1973)将另一个后验概率指标信息量（information content）用于评价诊断试验，但其推断方法于近年才产生。Cohen(1960)提出的 κ 系数（kappa coefficient）方法为诊断试验评价又多了一种选择。

1 设计

诊断试验的设计有以下基本要求：1) 试验对象由样本含量够大的病例组和对照组组成。如果诊断方法主要用于到医院就诊的人群（而非社会人群的普查），那么，病例组和对照组的组成最好是随机的，这样有利于后验概率指标的应用。2) 受试个体应是用"金标准"（gold standard）所确定的患者或非患者。所谓"金标准"是指以活组织检查、手术发现、尸体解剖、长期随访、CT、核磁共振及其他一些令人信服的检查结果为诊断依据。3) 每一个体的诊断结果只能是依据试验标准判为"阳性"或"阴性"的二分类结果。

诊断试验的资料类型如表 1 和表 2 两种形式,下述定义及公式中的符号均以表 1 为准,若遇表 2 资料类型,公式中的符号应做相应改变。

<table>
<tr><th colspan="5" style="text-align:left">表 1　某试验诊断某病种的结果</th></tr>
<tr><th rowspan="2">T
(诊断结果)</th><th colspan="2">D(患病情况,例数)</th><th rowspan="2">合计</th></tr>
<tr><th>$D+$</th><th>$D-$</th></tr>
<tr><td>$T+$</td><td>a</td><td>b</td><td>$a+b$</td></tr>
<tr><td>$T-$</td><td>c</td><td>d</td><td>$c+d$</td></tr>
<tr><td>合计</td><td>$a+c$</td><td>$b+d$</td><td>n</td></tr>
</table>

<table>
<tr><th colspan="5" style="text-align:left">表 2　某试验诊断某病种的结果</th></tr>
<tr><th rowspan="2">D
(患病情况)</th><th colspan="2">T(诊断结果,例数)</th><th rowspan="2">合计</th></tr>
<tr><th>$T+$</th><th>$T-$</th></tr>
<tr><td>$D+$</td><td>a</td><td>b</td><td>$a+b$</td></tr>
<tr><td>$D-$</td><td>c</td><td>d</td><td>$c+d$</td></tr>
<tr><td>合计</td><td>$a+c$</td><td>$b+d$</td><td>n</td></tr>
</table>

诊断试验的评价指标可分为先验概率指标和后验概率指标两类,先验概率指标表示在已知受试者为患者或非患者的条件下,推测诊断结果是阳性或阴性、符合或不符合的概率。后验概率指标则是在已知诊断结果为阳性或阴性的条件下,推测受试者为患者或非患者的概率。从应用角度讲,后验概率指标较为合理。属于先验概率指标的主要有灵敏度、特异度、诊断符合率(efficiency)、κ 系数、Youden 指数、诊断指数(diagnostic index)、比数积(odds product)等。属于后验概率指标的主要有阳性预测值(positive predictive value)和阴性预测值(negative predictive value)、信息量等,现分述如下。

灵敏度　　　　　　　$S_e=P(T+\mid D+)=a/(a+c)$ 　　　　　　　　(1)
即实际患病且被诊断为患者的概率。

特异度　　　　　　　$S_p=P(T-\mid D-)=d/(b+d)$ 　　　　　　　　(2)
即实际未患病且被诊断为非患者的概率。

灵敏度和特异度最早由 Yerushalmy(1947)提出,至今仍应用最广,且为其他评价指标的计算基础。由灵敏度和特异度分别派生出另两项与其互补的指标,即漏诊率(omission diagnose rate)和误诊率(mistake diagnose rate),或称假阴性率(false negative rate)和假阳性率(false positive rate),定义为:

漏诊率　　　　　　　$\alpha=P(T-\mid D+)=1-S_e=c/(a+c)$ 　　　　　(3)
即实际患病而被诊断为非患者的概率。

误诊率　　　　　　　$\beta=P(T+\mid D-)=1-S_p=b/(b+d)$ 　　　　　(4)
即实际未患病而被诊断为患者的概率。

漏诊率与误诊率较少应用,它们之间的关系如同第一、二类错误之间的关系,因此,灵敏度和特异度亦是一对相互矛盾的指标,若提高灵敏度,将以降低特异度为代价;反之,若提高特异度,将以降低灵敏度为代价。灵敏度和特异度需同时应用,这两项指标的优点是意义直观,缺点是综合性差,例如,当一试验较另一试验的灵敏度高而特异度底,或特异度高而灵敏度底时,较难研判何试验为优。

诊断符合率　　　　　　　$e=(a+d)/n$ 　　　　　　　　　　　　　(5)
即诊断符合例数与受试总人数之比。两种诊断试验比较时,其推断方法见两个样本率的比较。但需注意,当两试验的病例组构成相差较大时,应比较其标化诊断符合率,检验公式(参照表 3 和表 4 符号)为

$$u = \frac{e_1' - e_2'}{S_{e_1' - e_2'}} \tag{6}$$

式中，e_1' 和 e_2' 分别为两试验的标化诊断符合率，

$$e_1' = \frac{\dfrac{a_1}{n_1}(n_1 + m_1) + \dfrac{d_1}{n_2}(n_2 + m_2)}{n + m} \tag{7}$$

$$e_2' = \frac{\dfrac{a_2}{m_1}(n_1 + m_1) + \dfrac{d_2}{m_2}(n_2 + m_2)}{n + m} \tag{8}$$

$S_{e_1 - e_2}$ 为标准误，见式（9）分母部分。因此，式（6）可表述为

$$u = \frac{\left(\dfrac{a_1}{n_1} - \dfrac{a_2}{m_1}\right)(n_1 + m_1) + \left(\dfrac{d_1}{n_2} - \dfrac{d_2}{m_2}\right)(n_2 + m_2)}{\sqrt{(a_1 + a_2)(c_1 + c_2)\dfrac{n_1 + m_1}{n_1 m_1} + (d_1 + d_2)(b_1 + b_2)\dfrac{n_2 + m_2}{n_2 m_2}}} \tag{9}$$

κ 系数 $\quad k = (\pi_0 - \pi_e)/(1 - \pi_e) \tag{10}$

式中，π_0 为总体的实际诊断符合率，π_e 为总体的期望诊断符合率，当 π_0 和 π_e 未知时，可用样本的 p_0 和 p_e 来估计，

$$\hat{k} = (p_0 - p_e)/(1 - p_e) = 2(ad - bc)/[(a + b)(b + d) + (a + c)(c + d)] \tag{11}$$

诊断符合率与 k 系数均属于吻合度评价（measurement of agreement）指标，k 系数取值范围在 -1 到 $+1$ 之间，k 值越大，诊断价值越高，其推断方法见 k 系数条目。

Youden 指数 $\quad J = S_e + S_p - 1 = (ad - bc)/[(a + c)(b + d)] \tag{12}$

Youden 指数为灵敏度与特异度之和减 1，取值范围在 -1 到 $+1$ 之间，J 值越大，诊断价值越高。$J = 1$ 时，说明所有诊断结果完全符合。一般认为，$J \leqslant 0$ 时，无诊断价值。两种诊断试验比较时，可用 u 检验式，即

$$u = (J_1 - J_2)/S_{J_1 - J_2} \tag{13}$$

式中，J_1 和 J_2 分别为两试验的 Youden 指数，$S_{J_1 - J_2}$ 为标准误

$$S_{J_1 - J_2} = \sqrt{\frac{a_1 c_1}{(a_1 + c_1)^3} + \frac{b_1 d_1}{(b_1 + d_1)^3} + \frac{a_2 c_2}{(a_2 + c_2)^3} + \frac{b_2 d_2}{(b_2 + d_2)^3}} \tag{14}$$

诊断指数 $\quad DI = S_e + S_p = a/(a + c) + d/(b + d) \tag{15}$

诊断指数与 Youden 指数仅相差 1，取值范围在 0 到 2 之间，其意义与 Youden 指数相同。

比数积 $\quad \Phi = [S_e/(1 - S_e)][S_p/(1 - S_p)] = (ad)/(bc) \tag{16}$

比数积适于四格表内的数均不为 0 的情况下使用，其值愈大，诊断价值越高。两比数积的 u 检验式为

$$u = \frac{\ln\Phi_1 - \ln\Phi_2}{\sqrt{\mathrm{Var}\{\ln\Phi_1\} + \mathrm{Var}\{\ln\Phi_2\}}} \tag{17}$$

其中，

$$\ln\Phi_i = \ln\left[\frac{a_i d_i}{b_i c_i}\right] \qquad i=1,2 \tag{18}$$

阳性预测值

$$PV_{pos} = P(D+ \mid T+) \tag{20}$$

$$= \frac{S_e \cdot P(D+)}{S_e \cdot P(D+) + (1-S_p)(1-P(D+))} \tag{22}$$

即诊断为患者且实际患病的概率。式中，$P(D+)$ 表示人群患病率，$P(D-)=1-P(D+)$。当 $P(D+)=(a+c)/n$ 时，上式简化为

$$PV_{pos} = a/(a+b) \tag{23}$$

阴性预测值

$$PV_{neg} = P(D- \mid T-) \tag{24}$$

$$= \frac{P(T-\mid D-)P(D-)}{P(T-\mid D-)P(D-) + P(T-\mid D+)P(D+)} \tag{25}$$

$$= \frac{S_p(1-P(D+))}{S_p(1-P(D+)) + (1-S_e)P(D+)} \tag{26}$$

即诊断为非患者且实际未患病的概率。当 $P(D+)=(a+c)/n$ 时，上式简化为

$$PV_{neg} = d/(c+d) \tag{27}$$

由阳性预测值和阴性预测值亦可派生出互补的两项指标，即

$$假阳性预测值 = 1 - PV_{pos}$$
$$= 1 - P(D+\mid T+) = P(D-\mid T+) \tag{28}$$

即诊断为患者而实际未患病的概率。

$$假阴性预测值 = 1 - PV_{neg}$$
$$= 1 - P(D-\mid T-) = P(D+\mid T-) \tag{29}$$

即诊断为非患者而实际患病的概率。

需特别指出，当 $P(D+)$ 不等于或不近似等于 $(a+c)/n$ 时，不宜用式（19）或式（23）来计算预测值。关于灵敏度、特异度、预测值和患病率四者之间的关系，Vecchio 的研究得出以下主要结论：1）当灵敏度和特异度一定时，阳性预测值与患病率成正比，阴性预测值与患病率成反比。2）当患病率一定时，阳性预测值和阴性预测值均随灵敏度和（或）特异度增大而增大。

依据信息论原理，Metz 等（1973）首先将信息量方法用于评价诊断试验，并将信息量定义为先验熵与后验熵之差，即

$$信息量\ I = 先验熵 - 后验熵 \tag{30}$$

$$I = -\sum_i P(y_i)\log_2 P(y_i) - \Big[-\sum_j P(Y_j)\sum_i P(y_i \mid Y_j)$$
$$\cdot \log_2 P(y_i \mid Y_j)\log_2 P(y_i \mid Y_j) \qquad i=1,2;j=1,2 \tag{31}$$

式中,对应于表 1,y_1 与 $D+$、y_2 与 $D-$、Y_1 与 $T+$、Y_2 与 $T-$ 含义相同。依据 Bayes 条件概率公式及上述公式,信息量又可表述为

$$
\begin{aligned}
I = &S_e \cdot p \cdot \ln \frac{S_e}{S_e \cdot p + (1-S_p)(1-p)} + (1-S_p)(1-p) \\
&\cdot \ln \frac{1-S_p}{S_e \cdot p + (1-S_p)(1-p)} + (1-S_e)p \cdot \ln \frac{1-S_e}{1-S_e \cdot p - (1-S_p)(1-p)} \\
&+ S_p(1-p)\ln \frac{S_p}{1-S_e \cdot p - (1-S_p)(1-p)}
\end{aligned}
\tag{32}
$$

当 $P = P(D+) = (a+c)/n$ 时,并根据式(1)和式(2),式(28)可表示为

$$
\begin{aligned}
I = \frac{1}{n}\Big[&a \cdot \ln \frac{an}{(a+c)(a+b)} + b \cdot \ln \frac{bn}{(a+b)(b+d)} \\
&+ c \cdot \ln \frac{cn}{(a+c)(c+d)} + d \cdot \ln \frac{dn}{(b+d)(c+d)} \Big]
\end{aligned}
\tag{33}
$$

由此可见,信息量是由阳性预测值、阴性预测值及就诊患病率三者所确定的一项综合指标,其取值范围在 0 至 1 之间。根据信息量定义,$0 \cdot \ln 0 = 0$,所以,信息量在四格表数据为 0 时仍适用。当先验熵等于后验熵时,信息量 $I = 0$,此时,患病情况与诊断结果相互独立,体现在四格表(表 1)中的实际频数等于理论频数,更一般地,当 $PV_{pos} + PV_{neg} = 1$ 时,信息量为 0。在只有病例组而没有对照组,或只有病例组而没有对照病例组的情况下,信息量亦为 0。信息量为 0 表示诊断方法未提供任何诊断信息,或曰毫无诊断价值。信息量与灵敏度、特异度、就诊患病率、诊断符合率之间的关系见附表 15。

根据近似方差公式,

$$
\mathrm{Var}\{I\} \approx \left(\frac{\partial I}{\partial Se}\right)^2 \mathrm{Var}\{S_e\} + \left(\frac{\partial I}{\partial S_p}\right)^2 \mathrm{Var}\{S_p\} + \left(\frac{\partial I}{\partial P}\right)^2 \mathrm{Var}\{p\}
\tag{34}
$$

信息量的近似方差为

$$
\begin{aligned}
\mathrm{Var}\{I\} \approx \frac{1}{n^2}\Big\{ &\frac{ac}{a+c}\left(\ln \frac{a(c+d)}{c(a+b)}\right)^2 + \frac{bd}{b+d}\left(\ln \frac{b(c+d)}{d(a+b)}\right)^2 \\
&+ \frac{(a+c)(b+d)}{n}\left[\begin{aligned} &\frac{a}{a+c}\ln \frac{an}{(a+b)(a+c)} - \frac{b}{b+d}\ln \frac{bn}{(a+b)(b+d)} \\ &+ \frac{c}{a+c}\ln \frac{cn}{(a+c)(c+d)} - \frac{d}{b+d}\ln \frac{dn}{(b+d)(c+d)} \end{aligned} \right]^2
\end{aligned}
\tag{35}
$$

两信息量的 u 检验式为

$$
u = \frac{I_1 - I_2}{\sqrt{\mathrm{Var}\{I_1\} + \mathrm{Var}\{I_2\}}}
\tag{36}
$$

对于后验概率指标的计算,均涉及到患病率(prevalence)的问题,由于准确的患病率常不易得到,所以限制了后验概率指标的应用。不过,考虑到医学诊断大多面向的是到医院就诊的人群,因此应以就诊人群为评价诊断试验的主要对象。这种情况下,如果设

计时选择的病例组和对照组的构成是随机的,即病例组的构成可以作为就诊人群患病率的估计值,那么,应用后验概率指标是可行的,但仅限于到医院就诊的人群,而且,用于两种诊断试验比较时,适合于两试验的就诊人群患病率相差不大的情况。若将后验概率指标用于社会人群(非选择人群)时,就必须用到社会人群患病率。

例1　用未稀释间接荧光法(甲方法)和边缘型间接荧光法(乙方法)诊断系统性红斑狼疮(SLE),结果见表3和表4,试①计算各项评价指标,②并比较之。

表3　甲方法的诊断结果

T	$D+$	$D-$	合计
$T+$	$156(a_1)$	$36(b_1)$	192
$T-$	$2(c_1)$	$146(d_1)$	148
合计	$158(n_1)$	$182(n_2)$	$340(n)$

表4　乙方法的诊断结果

T	$D+$	$D-$	合计
$T+$	$93(a_2)$	$4(b_2)$	97
$T-$	$113(c_2)$	$178(d_2)$	291
合计	$206(m_1)$	$182(m_2)$	$388(m)$

1)评价指标

灵敏度　　　$S_{e_1}=156/158=0.99$　　　　$S_{e_2}=93/206=0.45$

特异度　　　$S_{p_1}=146/182=0.80$　　　　$S_{p_2}=178/182=0.98$

漏诊率　　　$\alpha_1=1-S_{e_1}=1-0.99=0.01$　　$\alpha_2=1-S_{e_2}=1-0.45=0.55$

误诊率　　　$\beta_1=1-S_{p_1}=1-0.80=0.20$　　$\beta_2=1-S_{p_2}=1-0.98=0.02$

诊断符合率　$e_1=(156+146)/340=0.879$　　$e_2=(93+178)/388=0.70$

标化诊断符合率

$$e_1'=\frac{\frac{156}{158}(158+206)+\frac{146}{182}(182+182)}{340+388}=0.89$$

$$e_2'=\frac{\frac{93}{206}(158+206)+\frac{178}{182}(182+182)}{340+388}=0.71$$

Youden 指数　　$J_1=S_{e_1}+S_{p_1}-1=0.99+0.80-1=0.79$

　　　　　　　$J_2=S_{e_2}+S_{p_2}-1=0.45+0.98-1=0.43$

诊断指数　　　$DI_1=S_{e_1}+S_{p_1}=0.99+0.80=1.79$

　　　　　　　$DI_2=S_{e_2}+S_{p_2}=0.45+0.98=1.43$

比数积　　　　$\Phi_1=(156\times146)/(36\times2)=316.33$

　　　　　　　$\Phi_2=(93\times178)/(4\times113)=36.62$

κ 系数　　$\kappa_1=2(156\times146-36\times2)/(192\times182+158\times148)=0.78$

$$\kappa_2 = 2(93 \times 178 - 4 \times 113)/(97 \times 182 + 206 \times 291) = 0.42$$

信息量

$$I_1 = \frac{1}{340}\left[156\ln\frac{156 \times 340}{158 \times 192} + 36\ln\frac{36 \times 340}{192 \times 182} + 2\ln\frac{2 \times 340}{158 \times 148} + 146\ln\frac{146 \times 340}{182 \times 148}\right] = 0.387$$

$$I_2 = \frac{1}{388}\left[93\ln\frac{93 \times 388}{206 \times 97} + 4\ln\frac{4 \times 388}{97 \times 182} + 113\ln\frac{113 \times 388}{206 \times 291} + 178\ln\frac{178 \times 388}{182 \times 291}\right] = 0.147$$

2)两种诊断方法比较

根据式(9),标化诊断符合率检验的结果为$u=6.09(P<0.01)$。根据式(11)及其κ系数条目的推断方法,κ系数检验为$u=5.34(P<0.01)$。根据式(12)～式(14),Youden指数检验为$u=7.56(P<0.01)$。根据式(16)～式(19),比数积检验为$u=2.39(P<0.05)$。根据式(33)、式(35)和式(36),信息量检验为$u=6.31(P<0.01)$。可见5种检验的结果一致。

这5种方法检验效能的比较见参考文献[4]。上述几种方法均用u检验,即检验式的建立均依据中心极限定理,所以,要求样本含量够大。

2　多项诊断试验

多项诊断试验系指多个相互独立的诊断方法同时用于某一种疾病的诊断试验,有联合诊断试验(combination testing)和序贯诊断试验(sequence testing)两种形式。联合诊断试验是指受试者接受所有事先安排的k个诊断项目,所有诊断项目中有$1\sim k$项为阳性时,判为患病,否则为非患病,因此,又称并联试验(parallel testing)。联合诊断试验的目的是,在所考虑的k个诊断项目中,挑选出$a(1\leqslant a\leqslant k)$个诊断项目为最佳组合的诊断方法,这意味着要在$C_k^k + C_k^{k-1} + \cdots + C_k^1$种诊断组合中,选择一种最佳组合。例如,同时用4个诊断项目诊断肺癌,共有$C_4^4 + C_4^3 + C_4^2 + C_4^1 = 15$种组合,即4个诊断项目均为阳性有1种,3个诊断项目阳性的有4种,2个诊断项目阳性的有6种,1个诊断项目阳性的有4种。要在15种组合中选择1种最佳组合,这种组合可能是1、2、3或4个诊断项目。

序贯诊断试验是指受试者接受按一定顺序安排的k个诊断项目中的部分或全部项目,受试者从接受第一项诊断开始,结果为阳性时再接受下一项诊断,若结果仍为阳性,将继续接受再下一项诊断,直至第k项诊断;在诊断过程中,无论进行至哪一项,只要出现阴性结果,诊断过程即终止,故又称串联试验(series testing)。序贯诊断试验的目的是,在由k个诊断项目形成的$k!$种不同的顺序排列中,选择一种最佳排列。

3　诊断界点(cutoff point)的选择

由于灵敏度和特异度是一对矛盾体,因此,凡计量或半计量诊断均涉及到确定最佳诊断界点的问题。Galen和Gambino提出的对此问题的处理原则可供参考,即:1)对病情危重但治疗有积极意义,漏诊会造成不可挽回的损害而误诊不致带来严重后果的疾病,如嗜铬细胞瘤,以灵敏度愈高愈好。2)对病情重又属不治之症,误诊会产生严重后果的疾病,如多发性硬化症,以特异度愈高愈好。3)对病情重但治疗有积极意义,漏诊和误诊造成的危害相当的疾病,如心肌梗塞、红斑狼疮、糖尿病、某些血液病等,以诊断符合率愈高愈好。

确定最佳诊断界点的方法之一是应用诊断试验特征曲线（ROC 曲线，receiver operator characteristic curve），ROC 曲线是以误诊率为横轴，灵敏度为纵轴，连接各诊断界点而成的曲线（见图 1）。确定最佳诊断界点的一种主观的简便方法是，根据临床考虑在 ROC 曲线上选择一点，但此法不够精确。用信息量方法确定最佳诊断界点较为客观和精确，即在 ROC 曲线上选择一个信息量最大的点作为最佳诊断界点，但应注意，应用信息量方法的条件是病例组的构成等于或近似等于患病率。除上述依据灵敏度和特异度等指标确定最佳诊断界点外，也可能用到其他方法，如判别分析和样本剖析等方法，但效果如何，最后仍需用诊断试验的评价指标判定。

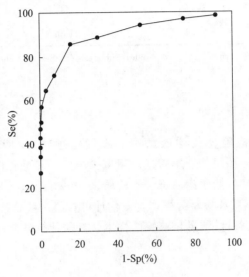

图 1   ROC 曲线图

例 2   以口服两小时后血糖水平诊断糖尿病，试验结果及 ROC 曲线见表 6 和图 1。由表 6 见，各诊断界点中最大信息量为 $I = 0.2588$，所对应的血糖水平为 6.1（mmol/L），即以此水平为最佳诊断界点，此时的灵敏度为 85.7%，特异度为 84.1%。

表 6   口服两小时后血糖水平诊断糖尿病的试验结果

血糖水平 （mmol/L）	灵敏度 （%）	特异度 （%）	信息量 （1.4472bit）
3.9	98.6	8.8	0.0146
4.4	97.1	25.5	0.0543
5.0	94.3	47.6	0.1147
5.6	88.6	69.8	0.1815
6.1	85.7	84.1	0.2588
6.7	71.4	92.5	0.2352
7.2	64.3	96.9	0.2453
7.8	57.1	99.4	0.2470

续表

血糖水平 （mmol/L）	灵敏度 （%）	特异度 （%）	信息量 （1.4472bit）
8.3	50.0	99.6	0.2104
8.9	47.1	99.8	0.2015
9.4	42.9	100.0	0.1851
10.0	38.6	100.0	0.1636
10.6	34.3	100.0	0.1424
11.1	27.1	100.0	0.1093

注：除信息量外，资料取自 Diabetes Program Guide, Public Health Service Publication. 1960：506.（假设 $n=2000, p=0.4$）

4 诊断试验样本含量估计

前述诊断试验的检验公式均依据中心极限定理建立，因此，样本含量应够大。Youden 提出病例组和对照组的样本含量均不应少于 20 例，可看作是最低要求。

两种诊断方法比较时，标化诊断符合率检验、Youden 指数检验的样本含量估计可参照率的样本含量估计；κ 系数检验的样本含量估计可参照 κ 系数条目；比数积检验的样本含量估计可参照比数比条目；信息量检验的样本含量估计较复杂，从略。

参考文献

[1] 陈平雁. 诊断试验的评价指标及其应用. 中国卫生统计,1991,8(5):53—57.
[2] 陈平雁,胡琳. 评价诊断试验的信息量方法. 中国卫生统计,1994,11(2):3—8.
[3] 陈平雁,郭祖超,胡琳. 比较两种诊断试验的统计方法. 中国卫生统计,1990,7(2):22—25.
[4] 陈平雁,王斌会,莫一心. 几种诊断试验统计方法的比较. 中国卫生统,1995,12(5):8—11.
[5] Yerushalmy J. Statistical problems in assessing methods of medical diagniosis, with special reference to X—ray techniques. Public Health Reports, 1947, 62:1432—1449.
[6] Berkson J. 'Cost utility' as measure of efficacy of test. J Am Statist Assoc, 1947, 42:246.
[7] Youden WJ. Index for rating diagnostic tests. Cancer, 1950, 3:32—35.
[8] Vecchio TJ. Predictive value of a single diagnostic test in unselected populations. N Engl J Med, 1966, 274:1171—1174.
[9] Metz CE, Goodenough DJ, Rossmann K. Evaluation of receiver operating characteristic curve data in terms of information theory, with applications in radiography. Radiology, 1973, 109:297—303.
[10] Cohen JA. A coefficient of agreement for nominal scales. Educ Psychol Measmt, 1960, 20:37— 46.

（陈平雁）

试验清洗期

试验完成后,理想的情况是能够取得完整、一致且没有错误的数据,但实际上难以做到如此完美。无论多么严密的监督系统都可能出现缺失的调查表,或表中有未回答的项,或出现互相矛盾的问题。

尽管良好的数据质量控制有助于使研究结束后的数据清理工作得以简化,但最终的数据编辑工作还是必须的。数据编辑工作应尽早进行,因为一旦实验完结,经费用尽,就很难得到全体研究人员的通力协作。在多中心实验中尤为困难,因为研究人员可能转入了其他课题。任何临床实验都会面临着对其结果的回顾、提问及审查过程。对特别感兴趣的结果,可能需要查看一下数据,并可能要进行适当的验证。因此,档案材料和文件应该做成易于提取的方式。重要数据附加文档的使用范围应视不同实验而定。在一个大的多中心实验中,应再建立一个数据协调中心。有些实验中,应再建立一个局外的专家组审核数据。有些实验中,报告主要反应变量(如死亡)作为一项常规性的过程,并向数据协调中心呈递死亡通知书。为了提供主要反应变量的文件,要求每个调查人员在随访结束时将注明死亡日期的死亡者清单递交给独立于协调中心的一个办公室。此外主要的特点在于核查工作由一个独立的小组进行。数据核查可能很费时间,可能会与研究者想尽快公布其研究结果的愿望相矛盾。重要信息的发布会不应该被无故推迟,但主要的数据没有核查之前几天不应将结果付印。

实验终结后,保存研究资料的主要理由有三个,第一是涉及毒性实验,第二是可能的审查,第三则是出于科学的考虑。在一个新实验的研究计划中,研究者可能想获得其他研究人员在类似的人群或干预的实验中没有发现的东西。类似地,在准备某种疾病自然史的回顾性论文时,研究者可能想从已发表的实验中获得更多的信息。科研论文中的图和表很难包括这些感兴趣的内容,至今尚不存在一个统一的机制获得已终结实验的这种研究资料,即使能够获得,可能也很不方便。研究者在实验结束后有责任保证相关的数据在组织形式上是易于接近的。此处不是指在研究过程中易于接近,而是指数据分析已经完成。结果也已发表之后易于接近。这样做的危险是其他研究者可能会进一步分析该数据,并对结果作出不同的解释。但对实验数据进一步分析所得到的不同解释属于科学讨论,应予支持。对一个小的单中心实验,报告其结果通常是直接的。每个受试者在实验结束或稍迟一点就可被告知结果。并通过科学报告通知医疗机构。但有时也会遇到困难。如感兴趣的部分结果出现矛盾。在多中心实验中,所有研究者要聚到一起讨论实验结果。

(曹秀堂)

随访与失访

医学随访的目的是对一个确定群体估计期望寿命和存活概率。典型的随访研究总是从一个明确规定的起点开始。如自入院之日起随访一组具有共同经历的个体。这类研究的目的可能是了解某种治疗措施。如对经过治疗的病人与未经治疗的病人或一般人群比较其期望寿命和存活概率。在临床试验设计中,需要对所有受试者观察满 T 年,称为随访时间或暴露时间。如果所有受试者作为单独的队列在相同的时刻进行观察,则实际的随访期对所有受试者都相同。然而,大多数的临床试验中,受试者进行实验的时间是错开的,则 T 年的随访期对每个受试者都有不同的确切日期或时间。

在随访期间,一个受试者可能会遇到结果,我们感兴趣的不是事件发生的实际日期,而是从进入实验到事件发生的时间间隔。对每个个体,可将其进入时间看作时间 0。

多数临床实验中,研究者对于某些受试者可能无法观察到其结果事件的发生。对这些个体来讲,随访时间或暴露时间称为删失(censored)。也就是说,在停止了临床观察后无法知道这些个体事件的发生情况。删失的另一种情况是受试者分阶段进行实验时,研究在一个共同的日期结束,这样,有些后进行实验的个体随访期就不满 T 年。这种删失的原因是管理造成的。管理失访也可能是因为已提前得到了有益或有害的结论。有些病人由于失访而未被继续研究;还有些病人可能是由于与本研究项目无关的其他原因而死亡。

对于失访的个体,对规定的项目复查无法进行,使资料不完整,如果实验组和对照组失去联系的人数不等,剔除这种个体将造成偏倚。因为随访中断的原因可能与效应有关,例如在新药疗效的试验中,不来复查的人可能是发生了不良反应,这与对照组中不来复查的原因可能不同,若一律剔除,可能产生有利于治疗组的假象。即使两组失访率相同,也不要急于做出没有偏性的结论。因为每组中失访个体的原因和结果可能完全不同。脱落(withdrawals)的个体是指注册进入随访,但在分析时没有纳入的个体。这可能会给研究结果带来偏性。研究者应确保结果的科学公正性。但这是一项困难的工作,因为没有人保证从各实验组中脱落的个体没有差别。即使各组中脱落的个体在数量上相同,脱落的原因也可能不同。常见的原因有:不合入选资格、不遵从实验要求、失访、发生竞争事件、异常值等。

失访情况还和反应变量有关。例如,如果主要的反应变量是术后生存超过 60 个月,经过精心组织和努力,失访率可以控制的很低。但如果要测量某个随访者最后 12 个月的血压,若漏掉了某些测量,在这些时刻的血压因时间已过不能再获得了。即使在以后又取得了联系,但以后的血压并不能真正反映该时的情况。

总之,调查者需要记录每个受试者的进入实验时间、事件发生时间、失访时间及研究结束时是否会因未观察到结果事件而继续随访。根据这些数据可以计算生存曲线。

(曹秀堂)

试验终结

任何临床实验都要对结束阶段制订一个合适的计划。这个阶段从第一个受试者随访结束开始,直到所有分析完成。如果研究能够正常终止,需为此阶段制订一个详细的计划。但因为有可预期的有益或有害的结果,可能需要提前中止实验,也可能仅是个别组的受试者提前中止实验,也可能仅是个别组的受试者提前停止干预。有时需要对该计划进行修改。

如果实验中对每个受试者追踪一个固定的时间段,则结束阶段至少和进行阶段有相当的时段。许多情况下要迁延数月至数年。这种一些受试者已中止实验而另一些仍在继续的情况在时间较长的实验中会出现问题。实际上经常采取在一个固定的时间点结束随访的方法。这一点不易实施时,也应压缩结束期。终止日期由两个因素确定:即最后一个受试者进入实验的日期和协议要求达到的最短随访期。因此,如果最后一个受试者是 1995 年 5 月 15 日进入实验,计划最短随访期为 3 年,则终止日期应定在 1998 年 5 月 15 日。

在相同时点结束随访有几个优点:①大多盲法实验中,每个受试者的实验编码在最后的随访中解密。而若用第一种方案,这种解盲的过程要持续数月至数年,对那些仍在随访的受试者可能无法再保持盲法实验。②研究者在受试者接受了最后一次随访后有责任给受试者提供一些是否继续接受干预的建议。如果结束期跨越了较长的时期,则这种建议只能基于不完整的追踪数据,未能考虑到实验的结论。并且某些信息可能会泄露给仍在实验中的受试者,从而影响到实验的一致性。而若受试者结束随访后要等几个月才能得到结果及建议,会使研究人员陷入尴尬的境地。再就是如果建议一个受试者开始、继续或停止一项干预,并让其他受试者仍在进行实验,这种做法是否符合伦理? ③统一的结束计划除了最后一个进入实验的受试者外,其他均接受了超过最小访问期的随访,增加了实验的把握度。如,在一个两年期的实验中,在进入实验的应征率一致的情况下,随访期平均增加一年。

最后一项访问是随访期最重要的,当主要反应是连续变量时更是如此。每个受试者在最后一项访问的反应变量值必须获得,因为它标志着随访的结束。如果反应变量是特殊事件的发生情况,如致命的心肌梗死,情况稍有不同。这种反应变量一般在整个实验中均有记载。某些情况下,这些信息可以在没完成访问的情况下获得。

如果某一受试者接受了最近一次访问,但在所有受试者接受最后访问之前发生了结束事件,研究者需决定在数据分析时是否应包括该反应变量值。最简单的解决办法是将最近一次访问作为最终随访结果。如果死亡是主要反应变量,生存状态通常确定为随访期的最后一天。尽管会有些偏性,但由于调查者并不能确定受试者在接受了本次调查后是否会在本次调查期的最后一天前死亡,只好用本次调查阶段的最后一天。

有些手段可用于追踪受试者的死亡状态。如户籍登记处、社会关系或工作单位等均可能有死亡登记。还应考虑实验及结果的完整性以及受试者同意参与实验的协议,以防泄露个人隐私。

(曹秀堂)

终结后随访

实验结束之后的随访有两种情况:一种是受试者在停止干预后即处于随访中的"冷却期"的短期随访,另一种情况是为监测可能的毒性而进行的长期随访。这种实验终结后的随访可能与研究者的道德准则发生分歧。因为在必要时,受试者应该返回常规的医疗服务系统进行治疗,并应及时对受试者采取有益的干预。冷却期力图发现自最后一次随访停止干预之后,实验值或症状以多快速度恢复到实验前的水平或状态。在实验结果呈阴性或干预不适合于非研究组使用,或有可能对继续干预做出肯定性的结论等情况下,冷却期显得特别重要。在停药后干预的影响可能持续很长时间,根据实验室测量所显露的不良反应或毒性变化可能在停止干预后数周才会消失。对某些种类的药物,如 β 阻断抗体,干预不能突然停止,而是需要用 α 剂量的药物作进一步的临床观察。

实验后随访通常是一个较为复杂的过程,首先,研究者要确定需要监测些什么指标,并可能与道德准则相冲突。通常进行长期实验后随访的目的是考察在实验中能否发现其他材料中已经发现的东西。

获得非致命性事件的有关信息通常也是较复杂的,并且这些值也可能是有问题的。对毒性验证所进行的实验后随访的一个成功例子是发现烯雌酚的严重毒性效果。服该药后 15~20 年中发现致癌的作用,并在子宫受到暴露的女性后代中有同样影响。

实验后随访的另一种目的是考察干预可能存在的有益作用。任何干预实验中,都必须考虑干预开始到效果出现的这段时间。对许多药来说,这段时间设为 0。然而,如果干预是一种降低脂肪药物或调节饮食的方法,反应变量是冠心病死亡率,则这段见效时间可能是数年。这种干预试验的问题是在随访期内等不到有益效果的出现。对这类研究应该考虑随访阶段结束后进一步监督。

在正常的随访结束后有必要进行长期监督时,需要对所监督的反应变量有所了解。监督的效果受几个因素的影响:监测时间的长短、实验地区的社区情况,调查员的责任心等。较好的做法是确定一个合适的随访时间,并将监测责任落实到人。

(曹秀堂)

实验报告

实验的最后一步是解释并报告结果。对具有挑战性的问题找出正确答案是所有研究者追求的目标。为此,研究者必须审慎地对待其结果,避免做出过头的解释。由于研究者对数据的质量和限制有着更清楚的了解,他有责任简洁、明了地表达它们,并综合考虑可能影响到解释的可能因素。

一项研究的成果在期刊上发表,并不意味着其结果或结论得到最终认可。尽管期刊通过审阅人对待发表的成果进行把关,但并不能保证审稿人对所报告的研究在设计、实验和分析等各个环节有足够的经验和知识。每个读者应该清楚地认识到,刊出的成果并不能保证总是正确的。科技文章的读者应该用批评的眼光去对待他们,做到最大限度地利用发表的结果。而作为研究者,有责任批评性地回顾其研究结果或发现,并提供足够的信息使读者能够正确地评价该项研究。

进入报告结果阶段时,临床实验与其他实验并无不同。主要包括文字要精练、仔细准备图表、清楚地表明主要和次要的问题或假设,选择反应变量的基本原理,如何进行测定和检验,辨明受试者来源情况,详细描述选入或剔除的标准等。有关受试者的囊括数据及参与实验的比例有助于评价该结果所影响的范围。并应提供干预和随访计划的原始材料,阐明其他关键性的设计特点,包括分组方法和盲法类型。样本含量的估计及其假设也是有参考价值的。需进一步回答的问题还有:①实验是否按计划进行;②如何与其他研究结果进行比较;③研究成果的临床意义。下面对这几个问题分别加以讨论。

1　实验按计划进行吗

临床实验的基本点是各对比组在初始状态下是可比的,随着时间的推移所发生的组间差别有理由认为是由干预引起的。尽管随机化是获得基准可比性的常用方法,但并不能保证已知和未知的预后因素的贡献在基准上达到均衡。基准的不均衡在小型实验中不是经常发生的,但在大型实验中是存在的。因此,基准可比性的描述是必要的。若实验是非随机的,所得结果的可靠性取决于对该基准的充分描述。对每一组,基准数据应该包括已知和可能预后因素的均数和标准差。值得注意的是,任何因素没有组间差别,并不说明组间达了平衡。在小型研究中,需要很大的差别才能达到统计显著。另一种情况是,各单独的因素虽然只有很小的差别,但如果方向相同,这些小的趋势就会产生合并效应。在评价平衡性方面,多元分析方法更具优势。当然,未知的主要预后因素对基准的均衡性影响是不确定的,要针对已观察到的基准的不均衡性对研究结果予以调整,调整和未调整时结果的差别要慎重解释。

众所周知,双盲法是临床实验设计的理想方法。它避免了反应变量的报告和评估方面的偏性。然而,很少有自始至终所有环节均达到双盲要求的实验。某个受试者的不良反应足以使研究者失盲。效果的群集现象经常影响到分组。特殊的药效(如降血压药物实验中血压的下降)出现与否也可能暴露哪个是处理组。尽管对盲法的成功与否很难评估,但进行这方面的评价还是很必要的,读者有必要了解失盲的程度。

在估计样本例数时,通常假定已考虑了不遵从率。在随访过程中,应尽最大努力维持研究中对干预的很好的依从,并对依从情况进行监督。在解释研究结果时,就可能考察初始的假设是否被实验情况所证实。如果开始时低估了不依从率,则检验主要问题的实验能力就会比计划的低。研究结果必须根据实际的把握度进行报告和讨论。不依从性在一个有益干预的实验中是不严重的。但并不是干预越有益,依从性就越好。如果受试者都按药剂量做完了实验,在干预组也可能会出现不利的或有害的效果。

另一个注意的问题是随访期内组间可比性的变化情况。在干预之外的用药、改变生活方式及接受常规的医疗服务等,均可能影响到反应变量。对这些变量应进行测量,但不调整。在出现这些情况时,对研究结果的解释要慎重。

当实验结果表明各组间的差别没有统计学意义时,可能会对检验方法提出疑问。对于其中有益的干预实验,得不出显著的统计结果可能有几种原因:干预的剂量太低或太高;施加干预的技术措施不得当;样本例数太少以致对假设的检验缺少足够的把握度;依从性方面的问题;伴随的其他干预降低应有的效果等。论文作者和读者在接受组间没有差别的结论之间,要充分考虑到这几个因素。

为了解所得结果有无局限性,需要掌握数据的完整程度。特别是在一个时间较长的实验中,比较典型的问题是研究者与部分受试者失去联系。而这些受试者通常与仍在进行实验的受试者情况不同,他们的结果事件发生率一般也不相同。要采取强有力的措施使失访的人数达到最低程度。在涉及事件发生数的实验中,太多的失访会使结果的可靠性受到怀疑。可使用"最坏情况法"进行考察,即假定实验组中失访个体的结果事件发生与否对反应变量的影响较小,而对照组中的失访者没有结果事件发生。应用该法后,如果总的实验结论没有改变,则结论得到进一步巩固。然而,如果导致了结果的改变,则实验的可靠性较低。结论的可信程度取决于由缺失信息引起结论变化的程度。

如果随机进入实验的受试者在数据分析时被撤消,其结果就会有疑问。撤消的合法性问题存在几种不同的观点。较合理的做法是在结果分析报告中用撤消和未撤消的资料分别进行分析,如果两种分析结果基本一致,则研究结果就得到了证实。而结果不一致时,研究的解释仍不明确,造成差别的原因需进一步探讨。

在评价可能有益的干预时,经常监测多个反应变量,这就带来了多重比较的问题。事实上,发现一个虚假的统计显著结果的机会随着比较次数的增多而增大。这种情况不论是对同一反应变量的重复比较还是多个反应变量组合进行检验都会发生。对此要有所认识。此处再次推荐对统计检验及结果解释采用保守的方法。进行多个比较时,在作相差显著的结论前采用更为极端的统计量。研究报告的读者要了解在实验和分析阶段进行了多少次比较。对于那些将连续变量转化为二分类变量处理的结果的解释也应多加注意。

实验的主要目标是回答主要问题。有时可能对涉及的某个次要问题发生兴趣,此时要合理处理其比例关系。要考察主要反应变量的结果是否一致,如果不一致,应努力去解释这种差别。

无论报道中所称的干预效果如何,有没有统计显著性,总还存在一些不确定性。因为实验仅仅是所研究总体的一个样本。不确定性要通过观察到的组间差别与差别的标准误一起表达。也可用可信限来表达。例如,差数加减2倍的标准误得到近似的95%可信区间,这样就有95%的信度确认组间真正的差别在该范围内。

2 如何与其他研究结果比较

临床实验的结果最终要放到当前的知识背景中去检验。这些研究成果及干预的作用机制与基本的科学知识是否一致是一个根本性问题。若能对干预的作用机制进行证明是很理想的。当实验结果可以用已知的生物学原理解释时,结论便得到进一步支持。在相似的人群中施加类似的干预或相同的干预,且彼此独立的实验中,得到一致结论的实验数越多,研究结果的可信度越强。研究中出现不一致的结果并非罕见。这时研究者和读者面临的问题是判断干预的真正效果,并进一步研究差别的程度和原因。在实验报告中提供可信限有助于读者进行多个实验结果的比较,从而可以容易地判定不同实验的结果是否一致。

3 研究结果的临床效果

任何临床实验的结果仅能严格应用于参与该实验的受试者。在进一步推广之前必须圆满地回答两个问题:抽取的研究样本能够代表研究总体吗?在实验范围之外干预的应用能够产生相同的反应吗?之后再建议将实验结果用于可能与实验标准不符的一般人群。读者应该识别这种推断是否合适。

对于干预本身也存在类似问题。药物实验中,剂量反应关的问题是经常遇到的。更大药物剂量会得出不同的结果吗?对具有相似结构和药理作用的其他药物能够做出相同的要求吗?干预结果能够进行更广泛的推广吗?例如,所有减少脂肪的方法(饮食、药物、手术)与检验降低血清胆醇以减少冠心病发病这样一个基本的假设等价吗?还是结果随不同的干预方式而改变?

最后,实验报告也应提到研究成果的社会和医学效果。可以挽救多少生命,会增加多少个工作日,症状能否减轻等。经济意义也是很重要的,任何效益必须考虑到常规医疗实践中的代价和使用的方便性,而不能受临床实验中的特定条件所限制。

(曹秀堂)

纳入标准与剔除标准

在临床试验研究中,要根据研究的目的、要求等选择一定的病例作为试验对象。而医学研究个体差异较大,研究条件难以严格控制,研究结果容易受与研究因素伴随存在的其他非处理因素的干扰而发生变化。为保证试验结果准确,在明确诊断标准(诊断标准一般由学科界性、全国性或地区性学术会议制定)的基础上,试验前要进一步明确受试者的纳入标准(inclusion criteria)与剔除标准(exclusion criteria)。在确定纳入标准与剔除标准时应注意以下几点:

1)一般用对干预措施反应较敏感的病人作为研究对象,以便容易获得阳性结果并避免无反应对象的干扰。如做慢性气管炎患者细胞免疫与机体防卫功能的研究,除了按慢性气管炎标准选择病例外,还要排除诸如近期应用免疫制剂病人、长时间用人胚液或人参液的病人。

2)干预措施对某种特殊人群有害的,该人群应作为剔除对象。如许多药物对妊娠有影响,不宜选孕妇作为药物试验对象(除非研究孕期用药)。

3)当病人患有另一种影响疗效的疾病时,不宜选作研究对象。

4)纳入标准与剔除标准应形成文字条文,让所有参与研究的科研人员都知道,以便执行和检查。同时,总结研究成果时,亦应说明纳入标准与剔除标准,以便他人引用参考,并为今后的研究对比提供条件。

参考文献

[1] 倪宗瓒. 卫生统计学. 4 版. 北京:人民卫生出版社,2000:150-152.
[2] 郭祖超. 医学统计学. 北京:人民卫生出版社,2000:148.

(王 玖)

知情同意

临床试验通常是为了寻找更安全有效的治疗药物。由于人体与动物之间在药物反应性及药物代谢动力学上的种属差异,在将动物实验结果移至人体试验时,可能出现不良反应,冒一定的风险。这时必须保证受试病人的安全,保障他们的合法权益。1996 年在南非召开的第 48 届世界医学大会所修订的赫尔辛基宣言 II(指导医师进行人体生物医学研究的建议)是进行临床试验必须遵循的准则。宣言指出,在做临床试验时,研究者必须得到受试者的知情同意(informed consent),最好是书面形式的,即研究者必须向受试者说明有关临床试验的详细情况,包括研究的目的、方法、预期的利益、潜在的伤害及可能引起的不适;必须向受试者讲明他们有决定是否参与的自由,并且在任何时候均可退出试验而不受到歧视和报复,个人资料受到保密等。征求研究对象同意时,医师要特点注重受试者和医师是否处于一种从属关系或是否被迫同意。如果有这种情况,则应由不参与这一研究,与这种关系无关的医师来取得同意;如受试者尚未符合法律资格,则应按照国家立法从合法的监护人处取得同意;如果由于受试者身体或精神的原因无法取得其同意时,则应按照国家法律,从负责的亲属处获得同意;如果医师认为根本不需要取得病人的知情同意,则应将这一提议的特殊理由在研究方案中说明并递交给独立的伦理委员会。

参考文献

[1] 方积乾,徐勇勇,苏炳华. 医学统计学与电脑实验. 北京:人民卫生出版社,1998:144.
[2] 刘建平,凌泰俊. 临床科研方法—理论与实践. 北京:军事医学科学出版社,2000:6—8.

(王 玖)

预后因素

　　疾病的自然发展过程受众多因素的影响而会有所变化,凡能影响疾病预后发展变化的因素统称为预后因素(prognostic factor)。预后研究的目的是确定哪些是可能的预后因素,哪些是有利因素,哪些是不利因素,进而发挥利用有利因素,排除、预防不利因素,以改善预后。影响疾病预后的因素是复杂的,一般与下列三方面共性因素有关:①疾病特性与程度:不同性质疾病的预后是不同的,有些疾病不经治疗亦可自愈,如普通的上呼吸道病毒感染。有些疾病虽病情严重,但经过有效治疗预后也是良好的,如急性细菌性感染性疾病。疾病的早、中、晚期,病变部位,临床分型等均与预后有关。一般说来,病情越重,预后越差。②患者一般情况:患者的年龄、性别、体质营养水平、免疫功能、文化水平、心理状态以及生活习惯等因素,对大多数疾病的预后都有一定的影响。③医疗干预措施:改善疾病预后的一切医疗活动,如医疗设备完善与否、医务人员的医术水平及医院的管理水平等决定了诊断的正确性、治疗的有效性与及时性，对预后有重要影响。疾病不同，预后因素的影响程度有所不同，有一定的特殊性。

疾病预后因素的研究方法：①设计方案：预后因素以已患病的病人或接受某致病因素暴露而有可能发病的潜在病人为研究对象。可采用队列研究、描述性研究、病例对照研究、试验研究等研究方法。其中，队列研究最为常用，可用来研究有关患者的一般情况及治疗措施等对预后的影响及程度。②疾病预后评价常用指标：常用率来表示，如病死率、缓解率、复发率、存活率等。③分析方法：由于用率无法表示患者在任一时点平均发生某种结局的可能性大小，可用生存分析来研究预后因素与生存时间的联系及其程度，分析有结局的生存时间数据及无结局的截尾数据而充分利用研究信息。常用的有寿命表法、直接法、生存曲线法及 COX 回归模型等。因研究的预后因素往往有很多个，还可采用多元统计方法，如 logistic 回归分析等。

参考文献

[1] 贺石林，陈修. 医学科研方法导论. 北京：人民卫生出版社，1988：434－436.
[2] 刘建平，冷泰俊. 临床科研方法—理论与实践. 北京：军事医学科学出版社，2000：66－76.

（王 玖）

多中心试验

多中心试验（multicentre clinical trials），系指由一个或多个单位的研究者总负责，多个单位的研究者合作，按同一试验方案进行的临床试验。

采用多中心试验的优点是：①多个研究单位参与试验，可以扩大样本容量。一个医疗单位在规定的时间内很难招到足够数量的合格受试对象，而多个单位的共同参与则收集病例快、多，完成试验时间短；②试验涉及多个中心的医务人员和受试者，所得结论有广泛的代表性。单个试验单位因所接受试验对象特征（如年龄、人种、社会经济状况等）的限制，试验结果的代表性较差，扩大范围时结论有可能不一致；③能集思广益，提高试验设计、试验的执行和结果的解释水平。因此此种试验在药物临床试验中被广泛应用。而且，我国卫生部颁发的"新药审批办法"（卫药字（85）第43号）中规定，每种新药的临床研究医院不得少于3个。这就要求我国的新药临床试验必须是多中心试验。

由于多中心试验涉及多个医疗单位和多个医务人员，因此，在实施试验时必须注意以下几点：①必须统一组织领导，制定执行一个共同研究设计方案，并以此指导整个试验。要求各中心研究人员明确试验目的,受试对象的确诊尽量采用金标准,统一选入、剔除和评价标准,试验前研究人员要统一培训,试验过程要有监督措施。②一般情况下要有试验的中期分析,以检查试验执行与进展情况,初步进行试验分析,并且可根据存在的问题采取相应措施,确保试验达到目的。③各中心的实验对象数一般不少于 20 例,且每组病例的比例与总样本的比例大致相同,以保证各中心齐同可比。④当主要指标易受主观影响时,需进行一致性检验。若各中心实验室化验结果有较大差异或参考范围不同时,需采用一定措施取得一致的数值,如统一由中心实验室检验,进行检验方法和步骤的统一培训和一致性测定。⑤试验结果统计处理时,若处理方法和地点(各中心)有交互作用发生,要对可能存在的问题作仔细观察和解剖,以找出原因。

参考文献

[1]　苏炳华. 新药临床试验统计分析新进展. 上海:上海科学技术文献出版社,2008:8-13.

[2]　徐勇勇. 医学统计学. 北京:高等教育出版社,2001:138.

[3]　贺石林,陈修. 医学科研方法导论. 北京:人民卫生出版社,1988:422-423.

（王　玖）

样本含量估计的条件

样本含量或称样本大小(sample size),直接关系着研究工作的规模,涉及研究工作经费、人力物力和时间的安排,是研究工作者必须着重考虑的问题之一。样本含量估计是实验设计中重复(replication)原则的具体实施。一般来说,样本含量越大,即重复的次数越多,就越能反映出客观事物的统计规律性及真实情况。但样本含量并非多多益善。因为样本过大,既造成不必要的浪费,又延长研究周期,所以不可一概排斥小样本。所谓样本含量估计,就是要求在保证研究结论具有一定可靠性的条件下,确定最少的实验单位数。

样本含量估计是一个比较复杂的问题,同诸多因素有关,某个条件的略微变化,就可能使估计的结果相差较大。估计样本含量的方法,可按公式计算或查工具表。但不同的参考书上计算公式与工具表可能不一样,以致对同一问题可能得到的结果也不同。所以,无论计算或查表的估计结果都只是一个近似值。

估计样本含量时,必须明确以下条件:

1)检验水准即Ⅰ型错误的概率 α 在统计推断中,一般采用在 $\alpha=0.05$ 或 $\alpha=0.01$ 的水准处拒绝或不拒绝检验假设 H_0。要求 α 愈小,所需例数愈多。

2)检验效能即把握度$(1-\beta)$。β 为 Ⅱ 型错误的概率。$(1-\beta)$ 是在特定的 α 水准下,若总体间确实存在差异,该次实验能发现此差异的概率。检验效能可用小数或百分数表示,常取 0.99,0.95,0.90,0.80,不宜低于 0.75。要求$(1-\beta)$越大,所需例数越多。

3)差值或容许误差 d。在实际应用中,差值是指样本均数与总体均数$(\overline{x}-\mu)$、两样本均数$(\overline{x}_1-\overline{x}_2)$、两样本率$(P_1-P_2)$和样本率与总体率$(P-\pi)$之差等。这需要根据专业知识来确定,即规定各比较组间差异显著时希望的最小差值是多少。要求 d 愈小,所需例数愈多。

4)用单侧检验或双侧检验。这也是根据专业知识来确定的。同一实验,用单侧检验比用双侧检验所需例数少些。但选用单侧检验时要谨慎,在专业上必须有充分的理由。

5)观测指标的平均水平与变异度。这就是要事先了解一些数值,如平均数$(\overline{x})$、标准差(s)或样本率(P)等。通常是通过预备实验或查阅文献而获得其估计值。变异大者,所需例数多。

概括地讲,按如此确定的样本例数做实验,若总体参数间确实相差,则预期有 $1-\beta$ 的概率,在 α 检验水准处得出有显著的结论。

(尹全焕　易　东)

总体均数区间估计样本含量

当总体标准差 σ 已知时,按公式(1)计算;σ 未知时,按公式(2)计算。实验工作中 σ 常是未知的,所以公式(2)最为常用。

σ 已知
$$n=\left(\frac{u_a\sigma}{\delta}\right)^2 \tag{1}$$

σ 未知
$$n=\left(\frac{t_a s}{\delta}\right)^2 \tag{2}$$

上式中:n 为所需样本含量;δ 为容许误差,即规定样本均数与总体均数间的容许差值,一般取所求总体均数的$(1-\alpha)$可信区间间距的二分之一;s 为总体标准差的估计值。当确定 α 后,u_a 与 t_a 均可由 t 界值表自由度 $\nu=\infty$ 的一行查得,并用双侧概率,即查表中的 $P(2)$ 行。将各数值代入公式(2)后,若求得的 n 较小(如 $n<30$),或要求准确,可用尝试法继续求 n。

例 经初步调查,某市 18 周岁男性青年身高的标准差为 5.92cm,现拟进一步了解该市 18 周岁男性青年身高之总体平均水平,若规定误差 δ 不超过 0.5cm,取 $\alpha=0.05$,试分别用计算法与查表法估计需要调查多少人?

1)计算法。已知 $\alpha=0.05$,则 $t_{0.05,\infty}=1.96$,$s=5.92$cm,$\delta=0.5$cm,代入公式(2)得,

$$n=\left(\frac{1.96\times5.92}{0.5}\right)^2\approx539$$

即需要调查 539 人。因 $n>30$，不必再推算。

2）查表法。附表 16 与附表 17 均为对平均数作抽样调查时的所需样本含量便查表，分别适用于 $\alpha=0.05$ 和 $\alpha=0.01$。表左框与上框为 s/δ 比值，表内为样本例数 n。

本例 $s=5.92\text{cm}$，$\delta=0.5\text{cm}$，则 $s/\delta=5.92/0.5\approx11.8$。因 $\alpha=0.05$，故查附表 16，得 $n=541$（人），同计算结果很接近。

（尹全焕　易　东）

总体率区间估计样本含量

总体率区间估计的样本含量（determination of sample size for the confidence interval of a population rate）是指按照一定估计精度要求用样本率估计总体率时所需的最小样本数。当对实验（试验）结果的精确度有较高的要求时，比如说在筛选出来的几种或十几种疗效较高的药物，或几种较好的疗法等，进一步确定其样本阳性数（如救活数、治愈数、有效数、检出数等）范围时，则所需的样本（动物、人）就应该多些。到底需要多少样本合适？根据二项分布的理论，利用总体率的置信限区间，可以确定所需样本含量的数目。

其方法是根据已知的某药物（某疗法等）的真正疗效，及想要确定该药物（或疗法等）疗效率的 95％或 99％置信限的范围，查附表 18"总体率区间估计所需样本数表"，即可估计出所需样本含量。

例 1　已知筛选出某一药物的疗效率为 80％，现想确定该药物疗效率的 95％的置信限为 84％以上，问至少需用多少只动物？

查附表 18 得实验样本数 300 所在的横行与 $P=80\%$ 的 95％置信限所在的纵列交会处，左侧的数字为 226，右侧的数字为 254（$254\times300=85\%$）。结论：该实验至少用 300 只动物，才能达到 95％的置信区间的总体率为 84％以上的要求。

例 2　已知某生物制品免疫接种有效率为 90％，想要确定该生物制品免疫有效率的 99％置信限为 95％以上，问至少需多少例样本？

查附表 18 得实验样本数 190 所在的横行与 $P=90\%$ 的 99％置信限所在的纵列交会处左侧的数字为 160，右侧的数字为 182（$182\times190=96\%$）。结论：该试验至少需用 190 例样本，才能达到 99％的置信区间的总体率为 95％以上的要求。

（黄先敬　王　彤）

样本均数与总体均数比较样本含量估计

1 计算法

样本均数与总体均数比较所需样本含量用公式（1）进行计算

$$n=\left(\frac{u_\alpha+u_\beta}{\delta/\sigma}\right)^2+\frac{1}{2}u_\alpha^2 \tag{1}$$

式中：n 为所需样本含量，其中配对设计时 n 为对子数；σ 为总体标准差估计值；$\delta=\mu_1-\mu_0$ 为容许误差（研究者提出的差值，μ_0 为已知的总体均数，μ_1 为实验结果的总体均数）；u_α 和 u_β 分别为与检验水准 α 和 II 型错误概率 β 所对应的 u 值，由 u 界值表查得。α 有单侧和双侧之分，β 只取单侧值。实际工作中，在未指定 δ 情况下，可对 δ/σ 进行适当假定来计算样本含量 n，如假定 $\delta/\sigma=0.1$；在指定 δ 情况下，用样本标准差 S 代替 σ。

例 某医师研究某新药治疗高血压的疗效，预测试验结果：治疗后比治疗前舒张压差值的标准差为 2.7kPa。现要做正式临床试验，且要求舒张压下降 1.3kPa 才算该药有实际疗效，问需要多少病人进行正式临床试验？

本例用单侧检验，$\delta=1.3\text{kPa}$，$S=2.7\text{kPa}$，$\delta/\sigma=1.3/2.7=0.48$，单侧 $\alpha=0.05$，$u_{0.05}=1.645$；$\beta=0.10$，$u_{0.1}=1.282$。代入公式得

$$n=\left(\frac{1.645+1.282}{1.3/2.7}\right)^2+\frac{1}{2}\times1.645^2=38.3$$

故可以认为需要治疗 39 例病人便可以使服药前后血压下降差别有统计学意义。

2 查表法

可根据研究的目的，确定好单双侧 α，$(1-\beta)$ 及 δ/s 查附表 19"样本均数比较时所需样本数表"即可。

如上例中，单侧 $\alpha=0.05$，$\beta=0.10$，$1-\beta=0.90$，$\delta/\sigma=1.3/2.7=0.48$，查附表 19 得 $n=40$（如附表中无 $\delta/\sigma=0.48$ 对应的值，可用插入法估算，即取 δ/σ 为 0.45 和 0.50 分别查得的值 44、36 进行估算），与计算结果相近。

参考文献

[1]　杨树勤.中国医学百科全书:医学统计学.上海:上海科学技术出版社,1985:52.
[2]　蒋知俭.医学统计学.北京:人民卫生出版社,1998:234.
[3]　孙振球.医学统计学.3 版.北京:人民卫生出版社,2010:540.

（相　静　王　玖）

样本率与总体率比较样本含量估计

1　计算法

样本率与总体率比较样本含量估计时可按公式(1)进行计算。

$$n = \frac{\left[u_\alpha \sqrt{\pi_0(1-\pi_0)} + u_\beta \sqrt{\pi_1(1-\pi_1)}\right]^2}{(\pi_1-\pi_0)^2} \tag{1}$$

式中,n 为所需样本含量,π_0 为已知总体率,π_1 为预期实验结果的总体率,u_α、u_β 分别为检验水准 α、Ⅱ类错误概率 β 相对应的 u 值,其值可由 u 界值查得。u_α 有单双侧之分,u_β 只取单侧值。该法又有二种情况,一种是已知 π_0 和 π_1 的大小(见例 1);一种是不能确定 π_0 比 π_1 大还是小时(如例 2)。

1)已知 π_0 和 π_1 大小。

例 1　某种外科手术对某种病的治愈成功率为 80％,但这种手术所需条件、费用较高。某医院发明了一种简单的手术治疗该病,治愈成功率达到了 70％,为检验该新疗法,给定 $\alpha=0.05$、$\beta=0.10$,问需要治疗多少病例?

解:本例 $\pi_0=0.8$,$\pi=0.70$,双侧 $\alpha=0.05$,$u_{0.05}=1.960$;$\beta=0.10$,$u_{0.10}=1.282$,代入公式(1),得

$$n = \frac{\left[1.960 \sqrt{0.80(1-0.80)} + 1.282 \sqrt{0.70(1-0.70)}\right]^2}{(0.70-0.80)^2}$$

$$=188.1, 取 \ n=189$$

2)双侧检验不能确定 π_1 比 π_0 大还是小时,则以 π_1 大于 π_0 和 π_1 小于 π_0 进行两次计算,以较大者确定样本例数,如例 2。

例 2　某种传统药治疗高血压的有效率为 80％。某医师研制了一种新的降高血压的药物,声称该药与传统药有相当的有效率。为验证该新药的疗效,需要多大的样本含量才能发现 10％或以上有效率的差别? 给定 $\alpha=0.05$、$\beta=0.10$。

解：$\pi_0 = 0.8$，双侧 $\alpha = 0.05$，$u_{0.05} = 1.960$；$\beta = 0.10$，$u_{0.10} = 1.282$。

当 π_1 大于 π_0 10 个百分点即 $\pi_1 = 0.90$ 时，由公式（1），得

$$n_1 = \frac{\left[1.960 \sqrt{0.80(1-0.80)} + 1.282 \sqrt{0.90(1-0.90)} \right]^2}{(0.90-0.80)^2}$$

$$= 136.6，取 \ n_1 = 137$$

当 π_1 小于 π_0 10 个百分点即 $\pi_1 = 0.70$ 时，由公式（1），得

$$n_2 = \frac{\left[1.960 \sqrt{0.80(1-0.80)} + 1.282 \sqrt{0.70(1-0.70)} \right]^2}{(0.70-0.80)^2}$$

$$= 188.1，取 \ n_2 = 189$$

$n_2 > n_1$，故取 189 例作为样本估计所需含量。

2　查表法

以上样本含量亦可直接查表获得。单侧检验可以 α、β、π_0、π_1 的值直接查附表 20"样本率与总体率比较样本含量估计（单侧）"；双侧检验根据 α、β 的值，以列 π_0（若 π_0 大于 0.5，则取 $1-\pi_0$）的值及行 π_1 与 π_0 差的绝对值 $|\pi_1-\pi_0|$ 查附表 21"样本率与总体率比较样本含量估计（双侧）"。如例 2，查附表 21，以列 1 $\pi_0 = 1-0.80 = 0.20$，行 π_1 与 π_0 差的绝对值 0.10 查得，$n = 189$。

由附表 20 和附表 21 可以看出，π_1 与 π_0 相差越大，所需样本含量越少。

另外，样本率与总体率比较样本含量估计（大样本）时，亦可用式（2）进行近似估算

$$n = \pi_0(1-\pi_0)\left(\frac{u_\alpha + u_\beta}{\delta} \right)^2 \tag{2}$$

式中，$\delta = \pi_1 - \pi_0$，其他字母意义同式（1）。

对于例 1，由公式（2）算得。

$$n = 0.80 \times (1-0.80) \times \left(\frac{1.960+1.282}{0.1} \right)^2 = 168.2，取 \ n = 169，与以上计算结果相差不太大。$$

参考文献

［1］ Stantly L，David W. Hosmer J，et al. 卫生研究中样本含量的确定．周利锋，高尔生，译．上海：复旦大学出版社、上海医科大学出版社，2001：1-7.

［2］ 徐勇勇．医学统计学．北京：高等教育出版社，2001：134.

（王　玖）

两样本均数比较样本含量估计

1　计算法

两样本均数均数比较所需样本含量用公式(1)进行计算

$$n_1 = n_2 = 2 \times \left(\frac{u_a + u_\beta}{\delta / \sigma} \right)^2 + \frac{1}{4} u_a^2 \tag{1}$$

式中 n_1 和 n_2 分别为两样本所需样本含量,一般假定两样本相等;σ 为总体标准差估计值(假设两总体标准差相等);$\delta = \mu_1 - \mu_2$ 为两均数之差值;u_a 和 u_β 分别为与检验水准 α 和 II 型错误概率 β 所对应的 u 值,由 u 界值表查得。α 有单侧和双侧之分,β 只取单侧值。实际工作中,在未指定 δ 情况下,可对 δ / σ 进行适当假定来计算样本含量 n,如假定 $\delta / \sigma = 0.1$;在指定 δ 情况下,用样本标准差 S 代替 σ。

例　某医院内科欲对新降压药 A 与标准降压药 B 的疗效观察比较。已知 B 药能使血压平均下降 2.7kPa,期望 A 药能平均下降 3.3kPa,若降压值的标准差为 0.8kPa,α 取 0.05,β 取 0.10,问需观察多少例病人?

本例用单侧检验,$\delta = 3.3 - 2.7 = 0.6$kPa,$\sigma = 0.8$kPa,$\delta / \sigma = 0.6/0.8 = 0.75$;单侧 $\alpha = 0.05$,$u_{0.05} = 1.645$;$\beta = 0.10$,$u_{0.1} = 1.282$。代入公式(1),得

$$n = 2 \times \left(\frac{1.645 + 1.282}{0.6/0.8} \right)^2 + \frac{1}{4} \times 1.645^2 = 31.2 \approx 32$$

故每组需要观察 32 例,两组共需 64 例病人。

2　直接查表法

可根据研究目的,确定好单双侧 α,算出 $(1-\beta)$ 及 δ / σ 的值,根据 α,$(1-\beta)$ 及 δ / σ 查附表 22 "两样本均数比较所需样本例数"即可。

如上例中,单侧 $\alpha = 0.05$,$\beta = 0.10$,$1 - \beta = 0.90$,$\delta / s = 0.6/0.8 = 0.75$,查附表 22 得 $n = 32$ 与计算结果相同。

参考文献

[1]　杨树勤. 中国医学百科全书:医学统计学. 上海:上海科学技术出版社,1985:52.

[2]　李竹,郑俊池. 新编实用医学统计方法与技能. 北京:北京医科大学出版社,1997:181.

[3] 金丕焕. 医用统计方法. 3 版. 上海:复旦大学出版社,2009.560.

（相　静　王　玖）

两样本率比较样本含量估计

1 计算法

按式(1)进行计算

$$n_1 = n_2 = 1641.6 \times \left(\frac{u_\alpha + u_\beta}{\sin^{-1}\sqrt{P_1} - \sin^{-1}\sqrt{P_2}} \right)^2 \tag{1}$$

式中,n_1、n_2 分别为两样本所需样本含量;P_1、P_2 分别为两总体率的估计值;u_α、u_β 分别为检验水准 α 和第 Ⅱ 类错误的概率 β 相对应的 u 值,由 u 界值表查得。

例 某药物研究所研究某种新药对某病的治疗效果,以某旧药为对照。初步试验得新药的有效率为 85%,旧药的有效率为 70%。现拟进一步做试验,设 $\alpha = 0.05$,$\beta = 0.10$,问每组至少需要多少病例?

解:本例用双侧检验,$P_1 = 0.85$,$P_2 = 0.70$,查 u 界值表,得 $u_{0.05} = 1.960$,单侧 $u_{0.10} = 1.282$,代入式(1),得

$$n_1 = n_2 = 1641.6 \times \left(\frac{1.960 + 1.282}{\sin^{-1}\sqrt{0.85} - \sin^{-1}\sqrt{0.70}} \right)^2 = 158.8$$

即每组需要 159 例,两组共需 318 例。

2 直接查表法

两样本率比较所需样本含量,单侧检验查附表 23"两样本率比较所需样本例数(单侧)",双侧检验查附表 24"两样本率比较所需样本例数(双侧)"。如果较小率大于 50%,则计算 $q = 1 - P$,用 q_1、q_2 的较小者查表,$\delta = P_1 - P_2$。上例中,较小者为 70%,大于 50%,$q_1 = 1 - 85\% = 15\%$,$q_2 = 1 - 70\% = 30\%$,$\delta = 85\% - 70\% = 15\%$,较小者为 15%,查附表 24,$\alpha = 0.05$,$\beta = 0.10$,$1 - \beta = 0.90$,得 $n = 160$ 例,与计算结果相近。

表 1 正态分布的界值表

α 或 β	单侧 u 值	双侧 u 值
0.001	3.090	3.290
0.002	2.878	3.090
0.005	2.576	2.807
0.010	2.326	2.576
0.020	2.058	2.326
0.025	1.960	2.242
0.050	1.645	1.960
0.100	1.282	1.645
0.200	0.842	1.282

参考文献

[1] 杨树勤. 中国医学百科全书:医学统计学. 上海:上海科学技术出版社,1985:52.

[2] Stantly L, David W, Hosmer J, et al. 卫生研究中样本含量的确定. 周利锋,高尔生,译. 上海,复旦大学出版社、上海医科大学出版社,2001:7-13.

（王　玖）

多组样本均数比较样本含量估计

1 计算法

多个样本均数比较时每组所需例数可按式(1)计算:

$$n = \psi^2 \left(\sum_{i=1}^{k} s_i^2/k \right) / \left[\sum_{i=1}^{k} (\bar{x}_i - \bar{x})^2/(k-1) \right] \tag{1}$$

式中,n 为各样本所需例数,$\bar{x}_i$ 和 s_i 分别为第 i 样本的均数标准差的初估值,$\bar{x} = \sum_{i=1}^{k} \bar{x}_i/k$,$k$ 为组数。ψ 值由附表 25"ψ 值表"查得。先以 $\alpha,\beta,\nu_1 = k-1,\nu_2 = \infty$,查得 ψ,代入式(1)中求得

$n_{(1)}$，第二次由 $\nu_1=k-1,\nu_2=k(n_{(1)}-1)$ 查 ψ 值表，代入式（1）中求 $n_{(2)}$，仿此进行，直至前后两次求得结果趋于稳定为止，即得所求样本例数。以上为随机设计时 ψ 值的求法，当随机区组设计时，第一次 $\nu_2=(k-1)(n-1)$，且式（1）中 $\sum_{i=1}^{k}s_i^2/k$ 用误差均方代替。

例 1 某医生观察三种降压药的降压效果，经预试验测得各药物治疗后血压下降的均数分别为 18.5 mmHg，13.2 mmHg 和 10.4 mmHg，标准差分别为 11.8 mmHg，13.4 mmHg 和 9.3 mmHg。若要求 $\alpha=0.05,\beta=0.1$，问各组需观察多少例？

本例：

$$\bar{x}_1=18.5,\quad \bar{x}_2=13.2,\quad \bar{x}_3=10.4;$$
$$S_1=11.8,\quad S_2=13.4,\quad S_3=9.3;$$
$$\alpha=0.05;\quad \beta=0.1$$
$$\bar{x}=(18.5+13.2+10.4)/3=14.0$$

$$\sum_{i=1}^{k}(\bar{x}_i-\bar{x})^2=(18.5-14.0)^2+(13.2-14.0)^2+(10.4-14.0)^2=33.85$$

$$\sum_{i=1}^{k}s_i^2=11.8^2+13.4^2+9.3^2=405.29$$

以 $\alpha=0.05,\beta=0.1,\nu_1=k-1=3-1=2,\nu_2=\infty$ 查附表 25 " ψ 值表"，得 $\psi_{0.05,0.1,2,\infty}=2.52$，代入式（1）：

$$n_{(1)}=2.52^2\times(405.29/3)/[33.85/(3-1)]=50.7\approx51$$

再以 $\alpha=0.05,\beta=0.1,\nu_1=k-1=3-1=2,\nu_2=k(n_{(1)}-1)=3\times(51-1)=150$ 查附表 25，因表中 ν_2 无 150 值，故取近似值 $\nu_2=120$，得 $\psi_{0.05,0.1,2,120}=2.55$，代入式（1）：

$$n_{(2)}=2.55^2\times(405.29/3)/[33.85/(3-1)]=51.9\approx52$$

两次结果相近，故可认为每组需要观察 52 例。

2 查表法

可利用附表 26 "多组样本均数比较时样本含量估计用表"估计多组均数比较时各组的样本含量，这时需已知各组的均数及标准差（完全随机设计）或组内标准差（随机区组设计），且须先确定 f 值，$f=\dfrac{\sigma_k}{\sigma}$，其中，$\sigma_k$ 为 k 组均数的标准差，公式为：

$$\sigma_k=\sqrt{\sum_{i=1}^{k}(\bar{x}_i-\bar{x})^2/k} \tag{2}$$

其中，$\bar{x}_i$ 表示第 i 组均数，$\bar{x}$ 表示总均数。σ 为组内标准差，当 σ 未知时，也可用 k 组的合并标准差来代替，公式为

$$s_{合并}=\sqrt{\sum_{i=1}^{k}(n_i-1)s_i^2/(\sum_{i=1}^{k}n_i-k)} \tag{3}$$

其中，S_i 为第 i 组标准差，n_i 为预试验时第 i 组例数。

例 2 比较 5 个不同处理对实验动物体重变化的影响，由预实验知，5 组动物（每组 10 只）第 10 日体重增量的均数及标准差分别为 $29.1\pm13.1, 12.3\pm17.0, 22.0\pm7.4, 23.4\pm 10.7, 30.9\pm14.5$，根据经验选择 $\alpha=0.05, 1-\beta=0.80$，试估计本研究所需样本含量。

由题可知 $\alpha=0.05, 1-\beta=0.80, k=5$，要根据附表 26 估计样本例数，只要求出 f 值然后查表即可，所以

步骤 1：求 $f=\dfrac{\sigma_k}{\sigma}$。因 σ 未知，所以要用 5 组的合并标准差来代替，由公式（3）

$$S_{合并} = \sqrt{\sum_{i=1}^{k}(n_i-1)s_i^2 / \left(\sum_{i=1}^{k}(n_i-k)\right)}$$

$$= \sqrt{\frac{(10-1)(13.1^2+17.0^2+7.4^2+10.7^2+14.5^2)}{50-5}}$$

$$= 12.96$$

$$f = \frac{\sigma_k}{\sigma} = s_{(29.1, 12.3, 22.3, 23.4, 30.9)} / s_{合并}$$

$$= 6.53/12.96$$

$$= 0.50$$

步骤 2：求 n。

由附表 26 "多组样本均数比较时样本含量估计用表" 查得，当 $\alpha=0.05$，$1-\beta=0.80$，$f=0.5$ 时，$n=10$。

即每组取 10 例时就有 80% 的把握在显著性水平 $\alpha=0.05$ 处发现各处理组间的差别。

（赵清波）

多个样本率比较样本含量估计

多个样本率比较时样本含量的估计可按式（1）计算

$$n = 2\lambda / \left(2\sin^{-1}\sqrt{p_{max}} - 2\sin^{-1}\sqrt{p_{min}}\right)^2$$

式中 n 为每个样本所需观察例数，p_{max} 和 p_{min} 分别为最大率和最小率，当仅知最大率和最小率差值 p_d 时，则取 $p_{max}=0.5+p_d/2$，$p_{min}=0.5-p_d/2$。λ 可根据 α、β、$\nu(\nu=k-1$，k 为组数）查附表 27 "λ 值表" 得到。在计算过程中，反正弦函数取弧度。

例 某防疫站拟在某小学观察三种矫正近视眼方法的效果。初估 A 法有效率为 37.78%，B 法为 18.75%，C 法为 27.78%，问各法需观察多少例学生？

本例 $p_{max}=0.3778$，$p_{min}=0.1875$，以 $\alpha=0.05$、$\beta=0.1$、$\nu=k-1=3-1=2$ 查附表 27 得，$\lambda_{0.05,0.1,2}=12.65$，代入式（1）中

$$n=2\times12.65/(2\sin^{-1}\sqrt{0.3778}-2\sin^{-1}\sqrt{0.1875})^2=137.96\approx138$$

故可认为各法需观察 138 例小学生。

（赵清波）

前瞻性（队列）研究样本含量估计

队列研究的样本含量 n 由式（1）、（2）求得，

$$n=\frac{(u_\alpha\sqrt{2\overline{p}\overline{q}}+u_\beta\sqrt{p_1q_1+p_2q_2})^2}{(p_1-p_2)^2}\tag{1}$$

式（1）与本分卷条目"回顾性（病例对照）样本含量"的式（1）形式和 u_α、u_β 的求值方法相同，但这里的 p_1、p_2 却分别为暴露组与非暴露组的发病率（或死亡率等）。如已知非暴露组的发病率 p_2 及相对危险度 RR（relative risk），暴露组的发病率 p_1 可用式（2）求得

$$p_1=RR\times p_2\tag{2}$$

$q_1=1-p_1$，$q_2=1-p_2$，$\overline{p}$ 为两组发病率的平均值，即 $\overline{p}=\dfrac{p_1+p_2}{2}$，$\overline{q}=1-\overline{p}$。

例 为了考察母亲孕期使用雌激素与所生子女患先天性心脏病的联系，拟进行队列研究。估计非暴露组的发病率 $p_2=0.002$，使用雌激素引起所生子女患该病的相对危险度 $RR=2$，设 $\alpha=0.05$，$1-\beta=0.90$，求样本含量。

将 $p_2=0.002$，$RR=2$，代入式（2）得

$$p_1=2\times0.002=0.004$$
$$q_1=1-p_1=0.996$$
$$q_2=1-p_2=0.998$$
$$\overline{p}=(0.002+0.004)/2=0.003$$
$$\overline{q}=1-\overline{p}=0.997$$
$$\beta=1-0.90=0.10$$

按双侧面积，$u_\alpha=u_{0.05}=1.96$；按单侧面积，$u_\beta=u_{0.10}=1.282$。将有关数据代入式（1）得

$$n=\frac{(1.96\sqrt{2\times0.003\times0.997}+1.282\sqrt{0.002\times0.998+0.004\times0.996})^2}{(0.004-0.002)^2}=15716$$

即暴露组与非暴露组各需要调查约 15720 人。一般来讲,用队列研究所需样本含量比病例对照研究大得多,这是由于队列研究中的两组发病率小得多的缘故,可由上述举例说明。

(杨振明　高纯书)

回顾性(病例对照)研究样本含量估计

病例对照研究样本含量决定于四个因素:①对照组中有暴露史的比例 p_1,p_1 越接近 50%,所需样本含量越小;②预期与该暴露有关的相对危险度 RR(relative risk)或比数比 OR(odds ratio),RR 或 OR 越大,所需样本含量越小;③显著性水平(α),α 越小,所需样本含量越大;④把握度($1-\beta$),($1-\beta$)越大,β 越小,所需样本含量越大。样本含量的估算公式随研究设计类型的不同而相异,现分述如下。

1　成组资料比较

用式(1)、(2)求得样本含量 n,

$$n=\frac{(u_\alpha\sqrt{2\bar{p}\bar{q}}+u_\beta\sqrt{p_1q_1+p_2q_2})^2}{(p_1-p_2)^2} \tag{1}$$

式(1)、(3)中,u_α 与 u_β 分别为 α 与 β 时标准正态分布的界值,可从 u 界值表查得,或查 t 值表 $\nu=\infty$ 时的 t 值。有单侧与双侧之分,u_β 仅查单侧。p_1、p_2 分别为估计对照组与病例组有暴露史的比例。$q_1=1-p_1$,$q_2=1-p_2$,$\bar{p}$ 为两组有暴露史比例的平均值,即 $\bar{p}=(p_1+p_2)/2$,$\bar{q}=1-\bar{p}$。p_2 依据 p_1 及 OR 用式(2)求得,

$$p_2=\frac{OR\times P_1}{1-P_1+OR\times p_1} \tag{2}$$

例1　为了考察母亲孕期使用雌激素与所生子女患先天性心脏病的联系,拟进行病例对照研究。根据已有知识或预调查结果,估计对照组有暴露史的比例 $p_1=0.3$,$OR=2$,设 $\alpha=0.05$,$1-\beta=0.90$,求样本含量。

将 $p_1=0.3$,$OR=2$ 代入式(2)得,

$$p_2=(2\times0.3)/(1-0.3+2\times0.3)=0.4615;$$
$$q_2=1-p_2=0.5385;$$

$$\bar{p}=(0.3+0.4615)/2=0.3808;$$
$$\bar{q}=1-\bar{p}=0.6192;$$
$$q_1=1-p_1=0.7;$$
$$\beta=1-0.90=0.10$$

双侧时,$u_{0.05}=1.96$;单侧时,$u_{0.10}=1.282$。代入式(1)得

$$n=\frac{(1.96\sqrt{2\times0.3808\times0.6192}+1.282\sqrt{0.03\times0.7+0.4615\times0.5385})^2}{(0.4615-0.3)^2}=188$$

即病例组与对照组各需调查约 190 人。

2 配对(1∶1)资料比较

用式(3)、(4)求得样本含量 n,

$$n=\frac{[u_a/2+u_\beta\sqrt{p(1-p)}]^2}{(p-0.5)^2\times(p_1q_2+p_2q_1)} \tag{3}$$

$$p=OR(1+OR)\approx\frac{RR}{1+RR} \tag{4}$$

例 2 设例 1 改为 1∶1 配对比较,原始数据不变。按式(4)求 p,$p=2/(1+2)=0.6667$,$1-p=0.3333$。代入式(3)得,

$$n=\frac{(1.96/2+1.282\sqrt{0.6667\times0.3333})^2}{(0.6667-0.5)^2\times(0.3\times0.5385+0.4615\times0.7)}=186$$

即共需调查约 190 对。

(杨振明　高纯书)

直线相关分析样本含量估计

直线相关分析样本含量估计可按公式(1)进行计算

$$n=4\times\left[u_\alpha+u_\beta\Big/\ln(\frac{1+r}{1-r})\right]^2+3 \tag{1}$$

式中,n 为所需样本含量;r 为总体相关系数的估计值;u_a、u_β 分别为检验水准 α 和第 II 类错误的概率 β 相对应的 u 值,由 u 界值表查得。

例 根据以往经验得知,血硒与发硒含量间直线相关系数为 0.8. 若想在 $\alpha=0.05$,

$1-\beta=0.9$ 的水平上得到相关系数有统计学意义的结论,应调查多少人?

解:已知 $\alpha=0.05, 1-\beta=0.9, u_{0.05/2}=1.96, u_{0.1}=1.282, r=0.8$,代入公式(1)得

$$n=4\times\left[(1.96+1.282)\Big/\ln\left(\frac{1+0.8}{1-0.8}\right)\right]^2=11.7\approx12$$

故应调查 12 人。

参考文献

[1] 杨树勤.中国医学百科全书:医学统计学.上海:上海科学技术出版社,1985:52.
[2] 孙振球.医学统计学.3版.上海:人民卫生出版社,2010:543.

(相　静)

魔方设计

　　魔方(magic square)是指把一个整数集合排列成正方形,使其各行、各列、对角线上的那些整数的和都相等。n 阶魔方(magic square of order n)是指将 1 到 n^2 之间的所有整数值排列成 n 行 n 列,并且两条主对角线的和都等于 m,$m=n(n^2+1)/2$。显然 2 阶魔方是不存在的,而阶数越高对应的魔方数越多。如果 n 阶魔方所有的 $2(n-1)$ 条环绕对角线的和也为 m,那么该魔方称为完美魔方(pandiagonal square),当 $n>3,m\neq4m+2$ 时存在。如 4 阶完美魔方有 48 个,5 阶有 3600 个,7 阶有 3.8×10^6,8 阶有 6.5×10^{12} 等。如果魔方中所有关于中心点对称的一对数加起来和为 $2m/n$ 或 n^2+1,那么该魔方称为对称魔方(symmetrical square)。如以下分别为 4 阶完美魔方和对称魔方($m=34, 2m/n=17$):

15	10	3	6		16	2	3	13
4	5	16	9		5	11	10	8
14	11	2	7		9	7	6	12
1	8	13	12		4	14	15	1

　　魔方的结构可以应用在析因设计中以消除一些交互效应,例如心理学实验中会要求主效应与实验的次序线性无关(linear-trend-free),即主效应和沿时间的直线是正交的。Phillips 把 n 阶魔方引入含有 n^2 次实验的析因设计,令不同的 n^2 个数字代表实验顺序,

可使主效应与时间顺序无线性趋势。如果 n 的大小对应有 k 个因子的乘积，$n=n_1$，$n_2,\cdots,n_k,n_i>1$，那么这时 $n_1,n_2,\cdots,n_k$ 每个因子含有两个水平的 $2k$ 个因子的设计就可利用魔方的构成来得到，使其主效应和至少一些交互效应都是无线性趋势的（如果是对称魔方时会有更多效应无线性趋势）。例如，依据上面 $n=4$ 的完美魔方，令 1 到 4 行分别为：$a_0b_0,a_0b_1,a_1b_0,a_1b_1$，令 1 到 4 列分别为：$c_0d_0,c_0d_1,c_1d_0,c_1d_1$，然后把这样定义的各处理组合按照上面的 4 阶魔方中的数字来安排对应的处理的实验顺序。在一般性的定义下，如处理下标 0 表示无，1 表示有，所有下标都为 0 时表示所有处理都不执行时的基准处理，用 1 来表示，那么这样一个 16 次实验的如下安排所对应的 2^4 析因设计中的所有 2 阶交互效应都是无线性趋势的：

$$(a,abcd,cd,b,bd,c,abc,ad,bc,d,abd,ac,acd,ab,1,bcd)$$

当这些水平是的 n_i 乘积时就可以减少一些因子，那么一些因子 n_i 就能省略。例如，$n=6$ 的魔方能被用到完全重复的 $2^2\times3^2,2\times3\times6$ 或者 6^2 设计，或者是两重复的 2×3^2 或 3×6 设计，或者是三重复的 $2^2\times3$ 或 2×6 设计等。如果多于一个重复，那么就可以在每个重复里测定顺序效应。n 阶完美魔方能够得到一个 n^{3-1} 的拉丁方（3 个因子每个有 n 个水平），或者如果 n 为奇数，可以得到一个 n^{4-2} 的希腊拉丁方（4 个因子每个有 n 个水平），其主效应也是无线性趋势的。关于无线性趋势和趋势稳健设计（trend-robust design）的进一步发展可见 Bailey 等人的其他参考文献。

在魔方和拉丁方之间有许多关联。如果 1 到 n 之间的整数被使用 n 次，那么魔方就是一个对角拉丁方（diagonal Latin square），一个完美魔方就是一个 Knut Vik 设计（Knut Vik design，仅 n 为奇数时存在），该拉丁方有 5 个正交限制（区组或者处理结构）：行，列，两组环绕对角线，标签。

还有另外一个完全不同的拉丁方设计被称为魔方拉丁方（magic Latin square），它是在一个包含 n 个处理的空间行列设计里加入了一个区组结构。它要求 n 满足组合条件 $n=n_1\times n_2$，并且使用 n_1 个相邻的行和 n_2 个相邻的列交汇形成合适的 $n_1\times n_2$ 大小的矩形区组来形成紧凑区组。另外这里的区组与行和列不是正交的，在方差分析的时候会有一个额外的方差项，具体参见 Bailey 等人的文献。对于 $n=4=2\times2$ 的魔方拉丁方例子如下，其中每个矩形是一个区组：

1	2	1	4
3	4	1	2
2	1	4	3
4	3	2	1

当 $n_1\neq n_2$ 时，可使用超级魔方拉丁方（super magic Latin square）来利用 $n_1\times n_2$ 和 $n_2\times n_1$ 分别形成两个另外的区组。对于 $n=6=2\times3=3\times2$ 的超级魔方拉丁方例子如下：

1	2	3	4	5	6
6	4	5	2	3	1
3	5	1	6	2	4
4	6	2	5	1	3
5	3	6	1	4	2
2	1	4	3	6	5

1	2	3	4	5	6
6	4	5	2	3	1
3	5	1	6	2	4
4	6	2	5	1	3
5	3	6	1	4	2
2	1	4	3	6	5

1	2	3	4	1	6
6	4	5	2	3	1
3	5	1	6	2	4
2	6	2	5	1	3
3	3	6	1	4	2
2	1	4	3	6	5

Behrens 介绍的 gerechte 设计是对魔方拉丁方的一般化。其区组形式并不需要紧凑一致，因此对于任何 n 都能得到 gerechte 拉丁方设计。

（闫丽娜　王彤）

优化设计

优化设计是一种最好地利用可用的实验资源的方式。我们需要定义"最好"的内涵，并据此确定哪一种设计是最好；另一方面，还要考察对"最好"不同的定义，是否会对应截然不同的设计。

1　模型与参数估计

每个实验的目的都是要尽可能合理地构造模型，准确地实现参数估计。因此，在回归模型能较好地刻画变异规律、或设有对照组的对比研究中，定义"最好"是比较简明的。

用 y 来表示观察反应的向量，并且用 $E(y) = X\beta$ 来定义模型，这里我们假设观察的误差是独立的以及有恒定的变异 σ^2。

在简单线性回归中，我们有 $\beta' = (\beta_0, \beta_1)$，第一列 X 中所有条目应为 1，第二列 X 中的条目应为观察反应所得出的 x 值。因此，对于每一个观察的 y 都有 $E(y) = \beta_0 + \beta_1 x$。

在一个设计模型中，通常以 X 为设计矩阵。以一个用于对比 t 种处理的完全随机设计为例，有 $E(y_{ij}) = \mu + \zeta_i$，$\beta' = (\mu, \zeta_1, \zeta_2, \cdots, \zeta_t)$，并且 X 有 $t+1$ 列。如果 n_1 反应与处理 1 有联系，之后 n_2 与处理 2 有联系等等，那么 X 第一列的所有项目都等于 1；第二列中含有 n_1 的项目等于 1，其他项目为 0；第三列中含有 n_1 的项目等于 0，含有 n_2 的等于 1 并且其他项目为 0，以此类推。

在回归模型中,我们经常可以发现:参数估计是唯一的并且可表示为:$\beta = (X'X)^{-1}X'Y$。这样,$\text{var}(\beta) = \sigma^2 (X'X)^{-1}$,矩阵 $X'X$ 称为信息矩阵。如果我们对在设计区域中的某些点 x 的反应预测感兴趣,我们有 $y(x) = x'\beta$,$\text{var}(y(x)) = \sigma^2 x'(X'X)^{-1}x$。当 $\text{var}(y(x))$ 或 $\text{var}(\beta)$ 的一些其他函数取值达到最小,我们说这个设计是最优的。

2 最优化设计准则

四个最常用的最优化设计准则分别是 A、D、E 和 G 最优化。在信息矩阵 $A = X'X$ 中四种最优化均以特征值的形式表示:$\lambda_1, \lambda_2, \cdots, \lambda_p$。

当一个设计的参数估计变异总和最小,我们称其为 A 优化。这样,我们寻求最小值 $\text{tr}(A^{-1}) = \sum_i \lambda_i^{-1}$。

当一个设计的参数估计总体变异最小,称为 D 优化。这样,我们有最小值 $\det(A^{-1}) = \Pi_i \lambda_i^{-1}$。

当一个设计的最小估计归一对比的变异最小,称为 E 优化。这样,我们有最大特征值 A^{-1};就是说,我们致力于将最大值 λ_i^{-1} 最小化。

当一个设计区域中预计值的最大变异取值最小时,称为 G 优化。

需强调,优化设计是取决于假设模型的。比如,在一个简单线性回归中,$\text{var}(\beta_1) = \sigma^2 / \sum_i (x_i - x)^2$,$x = \sum_i x_i / N$。然后,有一个也许是编码了的设计区域 $-1 \leqslant x \leqslant 1$,当反应为一半($x = -1$ 及 $x = 1$)时,β_1 的变异最小。如果最初的假设是不正确的并且反应确实是二次的,那么使用这个优化设计来发现反应就是不可能的。

3 最优化与分组设计

在设计模型中要素 β 的估计总的来说并不是惟一的,但是设计模型的其他函数(比如两种处理估计的差异)是惟一的。这些函数称为可估计函数,可用 $c'\beta$ 来表示。由于设计设置和处理参数估计是我们感兴趣的,而不是分组参数估计,我们需要采用一个经修饰的信息矩阵。

通常研究者只对有意义的联系感兴趣,即设计中每一对处理效应的差异是可估计的。假设有 t 种处理和 b 个组。使 $Y_{ij} = \zeta_i + \beta_j + E_{ij}$,$1 \leqslant i \leqslant t$,$1 \leqslant j \leqslant b$。当然,在一些组中一些处理可能不出现,所以对应的 Y_{ij} 也不存在。这里要注意,我们假定分组和处理效应之间没有交互作用。这是在分组设计文献中常用的假设,并且如果假设不成立,从实验中得到的结论可能是无效的。建议对模型的相加性进行检验。设 N 为一个 $t \times b$ 的关联矩阵,其中 (i,j) 的位置是组 j 中 i 的次数。设 R 为一个有着对角线上处理重复数的对角矩阵,并设 K 为一个含有对角线上组大小的矩阵。然后将信息矩阵 A 定义为 $A = R - NK^{-1}N'$。使 T 为总处理的矢量,B 为总组数的矢量。于是 $A\zeta = q$,$q = T - NK^{-1}B$。在任何一个分组设计中,A 并没有包含所有的列,所以不存在逆矩阵。但是,单一处理因素的设计中 A 的列可以表示为 $\nu - 1$。因此,要得到 ζ 的表示方法,我们需要计算 A 的广义逆矩阵 Ω。A 的广义逆矩阵是一个 $A\Omega A = A$ 的矩阵。得到 Ω 的一种方法是计算特征值及 A 的相关特征向量。假定 λ_i 是 A 的一个特征向量且有对应的特征变量 z_i。这些特征变量可以正态化,结果为 $z'_i z_m = 0$,除非当 $i = m$ 时,$z'_i z_m = 1$。然后我们可以写出 A 的典型形式:$A = \sum_i \lambda_i z_i z'_i$,以及 A 的广义逆矩阵 $\Omega = \sum_i \lambda_i^{-1} z_i z'_i$,这里的求和仅针对非零的特征值。于是 $\zeta = \Omega_q$,并且 ζ 的协方差矩阵为 $\sigma^2 \Omega$。注意处理变量的可估计功能的变异是独立于特定的广义逆矩阵之外的。之前对于最优化的定义现在可以全部用 Ω 代替 A^{-1}。

4　效度

我们要讨论的最后一个话题是效度。效度是优化设计和建议设计的最优性值的比值。显然,优化设计的效度为 1,因此其他设计的效度要更低。效度越高,设计越好。

这里有其他的对于设计实验来说是惟一的效度估计方法。对于拦截试验而言,处理的配对差异变异(见成对比较)是与一个变异进行比较的,其中这个变异可以在一个与针对每个处理的拦截试验有着相同重复的完全随机实验中得到。在一个有着相同重复 r 的完全随机实验中,对于每个处理,我们发现 $\text{var}(\zeta_i - \zeta_m) = 2\sigma^2/r$。对于一个每个处理重复 r 次的区组设计,其成对效率因子为 $2\sigma^2/r$ 与 $\text{var}(\zeta_i - \zeta_m)$ 的比值。$2\sigma^2/r$ 与处理差异平均变异的比值称为平均效率因子。

对于平衡不完全区组设计,我们得到 $\Omega = k/\lambda v(I - J/v)$ 并且每个成对效率因子为 $\lambda v/rk$,也就是平均效率因子。对于有两个关联类(PBIBD(2))的部分平衡不完全区组设计也可以得到相似的结果。在这种情况下,有两个成对效率因子,一个是第一个关联的比较,另一个是第二个关联的比较。其值在由 Clatworthy 制作的设计表格中给出,以及任何 PBIBD 的通式。

成对比较的效率因子范围可在文献中找到。建立例如 GENDEX 设计的算法以及 Paterson 等给出的算法都是在寻找距离效度的上边界近的设计。

5　其他主题

双变量 logistic 回归的优化设计,LD_{50} 生物测定的优化设计,效度研究的优化设计,二期临床试验的优化设计,最优交叉试验设计,用于建立活性随时间减弱的可溶性酶催化的间歇反应的优化设计等专题得到重视,可参阅有关文献。

(张晋昕)

准实验设计

准实验是指包括实验因素、实验对象和实验效应,但没有采用随机分配对照以推断处理因素引起的改变情况的一种实验。相反,真实验是随机化原则下的干预性研究。准试验于 1963 年在 Campbell 和 Stanley 的经典实验和准试验研究设计中首先被介绍。当无法随机分配治疗组时(见随机处理分配),就可以采用准实验设计。

原则上,每一种随机化实验设计都有一个对应的准实验,它仅仅是替换了一些随机分配处理的方法。因此,准实验研究设计的类型有很多,从简单的两组配对比较到析因设计、重复测量设计、交叉设计、随机区组设计等。此外,早期提出的准实验还包括某些没有随机化的单组设计。

准实验是围绕一种干预进行的设计,它的研究目的主要是评价干预效应的大小并检验这种效应的统计学意义。准实验可以是多重干预和多端点的实验,为了简单起见我们只是针对单个干预和单个主要指标的研究。研究期间的某些时候,受试对象暴露在感兴趣的干预下,同时观察这些受试对象的指标。评估干预效应的关键问题是:当受试对象没有暴露在干预下时,应该观察哪些指标? 准实验设计提供了不同方面解决问题的方式。

下面主要集中讨论三种准实验设计方法,主要阐述了一般的设计和多数准实验研究的分析方法。

1 混杂

实验组缺少干预的条件下出现的预期结果主要依据非暴露对照组的观察指标判断。由于准实验没有利用随机化设置对照组,实验组和对照组中某些影响结果的可测量和不可测量的因素不同。因此,在实验组和对照组间观察到的差异代表的是这两组间干预效果和原有差异的总和。因此,从准实验研究的证据中移除这类混杂对干预效果的无偏倚评价成为了一个重要的方法学问题。

解决混杂因素的影响有很多种方法。在研究设计阶段,可以采用限定或匹配。例如,性别间的混杂可以通过限定研究人群只为男性或女性来避免;也可以利用一个或多个潜在的混杂因素间的匹配。尽管如此,限定和匹配并非总是可行的。尤其是潜在的混杂因素的数量比较多的情况下。相应的,在准实验分析阶段,可将潜在的混杂因素作为协变量进行协方差分析,多元回归或其他的多变量分析。

除了随机化方法,所有其他的控制混杂的方法都要求研究者知道重要的混杂因素是什么,以及如何测量它们。分析模型中遗漏重要混杂因素会导致结果偏倚。

2 Camphell-Stanley 表示法

Camphell 和 Stanley 发展了一种有用的研究设计表示法,阐述了一些重要的特征,并能够区别两种设计。这种方法同时运用了随机化和非随机化研究设计。下面的符号在后面的设计中将会用到:

X=暴露于干预

O=观察或测量

R=随机分配

C=根据实验对象某一指标的得分是否高于特定的分界点来分配

这些符号放在行方向,每一行代表一个不同的研究组。每一行内从左到右,这些符号的顺序表示实验开展的时间顺序。列方向上的符号表示同一时间点上的表现。例如:

$$
\begin{array}{cccc}
R & O & X & O \\
R & O & & O
\end{array} \tag{1}
$$

这个设计把受试对象随机的分配到两个研究组,随机分配后同时观察(O)两个组。其中,一个组暴露于干预(X),另一个组没有。最后,在随访中同时观察(O)两个组。

当同时没有出现 R 和 C 时,我们假定研究组是根据其他的基础产生的。例如下面的准实验设计的模式:

$$
\begin{array}{ccc}
O & X & O \\
O & & O
\end{array} \tag{2}
$$

如果有多种干预、观察指标或分配方法时,需要对这些符号做下标的标注以明确设计内容。

3 不相等控制组前后测定的准实验设计

这是上面式(2)的设计方式之一,是准实验设计中最常用的试验设计,包含对两组受试对象基线(前测)和随访(后测)的测量,只有一组暴露于干预。例如,Simon 等在一个由政府工作人员及其下属组成的健康维护组织中,研究了对精神健康咨询补贴 20 美元的效果。新的付费用于州政府雇员,而非联邦政府雇员(他们被分到对照组)。主要搜集一年中改变前后每个参加者精神健康服务使用率和年度咨询情况。

尽管这种设计方法看上去很简单,但是数据分析的方法却是多变的,有时甚至是有争议的。感兴趣的主要参数 τ,表示干预的效果,τ 定义为:

$$
\tau = \overline{Y}_{1E} - \overline{Y}_{1E}^* \tag{3}
$$

式中,$\overline{Y}_{1E}^*$ 表示 Y 的均值,是实验组随访观察得到的指标。根据 $\overline{Y}_{1E}^*$ 评价方法的不同,选择的分析方法也不同。这里我们比较了三种分析方法。

3.1 基线的均数和随访的均数的单独比较

这种方法中,比较实验组和对照组 Y_0 和其他可能的基线特征。如果比较发现差异无统计学意义,则认为研究组本质上是相等的(相当于采用了随机化法),利用随访数据对 τ 的评估如下:

$$
\hat{\tau} = \overline{Y}_{1E} - \overline{Y}_{1C} \tag{4}
$$

实际上,这种方法的前提是假定如果研究组的基线资料差异无统计学意义,那么在缺少干预效果的随访中它们就是等价的。

这种方法有许多缺点。由于研究组没有按照随机分配的原则形成,对于 Y_0 或其他变量容易得到差异有统计学意义的结果,以至于在估计 τ 时迫使分析员解释这些差异。即使基线资料的差异无统计学意义,发现真实差异的效能也会降低,尤其是当研究样本较小和(或)组内变异较大时。最后,在估计 τ 时忽略基线数据将导致 $\hat{\tau}$ 的精度降低,因为对于同一受试对象,其 Y_0 和 Y_1 可能是相关联的。

3.2 得分改变量的差异

第二种分析方法认为实验组和对照组的 Y_0 不同,同时假定随着时间的改变,与对照组相比,有效的干预措施将在实验组产生更大的(或更小的,依据选择的假设)Y 的平均改变量(例如 $Y_1 - Y_0$)。这种方法对 τ 的估计如下:

$$\hat{\tau} = (\overline{Y}_{1E} - \overline{Y}_{0E}) - (\overline{Y}_{1C} - \overline{Y}_{0C}) \tag{5}$$

式(5)可以写作:

$$\hat{\tau} = (\overline{Y}_{1E} - [\overline{Y}_{0E} + (\overline{Y}_{1C} - \overline{Y}_{0C})] \tag{6}$$

式(6)显示,在缺少干预效果的情况下,希望能够获得实验组随访下 Y 的均数和基线下 Y 的均数,加上对照组基线到随访情况下观察值的平均改变量。对于只在两个时间点观察值,零假设 $H_0: \tau = 0$ 的检验可以采用基于组间得分改变量均数的非配对 t 检验,或等价地用重复测量的方差分析。

这种改变-得分的分析方法的主要优点在于,它是一种简单易懂的方法,能够反映组间基线情况下 Y_0 的差异。尽管如此,与式(4)相比这种方法并不能自动地提高 τ 的估计准确度。Fleiss 表示,如果 σ_0 是 Y_0 的(组内)标准差,σ_1 是 Y_1 的标准差,ρ_{01} 是同一受试对象 Y_0 和 Y_1 间的相关系数,则当且仅当 $\rho_{01} > (\sigma_0 / \sigma_1)/2$ 时,式(5)中 $\hat{\tau}$ 的标准误小于式(4)中 $\hat{\tau}$ 的标准误。

改变-得分的分析方法也有一个局限,出现于 Y_0 的测量存在误差和(或)随着时间的改变而改变。许多生理或行为指标都适合这种类型:例如,个体收缩压就存在主观的测量误差和短期的可变性。在这些情况下,得分改变量法倾向于否定与基线值的相关性,与其他个体相比,Y_0 异常低的个体倾向于 Y 均值较大的增加(或较小的降低),而 Y_0 异常高的个体则刚好相反。

最后,改变-得分分析法不能检验 Y_0 和实验处理间的交互效应。

3.3 方差分析

第三种方法中将 Y_1 作为因变量,Y_0 作为方差分析中可能的协变量之一。方差分析的公式阐述了第三种 τ 的估计方法:

$$\hat{\tau} = (\overline{Y}_{1E} - \overline{Y}_{1C}) - \beta(\overline{Y}_{0E} - \overline{Y}_{0C}) \tag{7}$$

β 表示 Y_1 关于 Y_0 的回归方程的斜率。

通过把式(5)改写为式(8)的形式,阐明了方差分析方法与上面叙述的改变-得分分析方法的关系。

$$\hat{\tau} = (\overline{Y}_{1E} - \overline{Y}_{1C}) - (\overline{Y}_{0E} - \overline{Y}_{0C}) \tag{8}$$

换句话说,当式(7)中斜率系数 β 被限定为 1 时,改变-得分分析相当于方差分析。一般情况下,除非 Y_1 和 Y_0 完全不相关,否则按式(7)估计的预期要比式(4)或(5)估计的 $\hat{\tau}$ 精确。Reichardt 表示,这种基本的方差分析模型可以在许多方面进行延伸,可以允许实验组和对照组的参数 β 不同,因此允许 Y_0 和处理组间交互效应的研究。除了 Y_0 ,仍然介绍了其他的一些协变量,其中一些可能是由 Y_0 转换的,以适应 Y_1 和 Y_0 间的非线性关系。

尽管如此,方差分析模型仍然会受到 Y_0 的测量误差或 Y 随时间变化的自然变异引起的外部随机误差的影响。Cochran 研究显示,对 Y_0 的测量变异将会导致斜率系数趋于 0 的偏倚性的估计,表示为因子 $\sigma_{(\text{true } Y_0)}/\sigma_{(\text{measured } Y_0)}$,假设测量误差独立于 Y_0 的真实值。有时,此因子被称为 Y_0 测量值的信度。由于 β 的减小,所以并非所有叠加于实验组和对照组 Y_0 的混杂都能被消除。

4　中断时间序列设计

中断时间序列设计的准实验可以表示为:

$$O\ O\ O\ \cdots\ O\ X\ O\ O\ \cdots\ O \qquad (9)$$

一个研究组被重复检查几次,然后暴露于干预,此后再被重复测量几次。这种研究设计的最大优点在于:能够识别并描述干预前变量随时间变化的模型特点,可能是循环的或单调的,并能提供依据来预测干预后缺少干预效应期的观察值。尽管如此,时间序列数据的一个本质特征就是按时间顺序相邻观测值间的相关性大于相隔很大的观察值间的相关性(时间自相关)。这种相关导致的误差违反了一般的最小二乘回归的假设,使得基于它的检验的意义失效。

分析方法的选择取决于个体或研究组数据对每个时段的可用程度,或者是干预前后测量指标的数目。当随着时间变化,可用的研究组观察指标数目较大($\geqslant 50$)时,基于 Box 和 Jenkins 工作的 ARIMA 模型显示了很多有用的特征。简要的说,ARIMA 模型概括了长期趋势、周期性变动(如季节性)、系列测量值的自相关、相邻测量值随机扰动的持续性等方面时间序列内的模型可变性。ARIMA 模型的形式可概括为 $ARIMA(p,d,q)$, p 表示自相关参数的数目, d 表示需要达到平稳性的步骤, q 表示需要适应随机扰动持续性的移动平均值参数的数目。为了估计一系列干预时间点的变化,把干预的参数添加到模型中。 $O'Carroll$ 等用 ARIMA 模型评估底特律关于对公共场所非法携带枪支的人强制性监禁的法律的效果。评估主要基于:法律生效前后公共场所室内外枪杀和非枪杀相关的月犯罪数量。

设计(9)不能直接区分干预效应和与干预同时发生的外部的历史因素的效应。尽管如此,这一缺点可以通过增加同期的一个或多个干预控制组来纠正,如下:

$$\begin{array}{l}O\ O\ O\ \cdots\ O\ X\ O\ O\ \cdots\ O\\ O\ O\ O\ \cdots\ O\ \ \ \ \ O\ O\ O\ \cdots\ O\end{array} \qquad (10)$$

例如:Wagenaar 和 Holder 用 ARIMA 模型评价酒销售私营化前后美国 5 个州酒消费量的变化情况,研究中主要调查了这 5 个州啤酒、葡萄酒和烈酒的月销售量,并同相邻州和美国同期的变化情况对比。

式(9)和(10)中的 O 代表许多研究个体中个体水平的测量值,分析工作者需要考虑一下相关的分析方法来分析这些纵向的数据。Zeger 和 Liang 综述了鸟类纵向数据分析模型。当合理地解释个体内相关时,所有这些方法都容许回归模型相关的响应变量用作解释变量。

5 回归间断点设计

最基本的回归间断点设计可以表示为:

$$O \quad C \quad X \quad O$$
$$O \quad C \qquad \ O \tag{11}$$

如前所述,Y 表示连续性结果变量,测量基线(Y_0)和随访(Y_1)。这种设计的唯一特征是 Y_0 本身是研究个体到实验组或对照组的依据。如果某一研究个体的 Y_0 值高于(或低于)预先定义的分界点时,此个体就被分到实验组;反之,Y_0 落在分界点的另一边时,此个体则被分配到对照组。实验组研究个体暴露于干预,随访后同时测量两组的 Y_1。

初看上去,这种研究个体分配方案会混淆 Y_0 和干预效应。但是,干预效应造成的回归线跳跃常可由散点图上的"错位"现象予以提示。通常,每组内 Y_1 和 Y_0 呈正相关。尽管如此,各组间的这种回归关系在分界点处仍是不连续的。在这个例子中,实验组个体 Y_1 的分数改变高于对照组个体,这可能是由干预效应造成的,特别的,干预效果的大小等于分界点处两回归线的偏移量大小时。

回归间断点设计有许多突出的特征。Y_0 值可能表示无序的严重程度,是代表"需要"的好的指标。回归间断点设计中分配方案确保在 Y_0 值某一分界点"需要"一侧的研究个体均接受干预。相反,对于大多数准实验设计,对照组不相等的依据可能经常不是很清楚,在回归间断点设计中,分配方案的依据完全依赖于 Y_0。尽管其他一些潜在的混在因素可能与 Y_0(或 Y_1)有关,它们通常无法解释明显的间断点。

Trochim 第一次阐述回归间断点研究,描述了数据分析的一种方法,其基本的回归模型是:

$$Y_1 = b_0 + b_1(Y_0 - \text{cutoff}) + b_{2z} + e \tag{12}$$

$z=1$ 表示实验组个体,$z=0$ 表示对照组个体,当 $Y_0=$ 分界点时,对照组中 $b_0=$,b_1 表示 Y_1 和 Y_0 间回归关系的斜率(假定两组是相同的)。主要的参数是 b_2,代表干预效应。(同样的,省略了研究对象 Y_1,Y_0,z 和 e 的下标)。

对于式(12)的两个重要的假设是:①两组中 b_1 值相等。②Y_0 和 Y_1 间呈线性相关。通过引入交互项 $b_3(Y_0 - \text{cutoff})z$,可以放宽先前的假设。如果这一项显著提高了模型的拟合度,就表示干预效果根据 Y_0 变化,同时单一的概括性的效应值可能不充分。正如 Trochim 描述的,通过增加 $Y_0 - \text{cutoff}$ 成对的平方、立方和高阶幂,以及与 z 对应的交互项,可以避免 Y_1 和 Y_0 间线性关系的假设。

关于主要的参数 b_0 的正确推断很大程度上依赖于对 Y_1、Y_0 和 z 间关联形式的正确界定。此外,要求严格遵守式(11)中由 C 代表的分配标准。此外,回归间断点设计需要的研究个体数是相应的确定了假设的干预效应和影响的水平的随机实验设计的 2.75

倍。

　　尽管回归间断点设计已经应用于社会科学和教育学,但是很少用于卫生健康研究。尽管如此,Johnston 等描述了在康复医学领域的潜在用途,这种设计的惟一优点在于值得在其他许多与健康相关的领域内利用。

6　小结

　　准实验研究设计试图应用对照实验的一些可取的特征来研究无法随机化的情况。比较随机化和非随机化研究结果的 Meta 分析发现明显的好处,在非随机化研究中新药和新手术疗法的效果趋向于大于常规药和常规外科疗法。当一些差异归因于具有保守偏倚的随机实验的特征时(例如意向治疗原则),普遍认为更多的差异归因于非随机化研究中的混杂偏倚和选择偏倚,而随机化可以避免。如果可能的话,调查者应该审慎地寻求随机化设计的方法,而且当随机化无法实现时,应尽量测量和控制潜在的混杂因素,对准实验下结论时需要适当的慎重。

(张晋昕)

临床试验适应性设计

　　2006 年,美国药品研究与制造商协会(PhMRA, Pharmaceutical Research and Manufacturers of America)对适应性设计(adaptive design)的定义为:指在不损害试验完整性与正确性的前提下,利用已完成的试验数据为进一步的试验进行适应性调整的多阶段设计,也可被称为可变性设计(flexible design)、自适应设计(self-design)或内部预试验设计(internal pilot design)等。从适应性设计的定义可以看出,它具有 3 个特点:①灵活性(flexibility):是指与成组序贯设计(group sequential design)相比,适应性设计不仅可以根据期中分析(interim analysis)结果对是否提前得出试验结论终止试验做出决定,而且可以对进一步试验进行适应性调整以提高试验成功的可能性,比成组序贯设计具有更强的灵活性;②完整性(integrity):是指试验在有意调整的基础上必须尽可能预先计划,并维持期中分析结果的盲态;③正确性(validity):是指提供正确的统计推断,保证研究不同阶段间的一致性。灵活性是适应性设计的最大的优点,也是其在临床试验中被应用和受到研究者、申办者和生物统计人员青睐的主要原因。它不仅可以提高试验的效率,而且通过提前结束无效试验、增大优效处理组的随机化分配比例等手段使受试者更容易接受有效的处理方式,更加满足伦理学的要求。而试验的完整性和正确性是适应性设计试验质量的保证。在适应性设计的应用中,试验灵活性的增强不能以损害试验的完整性和正确性为代价,否则整个试验的质量不能得到保证,试验结果的可信度较低。试验的灵活性、完整性和正确性,三者缺一不可。

1　适应性设计的应用

适应性设计的内涵较为广泛,其主要应用于Ⅱ、Ⅲ期的新药临床试验中,具体可包括以下几个方面:

1.1　样本量再估计

样本量是决定试验成败的关键因素之一。由于一般临床试验的样本量估计中,通过文献查阅或预试验对总体参数的估计难免存在误差,以及试验的受试人群不同等其他不确定因素的影响,都会导致所估计的试验样本量往往过大或过小。因而,采用适应性设计的样本量再估计(sample size re-estimation,SSR)能够在试验进行过程中,根据期中分析的结果对试验样本量进行调整,从而增强了试验的灵活性,提高了试验成功的概率。

在适应性设计中,样本量再估计方法可分为基于冗余参数(nuisance parameter)的估计方法和基于处理效应(treatment effect)的估计方法。在基于冗余参数的样本量再估计方法中,一般有两种情况:①盲态状况下,期中分析时所计算到的合并方差被直接用于SSR,而不进行揭盲分组;②揭盲状态下,各组方差和组间效应大小(effect size)根据已完成病例被重新估计,SSR利用重新估计的试验组效应大小和总体方差完成。它的优点在于能够更准确地发现试验的实际情况,在估计样本量的同时,其他相关参数也可根据试验的实际情况适当的调整,使试验更趋合理。而基于处理效应的样本量估计方法则不同,它在期中分析中更关注于基于现有数据的处理效应的大小,即各阶段 P 值或 Z 值的大小,而不是组间效应 δ 和方差 σ 的大小。它根据现有数据处理效应大小的估计对达到试验结果所需样本量进行再估计,与基于参数的样本量估计方法相比,一定程度上对数据分布状态的依赖程度较小。基于处理效应的样本量再估计方法中应用较广的有 Bauer-Köhne 法、逆正态 P 值合并法、条件误差函数法等。但是,无论是基于冗余参数还是基于处理效应的样本量再估计方法都是根据已完成试验阶段病例的信息实现的,各阶段试验并不完全独立,而是存在一定的相关性,会导致Ⅰ类错误的增大。因而,适应性设计中SSR过程必须严格控制Ⅰ类错误大小。

1.2　适应性随机化方法

在临床试验中,随机化的主要作用是保证各处理组间的均衡性,一般在试验开始前实施。而适应性随机化方法(adaptive randomization method)允许在试验进行过程中调整随机化方案。而其中,反应变量-适应性随机化(response-adaptive randomization)是其中最为常见的一种方法,它主要包括广义 Friedman 瓮模型、PW 原则(play-the-winner,胜者优先原则)、RPW 原则(randomized play-the-winner,随机化胜者优先原则)、双重适应性偏币设计等。反应变量-适应性随机化方法根据期中分析结果提高受试者分配至优效组的概率,使受试者能够接受效果更好的处理,符合伦理学的要求。此外,效用-适应性随机化(utility-adaptive randomization)方法可以将反应变量-适应性随机化和处理变量-适应性随机化(treatment-adaptive randomization)方法有机地结合在一起,实现对多终点变量临床试验随机化分配方案的优化。

1.3　Ⅱ/Ⅲ期临床试验无缝连接设计

在传统新药临床试验中,Ⅱ期临床试验一般为剂量－反应试验,用于筛选和推荐临床给药剂量,Ⅲ期临床试验在已推荐临床给药剂量条件下进一步评价药物的有效性和安全性,两个阶段的试验数据单独使用,试验数据不能共用。而Ⅱ/Ⅲ期临床试验无缝连接设计(seamless phase Ⅱ/Ⅲ design)允许将Ⅱ期临床试验中与Ⅲ期同剂量组数据合并分析,减少Ⅱ、Ⅲ期临床试验的总样本量,缩短试验周期,降低试验成本,提高试的整体效率。Ⅱ/Ⅲ期临床试验无缝连接设计是多种适应性设计方法的综合应用。它在期中分析时综合了多种适应性调整方法,如舍弃劣效处理组、再次估计样本量、调整随机化分配方案等。Schmidli 等还将贝叶斯预测效能法引入Ⅱ/Ⅲ期临床试验无缝连接设计以进一步提高试验在期中分析的决策效率。此外,两阶段无缝连接设计还可应用于Ⅰ/Ⅱ期临床试验,其中第一阶段主要用于观察生物标记物的发展,第二阶段的主要目的是观察药物的早期疗效。

适应性设计的涵义非常广泛,除上述最为常见的应用外,在临床试验中的应用还包括舍弃失败者设计(drop-loser design)、适应性剂量反应设计(adaptive dose-finding design)、检验假设-适应性设计(hypothesis-adaptive design)、生物标记物-适应性设计(biomarker-adaptive design)、适应性变换处理组设计(adaptive treatment switching design)、多重适应性设计(multiple adaptive design)等。

2　适应性设计在新药临床试验中的实施

适应性设计的灵活性是其最主要的优势,但它同样也是影响适应性临床试验最主要的问题。为保证适应性临床试验灵活性和完整性的平衡,适应性临床试验方案必须尽可能的预计划,期中分析时保证试验盲法的实施。具体来讲,适应性临床试验的实施应考虑以下几个方面:

2.1　独立的数据监察委员会

独立的数据监察委员会(independent data monitoring committee,IDMC)的主要作用在于在适应性设计和成组序贯设计的临床试验中,在期中分析阶段完成对试验的揭盲、有效性和安全性评估以及对是否提前结束试验还是进入下一阶段试验的决策工作等,从而保持试验本身申办者、研究者和生物统计人员盲法的实施。它一般由具有临床试验经验的、与试验本身不存在利益关系的、独立的临床医学专家、生物统计学专家以及医学伦理学专家等组成。

2.2　计算机模拟试验

计算机模拟试验在适应性临床试验的设计阶段具有非常重要的作用。由于适应性设计本身较强的灵活性,研究者和生物统计学家必须在试验的方案设计阶段即对试验中可能出现的各种情况及其需采取的适应性调整方法进行想定和计算机模拟,已选定最终的 α 分配方案、样本量再估计方法和适应性随机化调整方案等,保证适应性设计在临床试验中的正确、有效的实施。目前,国外常用的适应性设计软件 ADDPLAN、East® 等均涵盖了适应性设计的计算机模拟试验的功能模块。

2.3 常用适应性设计分析软件

在国外众多的临床试验模拟预测评价软件中,ADDPLAN 和 East® 是其中最为优秀的两款。ADDPLAN(adaptive design-plans and analysis,适应性设计的设计与分析软件)是一款集适应性设计临床试验的模拟、设计、分析于一体的商业化软件。它最初由 Lehmacher 和 Wassmer 开发,将 INM 法应用于适应性设计临床试验,现在已发展成为具有强大功能的软件。现在,它不仅包括 Bauer-Köhne 法、条件函数法等多种适应性设计分析方法,而且还纳入了 α 消耗函数、Pocock 设计和 O'Brein-Fleming 设计等成组序贯设计方法。East® 是由 Cytel 统计软件与服务公司开发的用于设计和分析成组序贯设计的商业软件。而随着适应性设计的不断发展,该软件通过增加了 EastAdapt® 模块增强了其在适应性设计临床试验中模拟、设计、监查等方面的功能。在某些大型统计软件中也包含着相应的模块,如 R 软件中的 2stgTest. R 和 SPLUS 软件中的 S+SeqTrial™ 模块等都包含了适应性设计的模拟与分析方法。

适应性设计与传统设计比较具有设计灵活、节约成本、缩短研发周期、加快新药上市、符合伦理等特点,近年得到广泛讨论和应用,已形成一套从合理设计到科学分析报告的体系。

参考文献

[1] 赵超. 临床适应性设计与药物评价的考虑. 中国临床药理学与治疗学,2008,13(1):1—5.

[2] 王维亭,郝春华,汤立达. 临床适应性设计及在新药研发中的应用. 现代药物与临床,2010,25(5):334—339.

[3] 王素珍,夏结来,刘典恩. 药物临床试验设计的伦理思考. 医学与哲学,2008,29(8):70—73.

[4] Gallo P, Chuang-Stein C, Gragalin V, et al. Adaptive design in clinical drug development-an executive summary of the PhRMA Working Group (with discussion). Journal of Biopharmaceutical Statistics,2006,16:275—283.

[5] Fisher L. Self-designing clinical trials. Statistics in Medicine,1998,17:1551—1562.

[6] Chow SH, Chang M. Adaptive design methods in clinical trials. Boca Raton:Chapman & Hall/CRC;2007:11—20.

[7] Chang M. Adaptive design method based on sum of p-values. Statistics in Medicine,2007,26:2772—2784.

[8] Cui L, Hung HMJ, Wang SJ. Modification of Sample Size in Group Sequential Clinical Trials. Biometrics,1999,55:853—857.

[9] Jiang ZW, Xue FB, Li CJ, et al. Design of adaptive two-stage double-arm clinical trials for dichotomous variables. Contemporary Clinical Trials,2010,31:242—250.

[10] Wassmer G, Eisebitt R. ADDPLAN:Adaptive Design-Plans and Analyses (Release 4.0). http://www.addplan.com,2007.

（夏结来 刘玉秀）

反应适应性医学临床试验设计

反应适应性(response adaptive)医学临床试验设计利用试验过程中收集的病人对治疗方法的反应信息而修改分配病人到治疗方法的分配概率,其目的是分配较多的病人到较好的治疗方法。在传统的医学临床试验设计中,分配病人到治疗方法的分配概率是等可能的,病人分配到实验中的劣等治疗方法和好的治疗方法的人数一样多。跟传统的医学临床试验设计相比,反应适应性医学临床试验设计有利于试验中的病人,因而具有个人道德优势。按照国际上医学临床试验设计的规定,医学临床试验设计必须考虑试验中病人的利益,保证病人受到最小的伤害。当治疗方案是针对致命的疾病时,反应适应性医学临床试验设计这种个人道德优势特别突出而引人注目。该临床试验设计被美国食品与药物管理当局在 2010 年的适应性临床试验设计指导草案中列为批准药品上市的适应性设计的一种。本文着重介绍几类简单易于操作的反应适应性医学临床试验设计,对反应适应性临床试验设计下收集的数据进行统计推断时面临的挑战,以及为解决这些挑战而提出的优化的反应适应性医学临床试验设计。

1 反应适应性医学临床试验设计:瓮模型

反应适应性医学临床试验设计中的一类是瓮模型。在实验之初,瓮中放置不同颜色的球,代表不同的治疗方法,每种颜色球的数量可根据事先关于治疗方法的好坏的先验信息确定,如果没有相应的先验信息,每种颜色球的数量相等。当病人进入试验接受治疗时,随机从瓮中取出一球,该病人被分配到对应该球颜色的治疗方法,并记录该病人对分配的治疗方法的反应,然后根据病人反应的好坏增加或者减少瓮中对应颜色的球或者其他颜色球的数量(这叫瓮结构的更新规则)。这样瓮中各种颜色球的数量不断根据以经治疗病人的反应进行更新,使得瓮中对应反应好的治疗方法的球的数量不断增多,在下次随机取球时,取到对应反应好的治疗方法的球的可能性增大。不同瓮结构的更新规则对应不同的瓮模型。

瓮模型中的一种是 Randomized play-the-winner(RPW)模型。该模型是 Wei 和 Dur-ham 于 1978 年在 Zelen (1979)的 Play-the-winner 模型的基础上为了减少临床试验设计中的分配偏差而提出来的。RPW 模型于 20 世纪 80 年代被应用于实际临床试验中,用于比较治疗以持续性肺高压为特点的新生儿肺功能失常的治疗方法:传统治疗方法(CT)和新治疗方法(ECMO)。在本文的下文中把该实际应用的实验称为 Michigan's ECMO。Michigan's ECMO 的病人是有持续性肺高压的新生儿,这类病人因肺部持续性高压肺部血流量减低而导致血氧含量不足,因此在出生后的几天内面临很高的死亡风险。Extra-corporeal membrane oxygenation（ECMO）是一种对肺功能失常提供支持的体外装置,该装置把病人的的血液抽出体外,经过加氧装置加氧,然后通过人工心脏流回病人体内。RPW 模型可以用瓮描述如下:在实验之初,瓮中放置1个黑球和1个白球,分别代表 CT 和 ECMO 治疗方法。瓮中球结构的更新规则是,如果治疗成功（新生儿成活）,额外增加1个代表相应治疗方法颜色的球并放回原来取出的球,如果治疗失败（新生儿死亡）,放回原来取出的球并额外增加1个代表另外一种治疗方法颜色的球。在 Michigan's ECMO 实验中,当第一个有持续性肺高压符合试验的新生儿进入实验时,从瓮中随机抽球,抽到了白球,该新生儿用对应白球的 ECMO 治疗,该新生儿成活了,因此,原来取出的白球被放回并额外增加1个白球到瓮中。这样更新过的瓮有2个白球和1个黑球。当第二个新生儿进入实验时,从瓮中随机抽球,抽到了黑球,病人被分到 CT 治疗方法,但病人死亡了,于是,原来取出的黑球被放回并额外增加1个白球,所以更新过的瓮有3个白球和1个黑球。从这里我们看到,对前面2个治疗的病人,由于 ECMO 治疗方法的成功和 CT 治疗方法的失败,根据病人对治疗方法的这些反应更新瓮的黑白球的数目,使得瓮中有较多数目的白球。当翁中有较多数目的白球时,随机抽球抽到白球的可能性比黑球大,病人被分到对应白球的 ECMO 治疗方法的概率高过 CT 治疗方法。事实上,对随后依次进入该实验的8个新生儿病人,每次从瓮中抽球都抽到了白球,这8个病人都被分到 ECMO 治疗方法,都成活了,试验到此停止。

Michegan's ECMO 试验结果发表后,RPW 这种反应适应性医学临床试验设计的道德优势引人注目,同时 Michegan's ECMO 试验数据给用于评估治疗方法好坏的统计推断提出了挑战。挑战之一是在反应适应性临床试验设计下收集的数据不是独立的,传统的统计推断方法在没有证明之前不能用于这种非独立的数据;挑战之二是在这种试验下收集的数据的相依性增加了统计量的波动性,因而可能导致 statistical power 的损失。这些挑战在过去十几年中吸引了很多统计学家,一些关键的统计推断方法已经被推广到从反应适应性临床试验设计收集的数据,例如,极大似然估计及其渐进性、有效性估计、中心极限定理等。同时统计学家研究根据病人的反应而适应性修改分配治疗方法的概率所导致的随机波动机理,提出了一些优化的反应适应性医学临床试验设计,包括 Drop-the-loser(DL)和以下将要介绍的序贯估计优化模型。DL 是一种瓮模型,该模型用来收集数据比较两种治疗方法:A 和 B。在实验之初,瓮中放置3个 A 球,3个 B 球,1个迁移球（E 球）。当病人进入实验时,随机从瓮中抽出一球,如果是迁移球,病人暂时不分配治疗方法,该迁移球会放回瓮中,并同时额外放回1个 A 球和1个 B 球,然后从瓮中继续抽球直到抽到代表治疗方法的 A 球或 B 球。当抽到代表治疗方法的球时,把病人分配给相应的治疗方法并记录病人的反应,如果病人的反应是成功,对应的球放回瓮中,如果病人的反应是失败,则对应的球不放回。在 DL 模型中,病人被分配给治疗方法的渐进比例被证明与 RPW 模型中的相同,但根据病人的反应适应性修改分配病人到治疗方法的分配概率所导致的随机波动性较小,因此统计推断的 statistical power 比较好。在具有相同的治疗方法分配渐进比例的所有反应适应性临床试验设计中,DL 设计被誉为渐进最优的。

2　反应适应性医学临床试验设计:序贯估计优化模型

另一类反应适应性医学临床试验设计是用实验中收集的数据适应性地估计代表治疗方法的参数,然后基于这些参数的估计去逼近一个事先确定的分配病人的分配比例(目标分配比例)。病人的目标分配比例是根据某些最优准则事先确定的。大多数最优准则兼顾个人道德问题以及由于适应性修改分配病人的分配概率引起的额外随机波动所导致的 statistical power 的损失。Statistical power 的损失的考虑是通过统计量方差或者 Fisher Information 整合到最优准则中的。

例如 Rosenberger 等提出的最优准则是在固定用于统计推断的统计量的条件方差的条件下使分配给劣等治疗方法的病人数最小。在该准则下 Rosenberger 等推导出的病人分配给治疗方法 A 的目标分配比例,该比例是

$$\rho_A = \frac{\sqrt{p_A}}{\sqrt{p_A} + \sqrt{p_B}}$$

其中,p_A 和 p_B 分别是治疗方法 A 和 B 的成功概率,这些成功概率在试验之前是未知的。Rosenberger 等提出的设计是用实验中收集的病人的反应数据估计 p_A 和 p_B(极大似然估计),然后把这些估计量代入上面的公式中得到分配比例的估计量 $\hat{\rho}_A$。$\hat{\rho}_A$ 成为下一个病人分配给治疗方法 A 的分配概率。按照极大似然估计法,p_A 和 p_B 可以分别估计为 $\hat{p}_A = \frac{S_A}{N_A}$,$\hat{p}_B = \frac{S_B}{N_B}$,其中,$N_A$ 和 N_B 分别是分配到治疗方法 A 和 B 的病人人数,S_A 和 S_B 分别是在治疗方法 A 和 B 下的治疗成功的病人人数。从这里我们可以看到,下一个病人分配给治疗方法 A 的概率 $\hat{\rho}_A$ 是根据实验中收集的病人的反应数据而不断变化的。当进入试验的病人数越来越大时,$\hat{\rho}_A$ 就会逼近事先确定的病人分配比例目标 ρ_A。Rosenberger 等用随机模拟的方法印证了他们提出的设计能保持较好的 statistical power。

Yi 和 Wang 在 2009 年提出了惩罚方差的最优准则,该准则用一个惩罚因子把分配给好的治疗方法的病人人数和相关的方差整合在一起,具有同时从分配给好的治疗方法的病人比例和 statistical power 两个角度评估适应性医学临床试验设计的特点。Yi 和 Wang 还提出了如下的病人分配比例目标:

$$\rho_A = \frac{q_B + \varepsilon \times \min[q_A, q_B] \times sign(q_B - q_A)}{q_A + q_B}$$

其中,ρ_A 是分配给治疗方法 A 的病人目标比例,q_A 和 q_B 分别是治疗方法 A 和 B 的失败的概率,ε 是个人道德和集体道德(与 statistical power 有关)的平衡因子。如果选择较大的 ε 值,该分配比例侧重于个人道德,较小的 ε 值则侧重于集体道德。当 $\varepsilon = 0$ 时,该分配比例退化成 RPW 和 DL 设计的渐进分配比例。Hu 和 Zhang 对序贯估计模型进行了系统的研究并提出的一种特别的分配函数 $g(x, p_A)$。Yi 和 Wang 应用 Hu 和 Zhang 提出的分配函数 $g(x, p_A)$ 去逼近上面提出的病人分配目标比例,基于试验中获得的病人分到治疗方法 A 和 B 人数以及病人的反应数据,而适应性地计算下一个病人分配给治疗方法

A 的概率 $\hat{g}(\hat{x},\hat{\rho})$，其中 $\hat{x}$ 是试验中到观察时间点止的病人分配到治疗方法 A 的分配比例，$\hat{\rho}$ 是用实验中获得的病人的反应数据估计未知参数 q_A 和 q_B，把这些参数的估计量代入上面的目标分配比例函数中得到的目标分配比例的估计值。$g(x,p)$ 定义如下：

$$g(x,\rho)=\begin{cases} \dfrac{\rho(\rho/x)^\gamma}{\rho(\rho/x)^\gamma+(1-\rho)[(1-\rho)/(1-x)]^\gamma}, & 0<x<1 \\ 1, & x=0 \\ 0, & x=1 \end{cases}$$

Yi 和 Wang 从理论上证明了当 $p_A+p_B>1-\varepsilon$ 以及 $\gamma\to\infty$ 时，他们提出的这个设计能产生比 DL 模型小的病人分配比例的渐进方差，因此当进入试验的病人人数增加到很大时，他们的设计能有利于个人道德和产生较好的 statistical power 的双重优势。他们随机模拟的结果也印证了他们的设计的这种优势。根据随机模拟的结果，他们建议把平衡因子 ε 设为 1/4，这种情况下，他们的设计把临床试验设计中的个人道德利益和 statistical power 的双重目标兼顾得较好。

3 序惯估计优化模型应用举例

当应用 Yi 和 Wang 提出的设计于实际中时，首先要解决的一个问题是确定样本容量（sample size）的大小以达到事先预定的 statistical power。右侧的样本容量的参照表是引自作者发表在由 Wiley-Blackwell 出版的 Biometrical Journal 上的文章，表中的样本容量值 n 是用 Wald 统计量做双侧假设检验（two-side alternative hypothesis）时达到 80% 的 statistical power 所需要的最小值，其中检验的显著性水平设为 0.05，p_A 和 p_B 分别是治疗方法 A 和 B 的成功概率，$p_A=1-q_A$，$p_B=1-q_B$。

表 1 Yi 和 Wang 适应性设计（$=1/4$）的最小样本容量参照表

P_B	P_A	n	Power
0.2	0.3	630	0.80
	0.4	185	0.82
	0.5	90	0.81
0.5	0.6	880	0.81
	0.7	230	0.83
	0.8	110	0.84
0.7	0.8	700	0.82
	0.9	180	0.82

我们在瓮模型中介绍到 Michigan's ECMO 试验把 RPW 设计应用到了实践中，但是 Michigan's ECMO 试验的样本容量太小，一共只有 12 个病人，而且病人人数在 CT 治疗方法和 ECMO 治疗方法之间分配太不平衡，这个实验的数据不足以对是否 ECMO 比 CT 治疗方法好做出结论。后来在 1996 年欧洲的 ECMO 临床试验组用传统的实验设计方法进行了试验，他们招募了 185 名符合试验的新生儿，该实验报告用 ECMO 治疗的病人成活比例是 0.68，而用 CT 方法治疗的病人成活的比例是 0.41。我们把这些比例当成这两种治疗方法的成功概率，分别用上面介绍的 Rosenberger 等人（RSIHR）以及 Yi 和 Wang（YW）提出的适应性临床试验设计重新设计欧洲的 ECMO 试验。

图 1 和图 2 给出了在 RSIHR 和 YW 适应性设计下用随机模拟产生的分配给 ECMO 治疗方法的病人比例分布，以及在这两种适应性设计和传统的等可能分配（CRD）设计下

产生的总治疗成功比例的分布。从图 1 中可以看到，这两个适应性设计分配远比 50％高的病人到 ECMO 治疗方法，而 Yi 和 Wang 提出的设计分配给 ECMO 的病人比例比 Rosenberger 等人的设计高。从试验的总的治疗成功的病人比例进行比较，这两个适应性设计的总的治疗成功的比例平均比传统的等可能分配(CRD)的设计高，Yi 和 Wang 提出的设计的总治疗成功比例比 Rosenberger 等人的设计高。因此，用适应性临床试验设计比传统的实验设计能拯救更多的面临持续性肺高压的高危险的新生儿的生命。

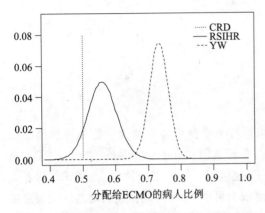
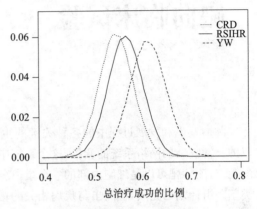

图 1　分配给 ECMO 治疗方法的病人比例分布　　　　**图 2　总治疗成功比例的分布**

　　本文介绍了反应适应性医学临床试验设计和这类设计的优点。反应适应性医学临床试验设计利用试验中已经治疗的病人对治疗方法的反应而修改分配后面病人给治疗方法的分配概率，能分配较多的病人到好的治疗方法，因此具有个人道德优势。本文介绍的几种反应适应性临床试验设计，目的是帮助实务工作者了解分配病人给治疗方法的分配概率在这些设计中是如何根据病人的反应而修改的，我们并没有举尽所有的适应性临床试验设计类型。我们用随机模拟的方法展现了反应适应性设计的优点，对其中一种优化的反应适应性设计，我们提供了样本容量参照表以供实务工作者在应用该设计时参考。

参考文献

[1] Wei LJ, Durham S. The randomized play-the-winner rule in medical trials. Journal of the American Statistical Association, 1978, 73: 840—843.

[2] Bartlett RH, Rolloff DW, Cornell RG, et al. Extracorporeal circulation in neonatal respiratory failure: a prospective randomized trial. Pediatrics, 1985, 76: 479—487.

[3] Bai ZD, Hu F. Asymptotics in randomized urn models. Annals of Applied Probability, 2005, 15: 914—940.

[4] Ivanova A. A play-the-winner-type urn design with reduced variability. Metrika, 2003, 58: 1—13.

[5] Rosenberger WF, Stallard N, Ivanova A, et al. Optimal adaptive designs for binary response trials. Biometrics, 2001, 57: 909—913.

[6] Yi Y, Wang X. Response adaptive designs with a variance-penalized criterion. Biometrical Journal, 2009, 51: 763—773.

[7] Hu F, Zhang LX. Asymptotic properties of doubly adaptive biased coin designs for multi-treatment clinical trials. Annual Statistics, 2004, 32: 268—301.

（易雁青）

靶向临床试验

　　肿瘤发生和发展过程中的各种关键的生物学行为受到由各种基因和信号传导通路组成的异常复杂的网络系统的调控,这个系统中的各种基因和分子也为肿瘤治疗提供了丰富的靶点,该标靶可以是细胞内部的一个蛋白分子,也可以是一个基因片段。近年来,随着人类基因组计划的完成,检测出与疾病相关的靶点成为可能,针对这些已经明确的疾病靶点的靶向药物(targeted drugs)开发如雨后春笋,成为药物研发的一个重要方向,很多的靶向药物已广泛应用于临床医疗。靶向药物的研发也必须遵循新药研发的规律,通常在上市前同样需要经历Ⅰ、Ⅱ、Ⅲ和Ⅳ期临床试验,以考察靶向药物疗效和安全性,这些临床试验统称为靶向临床试验(targeted clinical trials)。近年来,靶向临床试验呈快速增长趋势。理论上,靶向药物进入体内会特异地选择疾病标靶来相结合发生作用,从而达到治疗疾病的目的。这和传统的细胞毒药物作用机制是不同的,因此传统的临床试验设计理念已难以满足靶向治疗药物的需求,靶向临床试验的设计成为靶向药物开发的关键性问题。

　　在过去的几十年里,尽管医药行业在癌症的分子机制研究方面取得了积极的进展,但具有较好疗效的癌症靶向治疗药物还是不能满足实际需要,靶向治疗药物及其搭配诊断产品的开发与政府部门评估之间的协调也面临着诸多挑战。一是业内对于预期用于已通过分子标记物确诊的亚群患者的靶向治疗药物如何研究存在争议。美国食品药品管理局(FDA)肿瘤药物咨询委员会表示,对临床试验的受试者应根据生物标记物水平进行分级,还应该分别对生物标记物阳性和阴性患者的治疗效果进行评价。二是由于试验药物对未入选患者或者"目标患者"进行治疗可能存在不同的效果,因此,临床研究中如何选择对照药物还存在不确定因素。另外,在FDA,癌症药物评价由药品评价与研究中心(CDER)完成,而诊断产品评价是由器械和辐射健康中心(CDRH)完成。产品开发者与掌握政策标准和管理规程的评价中心需要在靶向治疗药物和诊断产品合作开发的早期达成协议并协调好。虽然FDA针对药物和诊断产品的合作开发已经发布了一些文件,但并没有正规的指导原则可以参照。因此,需要探索保证和加速癌症靶向药物和搭配诊断产品开发与批准的更好的途径。

　　对靶向药物和诊断产品在癌症治疗中联合使用的评估和批准是一个综合过程,在这个过程中,需要加强对药物和诊断产品搭配评估的合作,各审批部门要有良好的协调性。

靶向药物的批准程序要求与常规药物的批准政策有所不同,测试能否明显区别患者对靶向药物治疗是有效还是无效决定着药物和搭配诊断产品批准的可能性。用于评价所有患者生物标记物的靶向药物试验设计需要预先进行分级分析,以确定可能存在的变数。对于生物标记物阴性或者阳性患者都要随机分为治疗组和对照组,试验设计需要同时评价药物的疗效和诊断产品的预测价值。与其在批准之前通过扩展试验以证实测试阴性患者对治疗无反应,不如有目的的批准对药物有反应的阳性患者进行研究。这些都是以批准后的研究来证明基于常规终点的药物的临床效益和安全性,同时证明诊断产品的广泛临床应用价值。与加速药物批准一样,在特殊的临床研究中也应该采用证据标准的政策。

综上,癌症靶向药物开发和批准过程应该建立在目前加速批准政策和一定的机制上,包括药品说明书上需要提供诊断测试信息和首先可能会使亚群患者受益最大的临床事实。同时还要避免评价药物治疗效果的生物标记物在上市前的成本投入过高(即使这些评价在上市后可能还需要进行)。另外,支付者可能会担心药物没有充足的临床疗效,如何缓解他们的担忧以及提高成本效益比需要进一步探讨,这样也有助于增强已批准产品的价值。更重要的是,要使当局提供更深入和快速的批准通道成为可能,这样也会使患者从癌症靶向药物获得最大的临床效益。

随着科技的发展和人们认识水平的不断提高,传统的临床试验设计模式已不能满足日益发展的社会的需要,面对诸如靶向临床试验等新型的临床试验研究设计,如何正确选择和评价正面临新的挑战,已经成为目前国内外临床试验界的热点问题。

参考文献

[1] US FDA. The draft concept paper on drug-diagnostic co-development. The US Food and Drug Administration:Rockville, MD, 2005.

[2] Liu JP, Lin JR. Statistical methods for targeted clinical trials under enrichment design. Formos Med Assoc, 2008,107(12):S35—S42.

[3] Ray P, Le Manach Y, Riou B. Statistical evaluation of a biomarker. Anesthesiology, 2010;112:1023—40.

[4] Gerlach H, Toussaint S. Sensitive, specific, predictive…statistical basics:how to use biomarkers. Crit Care Clin, 2011,27:215—227.

(刘玉秀　陈　林)

靶向临床试验随机停药设计

抗肿瘤药物的Ⅱ期临床试验主要目的是在预先确定的某个患者群体中探索药物的

临床活性或生物学活性,提供令人信服的证据,以吸引来自各方面的对Ⅲ期试验的投入。分子靶向药物的开发对传统的抗肿瘤药物早期临床研究设计提出了挑战,许多新的研究策略有助于及早筛选出有效药物进入大样本的Ⅲ期临床试验。其中一种随机停药设计(randomized discontinuation design)的方法得到应用。

　　正在研发中的几个靶向治疗药物已经在临床前模型中表现出抑制细胞生长的作用,预计它们会通过延长疾病稳定期而不是肿瘤消退提供临床受益。在这类药物的Ⅱ期临床评价中,无疾病进展时间(progression-free survival)可能是最有意义的临床终点。但是,不治疗的肿瘤也会有短时间的疾病稳定期。这就限制了将单组试验中的无疾病进展时间进行外推。随机化停药设计可以区别治疗相关的疾病稳定和自然病程所致的疾病稳定(图1)。研究初期所有患者都用试验药物治疗,在经过规定的疗程之后,评价疾病的客观缓解率。假定完全缓解和部分缓解的患者获得了治疗益处,则将继续用试验药物治疗,直到疾病进展为止。任何时间只要出现肿瘤进展就停止治疗。最初评价时疾病稳定的患者被随机分组,继续用试验药物或者停用试验药物。为了避免两组患者治疗方面的差异所产生的偏倚,采用双盲法给停药组的患者使用安慰剂。对两组病人进行随访,直到疾病进展为止。如果治疗组无疾病进展时间相对延长则表明疾病稳定是使用试验药物的结果。这些数据可以支持将抑制细胞的药物加入到Ⅲ期临床试验中。

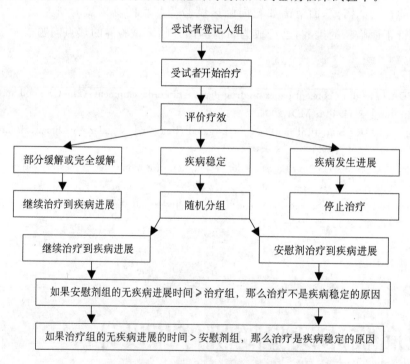

图1　随机停药设计示意图

　　在一项Ⅱ期安慰剂对照随机停药的试验中,对作用于肿瘤和脉管系统的口服多态激酶抑制剂 Sorafenib,评价了其在转移肾细胞癌患者肿瘤生长方面的效果。在导入期病人接受每日2次、每次口服400mg 的 Sorafenib 治疗。初始治疗12周后,肿瘤的影像二维测量大小与基线比较相对变化小于 25％的病人被随机分为 Sorafenib 组和安慰剂组继续观察 12 周,而肿瘤大小缩小超过 25％的病人继续接受 Sorafenib 开放治疗,增大超过 25％的病人停止该种治疗。评价的主要终点是随机分配的病人在初始治疗后 24 周时没有进展的病人百分比。导入期治疗病人 202 例,在 12 周时,73 例病人肿瘤缩小大于 25％,将 65 例处于稳定的病人随机分为 Sorafenib 组(32 例)或安慰机组(33 例)。24 周时两组的无进展率分别为 50％和 18％($P=0.0077$),Sorafenib 治疗组的中位无进展生存时间(24 周)明显长于安慰剂组(6 周,$P=0.0087$)。研究认为 Sorafenib 具有明显稳定疾病发展的作用。

其实,更广泛意义上的随机停药设计通常由两个阶段组成。在第一个阶段,受试者在预定的时间里被给予研究药物治疗。对研究药物有疗效反应(或控制进展等)的受试者在第二阶段中被随机给予研究药物或安慰剂继续治疗。显然,部分受试者的有效治疗药物在第二阶段被安慰剂取代而停止服用。从某种意义上讲,这也是一种富集设计(见条目:富集设计)的形式,可用于评价研究药物的长期疗效。在第二阶段研究药物组和安慰剂组的疗效差别可以显著地凸现研究药物的疗效。当然,如果有目的地将第二阶段设计得比第一阶段短一些,和/或有意识地设定一些特殊的退出规则,长期使受试者接触安慰剂的风险和争议可被大大降低。一般说来,这种研究较适合于对治疗较稳定的慢性疾病药物的临床研究。

参考文献

[1] Ratain MJ, Eisen T, Stadler WM, et al. Phase Ⅱ placebo-controlled randomized discontinuation trial of sorafenib in patients with metastatic renal cell carcinoma. J Clin Oncol, 2006,24:2505－2512.

(刘玉秀　陈　林)

靶向药物Ⅲ期临床试验设计

传统的临床试验设计理念应用于靶向药物(targeted drugs)时遇到了巨大的挑战,需要对传统试验设计进行改良以适合于靶向药物的特点。近年来,许多专家对靶向药物的临床试验设计进行了深入的探讨,但还没有一套获得广泛认同的试验设计方法。这里介绍一些关于抗肿瘤靶向治疗药物的新颖的Ⅲ期临床试验设计方法和思路,其中的绝大部分内容引用了戚川、周彩存 2010 年发表在《中国医药导刊》上的文章。

1 靶向治疗药物Ⅲ期临床试验

靶向药物Ⅲ期临床试验是确证性试验,是研究药物获得上市批准的最关键的支持证据。由于试验结果意义重大和试验本身的复杂性,必须要有良好的设计、严格的实施和严谨的数据分析。必须采用随机对照设计,通常要将研究药物和与标准治疗进行比较。抗肿瘤药物的Ⅲ期临床试验也是如此,当某些肿瘤还缺乏有效治疗时也可以用最佳支持治疗做为对照。虽然Ⅲ期临床试验的主要目的往往是为了明确研究药物本身或联合标准治疗是否优于标准治疗(优效设计),但在有些情况下,有可能研究药物的疗效与标准治疗相似,需要证明研究药物的疗效不低于标准治疗(非劣效设计)。

2 靶向治疗药物Ⅲ期临床试验受试人群的选择

在靶向治疗药物的Ⅲ期临床试验中,是否将研究药物药理学治疗靶点的表达作为受试者的入选标准仍然是个困难的决定。在理想的情况下,如果将Ⅲ期临床试验的目标人群限制在那些靶点阳性的患者,因为仅入组了最可能对研究药物有效的受试者,所以既能确保试验的成功,又能提高试验的效率。但是这样可能会使部分可能从治疗中获益但没有靶点表达的患者失去接受有效治疗的机会,甚至还可能会因为靶点选择不当而导致整个试验的失败;而如果不对靶点的表达进行选择,则可能因为入组了部分疗效不佳的受试者而使得试验整体的把握度不够,导致假阴性结果的出现。

因此在决定靶向治疗药物Ⅲ期临床试验的目标人群时,应该结合临床前和早期临床试验的观察结果充分考虑。有人认为将靶点表达作为入选标准必须满足三个前提条件:(1)要有证据表明研究药物与其治疗靶点表达之间有明确的相互作用;(2)必须在早期临床试验中观察到靶点表达和药物临床疗效之间具有明显的关联性;(3)要有可行的、可靠的靶点检测方法。例如多个关于乳腺癌的Ⅲ期临床试验已证实曲妥珠单抗的治疗获益人群为有 HER2 高表达的患者,因此在进行曲妥珠单抗联合化疗治疗转移性胃癌的Ⅲ期临床试验中,仅入选了有 HER2 高表达的患者,并获得了试验的成功。与之相反,在吉非替尼与安慰剂对照治疗化疗失败的 NSCLC 的Ⅲ期临床试验(ISEL 研究)中入选了一个广泛的人群,结果在试验的总人群中吉非替尼的疗效没有超过安慰剂。但是亚组分析结果显示部分受试者仍表现出明显的治疗获益。后来的研究证实,吉非替尼对具有 EGFR 酪氨酸激酶区域某些基因突变的患者有显著的疗效,而对没有基因突变的患者则几乎完全无效。可以肯定,如果在 ISEL 研究中事先针对受试者基因突变状态进行选择,试验成功的可能性将会大大增加。

然而即使满足上述条件,根据靶点表达选择试验的目标人群有时还是难以避免将部分可能从研究药物治疗中获益的人群排除在临床试验之外。例如关于针对 EGFR 的单克隆抗体西妥昔单抗(商品名:爱必妥)的较早期的临床试验中要求有 EGFR 表达的患者才能入选,因此 FDA 仅批准西妥昔单抗用于 EGFR 阳性的患者。然而后来的临床试验结果表明,西妥昔单抗对于 EGFR 表达阳性和阴性的患者具有相似的疗效。

一个解决的办法是在入组时不限制受试者靶点表达的状态,在一个临床试验中同时检验所有入组的整体人群和靶点阳性的亚组人群。例如在整体人群和靶点阳性的亚组人群中设立一个复合主要研究终点(co-primary endpoint)。这种试验设计方法假设靶点阳性的患者对研究药物治疗更敏感,因此靶点表达阳性的患者仅需要较小的样本量即可确证药物的疗效。这样的试验设计可能需要适当的增加试验的总样本量,以保证试验不仅在整体人群,而且在靶点阳性的亚组人群中都具有足够的把握度。为了避免因增加了一次对主要研究终点的分析而引起假阳性错误机会的增加,应该对 α 水平进行分配(例如在所有人群中显著性水平可设为 0.03,在靶点阳性的人群中显著性水平设为 0.02)。近年来在多个关于靶向治疗药物的 Ⅲ 期临床试验中采用了这种设计方法,例如在 NSCLC 中进行的一线化疗后使用厄罗替尼作为维持治疗的 Ⅲ 期临床试验(SATURN 研究)中,主要研究终点设定为在所有受试者和 EGFR 表达阳性的受试者中,比较厄罗替尼治疗组相对于安慰剂组的 PFS(progress-free survival)是否有提高。这样的试验设计虽然可能会增大样本量,但是当我们对靶向治疗药物的确切获益人群不是很肯定时,复合主要终点的设定相当于对试验结果购买了一个双保险,因此这个代价是值得的。但是值得注意的是,在试验开始前我们并不知道靶点阳性的受试者在整个入组人群中的实际比例,过高的估计这一比例可能会造成试验中这一亚组人群的样本量不足而缺乏把握度。因此对靶点阳性的受试者在总体人群中所占比例的估计应当偏于保守,以免在这个亚组人群中出现假阴性的结果。

3　靶向治疗药物的 Ⅲ 期临床试验设计

靶向治疗药物的试验设计应充分考虑到药物的特点对试验结果可能带来的影响。根据药物治疗靶点的表达对试验设计的影响,靶向治疗药物的 Ⅲ 期临床试验设计总的来说可以分为以下 3 种:

3.1　靶点限制设计(targeted design)

先测量和评价患者治疗靶点的表达,入组有靶点表达阳性的患者,随机接受研究药物治疗或标准治疗(图 1),而靶点阴性的患者则不纳入研究。如果研究药物满足前文提到的根据靶点表达来选择受试者的三个前提条件,采用这种试验设计是适合的。其优点是入组患者可能对药物治疗最敏感,因此可能仅需要较小的样本量即可以确证药物的疗效。这种试验设计的缺点是失去了评价药物在靶点阴性的患者中疗效的机会。

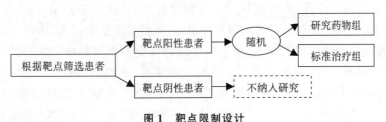

图 1　靶点限制设计

3.2　非靶点限制设计(randomized-all design)

在非靶点限制设计中,所有受试者都进行靶点表达的评价,但不论是否有靶点表达都可以入选并进入随机化。随机化时可以根据靶点表达的情况对受试者进行分层或在所有入组受试者和靶点表达阳性的受试者中设立复合主要研究终点。如果我们假设研究药物在靶点阳性的受试者中的疗效最佳,而对于靶点阴性的受试者是否(或在多大的程度上)从研究药物治疗中获益并不清楚时,这是一种很好的设计方法。可通过适当增加样本量使试验在所有人群(无论靶点阳性或阴性)和靶点阳性的亚组人群中有足够的把握度来检验研究药物的治疗获益(图 2)。

图 2 非靶点限制设计

3.3 策略性设计(strategy design)

所有受试者都进行靶点表达的检测,但是无论是否有靶点表达都可入选。受试者被随机化分配至以靶点表达为导向的治疗组和标准治疗组,靶点导向组的靶点阳性者接受研究药物治疗,靶点阴性者接受标准治疗,而标准治疗组无论靶点表达阳性或阴性均接受标准治疗。这种试验设计的目的实际上是考察以靶点为导向的治疗策略是否优于不以靶点为导向的标准治疗。见图 3。

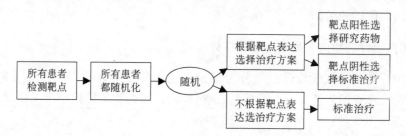

图 3 策略性设计

一项关于根据 ERCC1 mRNA 表达来指导 NSCLC 个体化化疗的Ⅲ临床试验给靶向治疗药物的试验设计带来了巨大的启发。在这个试验中,比较了根据 ERCC1 mRNA 的表达来指导 NSCLC 患者化疗方案选择的个体化治疗策略和无论是否有 ERCC1 mRNA 表达都使用以顺铂为基础的化疗方案的治疗策略。ERCC1 被认为与顺铂的耐药有关,研究者为了证实这个假设,将受试者随机分配至对照组(接受多西紫杉醇/顺铂治疗)和试验组(根据 ERCC1 mRNA 表达选择治疗组)。试验组根据受试者 ERCC1 mRNA 表达的情况来选择治疗方案:ERCC1 低表达的受试者接受多西紫杉醇/顺铂的治疗,高表达者接受多西紫杉醇/吉西他滨治疗。结果发现对照组(不根据 ERCC1 mRNA 表达来选择治疗)的缓解率为 39%,试验组(根据 ERCC1 mRNA 表达来选择治疗)的缓解率为50%,两者差异有统计学意义($P=0.02$),从而证实根据 ERCC1 mRNA 的表达来选择化疗方案的策略是可行的。

总之,应当根据试验的目的和早期研究的证据来选择合适的试验设计。但是无论采用何种试验设计,都要求我们在靶向治疗药物的临床试验中尽可能的采集肿瘤组织或替代组织进行靶点表达的检测,以便进一步明确治疗靶点的表达和研究药物的临床疗效之间的关系。因此,必须在临床前期的研究中充分而深入地了解所关注的治疗靶点和疾病本身分子机制之间的联系和靶向治疗药物的药理学作用机制,并充分考虑研究药物的自身特点,才能设计出合理、高效的临床试验。临床试验的代价是昂贵的。从一个新的化合物的发现到药物获得上市批准,往往需要超过 10 年的时间和超过 10 亿美元的花费。由于不恰当的试验设计而导致错误的试验结果,浪费的不仅是金钱和时间,更是挥霍了患者生存的希望。抗肿瘤靶向治疗药物的临床试验设计需要临床专家和统计专家不断的探索和创新,才能更有效地将药物从实验室带入临床医疗,并最终使患者获益。

参考文献

[1] 戚川,周彩存. 靶向治疗药物Ⅲ期临床试验设计. 中国医药导刊,2010,12(8):1356—1357.

[2] Hoering A,LeBlanc M,Crowley JJ. Randomized phase Ⅲ clinical trial designs for targeted agents. Clin Cancer Res,2008;14:4358—4367.

[3] Simon R,Maitournam A. Evaluating the efficiency of targeted designs for randomized clinical trials. Clin Cancer Res,2004;10:6759—6763.

[4] Maitournam A,Simo R. On the efficiency of targeted clinical trials. Stat Med,2005,24:329—339.

[5] Cunningham D,Humblet Y,Siena S,et al. Cetuximab monotherapy and cetuximab plus irinotecan in irinotecanrefractory metastatic colorectal cancer. N Engl J Med,2004,351:337—345.

[6] Cobo M,Isla D,Massuti B,et al. Customizing cisplatin based on quantitative excision repair cross complementing 1mRNA expression:a phase Ⅲ trial in non-small-cell lung cancer. J Clin Oncol,2007,25:2747—2754.

(刘玉秀 陈 林 缪华章)

单组临床试验目标值法样本量估计

单组临床试验(single-arm clinical trial)目标值法(objective performance criteria,OPC)系指在事先指定某种结局指标临床目标值的前提下,通过无同期对照的单组临床试验考察相应指标结果是否在指定的目标值范围内,以此来推断某产品的性能、疗效或安全性的一类方法。该方法在某些医疗器械临床试验中的应用已得到美国 FDA 的认可,并将其作为随机对照临床试验(randomized controlled trial,RCT)不适合时的替代方法之一。近年,我国医疗器械临床试验也开始应用目标值法,并将其写进一些临床试验指导原则。

假定某单组试验结局事件发生率为"高优"指标,即表现为越大越好,记 P_0 为该试验选定的目标值,P_1 为预期结局事件发生率,n 为样本量。

1 基于单侧检验假设的样本量估计

如果无效假设 H_0 不成立,所推断的总体参数只有一种方向(试验结果比目标值好)的可能时,样本量估计考虑使用单侧估计。在给定的显著性水准 α 下,存在一个非负整数 $r(0 \leqslant r \leqslant n)$ 同时满足

$$\sum_{i=r}^{n} \frac{n!}{i!(n-i)!} p_0^i (1-p_0)^{n-i} \leqslant \alpha \quad \text{和} \quad \sum_{i=r-1}^{n} \frac{n!}{i!(n-i)!} p_0^i (1-p_0)^{n-i} > \alpha$$

如果某次试验期望结局事件发生数 m,存在 $m \geqslant r$ 时,则拒绝无效假设。在备择假设 $P = P_1 > P_0$ 条件下,检验的把握度为

$$P(m \geqslant r \mid H_1) = \sum_{i=r}^{n} \frac{n!}{i!(n-i)!} p_0^i (1-p_0)^{n-i}$$

给定一个把握度 $(1-\beta)$,则可通过求解 $P(m \geqslant r \mid H_1) \geqslant 1-\beta$ 获得满足该把握度要求所需的最小样本量。有学者为方便直接查用,提供了目标值为 $75\% \sim 99\%$,间隔为 1%,分别给出间隔为 1% 不同预期事件发生率对应的精确样本量,列于附表 28"单组临床试验目标值法样本含量精确估计($\alpha = 0.05, 1-\beta = 0.80$)"左下三角区。

2 基于双侧检验假设的样本量估计

如果无效假设 H_0 不成立,所推断的总体参数有两种方向的可能时,样本量估计考虑使用双侧估计。在给定的显著性水准 α 下,存在两个非负整数 r、$q(0 \leqslant r \leqslant q \leqslant n)$ 同时满足

$$\sum_{i=0}^{r} \frac{n!}{i!(n-i)!} p_0^i (1-p_0)^{n-i} \leqslant \frac{\alpha}{2} \quad \text{和} \quad \sum_{i=0}^{r+1} \frac{n!}{i!(n-i)!} p_0^i (1-p_0)^{n-i} > \frac{\alpha}{2}$$

且

$$\sum_{i=q}^{n} \frac{n!}{i!(n-i)!} p_0^i (1-p_0)^{n-i} \leqslant \frac{\alpha}{2} \quad \text{和} \quad \sum_{i=q-1}^{n} \frac{n!}{i!(n-i)!} p_0^i (1-p_0)^{n-i} > \frac{\alpha}{2}$$

如果一个非负整数 m,存在 $m \leqslant r$ 或 $m \geqslant q$ 时,则拒绝无效假设。在备择假设 $P \neq P_0$ 条件下,检验的把握度为

$$P(m \leqslant r \text{ 或 } m \geqslant q \mid H_1) = \sum_{i=0}^{n} \frac{n!}{i!(n-i)!} p_0^i (1-p_1)^{n-i} + \sum_{i=q}^{n} \frac{n!}{i!(n-i)!} p_0^i (1-p_1)^{n-i}$$

给定一个把握度 $(1-\beta)$,则可通过计算 $P(m \geqslant q \text{ 或 } m \leqslant r \mid H_1) \geqslant 1-\beta$ 获得满足该把握度要求所需的最小样本量。选择与单侧估计相同的目标值及预期事件发生率,双侧样本量估计结果见附表 28"单组临床试验目标值法样本含量精确估计($\alpha = 0.05, 1-\beta = 0.80$)"右上三角区。

3 实例分析

在超声设备体表探头临床试验中,可以按自身对照设计使同一受试者接受申报设备

与对照设备两次检查,并进行申报设备图像优良率与对照设备的非劣效评价。这里按两台超声设备(申报设备与对照设备)探头对于同一受试者的图像质量的一致率(同时为优良或同时为差均视为一致)进行评价。根据临床经验和该类设备的技术审查指导原则要求,被试探头与对照探头图像一致率应至少达到 85%,即用于最终评价的目标值定为 85%,如果探头预期图像一致率为 95%,设定 α 为 0.05(双侧)、把握度为 80%,按所给条件查表 1,得到样本量 n 为 75,即如果预期的图像一致率为 95%,进行 75 例的临床试验,则有 80%的把握度在 $\alpha=0.05$ 的水平上得到两超声设备图像一致率高于 85%目标值的结论。

4 有关说明和讨论

由于二分类变量结局事件的互补性,当期望的事件发生率为"低优"指标时,可以按照期望事件的对立事件发生率(相当于转换成"高优"指标)进行样本含量估计。因此表 1 结果同样适合于目标值在 25%以下的"低优"指标。对于目标值在 25%~75%的单组试验样本含量估计需要另行计算。

尽管单组临床试验目标值法是近年提出的,但其统计学本质实际是样本率与总体率比较的问题,其样本含量的估计在结局事件发生率 P_1 不太接近 1 或 0 时,且样本量 n 足够大时(特别是当 nP_1 或 $n(1-P_1)$ 都大于 5 时)可以采用近似正态估计的方法,计算公式为

$$n=\left[\frac{z_\alpha \sqrt{P_0(1-P_0)}+z_\beta \sqrt{P_1(1-P_1)}}{P_0-P_1}\right]^2$$

注意 α 的单双侧取值,Z_α、Z_β 分别为 α 和 β 对应的正态分布分位数。此方法虽然计算简便,但不够准确,尤其是在实际临床试验中,结局事件发生率靠近极端的情况,此时估计样本含量出现的偏差相对更大。

对于主要研究终点事件发生率极高甚至全部发生的情形(反过来,对应的是事件发生率极小甚至是罕见或不发生),此时可以考虑按照期望事件全部发生,基于二项分布的精确法估算样本含量。如果按照期望事件全部发生,当样本含量达到一定量时,将有 $100(1-\alpha)$% 的可能性认为期望事件发生率的下限会超过 P_0。在此种特定的情况下可以导出估算样本含量的公式为 $n=\lg\alpha/\lg P_0$。

美国 FDA 对目标值的定义为从大量历史数据库(如文献资料或历史记录)的数据中得到的一系列可被广泛认可的性能标准,这些标准可以作为说明某类器械的安全性或有效性指标或临床终点。其实 FDA 在临床试验的审评时,除了要求事先明确临床允许的限值即目标值外,还要求必须明确临床试验的样本结果需达到的靶值(target),即一项临床试验的通过需要满足两个条件,一个是期望事件发生率的可信区间超过目标值,另一个是样本结果必须达到靶值要求。例如,美国 FDA 关于心脏消融导管在心律失常领域应用的指导文件规定的射频消融导管的目标值,疗效指标为"高优"指标,即刻成功率的目标值为≥85%、靶值为>95%,三个月随访成功率的目标值为≥80%、靶值为>90%;而反映安全性的指标 7 天严重不良事件发生率为"低优"指标,其目标值为≤7%、靶值为<2.5%。

而在国内,某些医疗器械临床试验指导原则(如《影像型超声诊断设备(第三类)注册技术审查指导原则》、《医用 X 射线诊断设备(第三类)产品注册技术审查指导原则》、《乳房植入体技术审评指导原则》(征求意见稿))已引入目标值法,但没有规定靶值,且样本含量估计也不够准确。

参考文献

[1] Food and Drug Administration Center for Devices and Radiological Health. Clinical Study Designs for Catheter Ablation Devices for Treatment of Atrial Flutter(Guidance for Industry and FDA Staff). http://www.fda.gov/downloads/MedicalDevices/DeviceRegulationandGuidance/GuidanceDocuments/ucm 070922. pdf

[2] 国家食品药品监督管理局办公室. 影像型超声诊断设备(第三类)注册技术审查指导原则. http://www.cmde.org.cn/images/1279751975417. doc

[3] 成琪,刘玉秀,陈林,等. 单组临床试验目标值法的精确样本含量估计及统计推断. 中国临床药理学与治疗学,2011;16(5):517—522.

[4] 吕德良,李雪迎,朱赛楠,等. 目标值法在医疗器械非随机对照临床试验中的应用. 中国卫生统计,2009,26(3):258—260.

[5] 王杨,胡泊,陈涛,等. 抽样调查法和单组目标值法对诊断试验样本量计算差异的分析. 中华流行病学杂志,2010,31(12):1403—1405.

[6] 刘玉秀,徐晓莉,郑均. 配对二项数据等效性/非劣效性评价的样本含量估计和假设检验. 中国临床药理学与治疗学杂志,2008,13(3):299—302.

(刘玉秀　成　琪)

动态随机化

为了提高随机化的效果,达到组间比较更好的均衡性,经常采用分层随机化等,但分层随机化有时分层因素(预后因素)较多,常较难达到组间均衡,为此发展了动态分配方法,也称为动态随机化(dynamic randomization)。该分组方法系在一定的原则下完成对象的分配,受试对象接受何种分配取决于当前各组的均衡性情况,这是一种动态的依赖于协变量的适应性技术(covariate adaptive techniques),它能有效保证各试验组例数和某些重要的预后因素在组间分布接近一致。在一些样本量不可能很大但又不能不考虑基线预后因素对治疗结果影响的临床试验中,尤为必要。如在抗癌药物的临床试验中,病人的分期、病理、年龄、ECOG 评分等对治疗效果有较大的影响,此时采用分层区组随机化的方法很难保证各组例数和预后因素的均衡性,而采用动态随机化的方法可较好解决这一问题。

1　动态随机化常用方法

动态随机化的方法有很多,主要有偏性掷币法(biased coin)、瓮法(urn)、最小化法(minimization)和反应变量-适应性随机化法(response adaptive randomization)。其中偏性掷币法和瓮法是最简单的动态随机化方法,其目的仅是保证各组例数接近;反应变量—适应性调整随机化法是根据一些医学伦理研究发展而来,其原则是保证最多的病人接受较好的治疗,主要有 play-the-winner 法和 RPW 法等。

1.1　最小化法

最小化法最早由 Taves 首先提出,其后 Pocock 和 Simon 对其做了改进。其主要从三个方面来确定新病例的分组:①预后因素在各组间的差别;②各治疗组已有病例数;③新病例分配到目标组的概率 P。在随机化分组过程中,每增加一个新病例都计算一下新病例进入试验后预后因素在各组间的差异(d),然后按照指定的概率 P 将新病例分配到使组间差异 d 最小的那一组,即目标组,以使预后因素分布的不均衡性达到最小。

最小化分组时衡量组间差异(d)有四种方法:极差法、方差法、符号法和上限,近来还有人提出优度法,在以上方法中极差法和方差法计算简单而且平衡能力要强于符号法和上限法,极差法相对方差法计算要更为简单,因此为大多数研究所采用。极差法衡量组间差异的计算公式为 $M(t) = \sum_{i=1}^{f} W_i R_i$,其中,$M(t)$ 表示新受试者分到 t 组后两组各预后因素的差别总和,t 为组别,f 为考虑的预后因素个数,W_i 为各因素的权重,R_i 为新受试者分到试验组 t 后,两组病例在预后因素 i 上水平相同的例数之差的绝对值。

最小化法的基本计算步骤如下:①事先确定要考虑的分层(预后)因素、各因素的权重和分配概率 P。如在全球多中心临床试验中,纳入新病例时要考虑入组病人的性别、年龄和种族的相关因素以达到基线的均衡性。同时根据各因素对结果的影响大小设定相应的权重,如性别为 1,年龄为 2,种族为 3。另设定分配概率 P,一般可取 0.8。P 值的大小由研究者预先确定,也可定为 1.0,即新病例总是被分配到目标组内。②第 1 例病例按照完全随机化的方法分组,以后每个入组的新病例都采用最小化法进行分组。③第 2 例病例入组时,根据公式 $M(t) = \sum_{i=1}^{f} W_i R_i$ 来计算该新病例分别被分入两组后两组预后因素的差别。若 $M(A) > M(B)$,则 B 组为目标组,分配到 B 组可使组间差异达到最小。④若事先规定分配概率 P 为 0.8,则将新病例以 0.8 的概率分到目标组,以 0.2 的概率分到另一组。这个过程可通过完全随机化法实现,每次产生一个在 1～100 的随机数,若该随机数在 1～80 内则分入目标组,若在 81～100 内则分入另一组。若 P 为 1,则总是分到目标组,可省略此过程。若各组的 M 相同,则例数少的组为目标组。如果例数也相等,则按相同的概率(0.5/0.5)随机分配到任一组。⑤随着病例的序贯进入,每次有新病例入组都在已入组病例信息的基础上计算各组 $M(t)$ 的值,然后将新病例分配到使组间差异 $M(t)$ 最小的那组,直到入组结束。

例 1　一项关于抗肿瘤药物的临床研究中,由于影响预后的因素众多,在研究时选择主要预后因素进行控制使其在试验组和对照组的分布保持均衡。假如在这项研究中拟控制的预后因素为有无转移(有、无)和治疗情况(初治、复治),各自有两个水平,假定其权重分别为 $W_1=3$ 和 $W_2=2$。当 $M(A)$ 和 $M(B)$ 不等时以 $P=0.8$ 作为分配概率。假定已有 30 名受试者进入试验,其各预后因素的分布情况见表1。

表1　30 名受试者的预后因素分布情况

处理组	转移		治疗情况		合 计
	有	无	初治	复治	
A	10	7	8	9	17
B	8	5	7	6	13
合 计	18	12	15	15	30

如果第 31 例为有转移、初治的受试者,用最小化法对其进行随机分组,按 $M(t)=\sum_{i=1}^{f} W_i R_i$,分别计算 $M(A)$ 和 $M(B)$。

$M(A)=(11-8)\times3+(9-7)\times2=13$

$M(B)=(9-10)\times3+(8-8)\times2=-3$(取绝对值)

$M(A) > M(B)$,说明第 31 例受试者分入 B 组会使不均衡性达到最小,因此应以 $P=0.8$ 的概率将其分到 B 组。

可见,和分层区组随机化相比,最小化法减少的是所有因素的总体不均衡性而不是考虑每一层的均衡性,其优点是在例数比较少的情况下保证各组基线时预后因素和总例数的均衡,尤其适用于抗肿瘤药物的研究。由于能收集的病例数较少,影响结果的预后因素多,若使用分层区组随机化,分层因素太多,容易引起两组间预后因素分布和样本例数的不平衡,降低检验效能。动态随机化可弥补这一缺陷,即使在样本量小分层因素多的情况下仍能确保组间预后因素和例数平衡。有模拟试验证明样本量为 100、组别为 2 的临床试验中,使用最小化法进行随机分组,最多可容纳 20 个基线变量,即可保证 20 个分层因素保持平衡。另外,很多学者通过计算机模拟试验表明最小化法由于保持了各组预后因素和例数的均衡,统计分析时通过校正可降低 I 型错误,提高检验效能。

虽然最小化法在纳入分层因素和保持均衡性上优于分层区组随机化法,但也有其缺点,主要是:最小化法分组过程繁琐,每纳入一个新受试者就需重新计算两组间的差异,还设定了不同的分配概率,样本量较多时工作量大,易出错。另外,由于其分配概率大于0.5,有时甚至等于1,当了解受试者的基线情况时,会导致其可预见性。最后是最小化的统计分析问题,由于最小化法并非真正的随机化,传统的统计分析方法是否同样适用于最小化法,也是人们争议的问题,但国外的很多模拟试验已经证明最小化法可以采用传统的协方差分析方法进行统计分析,但是要将分层因素作为协变量纳入到模型中。有学者指出,如果采用的是不平衡设计,应尽量避免使用最小随机化。

1.2　偏性掷币法和瓮法

偏性掷币法和瓮法是最简单的动态随机化方法,其目标仅是保证各组例数相近。偏性掷币法的原理是在各组例数相等或相差不超过允许范围时,新病人分到各试验组(共有 k 组)的概率均为 $1/k$。一旦组间例数相差超过允许范围时,新病人分到例数较少组的概率增高,以纠正例数相差过大。研究者在试验前确定调整概率 P 值的大小,P 值越大纠正不平衡越快。因为在两组试验中 P 值不一定是 0.5,而是在 0.5～1 中的一个数值,所以称为"biased coin"方法。瓮法设计中有 α 和 β 两个参数,原理为在装有各 α 个两种颜色圆球的瓮中每次随机抽取 1 个圆球,根据球的颜色确定病人的分组,然后放回该球并加入 β 个另一颜色的球,继续重复抽样的过程。例如在 $\alpha=2$,$\beta=1$ 的瓮设计中,开始时红和黑球各 2 个($\alpha=2$),随机分组概率为 0.5、0.5,假如随机抽取的第 1 个球为红色则分到 B 组,然后将红球放回瓮中,同时加入 1 个($\beta=1$)黑球,这样第 2 次抽样前瓮里有 2 个红球、3 个黑球,抽得红、黑球的概率分别为 0.4、0.6。如果第 2 次又抽到红球,则再加入 1 个黑球,第 3 次抽得红、黑的概率为 0.33、0.67。通过这种调整随机抽样概率的方法,达到组间例数的接近。

　　在临床试验中,偏性掷币法和瓮法一般用于试验中心受试者例数的平衡,其中偏性掷币法更为常用,其需要事先设定组间最大相差例数或中心间最大相差例数,分组过程中一旦大于这个最大相差例数便使用偏性掷币进行纠正。

1.3　反应变量－适应性随机化法

　　反应变量－适应性随机化法大体可分为两类:一类是基于一个最优分配目标而进行,即参数法;另一类是设计驱动型,其主要基于一些既定的原则,不依赖于参数和模型,故称之为非参数法。其中,

　　①参数法是指依赖于一定的参数分布使分配目标达到最优的一系列方法。在实际应用中需要对参数做估计方可应用。常用的分配目标有期望处理失败个数、期望分配到劣效处理组的个数、总样本量等。研究者可根据临床试验的目的与具体情况来选择一个所关注的最有意义的最优分配目标,然后再依据使得此目标达到最优的原则计算相应的最优分配比例以及选择可以实现此分配比例的随机化分配方案。常用的最优分配比例计算方法有 Neyman 分法、Rosenberger 法、Biwas 与 Mandal 分配法、序贯最大似然法和双重适应性偏币设计法等。

　　②非参数法是有别于参数法的一种设计驱动型反应变量－适应性随机化法。其中最为人们关注的是广义 Friedman's 翁模型(Generalized Friedman's Urn Model)及其所扩展和简化的 PW、RPW 原则。

　　广义 Friedman's 瓮模型由 Athreya 和 Karlin 于 1968 年提出,其基本思想为:矩阵 $Y_1=(Z_{11},\cdots,Z_{1k})$ 代表放在瓮中的 $1,2,\cdots,k$ 种类型球(代表第 $1,2,\cdots,k$ 种处理)的初始数目。试验开始后,患者依次进入试验,当某个受试者需要随机化分配处理时,随机从瓮中抽取一个球并放回,如果所抽得的球是第 i 类球,则此受试者接受第 i 种处理。设 ξ 为试验的反应变量,d_{ij} 为每个受试者完成试验并接受观察之后向瓮中所增加的第 $1,\cdots,$ k 类球的数目,其中 d_{ij} 为反应变量 ξ 的函数。整个试验按照上述过程依次重复进行,直至所有受试者全部入组。

　　对于两个处理组、观测结果为两分类指标的试验,Zelen 在 1969 年提出了胜者优先的原则(Play-the-Winner Rule,简称 PW 规则),又名乘胜追击法。其基本思想是:在临床试验中,某种处理的成功导致未来一新受试者分配于此处理,某种处理的失败导致未来一新受试者分配于另一处理。PW 原则最显然的缺点就是随机性不够,这一次的成败使

人知晓下一对象分配的组别,因而会产生选择偏倚;其另一缺点就是每一位受试者的分配必须等待上一受试者的反应,如果反应延迟则在临床上不适用。

Wei 在 1978 年将广义 Friedman's 瓮模型和 PW 规则相结合,提出了 RPW(Randomized Play-the-Winner Rule),即随机化胜者优先规则。此原则的表达和解释如下:RPW(u, a, b)指试验开始时瓮中两类球数目均为 u,如果从瓮中抽得 A 类球,就将受试者分配给处理 A;如果抽得 B 类球,就将受试者分配给处理 B,然后将球重新放回。观察该受试者的结局情况,若该受试者分配到 A 处理且成功,则向瓮中增加 a 个 A 球;而如果该受试者分配到 A 处理且失败,则向瓮中增加 b 个 B 球;下一受试者进入试验时,再从瓮中随机取球,以决定该受试者分配给处理组 A 或处理组 B。RPW 规则具有较强的灵活性,允许受试者反应变量的获得存在一定的延迟,从而大大提高了反应变量适应性随机化方法的适用性。

2 动态随机化的应用

临床试验实践中,动态随机化的应用越来越多,但因为动态随机化的算法以及实施操作一般都较为复杂,该方法的实现常常需要采用基于互联网的中央随机化的交互应答系统来支持。目前,国内已采用 Pocock 和 Simon 的最小化算法建立了基于 Web 的中央随机化系统,研究者可以通过 Internet 网络登录系统,录入入组病人的重要预后因素信息后,由系统计算出病人应分配到哪一组,并告知研究者病人应服用的药物编号。这样既加快了分组速度,又减少了选择性偏倚,保证重要预后因素基线的均衡性。

参考文献

[1] 刘玉秀. 临床试验随机化的质量保证. 中国临床药理学与治疗学杂志,2009,14(7):721−725.

[2] 金丕焕,邓伟. 临床试验. 上海:复旦大学出版社,2004,29−32.

[3] 于莉莉,薛富波,王素珍,等. 临床试验适应性设计的反应变量−适应性随机化方法简介. 中国卫生统计,2008,25(5):534−538.

[4] 蔡宏伟,曹晓曼,夏结来. 最小随机化分组系统在多中心临床试验中的应用. 中国新药杂志,2008,17(14):1264−1267.

[5] Wei LJ, Durham S. The randomized play-the-winner rule in medical trials. Journal of the American Statistical Association, 1978, 73: 840−843.

[6] Zelen M. A new design for randomized clinical trials. New England Journal of Medicine, 1979, 300: 1242−1245.

[7] Tu D, Shalay K, Pater J. Adjustment of treatment effect for covariates in clinical trials: statistical and regulatory issues. Drug Information Journal, 2000,34:511−523.

[8] Cai H, Xia J, Xu D, et al. A generic minimization random allocation and building system on web. Journal of Biomedical Informatics, 2006, 39: 706−719.

[9] Proschan M, Brittain E, Kammerman L. Minimize the use of minimization with unequal allocation. Biometrics, 2011, 67(3):1135−1141.

（刘玉秀　夏结来）

非劣效临床试验

检定或评价试验药物（T）的有效性一般采用优效性试验设计，多采用安慰剂（P）对照、空白对照、剂量组间对照或阳性药物对照（C），其中，安慰剂对照是最直接和高效的对照方式。但在某些临床实践中直接采用安慰剂对照存在伦理学风险，如已有治疗某适应症的有效药物，且可预知由于延误治疗可能导致受试者死亡、病情进展、残疾或不可逆的医学损伤发生，则不宜单纯采用安慰剂对照。剂量组间对照也存在类似的问题。虽然采用阳性对照避免了伦理学风险，但通过临床试验评价试验药物优于公认的阳性对照往往有一定困难。基于此，临床试验中提出了采用阳性对照的非劣效（non-inferiority，NI）试验设计。

非劣效临床试验设计要求阳性对照药物应具有较稳定的有效性，否则不能采用非劣效设计。非劣效试验一般用于有客观疗效指标的临床研究中（如抗菌药物的临床终点、心血管治疗中的主要不良心血管事件、肿瘤治疗中死亡或进展事件、2 型糖尿病降糖治疗中的糖化血红蛋白等）。鉴于缓解症状和/或以主观疗效指标为主要评价终点的临床试验（如治疗抑郁、过敏性鼻炎、咽炎、疼痛的药物等）疗效评价受试验质量、测量方法、受试人群的影响较大，难以确定在本次试验样本中阳性对照是否仍然保持原有的效应，此类药物的临床试验不宜采用非劣效设计。

非劣效临床试验的目的是通过与阳性对照的比较评价试验药物的有效性和安全性。良好设计的非劣效试验获得的临床研究数据可以推断出：①拒绝试验药物的疗效劣于阳性对照药物疗效的假设，即试验药物的疗效非劣于阳性对照；②尚不能拒绝试验药物的疗效劣于阳性对照药物的疗效。

非劣效的结论有两层含义：试验药的疗效优于安慰剂（间接推论试验药物的有效性）；试验药的疗效若是比阳性对照药物的疗效差，其差值也是在临床可接受的范围内。采用阳性对照的非劣效临床试验要保证试验的检定灵敏度（assay sensitivity），试验设计必须考虑以下三个方面：

（1）阳性对照有效性的既有证据（historical evidence of sensitivity to drug effects，HESDE）：阳性对照效应来源于文献报道的有良好试验设计的试验结果，这些历史试验已明确显示本次非劣效试验中采用的阳性对照或与其类似的药物优于安慰剂，且随时间迁移，药效灵敏度基本维持稳定。根据这些试验结果可以可靠地估计出阳性对照的效应大小。阳性对照的效应大小是非劣效试验的关键设计参数（确定非劣效界值），既不能用历史研究中最好的疗效作为其效应大小的估计，也不能仅用 Meta 分析的点估计作为效应大小的估计,效应大小估计时要充分考虑历史研究间的变异。

对于缓解症状和/或以主观疗效指标为主要评价终点的药物,难以得到阳性对照有效性的既有证据。虽然阳性对照有缓解症状的效果,即使是设计良好的试验,往往也难以重现该药物在缓解特定症状方面优于安慰剂的结论。由于本次非劣效试验中难以确定阳性药物是否有效,基于此试验得出的非劣效结论就不能确证试验药物的有效性。这是缓解症状的药物不能采用非劣效试验的主要原因。

(2)阳性对照药物效应的稳定性(constancy assumption,CA):阳性对照效应的估计来源于历史研究,虽然考虑了历史研究间的变异,但仍有历史局限性,受到很多因素诸如当时的受试人群、合并治疗方法、疗效指标的定义与判定、阳性对照的剂量、耐药性以及统计分析方法等的影响。因此,采用非劣效试验设计时要尽可能地确保本次临床试验在以上提及的诸多因素方面与历史研究一致。

然而与历史研究的可比性只有等到试验结束后才能得到充分评价,如果证实了本次试验与历史试验间存在明显异质性,则应在揭盲前对阳性对照效应的估计值进行适当、保守的调整。如果随着年代的迁移,所治疗的疾病的定义、诊断标准及其治疗方法已经发生变化,则不能采用非劣效试验设计。

另外,疗效的一致性与效应大小的度量方法有关。以事件发生率为例,率比 RR 或风险比 HR 较率差相对稳定,尤其是当发生率随年代的迁移降低时,最好用率比或风险比来估计效应大小。

(3)良好的试验质量(good quality study,GQS):试验质量是非劣效临床试验具有检定灵敏度的基础。各种临床试验质量上的缺陷,包括随机化破坏、违背方案入组、依从性差、合并影响疗效评价的药物、测量偏差、分组错误、受试者脱落率高等都有可能导致试验组与对照组效应差异的减小。在优效性试验中,这些试验质量上的缺陷不利于优效性结论的成立,但在非劣效试验中却有利于非劣效结论的成立,并且试验质量越差,越易于得出错误的非劣效结论。当然这种质量低劣的试验是不具有检定灵敏度的。同样,在优效性试验中被公认为保守的 ITT 原则在非劣效试验中则不一定仍是保守的,尤其是当脱落率较高且采用的疗效填补方法不当(如 LOCF)时。因此,在试验设计和实施阶段都应该提高试验质量要求,只有高质量的临床试验才能保证非劣效临床试验的检定灵敏度,否则可能陷入证明谎言是真理的陷阱。

近年的一些观点表明,包括安慰剂和阳性药物组的三臂非劣效试验是最优的非劣效试验设计。此类设计具有较好的检定灵敏度,不需要依赖外部试验就能进行非劣效统计学推断。三臂非劣效试验一般采用非等比例分组,安慰剂组:试验组:阳性对照=1:n:$m(n \geqslant m > 1)$,既能较好的顾及伦理学风险,又能自证其说。阳性对照的绝对疗效 M_1 的估计是试验本身提供的,设计时仅需考虑试验药保留对照药疗效的比例 f 即可得出非劣效界值 $M_2 = (1-f)M_1$。

参考文献

[1] CCTS 工作小组,夏结来.非劣效临床试验的统计学考虑.中国卫生统计,2012,29(2):270-274.

[2] 刘玉秀，姚晨，陈峰，等．非劣效性/等效性试验中的统计分析．中国临床药理学杂志，2000；16(6)：448－452.

[3] 刘丽霞，刘玉秀，陈林，等．含安慰剂组三臂临床试验基于 bootstrap 再抽样的非劣效评判．中国卫生统计，2012,9(1):65－69.

[4] U. S. Department of Health and Human Services，Food and Drug Administration Center for Drug Evaluation and Research (CDER)，Center for Biologics Evaluation and Research (CBER). Guidance for Industry Non-Inferiority Clinical Trials. 2010. http://www.fda.gov/Drugs/GuidanceComplianceRegulatoryInformation/Guidances/default.htm.

（刘玉秀　夏结来）

富集设计

1990 年 Hallstrom 与 Friedman、Temple、Pablos-Mendez 等对富集设计作出正式的讨论和定义。其实，富集设计在此前十几年已经被运用于评估某些药物或治疗手段。

临床试验时，从一般人群中根据受试者的反应或某些特征选择或筛选出一个适合试验研究的亚群，选择这样一个亚群的过程被称为富集(enrichment)，对富集后的亚群进行随机分配，接受相应的处理，这样的设计形式被称为富集设计(enrichment design)。富集设计的目的是为了增强对富集的亚群进行外部干预时所获得的信号，且将它从很多另外的混杂因素中分离出来。近年来，富集设计在许多不同的学科中很受欢迎，特别是在临床肿瘤学、疼痛治疗领域。

富集设计通常至少包括两个阶段。第一阶段为富集过程，在该阶段，将应用一些主要药理学效应，实施具有递增设计或者滴定治疗的开放研究，以便辨别出具有临床反应的患者；第二阶段通常为随机化和双盲形式，可能有同期安慰剂对照，以便在这些患者中对试验药物的疗效和安全性进行正式和严格的研究。富集设计有很多种类型，这里给出常见的两种。

1 随机终止试验

随机终止试验(The randomised discontinuation trial，RDT)(见图 1)首次由 Amery 与 Dony 提出，作为经典的安慰剂对照、随机化临床试验的另一种选择，减少试验的持续时间和病人暴露于无效安慰剂的程度。在此设计中，对所有获得知情同意的合格人群进行随机化，于第一阶段均进行试验性治疗，此阶段称为开放阶段；经开放阶段后，临床研究者对有疗效(常采用替代终点)的个体进行收集和评估，而没有疗效或出现严重不良事件的个体将剔除出该研究。接着对剩下的亚群采用双盲方式进行随机化,分别分配到安慰剂组或试验组。

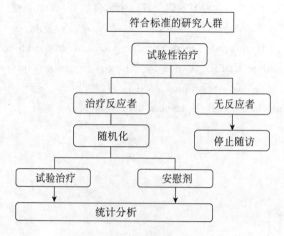

图 1　随机停止试验流程图

RDT 设计第一阶段主要是起过滤作用,排除那些很可能没有疗效的个体,因为这些个体很难对疗效的评价提供信息。第二阶段主要是区别是否治疗会比安慰剂获得更多的疗效。

对于 RDT 来说,一个普遍可以接受的假设是在开放阶段,治疗并没有治愈某种疾病,基于此原因,RDT 一般被应用于需要持续接受某种治疗的情形,例如肿瘤生长速度的平稳性降低或治疗某些慢性病。另一个经常被接受的假设是疗效经过开放阶段后消失,不进入第二阶段。在肿瘤学领域,这或许表明肿瘤的生长速度惟一由治疗所确定,并随着治疗的变化而变化。

传统上来说,一般只对 RDT 第二阶段的结局进行统计学分析。Capra 比较当主要评价指标为个体生存时间的 RDT 与 RCT 之间的检验效能;Kopec 评价当评价指标为二分类终点时 RDT 的可用性和有效性;Fedorov 与 Liu 等考虑疗效为二分类终点时的极大似然估计。

2　安慰剂导入试验

安慰剂导入试验(The placebo run-in trial,PRIT)为另一种常用的富集设计。它与 RDT 流程很类似,只是将"试验性治疗"替代为"安慰剂治疗"、"有疗效者"替代为"依从者"(见图 2)。

基于 PRIT 设计的一个假设是所有的个体在试验期间由始到终均配合调配。在安慰剂导入阶段,假如某个病人不依从治疗方案,那么在第二阶段将被剔除。当已知一般人群的依从性或期望的依从性很差,亦或这种差的依从性与治疗的持续减少相关联时,这种设计显得比传统的 RCT 设计更加有效。Davis 在一个评价降低老年人群胆固醇水平药物的研究中通过经验性的评价来检验 PRIT 的有效性,分析仅采用第二阶段的结局。

综上所述,富集的意图大致可分为三类:(1)抑制变异选择:选择最齐性的亚群,如这

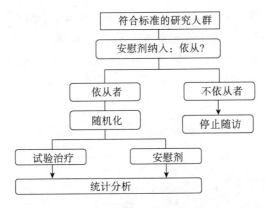

图2　安慰剂导入试验流程图

些患者对于符合研究方案都具有最大的趋向性,例如其胆固醇水平都在一定范围内,或其肿瘤大小和健康条件都很相近。(2)增强反应选择:识别对试验有最大潜在反应幅度的亚群,例如精神状态的改善,生存期的延长,抑制肿瘤的生长速度等。(3)目标应答者的选择:选择的亚群,比一般人群更容易反应治疗或出现预想的结果,如在开始阶段就对治疗反应,或经常出现某些结局。这些选择并不是相互排斥的,富集过程经常可以获得超过一个以上的目标。一个有效的富集可以大大地提高评价治疗效果的效能,然而,一个严格且多阶段的富集过程会导致获得的亚群的样本量逐渐减小,因此会导致统计精确度的降低或延长纳入的过程。一个理想的富集设计应根据这两方面审慎考虑。富集设计进一步将目标患者限定到一小部分选择性患者组中,但正因为如此,带来了富集人群结论外推的困难,其中也还存在着有关统计学分析方法和临床解释等方面的问题。

(刘玉秀　缪华章)

富集纳入随机退出设计

　　临床试验中的富集(enrichment)是增大对某一种处理产生反应的比例的过程,也是一种使药物和安慰剂效应之差最大化的一种有效的策略。富集纳入随机退出设计(enriched enrolement randomized withdrawal design,EERW)是二阶段富集设计(见条目:富集设计)的形式之一(见图1)。第一阶段,从暴露于研究药物的病人中,选择出能耐受并产生效应的病人,该阶段一般是开放治疗期;第二阶段,将选出的病人随机分配到各处理组中,进行随访观察,该阶段一般是双盲的。第一阶段的富集过程可以使第二阶段不能完成试验的病人比例大大减少。近年,EERW设计在止痛药物的研究中得到广泛应用,该类研究的终点主要有两种类型,一是随机化后由于缺少疗效(leack of efficacy,

LOE)导致的停药率及停药时间(time to discontinuation),二是平均疼痛程度(mean pain intensity)或平均疼痛程度从基线算起的变化值(mean change from baseline in pain intensity)。常规的随机固定剂量设计因随机化之后脱落率较高限制了结论的推断,尤其是对于开始耐受性差以及需要较长时间滴定期的药物更是如此。

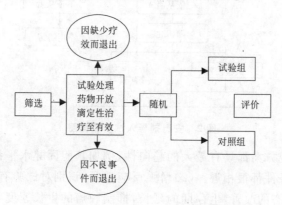

图 1 富集纳入随机退出(EERW)设计流程图

图 1 显示了 EERW 设计的基本形式,在临床试验的实践中可以在此基础上进行适当的变通以适应不同的情况。例如第一阶段可以是一种药物的单组试验,也可以是多种药物的平行试验,甚至可以是多种药物的交叉设计试验,第二阶段在第一阶段富集纳入的基础上进行后继的随机分组试验,此阶段的分组可以是多个平行组安排,也可以是平行组加交叉设计分组。

其实,EERW 设计是从早期脱离设计(见图 2)的基础上演变而来的,是富集设计和早期脱离设计的联合体现。早期脱离设计需要预先设定受试者因治疗无效(LOE)早期出组的准则:①设定保守的早期脱离出组时点 T;②设定出组标准,如慢性肾炎急性发作治疗大于 T 时点后 Cr 下降率未达到预期值则受试者脱离试验,并给予有效药物治疗。因此脱落的病例视为治疗无效的可评价疗效病例;③此设计中脱落率与中位脱落时间将作为重要的次要疗效指标予以评价。

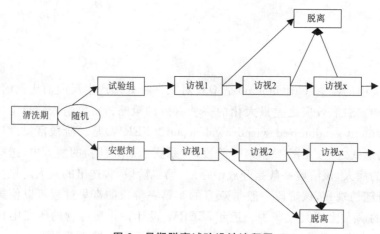

图 2 早期脱离试验设计流程图

在一项以安慰剂为对照评价某药物治疗支气管哮喘有效性和安全性的临床试验试验中,为了保护受试者的权益,试验过程中采取早期脱离机制,当受试者被研究者判定为缺乏疗效时可退出本试验。试验清洗期为$-28\sim0$天,统一采用辅舒酮进行清洗治疗;治疗时间为$0\sim84$天,试验组和对照组分别采用试验药和安慰剂,当受试者被研究者判定为缺乏疗效时可提前退出本试验接受治疗。试验流程见图3。

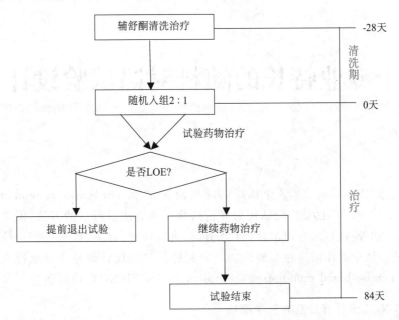

图3　以安慰剂为对照评价某药物治疗支气管哮喘有效性和安全性的临床试验流程图

试验采用的 LOE 规则为出现下列情况之一退出试验:①哮喘病情恶化(指受试者哮喘症状加重,需要接受除增加缓解药物使用外的其他治疗者);②FEV1 较基线(0 天)值降低 20% 及以上者,或 FEV1 较预计值<50%者;③在随访前的近 7 天内连续 2 次清晨或傍晚 PEF 下降≥20%平均基线值(-7 到 0 天的平均值);④在随访前的近 7 天内,夜间哮喘症状评分>2 分(至少 4 晚)或 3 分(至少 2 晚);⑤在随访前的近 7 天内,白天哮喘症状评分≥3 分,至少 4 天;⑥受试者自我感觉无效,符合 LOE 评价标准提出退出临床试验者。

参考文献

[1]　McQuay HJ, Derry S, Moore, RA, et al. Enriched enrolment with randomised withdrawal (EE-RW): time for a new look at clinical trial design in chronic pain. Pain, 2008,135:217－220.

[2]　Quessy SN. Two-stage enriched enrolment pain trals: a brief review of designs and opportunities for broader application. Pain, 2010, 148:8－13.

[3]　Hewitt DJ, Ho TW, Galer B, et al. Impact of responder definition on the enriched enrollment randomized withdrawal trial design for establishing proof of concept in neuropathic pain. Pain, 2011, 152:514－521.

[4]　Katz N. Enriched enrollment randomized withdrawal trial designs of analgesics focus on methodol-

ogy. Clin J Pain，2009,25:797—807.

[5] Gilron I, Wajsbrot D, Therrien F, et al. Pregabalin for peripheral neuropathic pain: a multi-center, enriched enrollment randomized withdrawal placebo-controlled trial. Clin J Pain，2011,27: 185—193.

（刘玉秀　夏结来）

基于专业特长的随机对照试验设计

当今是循证医学时代,尽管常规的随机对照试验(conventional randomized controlled trials，C-RCT)已被广泛认可为评价药物干预方法最可靠的方法,但关于其在非药物干预,比如外科治疗、心理治疗、行为干预、康复理疗、针灸、推拿等一些技能型需要医生操作的方法中的作用尚存在疑问。一种别样的试验设计即基于专业特长的随机对照试验(Expertise-based randomized controlled trials，EB-RCT)应运而生。

1   EB-RCT 设计背景及方法学原理

常规 RCT 设计的典型做法是将受试者(病人)随机到两种干预(A 或 B)中的一种,然后由医生将某些受试者给予干预 A,而其余的受试者给予干预 B。由于操作性的干预方法在个人经验和技能水平上的不同可能与结局效果直接相关,用常规 RCT 设计往往忽略了治疗手段在实际操作中可能存在的人为差异,因此难以胜任不同干预方法间的比较评价。而 EB-RCT 设计将受试者随机到对干预 A 有特长的医生或者对干预 B 有特长的医生,医生只应用其有专业特长的干预方法。两种不同的随机对照试验设计方法图示如下:

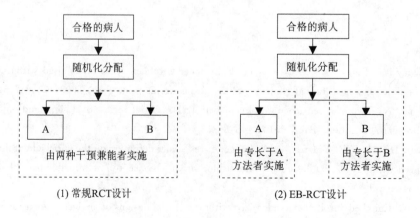

(1) 常规RCT设计　　　　　　　　　(2) EB-RCT设计

　　两种方法都是将合格的受试对象随机分配到某一种干预,其关键的不同是受试者所接受的干预方法是由谁执行的。常规 RCT 设计中要求每一位参加的医生都能完成 A 和 B 干预方法。而 EB-RCT 设计中干预 A 仅由专长于 A 的医生完成,干预 B 则仅由专长于 B 的医生完成。药物临床试验用常规 RCT 设计,医生给予受试者两种药物干预事先规定好的,不会因医生不同而改变处方,可认为不存在医生水平高低问题。但是,在与医生水平有关的操作技能型临床评价如外科试验中则不然,若按照常规 RCT 设计进行试验,受试者被随机分配到欲评价的不同外科方法,当医生的水平不同时,则结果的准确性就受到影响。要解决这一问题,必须保证参加试验的外科医生对两种手术方法都能很好完成,且医生之间的水平也应一样。这是很难做到的。尽管 EB-RCT 设计时的受试者和常规 RCT 设计一样被随机到某一外科方法,但方法的实施却是分开由具有相应专业特长的外科医生完成,而并不要求参加的外科医生在不同的干预方法上都是“全才”,因此这一设计方式在临床实践中更容易被外科医生接受。

　　EB-RCT 设计评价外科干预于 1980 年由 Van der Linden 提出,认为在外科试验中,如果不考虑外科医生本身技能的差异,一味采用常规的 RCT 设计,会导致临床试验结果的偏倚,EB-RCT 设计的提出可以解决阻碍外科试验实施中的诸多问题。这一设计尽管 20 年前就已提出,但很少见到使用,直到最近才受到重视。2005 年,Devereaux 等提出在评价非药物干预方法时应充分考虑医生专业技能的作用,呼吁使用 EB-RCT 设计进行临床试验,甚至预言这一设计将成为外科干预评价的前进方向。

　　有支持证据认为 EB-RCT 设计的应用将会进一步增强随机对照试验在外科及其他相关领域的有效性、实用性、可靠性和伦理上的要求。近年来,因 EB-RCT 设计比常规 RCT 设计具有的实质性优点,建议给予更广泛的应用,并指出本设计方法不应局限于外科领域,对于采用不同知识、不同技能的干预方法,例如心理治疗、行为干预、康复理疗、针灸、推拿等都是适用的。有关 EB-RCT 设计的临床研究日渐增多,基于这一设计模式的方法学研究文献也呈上升趋势。

2　EB-RCT 设计的优势

　　与常规 RCT 设计相比,EB-RCT 设计表现出一定的优势。

　　1)避免了专业技能差异导致的偏倚　传统 RCT 设计理论上应该要求参加试验的外科医生对两种干预方法具有相同的专业技能,在许多情况下,对所有的外科医生都这样要求几乎是不可能的。外科医生的现实特点是尽管需要在所属领域掌握更多的外科手段,但往往会更倾向在某些方面有偏爱,甚至有专攻。因此,一名外科医生对不同的外科方法必然存在着不经验和技能上的差异(differential expertise)。在某些情况尤其是学科划分越来越细,相当比例的外科医生可能只会专注于使用外科方法中的某一种或少数几种。当病人被随机分配到擅长的干预方法和并不擅长的干预方法,个体专业技能在两种方法上的结果差异性必然会有所表现。也就是说,如果采用常规 RCT 设计由外科医生根据随机分配施行两种手术,而两组手术中擅长某一手术的比例若出现分布不均衡,则可能导致偏倚,这种偏倚称为差异性专业技能偏倚(differential expertise bias)。例如,A 与 B 两种干预的对比,如果专长于 A 干预的外科医生实施了两组 70% 的手术,而专长于

B 的外科医生实施了 30％的手术,试验将会出现偏向于干预 A 疗效更好的结果。受试者接受的外科治疗中专长于 A 的医生比例和专长于 B 的医生比例相差越大,差异性专业技能偏倚对试验结果的影响则越大。而 EB-RCT 设计明确规定,不要求参加试验的外科医生在两种干预方法上都具有特长,只安排医生施行其专长的手术,因此可以防止这种偏倚。这样也更加符合伦理学的要求。

2)有效防范其他的潜在偏倚　不像药物干预临床试验,外科临床试验中的医生对施行的外科干预保持盲态是不可能的。这不可避免的在评价中引入较大的偏倚。有两种可能产生干预的人为调整。第一是联合使用其他的干预而产生偏差。第二是知道分配后而导致的结局评价偏向,尤其是由实施干预的医生也参加结局评价则更容易发生。相比于常规 RCT 设计,由于 EB-RCT 设计各组干预只是由对其有适当专长的医生执行,因此可以防范这两种形式的偏倚。在常规 RCT 设计中,干预间可能会产生沾染现象,而 EB-RCT 设计不同的干预组"各行其道",故能提供沾染保护。另外,还有一个值得关注的换组问题,如果采用常规的 RCT 设计,因为对于擅长某种干预方法的医生而言,执行一种不熟悉的干预方法,结果就是增加其放弃不熟悉的干预方法的可能性,更容易出现换组现象。EB-RCT 设计从原理上避免了因为不熟悉干预方法而致的换组。

3)外科医生/受试者的招募　相比于药物临床试验,外科临床试验的研究者面临的额外挑战是外科医生的招募问题。采用常规 RCT 设计,对患者来说并没有接受到最优治疗,对外科医生来说也并没有对患者提供自己所能够提供的最优治疗。可以理解,外科医生常常对特定的干预有强烈的偏好,这可能导致一种情形,尽管总的看外科团队对不同干预的相对优点是不确定的,即存在集体均势(见条目:临床均势),但个体外科医生还是可能抱有不愿参加常规 RCT 设计试验的强烈观点,因为那样会让他们施行其认为效果不好或不擅长的手术。而在 EB-RCT 设计下,充分尊重了医生的经验和技能,此类外科医生能够参加其乐于提供专业特长的外科操作,故招募的外科医生的困难减小。对于受试者而言,EB-RCT 设计能保证其所接受的是对干预方法具有适当特长的专家治疗,因而增加了招募合格受试者的机会,提高了受试者的依从性。

3　执行 EB-RCT 设计面临的挑战及对策

关于 EB-RCT 设计的批评和争议也一直不断。就外科试验来说,有学者认为,该设计未必增强外科试验的有效性。因为外科结局并不只是依赖于手术,影响手术结果的其他因素如外科团队、设备状况、围手术期管理等是不一样的,也是难以度量的。这会受到两组手术方法实施过程中综合能力的影响,因此两种手术方法的对比未必是更有效的。另一争论是,EB-RCT 设计要求手术只由少数挑选出来的具有专业特长的医生完成,因此结果并不能反映一般公众外科医生人群进行手术的真实情况,结论难以推广到众多的外科医生,只能用于那些手术有特长的外科医生。甚至有学者认为,由于 EB-RCT 设计的可推广性存在问题,加之需要按医生和中心进行分层随机化,增加了操作的复杂性和费用,在整形外科中多数的临床重要问题应该用常规 RCT 解决,而不建议用 EB-RCT 设计。也有学者提出伦理上的质疑,认为进行择期手术时,病人更愿意由其初诊医生或自己信任的医生手术,采用 EB-RCT 设计,病人不得不接受随机指定的处理,病人则有一半的机会得不到所期望的医生手术。

1) 专业特长的定义　尽管 EB-RCT 设计的概念既诱人又直观,但就一种特定的干预方法,对其"专业特长"进行定义还是有明显的困难。专业特长不容易直接测量,需要使用一些替代性的方法。通常使用的替代指标是以前完成干预的数量(可以包括类似的干预)、外科医生从事手术的年数、外科医生的临床级别、正规化的培训(如参加课程、模拟操作以及带教等),或者是以上的不同组合。所有这些方法都因为不能很好地报告外科学习过程而影响使用。为了不断增加研究的透明性和可推广性,关于如何改善外科试验(以及其他技能依赖性的治疗)报告、建立更为正规的培训机制以及做好外科经历的记录等还需要进一步地完善。另外,所有的新技术应用都会有个体学习曲线,即随着时间变化不断获得新技术应用的经验。有时,该学习过程可能持续相当长的时间和相当多的数量。因此在定义专业特长时应考虑学习曲线问题,否则当比较一种新技术和成熟的技术时,参加试验的外科医生在新方法上能力不足,则必然出现差异性专业技能偏倚。至少认定医生的专业特长,应保证其专业技能已经到达学习曲线的稳定期,而不是在上升期。

2) 所需样本量的影响因素　由于外科医生仅实施某一组的干预方法,与常规 RCT 设计用于药物临床试验相比,EB-RCT 设计在外科临床试验中,尽管避免了同一外科医生同时执行两种不同方法的差异,但仍然可能存在不同外科医生间个体技能水平的差异,致使两组外科医生整体技能水平上不相匹配,因而在所有其他因素不变的情况下,这一变异会影响 EB-RCT 设计的样本量估计。如果因此变异而缩小了两组干预的处理效应,则将会增大样本量。而在有些情况,由于前述的换组减少以及可能对干预方法专业特长的更严格把握,EB-RCT 设计的处理间差异可能比常规试验更大,这也许会降低样本量。一般而言,EB-RCT 设计适于有足够数量专业技能过硬的外科医生可供选用的常见外科干预方法的评价,而且在样本量估计时应充分考虑其影响因素,并在估计结果的基础上进行适当扩大。事实上,外科领域用常规 RCT 设计本身与固定的药物干预方法相比,也存在上述的影响因素,只是在样本量计算时常常被忽略罢了。

3) EB-RCT 设计在试验组织中的不同之处　与常规 RCT 设计相比,EB-RCT 设计的试验执行中一个特有的问题是需要两套独立可供选用的具有专业特长专业人员,每组的成员数量要充足。尤其是在多中心研究中,每一参加试验的中心在两种干预方法上最好都有双份可选的具有专业特长的专业人员,其技能水平要相当,在实施中要规定好各组专业特长医生的入选标准,设定好必要的后备医生条件。在较小的中心要达到此要求可能是困难的,因此在遴选研究中心时应考虑到这一条件。

4) 结果可推广的人群　同常规 RCT 设计比较,EB-RCT 设计试验结果的推广需要更加仔细的考虑。理论上,任何临床试验的结论推广范围都应和临床试验时规定的条件保持一致。这样一来,外科研究中常规 RCT 设计试验结论可推广的外科医生人群可能会大一些,而 EB-RCT 设计试验结果只能直接应用于那些在试验中所要求的具有一定专业特长的外科医生人群。这未必是坏事,为了保证医疗质量,任何一种外科方法都应该规定医生执业的条件,从对医生的管理上讲,规定开展某一项专业技术的准入条件也是有必要的。当然,对于一些在技术准入上要求不高的外科方法,在临床试验阶段,定义较为"宽松"的专业特长标准也许可以增加结果的实用性和可推广性,这也较为符合当前国际上提倡的能满足现实世界（real world）要求的实用性随机对照试验（pragmatic randomized controlled trial）的思想。

4 实践应用案例

尽管 EB-RCT 设计于 1980 年已经提出，而且近年关于这一设计的潜在优势证据也在不断增加，但其真正在临床上的实际应用还寥寥无几。如果以 expertise-based randomized trial 为检索词，在 Pubmed 上进行检索，相关的文献也很有限，其中个别的为已经完成的临床试验，有的还只是临床试验方案。德国学者 Knebel 等完成一篇报告，比较了完全植入式端口的两种不同植入技术的区别，将 110 名患者随机分配到由外科医生所进行的透视镜引导下的静脉切开插入技术组和由一个大学门诊中心所进行的锁骨下静脉穿刺技术组，结果提示透视镜引导下的静脉切开插入技术的主要指标成功率并不优于锁骨下静脉穿刺技术，但其次要指标操作时间明显偏长（$p < 0.001$）、接受的放射剂量明显偏大（$p < 0.001$）。

有几项研究结合临床实际问题，开展了以临床专家为对象的调查，以切实了解作为临床研究主体的医生人群对 EB-RCT 设计的实际可行性、参加意愿等相关方面的认知情况，这些问题直接影响了 EB-RCT 设计的开展。以下的例子从不同的角度用数据事实说明了外科 RCT 设计中医生的一些观点认识。

1）SPRINT 试验 在一项约入选 1350 名病人，由 140 名加拿大、美国、荷兰外科医生参加手术的大型外科试验（SPRINT 试验）中，用常规 RCT 设计方法比较两种外科干预方法（扩眼对不扩眼）治疗胫骨干骨折（tibial shaft fracture）的效果，试验前调查了参加试验的外科医生经验。不扩眼的干预方法比扩眼方法更复杂，没有经验的外科医生更多（（74 人中 26 人（35%）对 7 人（9%））。两方法经验数量的中位数差值是 7 例，95% 的可信区间为（5～11）例。超过 80% 的外科医生相信试验启动之前扩眼的方法更好。

2）开放修复对 EVAR 修复 2008 年，加拿大学者 Mastracci 调查了加拿大的血管外科医生，评价他们对主动脉血管内膜修复（endovascular aortic repair，EVAR）和传统的开放修复方法的态度和经验，以及对择期手术的两种随机化比较设计优点的看法。总共有 101 名一线手术外科医生应答。根据事先确定的专业特长标准，开放修复要完成 100 例以上，EVAR 要完成 60 例以上，则具有专业特长的医生分别有 80 名（80%）和 13 名（13%）。愿意参加 EB-RCT 设计和常规 RCT 设计的医生比例及其 95% 可信区间分别为 54%（44%～63%）和 51%（41%～60%），两者结果相近。

3）HTO 手术对 UKA 手术 2008 年，加拿大学者 Bednarska 等针对评价高位胫骨截骨（high tibial osteotomy，HTO）和单间室膝关节置换术（unicompartmental knee arthroplasty，UKA）的疗效，分别采用 EB-RCT 设计和常规 RCT 设计，调查了加拿大骨科协会成员参加两种设计的意愿及其偏好。201 名一线外科医生应答。对某一方法有专业特长被定义为完成 10 例以上的病人。102 名医生（53.4%）愿意参加 EB-RCT，相比愿意参加常规 RCT 的医生为 35 名（18.3%）。97 名外科医生（52.4%）表明对 EB-RCT 设计有强烈或中等的偏好，对应的常规 RCT 设计为 25 名（13.5%）。认为 EB-RCT 设计能克服骨科试验中因外科医生专业知识和倾向性的不同而对试验结果的影响，并改善试验结论的有效性,因而更偏向愿意参加 EB-RCT 设计的临床试验。

这些调查可见,外科医生参加 EB-RCT 设计试验的意愿至少和参加传统 RCT 设计试验相同,在有些情况下会相差更大。这些随不同情形而变化的结果表明,选择 EB-RCT 设计应持有辩证的态度,最好能在开始试验前进行上面类似的调查。当然,对任何大型多中心外科试验之前都进行这样的调查是也是有争论的。加拿大在 EB-RCT 方面的研究较多且相对深入,甚至成立了一个专门的 EB-RCT 工作组(expertise－based working group)。我国目前还没有对 EB-RCT 设计很好的认识和重视,更没有见到实际应用,只是在针灸研究领域有学者对这一设计方法进行了方法学论述和推荐。

5　结论

EB-RCT 试验设计的提出,使其在伦理、增加医生病人和受试者参与、减少干预间的交换、缩小差异性技能偏倚以及确保专业特长发挥等方面,表现出比常规 RCT 设计的优势。特别是,该设计模式强调了医生技能对疗效的影响,对入选医生有更严格的要求,充分尊重医生的个人经验和技能,有效保护了受试者的权益,尽管增加了试验的难度,但更贴近临床实际。当然,和采用常规 RCT 设计一样,要保证研究的质量,EB-RCT 设计同样需要仔细认真地实施。需要说明的是,任何方法都不是万能的,现实中如何认识两种设计以及在应用中如何进行恰当选择,尚需进一步研究探索实践。

参考文献

[1]　Van der Linden W. Pitfalls in randomized surgical trials. Surgery,1980,87:258－262.

[2]　Devereaux PJ, Bhandari M, Clarke M, et al. Need for expertise based randomised controlled trials. BMJ, 2005,330:1－5.

[3]　Lim E. Expertise based design has shortfalls. BMJ, 2005,330:791－792.

[4]　Walter SD, Ismaila AS, Devereaux PJ, et al. Statistical issues in the design and analysis of expertise-based randomized clinical trials. Statist Med, 2008,27:6583－6596.

[5]　Scholtes VA, Nijman TH, van Beers L, et al. Emerging designs in orthopaedics:expertise-based randomized controlled trials. J Bone Joint Surg Am, 2012,94 (Suppl 1):24－28.

[6]　Knebel P, Lopez-Benitez R, Fischer L, et al. Insertion of totally implantable venous access devices: an expertise-based randomized controlled trial (NCT00600444). Ann Surg, 2011, 253: 1111－1117.

[7]　Cook JA. Expertise-based trials. In: Boutron D, Ravaud I, Moher P. Randomized Clinical Trials of Nonpharmacological Treatments. Chpman and Hall/CRC,2011:103－112.

[8]　张伟,张世民. 外科手术随机化临床研究. 人民军医, 2002,45(1):7－8.

[9]　刘智君,费宇彤,刑建民,等. 技能型随机对照试验方法及其在针灸临床研究中的设计与应用. 中国针灸, 2012;32(5):455－458.

[10]　吴小红,赵晓峰,王舒. 以专业技能为基础的随机对照试验在针灸临床研究中的应用. 中国针灸,2010,30(4):319－321.

(刘玉秀　缪华章　陈　林)

疾病修饰作用评价的设计

疾病修饰作用(disease-modifying effects)是指药物在作用于人体的过程中,改变了疾病的发生发展机制,从而延缓疾病进展、控制继续恶化、保持原有水平或者改善功能状态的性能,通常这一作用表现在一些进展性的慢性疾病如 Alzheimer 病、癫痫、多发性硬皮病、年龄相关性黄斑变性等的预防或治疗中。对于具有疾病修饰作用的药物有时也称为疾病修饰药物(disease-modifying drugs)。药物的疾病修饰作用和症状缓解作用是不同的,如果具有疾病修饰作用,即使停药其作用依然存在,如果只是症状缓解作用,停药后症状将再次出现。

近年来,在临床试验中有效地评价疾病修饰作用已作为临床试验和药物研发的一个问题而提出。例如关于脑损害癫痫的问题,有学者指出癫痫的发展可分为三期,首先是初期脑损害,然后是潜伏期,最后发展为癫痫发作,因此当前的治疗多集中在预防或抑制癫痫发展。其挑战是如何防止处于风险者发展为癫痫,如果不能完全预防癫痫,是否能开发一些增强神经活动功能、影响癫痫发生机制,将疾病过程控制为轻度的、延迟癫痫出现的药物呢? 评价药物对癫痫是否具有修饰作用正是我们所关注的。常规的随机对照试验(randomized controlled trials,RCT)因为能够减少与已知的和未知的混杂因素均衡性相关的偏倚,称为评价临床治疗效果的"金标准",但该设计不足以直接评价药物的修饰作用。曾经提出过几种评价疾病修饰作用的方法。最通用的方法是先做平行组治疗的 RCT,然后进行足够长时间的随访。然而,该方法因失访以及病人在随访期间的伴随治疗而受到限制。另外的方法是在一足以产生治疗效果的阶段后,对有效的病人进行再次随机化给予不同的处理。检验疾病修饰作用要求初始的治疗是有效的,而且伦理上需要治疗组和对照组的病人都知道结果,期望在这些情况下,干预组病人中断治疗,而对照组病人不再给予初始的治疗是不切实际的,因此该设计也受到限制。后来又提出一些方法,例如对临床试验中一些或者全部病人进行再次随机到继续治疗或者中断治疗,该措施的一个优点是可以确定药理干预是否影响疾病进展,可能的解释是找到了在细胞或器官水平上的作用机制(疾病修饰),图 1 展示了确定疾病修饰作用的完整两阶段设计方法。

为了确定药物的疾病修饰作用,使用 Whitehouse 等以及 McDermott 等提出的分析方法,随机到中断治疗组(A/P)的病人和保留在安慰剂对照组(P/P)的病人进行比较。

第一次随机化
第二次随机化
A/A
A/P
P/A
P/P
阶段1
阶段2

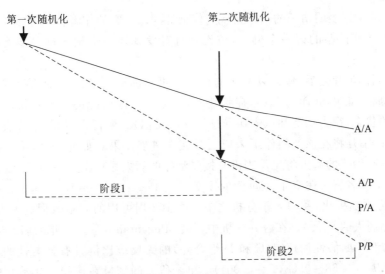

安慰剂组(P)以虚线表示,阳性治疗组(A)以实线表示

图 1　确定疾病修饰作用的完整两阶段设计

下面是一项眼内注射剂 Pegaptanib 治疗年龄相关的黄斑变性(age-related macular degeneration, AMD)的临床试验用于评价疾病修饰作用的实例。具体设计流程见图 2。

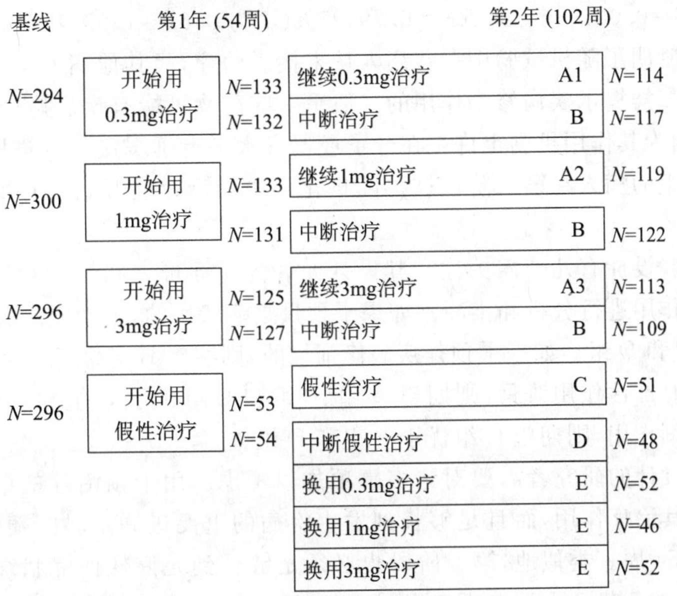

基线
第1年 (54周)
第2年 (102周)
N=294
开始用 0.3mg治疗
N=133
N=132
继续0.3mg治疗 A1
中断治疗 B
N=114
N=117
N=300
开始用 1mg治疗
N=133
N=131
继续1mg治疗 A2
中断治疗 B
N=119
N=122
N=296
开始用 3mg治疗
N=125
N=127
继续3mg治疗 A3
中断治疗 B
N=113
N=109
N=296
开始用 假性治疗
N=53
N=54
假性治疗 C
N=51
中断假性治疗 D
N=48
换用0.3mg治疗 E
N=52
换用1mg治疗 E
N=46
换用3mg治疗 E
N=52

说明:在 0 周到 54 周时被随机分配到不同剂量的治疗组或假性治疗对照组,各组病人再随机分配到继续治疗或中断治疗组,原来的对照组病人也可能被随机到原来的治疗组。

图 2　试验设计流程图

在这一两阶段的试验中,1186 名病人随机分为 4 组接受 54 周的治疗。54 周后,1053 名病人再次随机化分配到继续治疗和中断治疗。在多个中心的门诊进行病人观察。研究发现治疗 54 周后随机到中断治疗组进一步随访 48 周的病人与对照组(假治疗)相比,其主要指标“视力下降”有显著不同(相对危险度 RR=0.70,95%的可信区间为 0.57～

$0.88, P=0.002$),表明给予的治疗是疾病修饰性的。研究的作者曾声称该试验是评价疾病修饰作用临床试验的第一个例子,该设计将对发现药物干预的进一步治疗潜能产生影响。

在 54 周的治疗之后,病人以非盲的形式被再次随机到继续接受治疗或中断治疗另外进行 48 周。如果治疗作用只是症状性的,一年后中断治疗的病人很快回复到以前没有治疗时的状态(视力功能和从未接受过治疗的类似)。换言之,如果治疗有疾病修饰作用,第一年的治疗将在该期间停下来或延缓疾病进展。果真如此的话,第一次接受治疗但第二次没有治疗的病人将比从来没有接受治疗的病人显示出更好的视力效果。

总计 1186 名病人在 2 年期间至少接受一次 Pegaptanib 治疗。1053 名病人在试验 54 周后被再次随机化,并纳入于分析之中。在 102 周可用的完整数据病人为 941 例(占再次随机化病人的 89%)。在合并分析中,留在 Pegaptanib 治疗 2 年的病人(A1~A3 组合并)和假疗/中断假性治疗组(C 和 D 组合并)的无反应比例具有显著性的不同($RR=0.71, 95\%CI$ 为 $0.58~0.88, P=0.001$)。单个研究的结果在接受 2 年治疗的反应率上和合并分析没有不同($P=0.43$)。在遵循意向处理原则下分析确定药物是否具有疾病修饰作用,发现合并的中断治疗组(B 组)与从未治疗组(C 组和 D 组)的无反应比例有显著性的不同($RR=0.70, 95\%CI$ 为 $0.57~0.88, P=0.001$)。三个剂量组的作用一致(0.3mg 组 $RR=0.68, 95\%CI$ 为 $0.51~0.90, P=0.008$;1mg 组 $RR=0.62, 95\%CI$ 为 $0.46~0.83, P=0.001$;3mg 组 $RR=0.79, 95\%CI$ 为 $0.61~1.03, P=0.09$)。

这些研究阐明了随机试验中一些病人从未接受治疗,而其他病人接受一段时间治疗后中断治疗是怎样揭示疾病修饰作用的。似乎一些药物可能有疾病修饰作用,不同于缓解症状作用,因为其作用机制也许是在分子或器官水平上延缓疾病的进展。人们可以通过使用来自某组的病人在第二阶段被再随机化到中断治疗或开始治疗的临床试验来确定修饰作用。

对这些试验设计有几处需关注。其设计允许为了评价症状性的和疾病修饰性的作用以及安慰剂作用进行分析和推断。如果干预只是症状性的,则期望所有的 A 组优于所有的 B 组、C 组和 D 组。如果干预是疾病修饰性的,则期望 B 组优于 C 组和 D 组。如果症状性和疾病修饰性作用兼具,则期望 A 组、B 组和 E 组优于 C 组和 D 组。最后,如果干预只有安慰剂作用,则期望 C 组优于 B 组和 D 组。

准备用此设计的研究者需要对诸多事项加以考虑。用干预治疗的第一阶段必须足够长到能发挥其治疗作用,而且足够长到发生疾病的重要进展。时间随疾病而不同,本例第一阶段为 54 周。类似地,第二阶段也必须足够长到允许任何症状缓解作用退回原水平,根据干预的药代动力学有所变化。通常,因为病人间的变异性,研究者应该关注选择长的而不是短的时间。本例第二阶段 48 周。在中断治疗设计中,第一期的数据只用于建立阳性的治疗效应,第二期用于确定即使在治疗中断后药物作用是否持续存在。

尽管根据观察性研究、非对照临床观察或间接证据的疾病修饰作用药物大量上市,但该试验确是第一个在 RCT 背景下建立疾病修饰作用证据的成功尝试。尽管在理解疾病机制时已经取得科学上的不断进展,但药物影响特定病理机制的证据未必意味着重要的病人受益。疾病修饰作用的最强证据仍然需要来自于随机临床试验。本设计不仅理论上具有吸引力,而且能可靠地实现疾病修饰作用的阐明,将对发现药物干预的进一步治疗潜能产生影响。

参考文献

[1] Mills E, Heels-Ansdell D, Kelly A, et al. A randomized trial of Pegaptanib sodium for age-related macular degeneration used an innovative design to explore disease-modifying effects. J Clin Epidemiol, 2007,60:456—460.

[2] Whitehouse PJ, Kittner B, Roessner M, et al. Clinical trial designs for demonstrating disease-course-altering effects in dementis. Alzheimer Dis Assoc Disord, 1998,12:281—294.

[3] McDermott MP, Hall WJ, et al. Design and analysis of two-peroid studies of potentially disease-modifying treatments. Control Clin Trials, 2002,23:635—649.

[4] Gragoudas ES, Adamis AP, Cunningham ET, et al. Pregaptanib for neovascular age-related nacular degeneration. N Engl J Med,2004,351:2805—2816.

(刘玉秀)

临床均势原则

当代医学科学家们越来越注重临床科研方法的研究。自从随机对照试验(Randomized controlled trials,RCT)问世后,这一方法被逐渐推广和完善,得到广认可,被认为是当今临床试验中对不同干预措施进行比较评价的"金标准"。与此同时,伴随着生物医学科研伦理学的发展,人们认识到 RCT 的运用不仅需要从科学上保证研究评价的可靠性,还应该遵循一定的伦理原则。早在 1974 年,美国医生 Fried 就提出 RCT 的各处理组疗效的不确定原则,这一原则 1987 年被美国哲学家 Freedman 在《新英格兰医学杂志》上发表的文章中称为"均势"(equipoise),他对均势原则在实际使用时所遇到的问题进行了深刻反思,提出了"临床均势"(clinical equipoise)原则。

"均势"一词,简单地说是对某事物的有分歧的、不确定的状态,表明临床研究人员对试验组和对照组之间治疗效果对比不确定的真实状态,即对于 RCT 中使用的新药和对照用药,研究者不知道哪种药物对受试者的效果更好。如果研究者在试验之前就知道哪种药物疗效可能更好,他就应该出于职业道德为受试者提供最好的药物。有学者指出,已经相信一种药物或治疗比另外一种药物或治疗效果更好的医生,从道德上讲,不能再对受试者进行随机分组。虽然这里是有问题的,但均势概念的提出毕竟将进行 RCT 时对伦理的关注推进了一步。表现在,一是要求 RCT 应建立在对比组疗效之间是不确定的基础之上;二是随着试验的进行,当越来越多的数据能表明哪一种处理具有更好的疗效时,均势已被打破,试验就需终止;三是应该对使用安慰剂加以限制,如果有了已知有效的药物和治疗时则一般不可使用安慰剂。

均势虽然具有重要意义,并被认为是 RCT 的道德基础。但是,在实际临床试验中,其致命的弱点是均势在实践中很难保持,要求所有的研究者对治疗效果一无所知是不可能的,无论如何,推论和初步的结果都会使研究者产生某种倾向。经验表明,往往是在试验设计开始之前,研究人员就能凭借动物试验或者是前期人体试验获得某种大体印象。可见,均势的保持似乎更多的依赖于个体研究者的主观判断和推测能力,这样,均势实际上就成了"研究者的偏好"。这种偏好较容易受到研究者个体的认识、感觉、偏见等影响。或许有的研究者仅仅是出于直觉认为某种药物比另外一种好。均势的这种个体性和主观性成了最大的问题。Freedman 对此提出批评,认为"医生之所以能获准行医,是因为他具有合格的专业技能,而不是因为具有较强的猜测才能。"因此,这种均势原则仅仅是一种"理论上的均势"。

为此,Freedman 提出了"临床均势",系指临床研究人员对试验组和对照组医疗措施的疗效上存在"专家医疗团队内的不确定性"(genuine uncertainty within the expert medical community)。因此有人把"理论均势"称为"个人均势",把"临床均势"称为"集体均势"。在临床均势的要求下,试验设计的前提是研究团队内部应存在疗效对比的分歧,当试验数据或证据足以打破这种临床均势,使研究团队内部对两种药物疗效对比达成一致意见的时候,试验就可以终止。

临床均势基于公认的、使研究团队信服的信息,更加符合医学试验是社会性的而非个人的本质;临床均势要求研究者如实告诉受试者研究团队存在的分歧,使受试者充分认识到随机分组的科学实质,这和知情同意的道德要求完全一致,更有利于促进研究者与受试者之间的信任。

临床均势提出后,很快为临床科学研究人员广泛采纳,并作为 RCT 和其他类型试验的根本原则。近年来"临床均势"原则逐渐被付诸于实践。例如,在一项评价胸腰段脊柱损伤采用外科治疗和保守治疗的临床研究中,以均势作为入选标准(Equipoise as an inclusion criterion)获得成功;在一项用 10% 的 IGIV-C 治疗慢性炎症性脱髓鞘性多神经根神经病(chronic inflammatory demyelinating polyradiculoneuropathy,CIDP)的 Ⅲ 期临床试验(ICE 研究)中,由于缺少临床均势(clinical equipoise)而提出以个体反应为条件的换组设计(response-conditional crossover design)方法,确认了 IGIV-C 治疗 CIDP 病人的疗效,该药在美国、加拿大等地成功注册。

随着临床均势的应用,某些问题开始凸显出来,并引起激烈争论。存在的最大争议也是核心问题是被质疑混淆了"治疗"和"研究"的界限,容易产生治疗性误解(therapeutic misconception)。临床均势实际上是在要求临床试验要为受试者提供有效的治疗,从医生的"医疗行为"上不能提供较次的药物或治疗,即使是试验干预措施,也要和已知最好的治疗同样重要。但是,常规治疗和临床研究在目的、基本方法和风险—收益的平衡等方面存在着根本的区别。临床研究采用 RCT,主要是为了科学目的,而非为了受试者本人的健康利益。尽管许多病人通过参与研究获得了治疗性的收益,有些收益甚至高于常规治疗带来的收益。但研究所带来的治疗性收益仍然不同于治疗收益,这些收益是不确定的、间接的,可以说是研究的根本目的的副产品。所以,临床均势要求试验提供同样的、至少不能次于常规治疗的水平,就在一定程度上忽略了两者的界限,容易使研究者和受试者产生治疗性误解。另外,"临床均势"概念的定义似乎还不够准确,有时难以界定;是否存在"临床均势"只是依赖于专家认识,而专家的认识必然存在一定的不确定性,从循证医学的观点看专家认识的证据强度是较弱的;即便有了专家认识,但这些认识多来自早期临床试验的替代结局(surrogate endpoints),而替代结局未必是真正的临床结局;临床试验过程中"临床均势"的打破可能会高估处理效益而倾向于提前终止试验,这会阻碍对不良反应的严格评价。

参考文献

[1] 胡林英. 临床均势原则辨析—对临床科研方法的伦理思考. 医学与哲学:人文社会医学版, 2006;27(8):31—32,38.

[2] Freedman B. Equipoise and the ethics of clinical research. N Engl J Med, 1987,317:141—145.

[3] Ghogawala Z, Barker FG, Carter BS. Clinical equipoise and the surgical randomized controlled trial. Neurosurgery, 2008;62:N9—N10.

[4] Stadhouder A, Oner FC, Wilson KW, et al. Surgeon equipoise as an inclusion criterion for the evaluation of nonoperative versus operative treatment of thoracolumbar spinal injuries. Spine J, 2008,8:975—981.

[5] Stadhouder A, Buskens E, de Klerk LW, et al. Traumatic thoracic and lumbar spinal fractures: operative or nonoperative treatment (Comparison of two treatment strategies by means of surgeon equipoise). Spine, 2008,33:1006—1017.

[6] Miller FG, Joffe S. Equipoise and the dilemma of randomized clinical trials. N Engl J Med, 2011, 364:476—480.

[7] Deng C, Hanna K, Bril V, et al. Challenges of clinical trial design when there is lack of clinical equipoise: use of a response-conditional crossover design. J Neurol, published online: 07 August 2011.

[8] Hughes RA, Donofrio P, Bril V, et al. Intravenous immune globulin (10% caprylatechromatography purified) for the treatment of chronic inflammatory demyelinating polyradiculoneuropathy (ICE study): a randomised placebo-controlled trial. Lancet Neurol, 2008, 7:136—144.

[9] Miller FG, Brody H. A critique of clinical equipoise: therapeutic misconception in the ethics of clinical trials. Hastings Center Report, 2003,33(3):19—28.

(刘玉秀)

非劣效界值

非劣效界值(noninferiority margin)的确定是非劣效临床试验设计的关键。为便于表述,称数值越大表明疗效越好的指标为高优指标,称数值越小表明疗效越好的指标为低优指标。例如,有效率是高优指标,死亡率是低优指标。记非劣效界值 $\Delta>0$。表1给出一般情况下基于非劣效界值的检验假设及检验水准情况。

表1 非劣效临床试验的检验假设

指标类型	差值(率差,均数差)	比值(RR, HR, OR)
高优指标	$H_0: C-T \geqslant \Delta,\ \Delta>0$ $H_1: C-T<\Delta$	$H_0: \ln(C/T) \geqslant \Delta,\ \Delta>0$ $H_1: \ln(C/T)<\Delta$
低优指标	$H_0: T-C \geqslant \Delta,\ \Delta>0$ $H_1: T-C<\Delta$	$H_0: \ln(T/C) \geqslant \Delta,\ \Delta>0$ $H_1: \ln(T/C)<\Delta$
检验水准	$\alpha=0.025$	

注:T 代表试验组参数,C 代表阳性对照组参数。

非劣效界值的确定一般根据阳性对照药物与安慰剂相比较的效应的既有证据来确定(P 代表安慰剂的效应参数),采用 Meta 分析给出其可信区间估计。如果历史试验间同质性较好,可信区间的构建可采用固定效应模型,否则采用随机效应模型以考虑试验间的变异对阳性对照效应估计的影响。一般构建双侧 $95\%CI$。

对于高优指标,构建($C-P$)区间估计后,取区间下限作为阳性对照的疗效估计,记为 M(如此可以认为本次非劣效试验中的阳性对照的疗效有 97.5% 以上的可能大于 M)。

若取 $M_1<M$,令 $\Delta=M_1$,如果拒绝 H_0,则可间接推论出试验药疗效优于安慰剂,即 $C-T<\Delta \Leftrightarrow T-P>C-P-\Delta>0$(对于率比或风险比,相当于将率做对数变换后做差值运算,推论过程是一样的)。

若取 $M_2=(1-f)M_1,\ 0<f<1$,令 $\Delta=M_2$,如果拒绝 H_0,则可推论出试验药非劣效于阳性对照,且至少保持了阳性对照疗效 M 的 f 倍,譬如取 $f=0.5$,则至少保持了阳性对照疗效的 50%,即

$$C-T<\Delta \Leftrightarrow T-P>C-P-(1-f)M_1 \Leftrightarrow T-P>f(C-P)$$

对于低优指标,构建($P-C$)区间估计后,仍取区间下限作为阳性对照的疗效估计,记为 M。

若取 $M_1<M$,令 $\Delta=M_1$,如果拒绝 H_0,则可间接推论出试验药疗效优于安慰剂,即 $T-C<\Delta \Leftrightarrow P-T>P-C-\Delta>0$。

若取 $M_2=(1-f)M_1,\ 0<f<1$,令 $\Delta=M_2$,如果拒绝 H_0,则可推论出试验药非劣效于阳性对照,且至少保持了阳性对照疗效 M 的 f 倍,譬如取 $f=0.5$,则至少保持了阳性对照疗效的 50%,即

$$T-C<\Delta \Leftrightarrow P-T>P-C-(1-f)M_1 \Leftrightarrow P-T>f(P-C)$$

以上非劣效界值确定方法称作两步法,有 $M_2<M_1 \leqslant M$。如果历史试验数据较少,例如仅有一个可资借鉴的历史试验,或历史试验设计有缺陷、质量较差,取 $M_1 \ll M$(即疗效

折扣 discounting)以确保试验的鉴定灵敏度。M_1 是阳性对照扣去了安慰剂效应的绝对疗效的保守估计,一般借助 Meta 分析法并考虑历史试验间的变异后确定,M_2 是非劣效界值,其确定要结合临床具体情况,在考虑保留阳性对照疗效的适当比例 f 后,由统计专家和临床医学专家共同确定。f 愈接近 1,样本量越大。临床试验中一般取 $0.5 \leqslant f \leqslant 0.8$,例如在心血管病药物的非劣效试验中常取 $f = 0.5$。在抗菌药物临床试验中,由于阳性对照药的疗效公认且较高,非劣效设计时,以率作为主要指标时直接取 $M_2 = 10\% \sim 15\%$。

例如,根据历史试验数据经 Meta 分析后,阳性对照较安慰剂的有效率增加 30%,95%CI 为(23%,42%),酌取 $M_1 = 22\% < 23\%$,取 $f = 0.5$,得 $M_2 = M_1(1-0.5) = 11\%$。若 $P < 0.025$,则拒绝 H_0,认为试验药物的有效率非劣效于阳性对照,且保留了阳性对照有效率的 50% 以上。

又如,阳性对照较安慰剂的死亡风险减少 25%(低优指标),或说安慰剂/试验药物 $= C/T = 1/0.75 = 1.33$,根据临床专家意见酌取 $M_1 = 1.25 < 1.33$,取 $f = 0.5$,则 $M_2 = \exp((1-f)\ln(M_1)) = \exp(\frac{1}{2}\ln(M_1)) = \sqrt{M_1} = 1.12$。

采用 95%CI 的下限是非常保守的阳性药物疗效的估计方法,这是非劣效试验借用历史试验数据必须付出的代价。如果阳性对照有公认的稳定疗效,或者存在生物标志物,或者有较明显的毒性,疗效估计时可以宽松一些。

参考文献

[1] CCTS 工作小组,夏结来. 非劣效临床试验的统计学考虑. 中国卫生统计,2012,29(2):270-274.

[2] U. S. Department of Health and Human Services,Food and Drug Administration Center for Drug Evaluation and Research(CDER),Center for Biologics Evaluation and Research(CBER). Guidance for Industry Non-Inferiority Clinical Trials. 2010. http://www.fda.gov/Drugs/GuidanceComplianceRegulatoryInformation/Guidances/default. htm

[3] International Conference on Harmonization:Statistical Principles for Clinical Trials(ICH E-9), Food and Drug Administration,DHHS,1998.

(刘玉秀　夏结来)

非劣效试验样本含量估计

非劣效临床试验的样本含量应符合统计学要求。临床试验中所需的样本含量应足够大,以确保对所提出的问题给予可靠的回答。样本含量的大小通常根据试验的主要指标来确定。一般只有一个主要疗效指标。样本含量的具体计算方法以及计算过程中所需用到的统计量的估计值及其依据应在临床试验方案中列出,同时需要提供这些估计值的来源依据。Ⅰ类错误概率水平常控制在单侧 0.025,Ⅱ类错误概率应不大于 0.2(即试验的把握度为 0.8 或 80% 以上)。

率差非劣效样本含量计算公式

$$n_c = \frac{(Z_{1-\alpha}+Z_{1-\beta})^2}{(\delta-\Delta)^2}\Big[\frac{T(1-T)}{K}+C(1-C)\Big] \tag{1}$$

其中,T 为试验组率的估算值、C 为阳性对照组率的估算值,$\delta=C-T\geqslant0$,$\Delta>0$ 为非劣效界值,K 为分组比例,n_c 为对照组样本含量,Kn_c 为试验组样本含量。

率比非劣效样本含量计算公式

$$n_c = \frac{(Z_{1-\alpha}+Z_{1-\beta})^2}{(\delta-\Delta)^2}\Big(\frac{1}{KT(1-T)}+\frac{1}{C(1-C)}\Big) \tag{2}$$

其中,$\delta=\ln(C/T)\geqslant0$,$T$ 为试验组率的估算值,C 为阳性对照组率的估算值,K 为分组比例。

均数之差非劣效样本含量计算公式

$$n_c = \frac{(Z_{1-\alpha}+Z_{1-\beta})^2}{(\delta-\Delta)^2}\sigma^2\Big[1+\frac{1}{K}\Big] \tag{3}$$

其中,σ^2 为合并方差的估算值,$\delta=C-T\geqslant0$,T 为试验组均数的估算值、C 为阳性对照组均数的估算值,$\Delta>0$ 为非劣效界值,K 为分组比例。

低优指标时公式(1)、(3)中 $\delta=T-C\geqslant0$;公式(2)中 $\delta=\ln(T/C)\geqslant0$。

需要注意的是非劣效试验样本含量估计时一般假设试验组的疗效与阳性对照相等或比阳性对照更差,不能为了减少样本含量设试验组的疗效比阳性对照好,这样会违背非劣效试验的设计初衷。另外,在相同的参数设定下,如果目的是推断优效性时,非劣效试验样本含量估计结果一般要比优效性的样本含量大。

进行样本含量估计时,除以上所列的必备统计要素外,实际试验中,还有一些其他的影响因素,需要结合具体情况进行适当调整。最多涉及的是依从性和失访问题。

1)依从性:临床试验的困难之一就是病人不遵从指定的治疗(noncompliance)。从保守的角度考虑,假定不依从的患者没有从治疗中受益,其他病人为完全受益者,则调整的样本含量计算与统计估计的样本含量之间用公式表达为

$$n_{adj} = \frac{n}{(1-p_m)^2} \tag{4}$$

式中,p_m 为不依从的比例,表 1 列举了不同的不依从比例下的调整因子大小。

2)失访(loss to follow-up):泛指分析时未能获得最后的终点结果。假定失访率为 l,则样本含量调整公式为

表 1　不同的不依从比例下的调整因子大小

不依从的比例	0.05	0.10	0.20	0.30	0.50
调整因子$=1/(1-p_m)^2$	1.11	1.23	1.56	2.04	4.00

$$n_{adj} = \frac{n}{1-l} \qquad (5)$$

这等于假定所有病人的失访都发生在随机化的时候,因此该结果也偏于保守。

参考文献

[1]　CCTS 工作小组,夏结来. 非劣效临床试验的统计学考虑. 中国卫生统计,2012,29(2):270－274.

[2]　刘丽霞,刘玉秀,陈林,等. 含安慰剂组三臂临床试验基于 bootstrap 再抽样的非劣效评判. 中国卫生统计,2012;29(1):65－69.

[3]　刘玉秀,姚晨,陈峰,等. 非劣性/等效性试验的样本含量估计及统计推断. 中国新药杂志,2003,12(5):371－376.

[4]　U. S. Department of Health and Human Services,Food and Drug Administration Center for Drug Evaluation and Research (CDER) ,Center for Biologics Evaluation and Research (CBER). Guidance for Industry Non-Inferiority Clinical Trials. 2010. http://www.fda. gov/Drugs/Guidance-ComplianceRegulatoryInformation/Guidances/default. htm

(刘玉秀　夏结来)

临床试验统计师

药物临床试验所涉及到的统计学工作,需由试验统计师(trial statistician)来完成。这些人应该接受过专门培训且有经验,了解临床试验的有关规范要求,可以贯彻执行有关临床试验中的统计学指导原则,能与临床试验研究者合作,并对试验结果负有统计学责任的统计学专业人员。可见,试验统计师除了要具有统计学的专业知识和技能外,还必须有临床试验方面的经验等。

试验统计师必须自始至终地参与整个临床试验,包括试验方案的制定和修订、病例报告表的设计和数据管理等;负责制定统计分析计划;完成临床试验资料的统计分析;提供试验结果的统计学分析报告和解释;协助主要研究者完成临床试验的总结报告。参与研究的试验统计学家必须保证临床试验方案、病例报告表、临床试验总结报告中所涉及的统计学方法、分析结果与解释、术语的准确性。临床试验统计是统计学应用的一个分支，它结合临床试验实践融会了统计学思想和原理而衍变出的许多概念、方法和技术，是经典的统计学(包括医学统计学、卫生统计学等)中所没有涵盖的。因此，试验统计学家是一支与临床工作者紧密结合并充分发挥统计学作用的特殊的队伍。

参考文献

[1] 刘玉秀,杨友春. 临床试验统计学应用//孙瑞元,郑青山. 数学药理学新论. 北京:人民卫生出版社,2004:54—130.

[2] ICH E9. Statistical principles for clinical trials. http://www.ich.org/pdfICH/e9.pdf, 2010.

(刘玉秀)

临床试验统计学管理规范

　　如同药物研制开发中的其他管理规范——GLP(good laboratory practice)、GCP(good clinical practice)、GMP(good manufacturing practice)，近年来针对药物临床试验研究中提出的有关统计学在药物研究开发中的应用问题，逐步建立起统计学管理规范(good statistics practice，GSP)。

　　临床试验统计学管理规范是指贯穿于临床试验各个阶段的一系列试验设计、实施和分析的统计学原则，用以保证达到最佳的药物试验程序。其目的是确保试验的科学性，对研究的药物给出合理而客观的评价。药物研究的不同阶段需要制定不同的GSP。由国际协调委员会(International Conference on Harmonization，ICH)1997年签发的"临床试验中的统计学原则"(即 ICH-E9)以及我国国家食品药品监督管理局(SFDA)2005年公布的"化学药物和生物制品临床试验的生物统计学技术指导原则"是针对临床试验研究阶段的统计学管理规范的范例。贯彻执行这些原则，才能保证研究结论的精确可靠，达到研究的有效性和完整性。另外，在其他的一些官方文件中，例如 ICH-E3"临床研究报告的结构和内容"、我国 SFDA2005年颁布的"化学药物临床试验报告的结构与内容技术指导原则"等也融合了大量的统计学要求。

　　临床试验所涉及到的统计学工作，需由专业的临床试验统计师(trial statistician)来完成。当然，统计学管理规范的实施绝不仅仅是统计专业人员的事，而是统计学人员与相关的药学人员、临床人员乃至药事管理机构相互沟通、共同合作的系统工程。实施的成功与否，取决于多方面的因素，例如:从统计学考虑的规章制度的完备状况;统计学思想的普及状况;统计学方法的恰当使用;有效的交流及协调;统计学知识的必要培训等。

制定统计学方面的规章制度,研究人员将会自觉应用统计学。如果不能正确遵循统计学上的有关要求,不仅不能保证结果的正确可靠,管理机构也不会认可。因此,制定的统计学规章制度应达到规范性和完备性。

任何的科学研究都应融入统计学的思想并加以应用。临床试验研究人员和管理机构都应明确统计学中的一些基本思想,例如:药物的有效性和安全性评价是基于统计推断给出的,统计推断应保证一定的可信性;设计和分析的不妥乃至错误可能会导致错误的结论,影响药物的正确评价;为了提高统计学的有效性和实验的精确度,应保证一定的样本含量等。因此,在临床试验过程中应不断强化统计学思想,使用统计学并不仅仅是出于管理上的需要。

临床试验中误用和滥用统计学方法的情况还是存在的,由此造成的危害很大。为此,应结合医学专业问题,采用保证研究目的所要求的合适统计学方法。例如,目的在于获得非劣效性的临床试验应采用专用于非劣效性评价的统计学设计和分析方法。

统计人员与相关研究人员必须建立在相互沟通的基础上。如果统计人员不能与药学人员、临床人员以及管理机构达到有效交流,则难免会在设计和分析时出现偏差。临床试验各方人员有效的交流及协调在任何阶段都是重要的,这应作为一种原则来奉行。

统计人员、药学人员、临床人员以及管理人员在临床试验中扮演不同角色,但都涉及到统计学。建议这些人员能定期开展有关统计学的研讨和继续教育,加强统计学界的内部交流。这样可以使统计人员获得更具实用性的经验和知识;有机会使不同专业领域中与药物研制开发相关的新概念、新理论、新方法得以推广;有机会提出药物研制开发和管理机构审批过程中经常遇到的问题,并进行研讨,有助于对相关问题达成一致结论,也可为制定和完善相关规章制度提供依据。

为了确保临床试验符合统计学的规范,建立相应的标准操作规程(Standard Operating Procedure, SOP)是一条有效的途径。随着统计学家参与到临床试验的执行和报告工作的增强以及负责新药审批的行政当局要求的不断严格,对完善临床试验统计学管理规范,制定和执行 SOP 的需要不断高涨。制定 SOP 应由从事临床试验统计学专业的人员来完成。

参考文献

[1] 国家食品药品监督管理局. 药品注册管理办法. 2007.
[2] 国家食品药品监督管理局. 化学药物和生物制品临床试验的生物统计学技术指导原则. 2005.
[3] 国家食品药品监督管理局. 化学药物临床试验报告的结构与内容技术指导原则. 2005.
[4] 刘玉秀,洪立基. 新药临床研究设计与统计分析. 南京:南京大学出版社,1999.
[5] 陆守曾. 医学统计学. 北京:中国统计出版社,2002:193－204.
[6] 方积乾,陆盈. 现代医学统计学. 北京:人民卫生出版社,2002.
[7] 刘玉秀,杨友春. 临床试验统计学应用//孙瑞元,郑青山. 数学药理学新论. 北京:人民卫生出版社,2004:54－130.

(刘玉秀)

临床试验效应指标

临床试验效应指标的选择,在设计阶段方案制定时必须给予定义,既要有有效性指标,也要有安全性指标。从统计学的角度,在设计一项临床试验的指标时应注意以下事项。

1 主要指标与次要指标

临床试验的目的决定了在设计临床试验方案时,常常需要明确定义一个与试验目的有本质联系的、能确切反映处理效应的观测指标作为主要指标(primary variable)。通常主要指标只有一个,如果存在多个主要指标时,应该在设计方案中,考虑控制 I 型错误的方法。主要指标应根据试验目的选择易于量化、客观性强、重复性高,并在相关研究领域已有公认的标准。主要指标必须在临床试验前确定,并用于试验样本量的估计。次要指标(secondary variable)是指与试验目的相关的辅助性指标。在试验方案中,也需明确次要指标的定义,并对这些指标在解释试验结果时的作用以及相对重要性加以说明。次要指标数目也应当加以控制,要以能回答与试验目的相关的问题为原则。

2 复合指标

当难以确定单一的主要指标时,可考虑将多个指标组合构成一个复合指标(composite variable)。例如在评价治疗男性性功能障碍效果的临床试验中,难以确定一个观察指标作为主要指标,可采用国际通用的 IEFF 量表,这就是一种复合指标。再如,在心血管疾病预后研究中,终点指标经常采用二联(死亡或心肌梗死)或三联指标(死亡、心肌梗死或需要血运重建)。当复合指标被用作主要指标时,组成这个复合指标的单个指标还可以同时进行单独分析,用以辅助性说明单项的效果。

3 全局评价指标

临床医生有时习惯将某些客观测量指标和研究者对受试者疗效的总印象有机结合起来组合成一个综合评价指标,作为全局评价指标(global assessment variable),如常用痊愈、显效、好转、无效的等级指标作为疗效综合评价指标,其中有一定的主观成份。不主张用全局有效性变量作为主要指标,如果必须将其定义为主要指标时,应在试验方案中有明确判断等级的依据和理由,其中所依赖的客观指标一般也应该同时作为附加主要指标单独分析。

4　替代指标

在直接测定临床效果不可能时,可用间接反映临床效果的观察指标进行替代,称为替代指标(surrogate variable)。例如,在评价治疗糖尿病的药物有效性时,常用糖化血红蛋白作为主要疗效指标,因为无论是空腹血糖还是餐后两小时血糖均不够稳定,糖化血红蛋白是目前评价治疗糖尿病药物的一个比较公认的替代指标。

参考文献

[1]　国家食品药品监督管理局. 化学药物和生物制品临床试验的生物统计学技术指导原则. 2005.

(刘玉秀)

群随机试验

群随机试验(cluster randomization trials)是将研究对象以群体为单位随机分配到不同组进行干预试验的方法。"群随机"的对象不是各个个体,而是由若干个个体组成的"群",每个群内所包含的个体数可以相同也可以不同,但要求每个群体之间无重叠,总体中的一个个体必属于一个群,也只属于一个群(见图 1)。比如,按照家庭、学校、团队、医院或社区等社会单位来作为随机群体单位。所以,群随机试验中的分析单位不一定与随机单位相同。由于治疗控制在群体水平之上,从而使整群随机临床试验易于管理和获得研究者的配合,也可增加受试者的依从性和避免治疗组的干扰和污染。群间的差异通常与医生选择加入群体的个体特质有关,如年龄,性别等。群体的协同变异对群体内的个体产生的影响相似,如季节的变化对某地区整群的呼吸道感染率有相同的作用。群体内的个体接受的治疗措施和相互间的信息交流保持在相近水平,因此他们的反应相近。

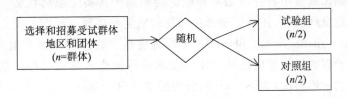

图 1　群随机临床试验的流程示意图

一般来说,为了改善群随机临床试验的准确性,应采取的策略包括:①建立群体水平标准以减少群体之间的差异,如对区域选择的限制;②考虑增加随机群体数目;③对可能重要的预后变量应保证基线值的测定;④考虑对可能产生变异的基线点采取配对或分层设计法;⑤对群体或不同群体的个体时常进行重复评价;⑥制定详尽的试验方案以减少受试者的脱落率和增加他们的依从性。

传统的随机试验设计被随机化的单位是个体,其分析单位也就是个体,常见的临床试验用来评价疗效的手段都是基于个体受试者的随机,受试者本身不仅被作为随机单位,也是统计推断的单位。群随机试验并非如此,该试验的随机化单位是群体,而统计推断单位常常是个体。例如在评价社区干预对重度吸烟者的戒烟效果时,随机化单位是社区,而统计分析单位则为吸烟者的年龄、性别、教育水平、抽烟状态等个体指标。这种随机化单位和统计推断单位间的不一致是群随机试验和传统随机试验间鲜明而重要的区别。

参考文献

[1] 刘沛,王灿楠,杨向东. 群随机试验与传统随机试验统计方法对比分析. 中国卫生统计,2000,17(4):200-202.

[2] 董柏青,杨进,唐振柱,等. 组群随机试验在伤寒疫苗效果观察中的应用研究. 中华流行病学杂志,2005,26(2):97-100.

[3] 李川,吴擢春,高艳. 卫生项目评价中的群随机试验设计. 中国卫生资源,2010,13(3):132-134.

(刘玉秀　缪华章)

数据管理计划

数据的正确性对保证临床试验的质量极为重要。数据管理(data management)的目的是为了确保临床试验中的各项结果和结论均来源于真实的原始数据。完善的数据管理工作能及早地发现问题,并可尽量避免问题的发生和再现。制定一份全面而详细的数据管理计划(data management plan, DMP),将使整个数据管理过程有章可循、有据可依。所有数据管理的过程均应按照其中的要求进行操作。数据管理计划通常包括以下内容:(1)研究的一般情况,如研究目的、研究的整体设计等;(2)工作时间表,此时间表应体现出每个环节的开始与完成时间,同时还应与整个研究的时间表相互协调;(3)相关人员与职责;(4)数据库软件的选择、设计与说明;(5)数据库的检查与确认,包括录入数据库及字典数据库等;(6)病例报告表等有关材料的移交与记录;(7)数据编码与录入,包括数据录入试运行、录入程序确认、双份录入及对比过程等;(8)疑问表的产生、解决与管理;(9)数据复查与确认,包括复查内容、方法及盲态审核计划等;(10)数据锁定及揭盲;(11)质量控制,包括具体的质量标准;(12)文档管理;(13)数据的安全管理,包括数据备份、恢复及系统安全等保障措施;(14)其它需要特殊说明的问题,如电子数据的传递与管理、数据管理的阶段报告等。

参考文献

[1]　国家食品药品监督管理局.化学药物和生物制品临床试验的生物统计学技术指导原则.2005.

(刘玉秀)

双盲双模拟

在随机对照临床试验中,"双盲"通常表示试验的参与者、研究者在整个过程当中均对干预的分配保持不知情,是减小试验偏倚最有效的方法之一。以药物临床试验为例,当已经有了一个有效的标准治疗药物时,它一般被用作为评价某些新药的对照组。在这种情况下,试验者一般有三种选择对试验进行双盲。首先是药物研发者可以对两种药物的形状和包装同一化,如在生产时全部制作成胶囊或药片的形式,不仅在形状上要一样,其颜色、气味甚至口味最好也能保持一致,使参与者无法分辨出到底是哪种药物。不过这种情况因为新药开发者一般不会生产和现有药物相同的产品而很少能用得上。第二种方法是将不同形状的药物装进一个更大的胶囊当中,这样就可以避免外观不同的问题,但这会再次引起生物有效性的等效问题,其中会导致产生额外的研究花费与延迟研究。另外,尽管参与者仅仅服用一个胶囊,但由于胶囊过大而不易消化,而且一些胶囊制作方式会让参与者容易打开胶囊而导致破盲。

第三种方法,也是最常用的方法,就是实施双模拟(双安慰剂)设计以达到双盲效果,这称为双盲双模拟技术(double-blind double-dummy technique)。为需要对比的两种药物分别制作其相应的安慰剂,使用时每种药物和其对比的药物的模拟品(安慰剂)搭配,这样每一受试者在试验中的用药看起来都是一样的。例如,为比较两种药物,其中一种药物是蓝色胶囊,而另一种为红色胶囊,试验前需要完成蓝色安慰剂胶囊与红色安慰剂胶囊的制作,然后按药物的用量做好搭配,按试验设计要求将药物分配给每位受试者,每位受试者的用药均有蓝色胶囊和红色胶囊,其中一个为真物,另一个为安慰剂,但并不知道哪一个是真药,因此做到了双盲。这种选择的缺点是受试者要多服用一种安慰剂,这有时会影响受试者的招募,另外就是要事先准备的工作量较大和较为繁琐。

要实现双盲双模拟,还需要进行药物编盲,注意进行盲底保存。由不参与临床试验的人员，根据已产生的随机分配表对试验用药物进行分配编码的过程称为药物编盲。随机数、产生随机数的参数及试验用药物编码统称为双盲临床试验的盲底。用于编盲的随机数产生时间应尽量接近于药物分配包装的时间，编盲过程应有相应的监督措施和详细的编盲记录，完成编盲后的盲底应一式二份密封，交临床试验负责单位和发起者分别保存。实际操作时还必须准备应急信件以备紧急揭盲。从医学伦理学方面考虑，双盲试验应为每一个编盲号设置一份应急信件，信件内容为该编号的受试者所分入的组别及用药情况。应急信件应密封，随相应编号的试验用药物发往各临床试验单位，由该单位负责保存，非必要时不得拆阅。在发生紧急情况或病人需要抢救必须知道该病人接受的是何种处理时，由研究人员按试验方案规定的程序拆阅。一旦被拆阅，该编号病例将中止试验，研究者应将中止原因记录在病例报告表中。所有应急信件在试验结束后随病例报告表一起收回，以便试验结束后盲态审核。试验方案中要对严重不良事件以及意外情况的处理作出规定，包括如何紧急揭盲、如何报告等。试验结束时应对破盲的原因、范围和时间作出分析，作为对疗效及安全性评价的参考。通常对揭盲也需要作出规定。试验方案中，当试验组与对照组按 1∶1 设计时，一般采用两次揭盲法。两次揭盲都由保存盲底的有关人员执行。数据文件经过盲态审核并认定可靠无误后将被锁定，进行第一次揭盲。此次揭盲只列出每个病例所属的处理组别（如 A 组或 B 组，而并不标明哪一个为试验组或对照组。第一次揭盲的结果交由试验统计学专业人员输入计算机，与数据文件进行联接后，进行统计分析。当统计分析结束后进行第二次揭盲，以明确各组所接受的治疗。

参考文献

[1] 国家食品药品监督管理局. 药品注册管理办法. 2007.
[2] 国家食品药品监督管理局. 化学药物和生物制品临床试验的生物统计学技术指导原则. 2005.
[3] 国家食品药品监督管理局. 化学药物临床试验报告的结构与内容技术指导原则. 2005.
[4] 刘玉秀, 洪立基. 新药临床研究设计与统计分析. 南京: 南京大学出版社, 1999.

（刘玉秀　缪华章）

随机化分配隐蔽

　　成功实施临床试验的随机化有两个重要的相互关联的环节，一是采用合理的随机化方法产生不可预测的随机分配序列（generation of random allocation sequence），二是采用分配隐蔽（allocation concealment）方法保证随机分配序列的按计划执行。只对受试者用随机的方法进行分组是不完整的随机，只有实施了分配隐蔽才称得上是完整的随机。有研究表明，与分配隐蔽完善的试验相比，未进行分配隐蔽或分配隐蔽不完善的试验常常夸大治疗效果达 30％～41％。

随机分配序列的产生应能保证每一位受试对象分配到每一组的概率是相等的,且不能预先确定受试对象究竟分到哪一组。有些貌似随机的方法,例如按入院先后、入院日期、生日单双号等交替分配入组的方法,由于其简单的机械性,很容易被识破和预测,其实并不是真正的随机方法。

分配隐蔽要能保证建立的分配机制可以使负责选择和分配受试对象入组的有关人员不能知道下一个受试者接受何种处理。分配隐蔽的成功与否关键在于选择和分配受试对象入组的有关人员是否预先知道或能猜到随后受试对象的分配情况。如果由临床医生自己产生随机分配序列并自己亲自参与受试对象的分配,显然就达不到随机隐蔽的要求。

随机分配序列产生后,理论上受试对象的分配就确定了。如果研究者事先知道了分配的序列,就可能会为了让具有某种特征的受试者接受某种干预措施以获得有益于该种干预措施的结果,不按事先确定的分配序列分配受试对象而改变分配序列,因而导致选择性偏倚。为此,引入了分配隐蔽的概念。以下为几种常用的分配隐蔽方法。

(1)中央电话随机系统(central telephone randomization system):当研究人员确定受试对象的合格性后,通过电话联系中央随机系统,中央随机系统即根据该受试对象的基本情况确定其具体的分配。目前国内已有研究人员开发出中央随机分配系统并在新药临床试验中应用。

(2)药房控制随机分配(pharmacy control of allocation):产生的随机分配序列由药房保存并控制,研究人员将合格的受试对象的情况通知药房后,药房负责试验人员按预定的分配确定受试对象分入的组别。

(3)编号或编码的容器(numbered or coded container):此种方法常用于药物临床研究中。根据产生的随机分配序列,将药物放入外形、大小相同并按顺序编码的容器中。研究人员确定受试对象的合格性并将其名字写在容器上,然后将药物发给受试对象。如果不同的处理组所用药物能够通过盲法技术如双盲双模拟技术、胶囊技术、药品的包装技术等实现外观、形状、气味等保持相同,则这也是一种保证双盲的有效方法。

(4)按顺序编码、不透光、密封的信封(sequentially numbered, opaque sealed envelopes, SNOSE):根据产生的随机分配序列逐个将不同的分配放入按顺序编码、不透光、密封的信封中。当研究人员确定受试对象的合格性后,按顺序拆开信封并将受试对象分配入相应的试验组。由于研究人员可能一次同时打开几个信封或提前打开信封,然后分配受试对象到所期望的组中;有的甚至会被延期分配,以达到接受期望治疗的目的。因此,此种分配隐蔽的方法仍可能产生偏倚。但只要控制得当,该方法仍不失为一种既便捷又有效的方法,例如保证研究人员在按顺序拆开信封前将合格受试对象的姓名和详细情况写在合格的信封表面上如力敏型记录纸或者信封内有复写纸。

分配隐藏实质是产生随机序列者和决定分配序别者不能参与纳入受试者,也不宜参与以后的试验过程,尤其不能参与结果的测量。应注意随机分配隐蔽与盲法(blinding)的区别,两者的目的、作用阶段和可行性是不同的。前者是为了避免选择性偏倚,作用在受试对象分配入组之前,在任何随机对照试验中都能实施,而后者是为了避免干预措施实施过程中和结果测量时来自受试对象和研究人员的偏倚,作用于受试对象分配入组接受相应干预措施后,并不是任何随机对照试验都能实施。如比较外科手术和内科药物治疗某种疾病的疗效,随机分配隐蔽是可行的,而盲法却难以实施。但某些情况下,分配隐蔽与盲法也可能为一连续的过程,例如药物临床试验即可。

关于随机对照临床试验的报告,当前国际上较为认可的是 CONSORT 声明,也可称为 CONSORT 标准,其目的在于提高 RCT 报告质量,可作为 RCT 报告的质量评价标准和指南。该声明的 25 条标准中有 3 条是关于随机化的,除了随机序列产生的方法,同时要求报告如何分配隐蔽的,当然还要报告实施的过程,例如要求报告谁产生的分配顺序、谁登记的受试者、谁将受试者分组的等。我国 SFDA 发布的《化学药物临床试验报告的结构与内容技术指导原则》中也在"试验过程"中提出:详细描述随机化分组的方法和操作,说明随机号码的生成方法,应在附件中提供随机号码和分组表(多中心的研究应按中心分别列出)。遗憾的是并未对如何实施分配隐蔽进行要求。

参考文献

［1］ 刘玉秀. 临床试验随机化的质量保证. 中国临床药理学与治疗学杂志,2009,14(7):721－725.

［2］ 刘玉秀,成琪,刘丽霞. 2010 版 CONSORT 声明:平行组随机试验报告的新指南. 中国临床药理学与治疗学杂志,2010,15(10):1189－1194.

［3］ 国家食品药品监督管理局. 化学药物临床试验报告的结构与内容技术指导原则,2005.

［4］ Schulz KF, Chalmers I, Hayes RJ, et al. Empirical evidence of bias: dimensions of methodological quality associated with estimates of treatment effects in controlled trials. JAMA,1995,273:408－412.

［5］ Schwlz KF, Altman DG, Moher D. CONSORT 2010 statement: updated guidelines for reporting parallel group randomized trials. BMJ, 2010,340:c332.

［6］ Moher, D, Hopewell, S, Schulz, KF, et al. CONSORT 2010 Explanation and Elaboration: updated guidelines for reporting parallel group randomised trials. BMJ,2010,340: c869.

(刘玉秀　缪华章)

统计分析计划

统计学专业人员在临床试验一开始就应参加,其后还要制定出严密的统计分析计划,并写出符合要求的统计分析报告,提交临床专业人员完成总结。

统计分析计划(statistical analysis plan, SAP)由统计学专业人员起草,并与主要研究者商定,其内容比试验方案中所规定的统计分析更为详细。一份完整的统计分析计划应能为统计分析提供详细指导,必须根据研究的目的、设计类型,列出统计假设、分析集选择、主要指标、次要指标、疗效及安全性评价方法、统计分析方法、统计软件选择等,还应按预期的统计分析结果列出统计表和统计图备用。统计分析计划应作为统计分析报告的基础。

　　统计分析计划文档应形成于试验方案和病例报告表完成之后。在临床试验进行过程中，可以修改、补充和完善。在盲态审核时再次修改完善。但是在第一次揭盲之前必须以文件形式由各方签字后予以确认，此后一般不能再作变动。

参考文献

[1]　国家食品药品监督管理局. 化学药物和生物制品临床试验的生物统计学技术指导原则. 2005.

（刘玉秀）

统计分析数据集

　　在临床试验数据的统计分析中，必须考虑的是哪些病人应当包括在内？哪些病人不应包括在内？这就是所谓的分析集（analysis set）问题。统计分析集需在试验方案的统计学部分和统计分析计划中明确定义。

　　全分析集（full analysis set，FAS）是鉴于完全贯彻 ITT 原则（见条目：意向处理原则）的实际困难而提出的一种分析集。全分析集是指尽可能接近按照 ITT 原则的理想的受试者集，该数据集是由所有随机化的受试者中以最小的和合理的方法剔除某些病例后得出的。例如，随机化后发现病人不符合主要的入组标准、病人入组后一次也没使用试验药物、随机化后没有任何的随访资料等，这些病例不应纳入分析。在选择全分析集进行统计分析时，对主要变量缺失值的估计，一般使用将缺失点之前的最近一个时点观察到的结果结转到当前（last observation carry forward，LOCF）的方法。例如，某试验共进行 5 次随访，某一病人第三次随访时 ALT 为 80 单位，其后失访，则第四次、第五次随访的 ALT 可按 LOCF 法取 80 单位进行统计分析。也可采用其他缺失值估计的方法。假设所有失访者都为最坏或最佳结局；假设治疗组失访者为最坏结局而对照组为最佳结局，或相反。这些处理方法均是对试验结果的估计而非确切的结论，具体的选用须对失访的原因进行分析后决定。有研究者认为，应采用上述各种方法进行分析，将各种分析结果列出供参考。不论采用何种方法均应在试验方案中明确规定。

　　另外一种经常使用的数据集是符合方案集（per-protocol set，PPS）。符合方案集指符合试验方案规定、依从性好且完成了所规定的所有要求收集到的病例资料组成的集合，也称为"合格病例"或"可评价病例"样本。它是全分析集的一个子集，其中的受试者对方案更具依从性，应完成了预先确定的治疗最小量、主要变量有测定结果、对试验方案没有大的违反。该数据集对违反试验方案的病例，如未达到规定治疗量、主要变量缺失或使用了明确禁用的药物的病例等不予列入。将受试者排除在符合方案集之外的理由应在盲态审核时阐明,并在揭盲之前用文件写明。

用于进行安全性评价的数据集称为安全性评价数据集(safety set,SS),通常指所有随机化分组后至少接受一次治疗的受试者,即只要病人用过一次或一次以上该组所规定的药物,不论此病人是否包括在符合方案集中,均应当纳入安全性分析的范围。

参考文献

[1] 刘玉秀,杨友春. 临床试验统计学应用//孙瑞元,郑青山. 数学药理学新论. 北京:人民卫生出版社,2004:54—130.
[2] ICH E9. Statistical principles for clinical trials. http://www.ich.org/pdfICH/e9.pdf,2010.

(刘玉秀)

以个体反应为条件的换组设计

在临床试验的适应性设计(adaptive design)中,可以根据试验反应进行适应性处理,利用已经获得的累计数据结果把更多的病人分配到反应更好的组中,此种设计称为反应适应性设计(response—adaptive design)。这里介绍一种以个体反应为条件的换组设计(response—conditional crossover design)。本设计在许多方面不同于典型的交叉设计和反应适应性设计(见表 1)。

表 1 以个体反应为条件的换组设计和典型交叉设计及反应适应性设计的比较

区别	典型的交叉或反应适应性设计	以个体反应为条件的换组设计
	(1)典型的交叉设计	
换组	病人在第一阶段结束后交叉	只要满足标准病人可在任何随访点换组
第二阶段	所有病人进入第二阶段	并不是所有的病人都进入第二阶段
暴露时间	病人的暴露时间固定	病人有不同的暴露时间
数据分析	常用固定模型一起分析两阶段数据	两阶段数据分开分析
	(2)反应适应性设计	
设计类型	属于适应性设计	不属于适应性设计
取决于	取决于已经纳入的其他病人的结局进行适应	只取决于每一病人自己对治疗的反应
执行中	执行中依赖于已经揭盲的组	不依赖于已经揭盲的组
随机化	动态随机化而且进行非平衡处理分配	维持原来的随机而且处理分配是平衡的
换组	病人一直留在随机后的组内直到主要终点	无反应时则交换到另外的一组中

在一项随机、双盲、安慰剂对照Ⅲ期临床试验中采纳了本设计,该研究简称为 ICE 研究,用 10%的 IGIV-C 治疗慢性炎症性脱髓鞘性多神经根神经病(chronic inflammatory demyelinating polyradiculoneuropathy,CIDP)。根据已经掌握的情况,在 ICE 疗效研究的一开始是缺少临床均势(clinical equipoise)的。四项小型、短期、安慰剂对照研究中的三项建议 IGIV 治疗 CIDP 病人是有效的。随后的一项 meta 分析得出的结论是 IGIV 与安慰剂相比,对 CIDP 病人有改进,而且与血浆置换的疗效相似。此外,IGIV 已在几个国家用于治疗 CIDP 病人(尽管 IGIV 标签没有包括 CIDP 适应症),而且已在临床实践指南中被推荐为 CIDP 病人的一线治疗选择。由于缺少均势,研究者不愿意将病人暴露于长期的安慰剂治疗。因此,不得不设计一种试验使安慰剂的暴露达到最小。

前瞻性设计的随机、双盲、安慰剂对照 ICE 研究包括一个初始治疗期(initial treatment period)和一个扩展期(extension phase),前面的一期融入了以反应结果为条件的补救性交叉。具体的过程是,在按照入选条件筛选之后,病人按 1∶1 比例随机接受 IGIV-C 或者安慰剂。随机到 IGIV-C 组的病人在 2～4 天内接受 2g/kg 的剂量,随后的 1～2 天维持输注 1g/kg,每 3 周一次,直到 24 周。0.1%的白蛋白用作为安慰剂。试验流程见图 1。

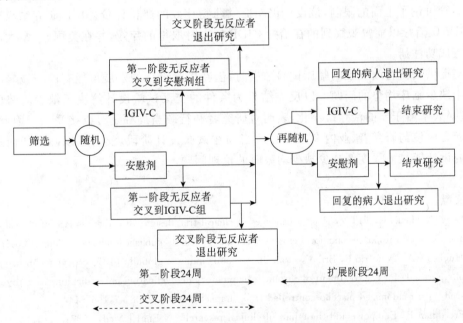

图 1　ICE 研究:一项以个体反应结果为条件的换组设计

在第一阶段,病人根据其治疗的反应情况,可以留在原来的随机组,也可以交叉到另外一组。没有反应或需要"补救"的病人接受另外组的治疗直到 24 周,如果换到另一组的病人进行一次治疗后没有看到改善,或者在交叉期的改善不能维持下来,则从研究中退出。在第一阶段显示出持续性改善或完成 24 周治疗的病人符合条件,进行另一阶段的再次随机化(re-randomization),保持盲态,该扩展期共 24 周。扩展期内如果改善不能维持而回复,则病人从试验中退出。

该种以反应结果为条件的交叉试验设计,使安慰剂治疗引入的伦理问题达到最小的同时,还能满足试验监管的要求。对于不能提供改善的任何疗法的暴露时间都是短的。重要的是,对于第一阶段结束时没有换组病人的主要终点而言,该设计是有效的(IGIV-C组反应率54.2%,安慰剂组反应率20.7%,$P=0.0002$)。交叉治疗的病人提供了对这一结果的验证(交叉完成者 IGIV-C组反应率57.8%,安慰剂组反应率21.7%,$P=0.0005$)。总的说,本研究设计减少了有更好疗效的药物时病人暴露于差的治疗。

该设计也有些限制,要求研究者注意确保正确地应用了交叉以避免病人留在并没有反应的治疗中。此外,由于在药物暴露时间上的差别,安全性数据需要调整,提供每次治疗时不良反应的发生率。一种更大的限制是由于病人交叉或脱落(退出)的增加,在研究后一阶段能收集到的数据的减少。在 ICE 研究中,次要的疗效终点包括从基线到第一阶段末 24 周时握力和神经传导的变化。这些次要终点的结果对主要终点是支持性的,但是由于病人在第一阶段的不同时间点可以交叉到另一组,提供 24 周数据的病人数量减少了。此外,因为交叉到另一种治疗的病人如果不能改善或维持改善而退出,扩展期的病人数量是减少的。

尽管讨论了上面的限制,该设计仍能提供药物疗效的严格评价。ICE 研究结果确认了 IGIV-C 治疗以前曾观察到的在治疗 CIDP 病人时取得的疗效,并在美国、加拿大和其他地方成功注册。

当提供支持行政批准的临床试验数据时,创新试验设计的发展可能有助于减轻临床试验中缺少临床均势的问题。以反应结果为条件的交叉试验设计解决了缺少均势的问题,使病人暴露于差的治疗最小化,表明对研究者和行政当局都是可以接受的。因此,试验发起者应该与研究者、业内专家和行政当局在试验设计阶段就合作,以确保任何提出的研究设计能最大程度低减少缺少均势时的伦理问题。

参考文献

[1] Deng C, Hanna K, Bril V, et al. Challenges of clinical trial design when there is lack of clinical equipoise: use of a response-conditional crossover design. J Neurol, published online: 07 August 2011.

[2] Hughes RA, Donofrio P, Bril V, et al. Intravenous immune globulin (10% caprylatechromatography purified) for the treatment of chronic inflammatory demyelinating polyradiculoneuropathy (ICE study): a randomised placebo-controlled trial. Lancet Neurol, 2008, 7:136—144.

[3] Freedman B. Equipoise and the ethics of clinical research. N Engl J Med, 1987; 317:141—145.

[4] Merkies ISJ, Bril V, Dalakas MC, et al. Health-related quality-of-life improvements in CIDP with immune globulin IV 10%: the ICE study. Neurology, 2009, 72:1337—1344.

[5] Merkies ISJ, Hughes RA, Donofrio P, et al. Understanding the consequences of chronic inflammatory demyelinating polyradiculoneuropathy from impairments to activity and participation restrictions and reduced quality of life: the ICE study. J Peripher Nerv Syst, 2010, 15:208—215.

(刘玉秀)

以均势为入选标准的设计

  随机对照试验（randomized controlled trials，RCT）常被认为是临床试验中对不同干预措施进行比较评价的"金标准"。然而，在外科学研究中 RCT 的应用并不多，据估计，在主流的神经外科期刊上发表的论文中属于 RCT 的研究不到 1%（J Neurosurg，2005，103：439－443）。其原因是多方面的。临床医生基于其实践经验做出什么样的选择一旦形成认识，往往根深蒂固，尤其是在"均势"的证据不足时更难改变，甚至成为某种"学派"。例如，关于脊柱骨折治疗，非手术和手术"学派"均在不同医院积累了丰富的经验、建立了相应的队伍、形成了大量的资源，"手术派"的外科医生不愿意用非手术方式治疗神经损伤病人，而"非手术派"反对手术治疗的高昂费用和手术损伤。带有不同的观点和不愿意让病人接受认为不好的治疗，让外科医生同意 RCT 设计是困难的。即使有足够的医生同意了 RCT 设计，从实施的后勤保障和具体情况看，要合理执行也是有困难的。例如病人被送到创伤中心后最需要的是立即开始治疗，如果上来就为了进行 RCT 研究而办理知情同意等手续，这无论如何也是不切实际的。另外，为了保证研究的效能和效率，还需要采用多中心的研究方式，这又带来了中心效应或外科医生效应等另外的问题。再就是，外科实施 RCT 的阻力还来源于干预的复杂性，包括基础设施、护理水平、团队能力等存在不同的差异。此外，因为外科 RCT 实施过程中不可能采用盲法又会使研究产生偏倚的可能性增大。

  分析可见，外科进行 RCT 研究不仅需要复杂的组织过程，而且投入巨大，最主要的可能是外科医生和病人本身对实施 RCT 就有障碍，缺少足够的"临床均势"（clinical equipoise）（见条目：临床均势原则）。"均势"一词，简单地说是对某事物的有分歧的、不确定的状态。"临床均势"由 Freedman 于 1987 年在《新英格兰医学杂志》上正式提出，系指临床研究人员对试验组和对照组之间治疗效果对比不确定的真实状态，即研究者不知道哪种情况对受试者效果更好。可以理解为对某些疾病医疗措施上存在"专家医疗团队内的不确定性"（genuine uncertainty within the expert medical community），因此"临床均势"又称为"集体均势"。由于这一侧重于伦理学上的考虑，提出进行 RCT 研究的必须条件是不同的医疗方法之间应具备足够的"临床均势"。因为缺少"临床均势"影响到外科 RCT 研究的开展也就不足为奇了。

  为了解决这一问题，在一项评价胸腰段脊柱损伤采用外科治疗和保守治疗的临床研究中，通过巧妙的设计，并用均势作为入选标准（equipoise as an inclusion criterion），获得成功。研究者从 1991～2005 年间同时开展胸腰段骨折（thoracolumar fracture）外科治疗和保守治疗的 2 个创伤中心检索出 760 例胸腰段骨折患者,筛选出 636 例具有完整病历资料的患者,隐蔽治疗方法提交其病历资料,由 2 位脊柱专家(2 中心各选 1 位)进行回顾性盲态审查,根据病人情况由 2 位专家在外科治疗和保守治疗中出具最优的治疗策略,将 2 位专家意见相同的病人去除,从中选出 190 名(占 29%)意见不一致的患者作为进一步研究的人群。之后揭盲发现,其中 95 例为外科治疗、95 例为保守治疗,对两种治疗的病人进行进一步的随访,最后比较其效果。研究流程见图 1。

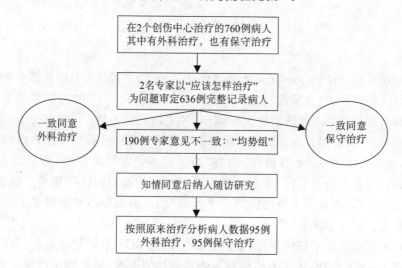

图 1　一项用均势作为纳入标准的胸腰段骨折的前瞻性随访研究示意图

这种研究设计从两个方面看意义重大,一是选择确定了符合"临床均势"要求的人群,使不同的干预措施存在真实的均势,解决了伦理上可能存在的争论;二是不同干预措施的结局更具有可比性,在选择性人群中进行的比较性分析可能比大型的、非选择性的队列的结局研究更加有效,而且更容易被临床医生接受。该设计方法可能成为不必采用 RCT 就可评价外科治疗结局的有前途的技术。即使在一些情况下不能完全采用这样的设计,但这一设计方法也为临床研究的创新设计提供了可供借鉴的思路。

上述的研究结果表明,外科治疗和保守治疗的两组病人基线特征类似。尽管如此,还是发现外科治疗组中入院时就有明显脊髓损伤的病人占有较大比例,表明该方法不能完全像 RCT 研究随机过程一样使已知的、未知的预后因素的分布达到均衡。当然,即便是 RCT 研究也未必都能达到所有预后因素的分布均衡。无论如何,将均势作为入选标准大大限制了预后变量分布的不均衡性,虽然不是随机化,但获得的研究人群和设计优良的 RCT 获得的人群的均衡性应该是相似的。即便没有达到均衡性,如果样本量足够大的话,一些新的统计学分析方法,如倾向指数(prospensity score)方法等也可以有效地解决这些问题。

参考文献

[1] Stadhouder A, Oner FC, Wilson KW, et al. Surgeon equipoise as an inclusion criterion for the evaluation of nonoperative versus operative treatment of thoracolumbar spinal injuries. Spine J,

2008,8:975—981.

[2] Devereaux PJ, Bhandari M, Clarke M, et al. Need for expertise based randomised controlled trials. BMJ, 2005,330:1—5.

[3] Freedman B. Equipoise and the ethics of clinical research. N Engl J Med, 1987,317:141—145.

[4] Stadhouder A, Buskens E, de Klerk LW, et al. Traumatic thoracic and lumbar spinal fractures: operative or nonoperative treatment (Comparison of two treatment strategies by means of surgeon equipoise). Spine, 2008,33:1006—1017.

[5] Miller FG, Joffe S. Equipoise and the dilemma of randomized clinical trials. N Engl J Med, 2011, 364:476—480.

[6] Rosenbaum PR, Rubin DB. The central role of the propensity score in observational studies for causal effects. Biometrika, 1983;70:41—55.

[7] Chukwuemeka A, Weisel A, Maganti M, et al. Renal dysfunction in high-risk patients after on-pump and off-pump coronary artery bypass surgery: a propensity score analysis. Ann Thorac Surg, 2005;80:2148—2153.

[8] Kuss O, Legler T, Borgermann J. Treatments effects from randomized trials and propensity score analyses were similar in similar populations in an example from cardiac surgery. J Clin Epidemiol, 2011,64:1076—1084.

[9] Ghogawala Z, Barker FG, Carter BS. Clinical equipoise and the surgical randomized controlled trial. Neurosurgery, 2008,62:N9—N10.

（刘玉秀）

意向处理原则

　　意向处理（intention-to-treat，ITT）是随机对照试验设计实施和分析过程中的一种策略和原则，常简称为 ITT 原则，指不论在试验中实际发生什么情况（如受试者在随机分组后因死亡或退出而未开始治疗、发现不符合纳入标准、中途退出治疗或未依从分配的治疗方案、失访等），均按最初分组（试验组或对照组）情况进行结果分析，以保证对所有参加随机分组的病人均进行了分析。这种保持初始的随机化的做法对防止偏性是必要的，并且它为统计学检验提供了可靠的基础，能反映干预措施在临床实际应用时的效果。ITT 分析是临床试验中必须考虑的问题。

　　因为在临床试验中可能受试者会因各种不同原因终止治疗或改变治疗方案，如果临床试验的结果建立在排除这些受试者的基础上，则所得样本将不能代表实际应用时的情形，干预措施在临床实际中的疗效将会被高估或低估，真实性降低。因此，ITT 分析最适合于证实临床实际效果的实效性临床试验（pragmatic trial），而不是探索理想条件下理论效果的解释性临床试验（explanatory trial）。是否进行 ITT 分析应在试验设计阶段确定。

ITT 分析的基本前提是对所有受试者的主要结局变量进行分析，因此试验过程中预防和最大限度地减少数据缺失是临床试验的关键。如果发生了数据缺失，可采用几种方法进行处理，例如，将缺失点之前的最近一个时点观察到的结果结转到当前（last observation carry forward，LOCF）的方法；假设所有失访者都为最坏或最佳结局；假设治疗组失访者为最坏结局而对照组为最佳结局，或相反。这些处理方法均是对试验结果的估计而非确切的结论，具体的选用须对失访的原因进行分析后决定。有研究者认为，应采用上述各种方法进行分析将各种分析结果列出供参考，这也称为敏感性分析（sensitivity analysis）。

为保证进行 ITT 分析，应在临床试验的设计、实施、结果分析和报告的全过程中采取相应措施而非只注意结果分析阶段。设计阶段要求：明确是否为实效性临床试验，对实效性临床试验应采用 ITT 分析；制定合理的纳入标准，使不符合纳入标准者即使未能被包括在 ITT 分析中，对研究结果亦无明显影响。实施阶段要求：最大限度地减少对主要判效指标的失访；对所有退出试验的受试者完成随访。结果分析阶段要求：每位受试者的资料均被纳入并列入预先分配的各组；分析失访对试验结果的潜在影响。报告阶段要求：明确指出已采用 ITT 分析方法，详细说明处理受试者未依从治疗方案及失访的具体方法；报告受试者未依从分配的治疗方案以及失访的发生情况；讨论失访对试验结果的潜在影响；将结论建立在 ITT 分析的基础上。

参考文献

[1] 刘玉秀，杨友春. 临床试验统计学应用//孙瑞元，郑青山. 数学药理学新论. 北京：人民卫生出版社，2004：54－130.

[2] ICH E9. Statistical principles for clinical trials. http://www.ich.org/pdfICH/e9.pdf,2010.

（刘玉秀）

附录一　统计用表

附表 1　随机数字表

编号	1～10	11～20	21～30	31～40	41～50
1	22 17 68 65 84	68 95 23 92 35	87 02 22 57 51	61 09 43 95 06	58 24 82 03 47
2	19 36 27 59 46	13 79 93 37 55	37 77 32 77 09	85 02 05 30 62	47 83 51 62 74
3	16 77 23 02 77	09 61 87 25 21	28 06 24 25 93	16 71 13 59 78	23 05 47 47 25
4	78 43 76 71 61	20 44 90 32 64	97 67 63 99 61	46 38 03 93 22	69 81 21 99 21
5	03 28 28 26 08	73 37 32 04 05	69 30 16 09 05	88 69 58 28 99	35 07 44 75 47
6	93 22 53 64 39	07 10 63 75 35	87 03 04 79 88	08 13 13 85 51	55 34 57 72 69
7	78 76 58 54 74	92 38 70 96 92	52 06 79 79 45	82 63 18 27 44	69 66 92 19 09
8	23 68 35 26 00	99 53 93 61 28	52 70 05 48 34	56 65 05 61 86	90 92 10 70 80
9	15 39 25 70 99	93 86 52 77 65	15 33 59 05 28	22 87 26 07 47	86 96 98 29 06
10	58 71 96 30 24	18 46 23 34 27	85 13 99 24 44	49 18 09 79 49	74 16 32 23 02
11	57 35 27 33 72	24 53 63 94 09	41 10 76 47 91	44 04 95 49 66	39 60 04 59 81
12	48 50 86 54 48	22 06 34 72 52	82 21 15 65 20	33 29 94 71 11	15 91 29 12 03
13	61 96 48 95 03	07 16 39 33 66	98 56 10 56 79	77 21 30 27 12	90 49 22 23 62
14	36 93 89 41 26	29 70 83 63 51	99 74 20 52 36	87 09 41 15 09	98 60 16 03 03
15	18 87 00 42 31	57 90 12 02 07	23 47 37 17 31	54 08 01 88 63	39 41 88 92 10
16	88 56 53 27 59	33 35 72 67 47	77 34 55 45 70	08 18 27 38 90	16 95 86 70 75
17	09 72 95 84 29	49 41 31 06 70	42 38 06 45 18	64 84 73 31 65	52 53 37 97 15
18	12 96 88 17 31	65 19 69 02 83	60 75 86 90 68	24 64 19 35 51	56 61 87 39 12
19	85 94 57 24 16	92 09 84 38 76	22 00 27 69 85	29 81 94 78 70	21 94 47 90 12
20	38 64 43 59 98	98 77 87 68 07	91 51 67 62 44	40 98 05 93 78	23 32 65 41 18
21	53 44 09 42 72	00 41 86 79 79	68 47 22 00 20	35 55 31 51 51	00 83 63 22 55
22	40 76 66 26 84	57 99 99 90 37	36 63 32 08 58	37 40 13 68 97	87 64 81 07 83
23	02 17 79 18 05	12 59 52 57 02	22 07 90 47 03	28 14 11 30 79	20 69 22 40 98
24	95 17 82 06 53	31 51 10 96 46	92 06 88 07 77	56 11 50 81 69	40 23 72 51 39
25	35 76 22 42 92	96 11 83 44 80	34 68 35 48 77	33 42 40 90 60	73 96 53 97 86
26	26 29 13 56 41	85 47 04 66 08	34 72 57 59 13	82 43 80 46 15	38 26 61 70 04
27	77 80 20 75 82	72 82 32 99 90	63 95 73 76 63	89 73 44 99 05	48 67 26 43 18
28	46 40 66 44 52	91 36 74 43 53	30 82 13 54 00	78 45 63 98 35	55 03 36 67 68
29	37 56 08 18 09	77 53 84 46 47	31 91 18 95 58	24 16 74 11 53	44 10 13 85 57
30	61 65 61 68 66	37 27 47 39 19	84 83 70 07 48	53 21 40 06 71	95 06 79 88 54
31	93 43 69 64 07	34 18 04 52 35	56 27 09 24 86	61 85 53 83 45	19 90 70 99 00
32	21 96 60 12 99	11 20 99 45 18	48 13 93 55 34	18 37 79 49 90	65 97 38 20 46
33	95 20 47 97 97	27 37 83 28 71	00 06 41 41 74	45 89 09 39 84	51 67 11 52 49
34	97 86 21 78 73	10 65 81 92 59	58 76 17 14 97	04 76 62 16 17	17 95 70 45 80
35	69 92 06 34 13	59 71 74 17 32	27 55 10 24 19	23 71 82 13 74	63 52 52 01 41
36	04 31 17 21 56	33 73 99 19 87	26 72 39 27 67	53 77 57 68 93	60 61 97 22 61
37	61 06 98 03 91	87 14 77 43 96	43 00 65 98 50	45 60 33 01 07	98 99 46 50 47
38	85 93 85 86 88	72 87 08 62 40	16 06 10 89 20	23 21 34 74 97	76 38 03 29 63
39	21 74 32 47 45	73 96 07 94 52	09 65 90 77 47	25 76 16 19 33	53 05 70 53 30
40	15 69 53 82 80	79 96 23 53 10	65 39 07 16 29	45 33 02 43 70	02 87 40 41 45
41	02 89 08 04 49	20 21 14 68 86	87 63 93 95 17	11 29 01 95 80	35 14 97 35 33
42	87 18 15 89 79	85 43 01 72 73	08 61 74 51 69	89 74 39 82 15	94 51 33 41 67
43	98 83 71 94 22	59 97 50 99 52	08 52 85 08 40	87 80 61 65 31	91 51 80 32 44
44	10 08 58 21 66	72 68 49 29 31	89 85 84 46 06	59 73 19 85 23	65 09 29 75 63
45	47 90 56 10 08	88 02 84 27 83	42 29 72 23 19	66 56 45 65 79	20 71 53 20 25
46	22 85 61 68 90	49 64 92 85 44	16 40 12 89 88	50 14 49 81 06	01 82 77 45 12
47	67 80 43 79 33	12 83 11 41 16	25 58 19 68 70	77 02 54 00 52	53 43 37 15 26
48	27 62 50 96 72	79 44 61 40 15	14 53 40 65 39	27 31 58 50 28	11 39 03 34 25
49	33 78 80 87 15	38 30 06 38 21	14 47 47 07 26	54 96 87 53 32	40 36 40 96 76
50	13 13 92 66 99	47 24 49 57 74	32 25 43 62 17	10 97 11 69 84	99 63 22 32 98

附表 2　随机排列表($n=20$)

编号	1	2	3	4	5	6	7	8	9	10	11	12	13	14	15	16	17	18	19	20	r_k
1	8	6	19	13	5	18	12	1	4	3	9	2	17	14	11	7	16	15	10	0	−0.0632
2	8	19	7	6	11	14	2	13	5	17	9	12	0	16	15	1	4	10	18	3	−0.0632
3	18	1	10	13	17	2	0	3	8	15	7	4	19	12	5	14	9	11	6	16	0.1053
4	6	19	1	5	18	12	4	0	13	10	16	17	7	14	11	15	8	3	9	2	−0.0842
5	1	2	7	4	18	0	15	13	5	12	19	10	9	14	16	8	6	11	3	17	0.2000
6	11	19	2	15	14	10	8	12	1	17	4	3	0	9	16	6	13	7	18	5	−0.1053
7	14	3	16	7	9	2	15	12	11	4	13	19	8	1	18	6	0	5	17	10	−0.0526
8	3	2	16	6	1	13	17	19	8	14	0	15	9	18	11	5	4	10	7	12	0.0526
9	16	9	10	3	15	0	1	2	1	5	18	8	19	13	6	12	17	4	7	14	0.0947
10	4	11	18	6	0	8	12	16	17	3	2	9	5	7	19	10	15	13	14	1	0.0947
11	5	15	18	13	7	3	10	14	16	1	8	2	17	6	9	4	0	12	19	11	−0.0526
12	0	18	10	15	11	12	3	13	14	1	17	2	6	9	16	4	7	8	19	5	−0.0105
13	10	9	14	18	12	17	15	3	5	2	11	19	8	0	1	4	7	13	6	16	−0.1579
14	11	9	13	0	14	12	18	7	2	10	4	17	19	6	5	8	3	15	1	16	−0.0526
15	17	1	0	8	9	12	2	4	5	18	14	15	7	1	6	8	11	3	10	13	0.1053
16	17	1	5	2	8	12	15	13	19	14	7	16	6	3	9	10	4	11	0	18	0.0105
17	5	16	15	7	18	10	12	9	11	6	13	17	14	1	0	4	3	2	19	8	−0.2000
18	16	19	0	8	6	10	13	17	4	3	15	18	11	1	12	9	5	7	2	14	−0.1368
19	13	9	17	12	15	4	3	1	16	2	10	18	8	6	7	19	14	11	0	5	−0.1263
20	11	12	8	16	3	19	14	7	9	17	4	1	10	0	18	15	6	5	13	2	−0.2105
21	19	12	13	8	4	15	16	7	0	11	1	5	14	18	3	6	10	9	2	17	−0.1368
22	2	18	8	14	6	11	1	9	15	0	17	10	4	7	13	3	12	5	16	19	0.1158
23	9	16	17	18	5	7	12	2	4	10	0	13	8	3	14	15	6	11	1	19	−0.0632
24	15	0	14	6	1	2	9	8	18	4	10	17	3	12	16	11	19	13	7	5	0.1789
25	14	0	9	18	19	16	10	4	5	1	6	2	12	3	11	13	7	8	17	15	0.0526

本表摘自：杨树勤主编．中国医学百科全书：医学统计学．上海：上海科技出版社，1985:51.

附表 3　随机排列表($n=10$)

编号	1	2	3	4	5	6	7	8	9	10
1	3	0	9	6	2	4	8	7	1	5
2	6	9	2	7	3	0	1	5	8	4
3	4	5	1	3	9	6	0	2	7	8
4	1	3	5	9	6	8	7	4	2	0
5	9	2	6	4	8	7	5	0	3	1
6	5	8	4	2	7	3	6	1	0	9
7	8	1	7	0	5	2	4	9	6	3
8	7	6	0	1	4	5	3	8	9	2
9	2	4	3	8	0	1	9	6	5	7
10	0	7	8	5	1	9	2	3	4	6

附表 4　平衡不完全区组设计参数表($r \leqslant 10$)

设计	v	k	r	b	λ	E	[注]
1	4	2	3	6	1	0.67	（＊）
2		3	3	4	2	0.89	（＊＊）
3	5	2	4	10	1	0.62	（＊）
4		3	6	10	3	0.83	（＊）
5		4	4	5	3	0.94	（＊＊）
6	6	2	5	15	1	0.60	（＊）
7		3	5	10	2	0.80	
8		3	10	20	4	0.80	（＊）
9		4	10	15	6	0.90	（＊）
10		5	5	6	4	0.96	（＊＊）
11	7	2	6	21	1	0.58	（＊）
12		3	3	7	1	0.78	
13		4	4	7	2	0.88	
14		6	6	7	5	0.97	（＊＊）
15	8	2	7	28	1	0.57	（＊）
16		4	7	14	3	0.86	
17		7	7	8	6	0.98	（＊＊）
18	9	2	8	36	1	0.56	（＊）
19		3	4	12	1	0.75	
20		4	8	18	3	0.84	
21		5	10	18	5	0.90	
22		6	8	12	5	0.94	
23		8	8	9	7	0.98	（＊＊）
24	10	2	9	45	1	0.56	（＊）
25		3	9	30	2	0.74	
26		4	6	15	2	0.83	
27		5	9	18	4	0.89	
28		6	9	15	5	0.93	
29		9	9	10	8	0.99	（＊＊）
30	11	2	10	55	1	0.55	（＊）
31		5	5	11	2	0.88	
32		6	6	11	3	0.92	
33		10	10	11	9	0.99	（＊＊）
34	13	3	6	26	1	0.72	
35		4	4	13	1	0.81	
36		9	9	13	6	0.96	
37	15	3	7	35	1	0.71	
38		7	7	15	3	0.92	
39		8	8	15	4	0.94	
40	16	4	5	20	1	0.80	
41		6	6	16	2	0.89	
42		6	9	24	3	0.89	

附表 5　平衡不完全区组设计表

（阿拉伯数字表示处理，行表示区组，罗马数字表示重复）

设计 1　$v=4, k=2, r=3, b=6, \lambda=1$

I		II		III	
1	2	1	3	1	4
3	4	2	4	2	3

设计 3　$v=5, k=2, r=4, b=10, \lambda=1$

I	II	III	IV
1	2	1	3
2	3	2	4
3	4	3	5
4	5	4	1
5	1	5	2

设计 4　$v=5, k=3, r=6, b=10, \lambda=3$

I	II	III	IV	V	VI
1	2	3	1	2	4
2	3	4	2	3	5
3	4	5	3	4	1
4	5	1	4	5	2
5	1	2	5	1	3

设计 6　$v=6, k=2, r=5, b=15, \lambda=1$

I		II		III		IV		V	
1	2	1	3	1	4	1	5	1	6
3	4	5	2	2	6	2	4	2	3
5	6	4	6	3	5	3	6	4	5

设计 7　$v=6, k=3, r=5, b=10, \lambda=2$

1	2	5	2	3	4
1	2	6	2	3	5
1	3	4	2	4	6
1	4	5	4	5	6

设计 8　$v=6, k=3, r=10, b=20, \lambda=4$

I	II	III	IV	V
123	124	125	126	134
456	356	346	345	256
VI	VII	VIII	IX	X
135	136	145	146	156
246	245	236	235	234

设计 9　$v=6, k=4, r=10, b=15, \lambda=6$

I , II	III , IV	V , VI	VII , VIII	IX , X
1234	1235	1236	1245	1256
1456	1246	1345	1356	1346
2356	3456	2456	2346	2345

设计 11　$v=7, k=2, r=6, b=21, \lambda=1$

I	II	III	IV	V	VI
1	2	1	3	1	4
2	3	2	4	2	5
3	4	3	5	3	6
4	5	4	6	4	7
5	6	5	7	5	1
6	7	6	1	6	2
7	1	7	2	7	3

设计 12　$v=7, k=3, r=3, b=7, \lambda=1$

1	2	4
2	3	5
3	4	6
4	5	7
5	6	1
6	7	2
7	1	3

设计 13　$v=7, k=4, r=4, b=7, \lambda=2$

1	2	3	6
2	3	4	7
3	4	5	1
4	5	6	2
5	6	7	3
6	7	1	4
7	1	2	5

设计 15　$v=8, k=2, r=7, b=28, \lambda=1$

I	II	III	IV
12	13	14	15
34	28	27	23
56	45	36	47
78	67	58	68

V	VI	VII
16	17	18
24	26	25
38	35	47
57	48	66

设计 16　$v=8, k=4, r=7, b=14, \lambda=3$

I	II	III	IV
1234	1256	1278	1357
5678	3478	3456	2468
V	VI	VII	
1368	1458	1467	
2457	2367	2358	

设计 18　$v=9,k=2,r=8,b=36,\lambda=1$

I II	III IV	V VI	VII VIII
1 2	1 3	1 4	1 5
2 3	2 4	2 5	2 6
3 4	3 5	3 6	3 7
4 5	4 6	4 7	4 8
5 6	5 7	5 8	5 9
6 7	6 8	6 9	6 1
7 8	7 9	7 1	7 2
8 9	8 1	8 2	8 3
9 1	9 2	9 3	9 4

设计 19　$v=9,k=3,r=4,b=12,\lambda=1$

I	II	III	IV
1 2 3	1 4 7	1 5 9	1 6 8
4 5 6	2 5 8	2 6 7	2 4 9
7 8 9	3 6 9	3 4 8	3 5 7

设计 20　$v=9,k=4,r=8,b=18,\lambda=3$

I II III IV	V VI VII VIII
1 2 3 5	1 4 5 8
2 3 4 6	2 5 6 9
3 4 5 7	3 6 7 1
4 5 6 8	4 7 8 2
5 6 7 9	5 8 9 3
6 7 8 1	6 9 1 4
7 8 9 2	7 1 2 5
8 9 1 3	8 2 3 6
9 1 2 4	9 3 4 7

设计 21　$v=9,k=5,r=10,b=18,\lambda=5$

I II III IV V	VI VII VIII IX X
1 2 3 4 8	1 2 4 6 7
2 3 4 5 9	2 3 5 7 8
3 4 5 6 1	3 4 6 8 9
4 5 6 7 2	4 5 7 9 1
5 6 7 8 3	5 6 8 1 2
6 7 8 9 4	6 7 9 2 3
7 8 9 1 5	7 8 1 3 4
8 9 1 2 6	8 9 2 4 5
9 1 2 3 7	9 1 3 5 6

设计 22　$v=9,k=6,r=8,b=12,\lambda=5$

I,II	III,IV	V,VI	VII,VIII
1 2 3 4 5 6	1 2 4 5 7 8	1 2 4 6 8 9	1 2 5 6 7 9
1 2 3 7 8 9	1 3 4 6 7 9	1 3 5 6 7 8	1 3 4 5 8 9
4 5 6 7 8 9	2 3 5 6 8 9	2 3 4 5 7 9	2 3 4 6 7 8

设计 24　$v=10,k=2,r=9,b=45,\lambda=1$

I	II	III	IV	V
1 2	1 3	1 4	1 5	1 6
3 4	2 7	2 10	2 8	2 9
5 6	4 8	3 7	3 10	3 8
7 8	5 9	5 8	4 9	4 10
9 10	6 10	6 9	6 7	5 7

VI	VII	VIII	IX
1 7	1 8	1 9	1 10
2 6	2 3	2 4	2 5
3 9	4 6	3 5	3 6
4 5	5 10	6 8	4 7
8 10	7 9	7 10	8 9

设计 25　$v=10,k=3,r=9,b=30,\lambda=2$

I,II,III	IV,V,VI	VII,VIII,IX
1 2 3	1 2 4	1 3 5
1 4 6	1 5 7	1 6 8
1 7 9	1 8 10	1 9 10
2 5 8	2 3 6	2 4 10
2 8 10	2 5 9	2 6 7
3 4 7	3 4 8	2 7 9
3 9 10	3 7 10	3 5 6
4 6 9	4 5 9	3 8 9
5 6 10	6 7 10	4 5 10
5 7 8	6 8 9	4 7 2

设计 26　$v=10,k=2,r=6,b=15,\lambda=2$

1 2 3 4	1 6 8 10	3 4 5 8
1 2 5 6	2 3 6 9	3 5 9 10
1 3 7 8	2 4 7 10	3 6 7 10
1 4 9 10	2 5 8 10	4 5 6 7
1 5 7 9	2 7 8 9	4 6 8 9

设计 27　$v=10,k=5,r=9,b=18,\lambda=4$

1 2 3 4 5	1 4 5 6 10	2 5 6 8 10
1 2 3 6 7	1 4 8 9 10	2 6 7 9 10
1 2 4 6 9	1 5 7 9 10	3 4 5 7 9
1 2 5 7 8	2 3 4 8 10	3 4 6 7 10
1 3 6 8 9	2 3 5 9 10	3 5 6 8 9
1 3 7 8 10	2 4 7 8 9	4 5 6 7 8

设计 28　$v=10,k=6,r=9,b=15,\lambda=5$

1 2 3 5 7 10	1 3 4 5 6 10	2 2 4 6 8 10
1 2 3 8 9 10	1 3 4 6 7 9	2 3 5 6 7 8
1 2 4 5 8 9	1 3 5 6 8 9	2 4 5 6 9 10
1 2 4 6 7 8	1 4 5 7 8 10	3 4 7 8 9 10
1 2 6 7 9 10	2 3 1 5 7 9	5 6 7 8 9 10

设计 30　$v=11,k=2,r=10,b=55,\lambda=1$

I	II	III	IV	V	VI	VII	VIII	IX	X
1	2	1	3	1	4	1	5	1	6
2	3	2	4	2	5	2	6	2	7
3	4	3	5	3	6	3	7	3	8
4	5	4	6	4	7	4	8	4	9
5	6	5	7	5	8	5	9	5	10
6	7	6	8	6	9	6	10	6	11
7	8	7	9	7	10	7	11	7	1
8	9	8	10	8	11	8	1	8	2
9	10	9	11	9	1	9	2	9	3
10	11	10	1	10	2	10	3	10	4
11	1	11	2	11	3	11	4	11	5

设计 31　$v=11,k=5,r=5,b=11,\lambda=2$

1	2	3	5	8
2	3	4	6	9
3	4	5	7	10
4	5	6	8	11
5	6	7	9	1
6	7	8	10	2
7	8	9	11	3
8	9	10	1	4
9	10	11	2	5
10	11	1	3	6
11	1	2	4	7

设计 32　$v=11,k=6,r=6,b=11,\lambda=3$

1	2	3	7	9	10
2	3	4	8	10	11
3	4	5	9	11	1
4	5	6	10	1	2
5	6	7	11	2	3
6	7	8	1	3	4
7	8	9	2	4	5
8	9	10	3	5	6
9	10	11	4	6	7
10	11	1	5	7	8
11	1	2	6	8	9

设计 34　$v=13,k=3,r=6,b=26,\lambda=1$

I	II	III	IV	V	VI
1	2	11	1	3	9
2	3	12	2	4	10
3	4	13	3	5	11
4	5	1	4	6	12
5	6	2	5	7	13
6	7	3	6	8	1
7	8	4	7	9	2
8	9	5	8	10	3
9	10	6	9	11	4
10	11	7	10	12	5
11	12	8	11	13	6
12	13	9	12	1	7
13	1	10	13	2	8

设计 35　$v=13,k=4,r=4,b=13,\lambda=1$

1	2	4	10
2	3	5	11
3	4	6	12
4	5	7	13
5	6	8	1
6	7	9	2
7	8	10	3
8	9	11	4
9	10	12	5
10	11	13	6
11	12	1	7
12	13	2	8
13	1	3	9

设计 36　$v=13,k=9,r=9,b=13,\lambda=6$

1	2	3	4	5	7	8	9	12
2	3	4	5	6	8	9	10	13
3	4	5	6	7	9	10	11	1
4	5	6	7	8	10	11	12	2
5	6	7	8	9	11	12	13	3
6	7	8	9	10	12	13	1	4
7	8	9	10	11	13	1	2	5
8	9	10	11	12	1	2	3	6
9	10	11	12	13	2	3	4	7
10	11	12	13	1	3	4	5	8
11	12	13	1	2	4	5	6	9
12	13	1	2	3	5	6	7	10
13	1	2	3	4	6	7	8	11

设计 37　$v=15,k=3,r=7,b=35,\lambda=1$

I	II	III	IV
1 2 3	1 4 5	1 6 7	1 8 9
4 8 12	2 8 10	2 9 11	2 13 15
5 10 15	3 13 14	3 12 15	3 4 7
6 11 13	6 9 15	4 10 14	5 11 14
7 9 14	7 11 12	5 8 13	6 10 12

V	VI	VII
1 10 11	1 12 13	1 14 15
2 12 14	2 5 7	2 4 6
3 5 6	3 9 10	3 8 11
4 9 13	4 11 15	5 9 12
7 8 15	6 8 14	7 10 13

设计 38　$v=15, k=7, r=7, b=15, \lambda=3$

1	2	3	5	6	9	11
2	3	4	6	7	10	12
3	4	5	7	8	11	13
4	5	6	8	9	12	14
5	6	7	9	10	13	15
6	7	8	10	11	14	1
7	8	9	11	12	15	2
8	9	10	12	13	1	3
9	10	11	13	14	2	4
10	11	12	14	15	3	5
11	12	13	15	1	4	6
12	13	14	1	2	5	7
13	14	15	2	3	6	8
14	15	1	3	4	7	9
15	1	2	4	5	8	10

设计 39　$v=15, k=8, r=8, b=15, \lambda=4$

1	2	3	4	8	11	12	14
2	3	4	5	9	12	13	15
3	4	5	6	10	13	14	1
4	5	6	7	11	14	15	2
5	6	7	8	12	15	1	3
6	7	8	9	13	1	2	4
7	8	9	10	14	2	3	5
8	9	10	11	15	3	4	6
9	10	11	12	1	4	5	7
10	11	12	13	2	5	6	8
11	12	13	14	3	6	7	9
12	13	14	15	4	7	8	10
13	14	15	1	5	8	9	11
14	15	1	2	6	9	10	12
15	1	2	3	7	10	11	13

设计 40　$v=16, k=4, r=5, b=20, \lambda=1$

I				II				III			
1	2	3	4	1	5	9	13	1	6	11	16
5	6	7	8	2	6	10	14	2	5	12	15
9	10	11	12	3	7	11	15	3	8	9	14
13	14	15	16	4	8	12	16	4	7	10	13

IV				V			
1	7	12	14	1	8	10	15
2	8	11	13	2	7	9	16
3	5	10	16	3	6	12	13
4	6	9	15	4	5	11	14

设计 41　$v=16, k=6, r=6, b=16, \lambda=2$

1	2	3	4	5	6
2	7	3	9	10	1
3	1	13	7	11	12
4	3	1	11	14	15
5	12	14	1	16	9
6	10	15	13	1	16
7	14	2	16	15	3
8	16	12	2	4	13
9	15	11	5	13	2
10	11	6	12	2	14
11	4	16	3	9	10
12	3	10	15	8	5
13	6	9	14	3	8
14	13	5	10	7	4
15	9	4	6	12	7
16	5	7	8	6	11

设计 42　$v=16, k=6, r=9, b=24, \lambda=3$

I		II		III		IV		V		VI		VII		VIII		IX	
1	2	5	6	11	12	1	3	5	7	10	12	1	4	5	8	10	11
1	2	7	8	13	14	1	3	6	8	13	15	1	4	6	7	13	16
1	2	9	10	15	16	1	3	9	11	14	16	1	4	9	12	14	15
3	4	5	6	15	16	2	4	5	7	14	16	2	3	5	8	14	15
3	4	7	8	9	10	2	4	6	8	9	11	2	3	6	7	9	12
3	4	11	12	13	14	2	4	10	12	13	15	2	3	10	11	13	16
5	6	9	10	13	14	5	7	9	11	13	15	5	8	9	12	13	16
7	8	11	12	15	16	6	8	10	12	14	16	6	7	10	11	14	15

附表 6 质反应单向序贯试验边界系数表

（上行为 $\alpha=\beta=0.05$ 的 a 值，中行为 $\alpha=\beta=0.01$ 的 a 值，下行为 b 值）

y_0(%)		5	10	15	20	25	30	35	40	45	50	55	60	65	70	75	80	85	90	95	100
											P_1(%)										
0	a(0.05)	0.74	0.63	0.57	0.53	0.51	0.49	0.47	0.45	0.44	0.43	0.41	0.40	0.39	0.38	0.37	0.36	0.34	0.32	0.30	0.21
	a(0.01)	1.16	0.98	0.89	0.83	0.79	0.76	0.73	0.71	0.69	0.67	0.65	0.63	0.61	0.59	0.57	0.55	0.53	0.50	0.47	0.29
	b	0.013	0.022	0.031	0.040	0.049	0.059	0.068	0.078	0.089	0.100	0.112	0.125	0.139	0.155	0.173	0.194	0.219	0.253	0.304	0.500
5	a(0.05)		3.94	2.43	1.89	1.60	1.40	1.27	1.16	1.07	1.00	0.94	0.88	0.83	0.78	0.73	0.68	0.63	0.57	0.50	0.30
	a(0.01)		6.15	3.80	2.95	2.49	2.19	1.98	1.81	1.67	1.56	1.46	1.37	1.29	1.21	1.14	1.06	0.98	0.89	0.78	0.47
	b		0.072	0.092	0.110	0.128	0.146	0.163	0.181	0.199	0.218	0.238	0.258	0.280	0.304	0.330	0.360	0.394	0.438	0.500	0.696
10	a(0.05)			6.36	3.63	2.68	2.18	1.87	1.64	1.47	1.34	1.23	1.13	1.05	0.97	0.89	0.82	0.75	0.67	0.57	0.32
	a(0.01)			9.93	5.67	4.18	3.40	2.91	2.56	2.30	2.09	1.92	1.77	1.63	1.51	1.39	1.28	1.17	1.05	0.89	0.50
	b			0.124	0.145	0.166	0.186	0.206	0.226	0.247	0.268	0.289	0.312	0.335	0.361	0.389	0.420	0.456	0.500	0.562	0.747
15	a(0.05)				8.45	4.63	3.32	2.64	2.22	1.92	1.70	1.52	1.38	1.25	1.14	1.04	0.94	0.85	0.75	0.63	0.34
	a(0.01)				13.19	7.23	5.18	4.12	3.46	3.00	2.65	2.37	2.15	1.95	1.78	1.62	1.47	1.32	1.17	0.98	0.53
	b				0.174	0.197	0.219	0.240	0.262	0.284	0.306	0.329	0.352	0.377	0.403	0.432	0.464	0.500	0.544	0.606	0.731
20	a(0.05)					10.24	5.46	3.84	3.00	2.48	2.12	1.86	1.64	1.47	1.32	1.18	1.06	0.94	0.82	0.68	0.36
	a(0.01)					15.97	8.53	5.99	4.68	3.88	3.31	2.90	2.56	2.29	2.06	1.85	1.66	1.47	1.28	1.06	0.55
	b					0.224	0.248	0.271	0.293	0.316	0.339	0.363	0.387	0.412	0.439	0.468	0.500	0.536	0.580	0.640	0.806
25	a(0.05)						11.72	6.14	4.25	3.28	2.68	2.27	1.96	1.71	1.51	1.34	1.18	1.04	0.89	0.73	0.37
	a(0.01)						18.28	9.58	6.63	5.12	4.18	3.54	3.06	2.68	2.36	2.09	1.85	1.62	1.39	1.14	0.57
	b						0.275	0.298	0.322	0.345	0.369	0.393	0.418	0.444	0.471	0.500	0.532	0.568	0.611	0.700	0.827
30	a(0.05)							12.90	6.66	4.55	3.48	2.81	2.35	2.01	1.74	1.51	1.32	1.14	0.97	0.78	0.38
	a(0.01)							20.13	10.40	7.11	5.42	4.38	3.67	3.13	2.71	2.36	2.06	1.78	1.51	1.21	0.59
	b							0.325	0.349	0.373	0.397	0.422	0.447	0.473	0.500	0.529	0.561	0.597	0.639	0.696	0.845
35	a(0.05)								13.79	7.04	4.76	3.59	2.87	2.38	2.01	1.71	1.47	1.25	1.05	0.83	0.39
	a(0.01)								21.52	10.98	7.42	5.61	4.49	3.71	3.13	2.68	2.29	1.95	1.63	1.29	0.61
	b								0.375	0.399	0.424	0.449	0.474	0.500	0.527	0.556	0.588	0.623	0.665	0.720	0.861
40	a(0.05)									14.38	7.26	4.86	3.63	2.87	2.35	1.96	1.64	1.28	1.13	0.88	0.40
	a(0.01)									22.44	11.33	7.58	5.67	4.49	3.67	3.06	2.56	2.15	1.77	1.37	0.63
	b									0.426	0.450	0.475	0.500	0.526	0.553	0.582	0.613	0.648	0.688	0.742	0.875
45	a(0.05)										14.67	7.34	4.86	3.59	2.81	2.27	1.86	1.52	1.23	0.94	0.41
	a(0.01)										22.89	11.45	7.58	5.61	4.38	3.54	2.90	2.37	1.92	1.46	0.65
	b										0.475	0.500	0.525	0.551	0.578	0.607	0.637	0.671	0.711	0.762	0.888

附表6 续

y_0(%)	5	10	15	20	25	30	35	40	45	50	55	60	65	70	75	80	85	90	95	100
											P_1(%)									
50											14.67	7.26	4.76	3.48	2.68	2.12	1.70	1.34	1.00	0.43
											22.90	11.33	7.42	5.42	4.18	3.31	2.65	2.09	1.56	0.67
											0.525	0.550	0.576	0.603	0.631	0.661	0.694	0.732	0.782	0.900
55												14.38	7.04	4.55	3.28	2.48	1.92	1.47	1.07	0.44
												22.44	10.98	7.11	5.12	3.88	3.00	2.30	1.67	0.69
												0.575	0.601	0.627	0.655	0.684	0.716	0.755	0.801	0.911
60													13.79	6.66	4.25	3.00	2.22	1.64	1.16	0.45
													21.52	10.40	6.63	4.68	3.46	2.56	1.81	0.71
													0.625	0.615	0.678	0.707	0.738	0.774	0.810	0.922
65														12.90	6.14	3.84	2.64	1.89	1.27	0.47
														20.13	9.58	5.99	4.12	2.91	1.93	0.73
														0.675	0.702	0.729	0.760	0.794	0.837	0.932
70															11.72	5.46	3.32	2.18	1.40	0.49
															18.28	8.53	5.18	3.40	2.19	0.76
															0.725	0.752	0.781	0.814	0.854	0.941
75																10.24	4.63	2.68	1.60	0.51
																15.97	7.23	4.18	2.49	0.79
																0.776	0.803	0.834	0.872	0.951
80																	8.45	3.63	1.89	0.53
																	13.19	5.67	2.95	0.83
																	0.826	0.855	0.890	0.960
85																		6.36	2.43	0.57
																		9.93	3.80	0.89
																		0.876	0.909	0.969
90																			3.94	0.63
																			6.15	0.98
																			0.928	0.978
95																				0.74
																				1.16
																				0.937

附表7 量反应单向序贯试验边界系数表

（上行为 $\alpha=\beta=0.05$ 的 a 值，中行为 $\alpha=\beta=0.01$ 的 a 值，下行为 b 值）

δ	0.00	0.01	0.02	0.03	0.04	0.05	0.06	0.07	0.08	0.09
0.2	14.72	14.02	13.38	12.80	12.27	11.78	11.32	10.09	10.51	10.15
	22.98	21.88	20.89	19.98	19.15	18.38	17.67	17.02	16.41	15.84
	0.100	0.105	0.110	0.115	0.120	0.125	0.130	0.135	0.140	0.145
0.3	9.81	9.50	9.20	8.92	8.66	8.41	8.18	7.96	7.75	7.55
	15.32	14.82	14.36	13.92	13.51	13.13	12.76	12.42	12.09	11.78
	0.150	0.155	0.160	0.165	0.170	0.175	0.180	0.185	0.190	0.195
0.4	7.36	7.18	7.01	6.85	6.69	6.54	6.40	6.26	6.13	6.01
	11.49	11.21	10.94	11.69	10.44	10.21	9.99	9.78	9.57	9.38
	0.200	0.205	0.210	0.215	0.220	0.225	0.230	0.235	0.240	0.245
0.5	5.89	5.77	5.66	5.55	5.45	5.35	5.26	5.16	5.08	4.99
	9.19	9.01	8.84	8.67	8.51	8.35	8.21	8.06	7.92	7.79
	0.250	0.255	0.260	0.265	0.270	0.275	0.280	0.285	0.290	0.295
0.6	4.91	4.83	4.75	4.67	4.60	4.53	4.46	4.39	4.33	4.27
	7.66	7.53	7.41	7.29	7.18	7.07	6.96	6.86	6.76	6.66
	0.300	0.305	0.310	0.315	0.320	0.325	0.330	0.335	0.340	0.345
0.7	4.21	4.15	4.09	4.03	3.98	3.93	3.87	3.82	3.77	3.70
	6.56	6.47	6.38	6.29	6.21	6.13	6.05	5.97	5.89	5.82
	0.350	0.355	0.360	0.365	0.370	0.375	0.380	0.385	0.390	0.395
0.8	3.68	3.63	3.59	3.55	3.50	3.46	3.42	3.38	3.35	3.31
	5.74	5.76	5.60	5.54	5.47	5.41	5.34	5.28	5.22	5.16
	0.400	0.405	0.410	0.415	0.420	0.425	0.430	0.435	0.440	0.445
0.9	3.27	3.24	3.20	3.17	3.13	3.10	3.07	3.04	3.00	2.97
	5.11	5.05	4.99	4.94	4.89	4.84	4.79	4.74	4.69	4.64
	0.450	0.455	0.460	0.465	0.470	0.475	0.480	0.485	0.490	0.495
1.0	2.94	2.91	2.89	2.86	2.83	2.80	2.78	2.75	2.73	2.70
	4.60	4.55	4.50	4.46	4.42	4.38	4.33	4.29	4.25	4.22
	0.500	0.505	0.510	0.515	0.520	0.525	0.530	0.535	0.540	0.545
1.1	2.68	2.65	2.63	2.61	2.58	2.56	2.54	2.52	2.49	2.47
	4.18	4.14	4.10	4.07	4.03	4.00	3.96	3.93	3.89	3.86
	0.550	0.555	0.560	0.565	0.570	0.575	0.580	0.585	0.590	0.595
1.2	2.45	2.43	2.41	2.39	2.37	2.36	2.34	2.32	2.30	2.28
	3.83	3.80	3.77	3.74	3.71	3.68	3.65	3.62	3.59	3.56
	0.600	0.605	0.610	0.615	0.620	0.625	0.630	0.635	0.640	0.645
1.3	2.26	2.25	2.23	2.21	2.20	2.18	2.16	2.15	2.13	2.12
	3.53	3.51	3.48	3.45	3.43	3.40	3.38	3.35	3.33	3.31
	0.650	0.655	0.660	0.665	0.670	0.675	0.680	0.685	0.690	0.695
1.4	2.10	2.09	2.07	2.06	2.04	2.03	2.02	2.00	1.99	1.98
	3.28	3.26	3.24	3.21	3.19	3.17	3.15	3.13	3.10	3.08
	0.700	0.705	0.710	0.715	0.720	0.725	0.730	0.735	0.740	0.745
1.5	1.96	1.95	1.94	1.92	1.91	1.90	1.89	1.88	1.86	1.85
	3.06	3.04	3.02	3.00	2.98	2.96	2.95	2.93	2.91	2.89
	0.750	0.755	0.760	0.765	0.770	0.775	0.780	0.785	0.790	0.795
1.6	1.84	1.83	1.82	1.81	1.80	1.78	1.77	1.76	1.75	1.74
	2.87	2.85	2.84	2.82	2.80	2.78	2.77	2.75	2.74	2.72
	0.800	0.805	0.810	0.815	0.820	0.825	0.830	0.835	0.840	0.845
1.7	1.73	1.72	1.71	1.70	1.69	1.68	1.67	1.66	1.65	1.64
	2.70	2.69	2.67	2.66	2.64	2.63	2.61	2.60	2.58	2.57
	0.850	0.855	0.860	0.865	0.870	0.875	0.880	0.885	0.890	0.895
1.8	1.64	1.63	1.62	1.61	1.60	1.59	1.58	1.57	1.57	1.56
	2.55	2.54	2.52	2.51	2.50	2.48	2.47	2.46	2.44	2.43
	0.900	0.905	0.910	0.915	0.920	0.925	0.930	0.935	0.940	0.945
1.9	1.55	1.54	1.53	1.53	1.52	1.51	1.50	1.49	1.49	1.48
	2.42	2.41	2.39	2.38	2.37	2.36	2.34	2.33	2.32	2.31
	0.950	0.955	0.960	0.965	0.970	0.975	0.980	0.985	0.990	0.995
2.0	1.47	1.46	1.46	1.45	1.44	1.44	1.43	1.42	1.42	1.41
	2.30	2.29	2.27	2.26	2.25	2.24	2.23	2.22	2.21	2.20
	1.000	1.005	1.010	1.015	1.020	1.025	1.030	1.035	1.040	1.045

附表 8　小样本翼型设计的边界点坐标表

$(2\alpha = 0.05, \beta = 0.05)$

不同对 n	上、下界 y		假阳性率 2α	中界联点			
				M'		M''	
	U	L		n	y	n	y
9	9	−9	0.004	44	0	44	0
12	10	−10	0.008	62	18	62	−18
15	11	−11	0.012				
18	12	−12	0.015				
20	12	−12	0.020				
23	13	−13	0.023				
26	14	−14	0.026				
28	14	−14	0.029				
31	15	−15	0.031				
34	16	−16	0.033				
37	17	−17	0.034				
39	17	−17	0.036				
42	18	−18	0.037				
45	19	−19	0.038				
47	19	−19	0.039				
50	20	−20	0.039				
53	21	−21	0.040				
56	22	−22	0.040				
58	22	−22	0.041				
60	22	−22	0.042				
61	21	−21	0.044				
62	20	−20	0.047				

$\theta_1 = 0.75$

附表 8 续

不同对	上、下界 y		假阳性率	中界联点			
				M'		M''	
n	U	L	2α	n	y	n	y
8	$\theta_1=0.80$						
8	8	-8	0.008	26	0	26	0
11	9	-9	0.016	40	14	40	-14
14	10	-10	0.022				
17	11	-11	0.027				
20	12	-12	0.031				
23	13	-13	0.033				
26	14	-14	0.025				
29	15	-15	0.037				
32	16	-16	0.038				
35	17	-17	0.039				
38	18	-18	0.040				
39	17	-17	0.042				
40	16	-16	0.047				
	$\theta_1=0.85$						
7	7	-7	0.015	16	0	16	0
11	9	-9	0.022	27	11	27	-11
14	10	-10	0.028				
17	11	-11	0.033				
20	12	-12	0.037				
24	14	-14	0.038				
26	14	-14	0.041				
27	13	-13	0.047				
	$\theta_1=0.90$						
7	7	-7	0.016	10	0	10	0
10	8	-8	0.029	19	9	19	-9
14	10	-10	0.034				
18	12	-12	0.037				
19	11	-11	0.041				
	$\theta_1=0.95$						
6	6	-6	0.032	6	0	6	0
11	9	-9	0.038	13	7	13	-7
13	9	-9	0.048				

附表9　开放式定性资料单侧配对序贯试验的边界系数表

u_1	$\alpha=\beta=0.05$		$\alpha=\beta=0.01$	
	a	b	a	b
1.5	7.26	0.550	11.33	0.550
2.0	4.25	0.585	6.63	0.585
2.5	3.21	0.611	5.01	0.611
3.0	2.68	0.631	4.18	0.631
3.5	2.35	0.647	3.67	0.647
4.0	2.12	0.661	3.31	0.661
4.5	1.96	0.672	3.06	0.672
5.0	1.83	0.683	2.86	0.683
5.5	1.73	0.691	2.70	0.691
6.0	1.64	0.699	2.56	0.699
7.0	1.51	0.712	2.36	0.712
8.8	1.42	0.723	2.21	0.723
9.0	1.34	0.732	2.09	0.732
10.0	1.28	0.740	2.00	0.740
12.0	1.18	0.753	1.85	0.753
14.0	1.12	0.763	1.74	0.763
16.0	1.06	0.772	1.66	0.772
18.0	1.02	0.779	1.59	0.779
20.0	0.98	0.785	1.53	0.785

注:a 为截距,b 为斜率。

附表10　不同 θ_1 错误水平分别为 $(0.05,0.05)$ 与 $(0.01,0.05)$ 的截断点、边界参数以及等价样本量

临界点	边界参数			等价样本量
	a	b	N	
0.55	36.25	0.050	1778	1294
	52.30	0.050	2290	1775
0.60	17.94	0.101	439	319
	25.88	0.101	565	439
0.65	11.75	0.152	191	138
	16.95	0.152	244	191
0.70	8.59	0.206	104	75
	12.39	0.206	132	104
0.75	6.62	0.262	66	46
	9.55	0.262	80	64
0.80	5.25	0.322	44	30
	7.57	0.322	53	42
0.85	4.19	0.388	30	20
	6.05	0.388	37	29
0.90	3.31	0.465	22	14
	4.78	0.465	25	20
0.95	2.47	0.564	15	9
	3.56	0.564	18	14

注:表内第一行显著性水平为 $2\alpha=0.05,\beta=0.05$,第二行显著性水平为 $2\alpha=0.01,\beta=0.05$。

附表11 错误水平为(0.05,0.05)双侧序贯 t 检验边界点

$\delta_1 = 0.2$ （$N_f = 327$）

边界点												
配对个数	20	25	30	40	50	60	70	80	100	160	181	200
上界点	18.94	16.11	14.2	11.8	10.38	9.45	8.81	8.35	7.76	7.17	7.15*	7.17
下界点										0.087	—	0.368

$\delta_1 = 0.3$ （$N_f = 147$）

配对个数	14	15	20	25	30	40	50	60	70	78	80	100
上界点	12.94	11.93	10.51	9.38	8.64	7.78	7.34	7.12	7.02	7.00*	7.00	7.10
下界点									0.07	—	0.22	0.55

$\delta_1 = 0.4$ （$N_f = 85$）

配对个数	11	15	20	25	30	40	43	50	60	70	80	100
上界点	10	8.65	7.75	7.27	7.01	6.81	6.80*	6.84	6.98	7.19	7.45	8.03
下界点						0.09	—	0.37	0.66	0.98	1.32	2.02

$\delta_1 = 0.5$ （$N_f = 54$）

配对个数	9	10	15	20	25	27	30	35	40	50	60	70
上界点	8.34	8.00	7.04	6.68	6.56	6.55*	6.57	6.67	6.81	7.18	7.62	8.11
下界点							0.28	0.50	0.74	1.24	1.77	2.32

$\delta_1 = 0.6$ （$N_f = 39$）

配对个数	8	10	15	18	20	25	30	35	40	45	50	60
上界点	7.14	6.72	6.31	6.27*	6.29	6.44	6.67	6.95	7.26	7.60	7.94	8.67
下界点					0.22	0.54	0.89	1.25	1.62	2.00	2.39	

$\delta_1 = 0.7$ （$N_f = 29$）

配对个数	7	10	13	20	25	30	35	40	
上界点	6.37	6.03	5.97*	6.01	6.25	6.61	7.03	7.49	7.97
下界点				0.25	0.69	1.16	1.66	2.17	2.69

$\delta_1 = 0.8$ （$N_f = 23$）

配对个数	6	9	10	15	20	25	30
上界点	5.83	5.64*	5.65	5.94	6.41	6.97	7.57
下界点			0.09	0.64	1.25	1.89	2.54

$\delta_1 = 0.9$ （$N_f = 19$）

配对个数	6	7	10	15	20	25	30
上界点	5.33	5.31*	5.46	6.01	6.69	7.44	8.31
下界点			0.37	1.10	1.88	2.69	3.51

$\delta_1 = 1.0$ （$N_f = 16$）

配对个数	5	10	15	20	25
上界点	4.98*	5.39	6.16	7.05	7.97
下界点		0.69	1.61	2.57	3.54

$\delta_1 = 1.2$ （$N_f = 12$）

配对个数	5	10	15	20	25
上界点	4.48*	5.45	6.63	7.88	9.16
下界点	0.22	1.42	2.70	4.00	5.31

$\delta_1 = 1.4$ （$N_f = 9$）

配对个数	4	5	10	15	20	25
上界点	4.00*	4.23	5.65	7.20	8.79	10.39
下界点		0.61	2.19	3.80	5.43	7.05

注：第一行是配对个数，第二行是上界点，第三行是下界点；

　＊上界最低点；

　N_f 指等价的非序贯 t 检验样本量。

附表 12 错误水平为 $(0.01, 0.01)$ 双侧序贯 t 检验边界点

δ_1						边界点								N_f
0.2	29	30	35	40	45	50	60	70	80	100	120	160	200	
	27.4	26.7	23.9	21.8	20.1	18.8	16.8	15.4	14.3	12.9	12.0	11.0	10.6	610
											—	—	—	
0.3	20	25	30	35	40	50	60	80	100	114	120	160	200	
	18.83	16.5	14.9	13.8	12.97	11.85	11.17	10.46	10.19	10.16*	10.17	10.98		270
											0.19	0.75	1.43	
0.4	15	20	25	30	35	40	50	60	62	70	80	100	200	
	14.82	12.92	11.79	11.08	10.60	10.29	9.96	9.85	9.85*	9.88	10.00	10.40	13.48	150
								0.05	—	0.25	0.48	1.03	4.45	
0.5	13	15	20	25	30	38	40	45	50	60	80	100	200	
	11.97	11.34	10.36	9.86	9.60	9.48*	9.48	9.53	9.63	9.92	10.72	11.67	17.09	100
							0.09	0.25	0.43	0.84	1.80	2.85	6.19	
0.6	11	15	20	25	30	35	40	45	50	60	70	80	100	
	10.37	9.58	9.16	9.05*	9.10	9.25	9.46	9.72	10.00	10.64	11.32	12.04	13.55	71
					0.19	0.44	0.73	1.05	1.39	2.10	2.84	3.61	5.18	
0.7	10	15	18	20	25	30	35	40	45	50	60	70	90	
	9.13	8.62	8.58*	8.60	8.79	9.09	9.46	9.86	10.30	10.76	11.72	12.72	14.77	53
				0.07	0.39	0.78	1.21	1.67	2.15	2.65	3.67	4.70	6.82	
0.8	9	10	13	15	20	25	30	35	40	45	50	60	70	
	8.27	8.17	8.08*	8.12	8.40	8.84	9.36	9.92	10.51	11.12	11.75	13.04	14.35	41
				0.04	0.47	0.99	1.57	2.18	2.81	3.46	4.12	5.44	6.78	
0.9	8	10	15	20	25	30	35	40	45	50	60			
	7.61	7.58*	7.88	8.42	9.08	9.80	10.54	11.32	12.10	12.90	14.51			34
			0.37	1.01	1.73	2.50	3.28	4.09	4.90	5.72	7.36			
1.0	8	10	15	20	25	30	35	40	45	50				
	7.08*	7.20	7.80	8.58	9.44	10.35	11.28	12.22	13.18	14.14				28
		0.09	0.79	1.65	2.56	3.51	4.47	5.44	6.42	7.40				
1.2	7	10	15	20	25	30								
	6.32*	6.84	7.93	9.12	10.36	11.62								21
		0.68	1.84	3.09	4.36	5.66								
1.4	5	6	10	15	20	25	30							
		5.71*	6.76	8.26	9.81	11.40	13.00							16
		0.07	—	1.42	2.98	4.58	6.19	7.81						

注:第一行是配对个数,第二行是上界点,第三行是下界点;

* 上界最低点;

N_f 指等价的非序贯 t 检验样本量。

附表 13　成组序贯的名义水准与显著性界值

| N | α＝0.05 | | α＝β＝0.01 | |
	α′	Z	α′	Z
2	0.0294	2.178	0.0056	2.772
3	0.0221	2.289	0.0041	2.873
4	0.0182	2.361	0.0033	2.939
5	0.0158	2.413	0.0028	2.986
6	0.0142	2.453	0.0025	3.023
7	0.0130	2.485	0.0023	3.053
8	0.0120	2.512	0.0021	3.078
9	0.0112	2.535	0.0019	3.099
10	0.0106	2.555	0.0018	3.117
11	0.0101	2.572	0.0017	3.133
12	0.0097	2.585	0.0016	3.147
15	0.0086	2.626	0.0015	3.182
20	0.0075	2.672	0.0013	3.224

附表 14　成组序贯设计参数 △ 值表

$$(\Delta=\sqrt{n}\delta/\sqrt{2}\sigma)$$

| N | α＝0.05 | | | α＝0.01 | | |
| | $1-\beta=$ | | | $1-\beta=$ | | |
	0.90	0.95	0.99	0.90	0.95	0.99
1	3.242	3.605	4.286	3.858	4.221	4.920
2	2.404	2.664	3.152	2.839	3.099	3.584
3	2.007	2.221	2.622	2.362	2.575	2.973
4	1.763	1.949	2.297	2.070	2.255	2.600
5	1.592	1.759	2.071	1.866	2.032	2.341
6	1.464	1.617	1.903	1.714	1.866	2.149
7	1.364	1.506	1.770	1.595	1.735	1.998
8	1.282	1.415	1.662	1.498	1.630	1.875
9	1.214	1.339	1.573	1.417	1.541	1.773
10	1.156	1.275	1.497	1.348	1.466	1.686
11	1.105	1.219	1.431	1.289	1.401	1.611
12	1.061	1.170	1.373	1.237	1.344	1.502
15	0.956	1.053	1.235	1.112	1.209	1.389
20	0.835	0.919	1.077	0.970	1.053	1.209

附表 15　患病率 P、诊断符合率 e、灵敏度 Se 及特异度 Sp 变化对信息量(1.4427 bit)的影响

P	$e=0.9$			$e=0.8$			$e=0.7$			$e=0.6$		
	Se	Sp	I	Se	Sp	I	Se	Sp	I	Se	Sp	I
0.0001	0.95	0.90	0.0002	0.95	0.80	0.0001	0.95	0.70	0.0001	0.95	0.60	0.0001
	0.90	0.90	0.0002	0.90	0.80	0.0001	0.90	0.70	0.0001	0.90	0.60	0.0001
	0.85	0.90	0.0002	0.85	0.80	0.0001	0.85	0.70	0.0001	0.85	0.60	0.0000
	0.80	0.90	0.0001	0.80	0.80	0.0001	0.80	0.70	0.0001	0.80	0.60	0.0000
	0.75	0.90	0.0001	0.75	0.80	0.0001	0.75	0.70	0.0000	0.75	0.60	0.0000
	0.70	0.90	0.0001	0.70	0.80	0.0001	0.70	0.70	0.0000	0.70	0.60	0.0000
	0.65	0.90	0.0001	0.65	0.80	0.0000	0.65	0.70	0.0000	0.65	0.60	0.0000
	0.60	0.90	0.0001	0.60	0.80	0.0000	0.60	0.70	0.0000	0.60	0.60	0.0000
	0.55	0.90	0.0001	0.55	0.80	0.0000	0.55	0.70	0.0000	0.55	0.60	0.0000
0.0010	0.95	0.90	0.0020	0.95	0.80	0.0013	0.95	0.70	0.0010	0.95	0.60	0.0007
	0.90	0.90	0.0018	0.90	0.80	0.0011	0.90	0.70	0.0008	0.90	0.60	0.0005
	0.85	0.90	0.0015	0.85	0.80	0.0010	0.85	0.70	0.0007	0.85	0.60	0.0004
	0.80	0.90	0.0014	0.80	0.80	0.0008	0.80	0.70	0.0005	0.80	0.60	0.0003
	0.75	0.90	0.0012	0.75	0.80	0.0007	0.75	0.70	0.0004	0.75	0.60	0.0003
	0.70	0.90	0.0010	0.70	0.80	0.0006	0.70	0.70	0.0003	0.70	0.60	0.0002
	0.65	0.90	0.0009	0.65	0.80	0.0005	0.65	0.70	0.0003	0.65	0.60	0.0001
	0.60	0.90	0.0008	0.60	0.80	0.0004	0.60	0.70	0.0002	0.60	0.60	0.0001
	0.55	0.90	0.0006	0.55	0.80	0.0003	0.55	0.70	0.0001	0.55	0.60	0.0000
0.0100	0.95	0.90	0.0195	0.95	0.80	0.0132	0.95	0.70	0.0095	0.95	0.60	0.0068
	0.90	0.90	0.0172	0.90	0.80	0.0113	0.90	0.70	0.0078	0.90	0.60	0.0054
	0.85	0.90	0.0152	0.85	0.80	0.0096	0.85	0.70	0.0064	0.85	0.60	0.0042
	0.80	0.90	0.0134	0.80	0.80	0.0082	0.80	0.70	0.0053	0.80	0.60	0.0033
	0.75	0.90	0.0118	0.75	0.80	0.0069	0.75	0.70	0.0042	0.75	0.60	0.0025
	0.70	0.90	0.0103	0.70	0.80	0.0058	0.70	0.70	0.0034	0.70	0.60	0.0018
	0.65	0.90	0.0088	0.65	0.80	0.0047	0.65	0.70	0.0026	0.65	0.60	0.0013
	0.60	0.90	0.0075	0.60	0.80	0.0038	0.60	0.70	0.0019	0.60	0.60	0.0008
	0.55	0.90	0.0063	0.55	0.80	0.0030	0.55	0.70	0.0013	0.55	0.60	0.0005
0.1000	0.95	0.89	0.1630	0.95	0.78	0.1119	0.95	0.67	0.0796	0.95	0.56	0.0560
	0.90	0.90	0.1463	0.90	0.79	0.0966	0.90	0.68	0.0659	0.90	0.57	0.0440
	0.85	0.91	0.1322	0.85	0.79	0.0838	0.85	0.68	0.0548	0.85	0.57	0.0347
	0.80	0.91	0.1197	0.80	0.80	0.0727	0.80	0.69	0.0454	0.80	0.58	0.0270
	0.75	0.92	0.1083	0.75	0.81	0.0628	0.75	0.69	0.0373	0.75	0.58	0.0206
	0.70	0.92	0.0979	0.70	0.81	0.0538	0.70	0.70	0.0302	0.70	0.59	0.0153
	0.65	0.93	0.0882	0.65	0.82	0.0458	0.65	0.71	0.0240	0.65	0.59	0.0109
	0.60	0.93	0.0792	0.60	0.82	0.0384	0.60	0.71	0.0185	0.60	0.60	0.0073
	0.55	0.94	0.0707	0.55	0.83	0.0317	0.55	0.72	0.0138	0.55	0.61	0.0044

附表 15 续 1

P	e =0.9			e =0.8			e =0.7			e =0.6		
	Se	Sp	I	Se	Sp	I	Se	Sp	I	Se	Sp	I
0.2000	0.95	0.89	0.2719	0.95	0.76	0.1858	0.95	0.64	0.1288	0.95	0.51	0.0863
	0.90	0.90	0.2480	0.90	0.78	0.1619	0.90	0.65	0.1070	0.90	0.53	0.0674
	0.85	0.91	0.2292	0.85	0.79	0.1427	0.85	0.66	0.0899	0.85	0.54	0.0531
	0.80	0.93	0.2137	0.80	0.80	0.1265	0.80	0.67	0.0757	0.80	0.55	0.0418
	0.75	0.94	0.2009	0.75	0.81	0.1123	0.75	0.69	0.0637	0.75	0.56	0.0324
	0.70	0.95	0.1904	0.70	0.83	0.0998	0.70	0.70	0.0532	0.70	0.58	0.0247
	0.65	0.96	0.1822	0.65	0.84	0.0885	0.65	0.71	0.0440	0.65	0.59	0.0182
	0.60	0.97	0.1768	0.60	0.85	0.0783	0.60	0.72	0.0359	0.60	0.60	0.0129
	0.55	0.99	0.1755	0.55	0.86	0.0690	0.55	0.74	0.0287	0.55	0.61	0.0086
0.3000	0.95	0.88	0.3406	0.95	0.74	0.2275	0.95	0.59	0.1507	0.95	0.45	0.0929
	0.90	0.90	0.3160	0.90	0.76	0.2004	0.90	0.61	0.1257	0.90	0.47	0.0718
	0.85	0.92	0.2996	0.85	0.78	0.1799	0.85	0.64	0.1070	0.85	0.49	0.0568
	0.80	0.94	0.2895	0.80	0.80	0.1637	0.80	0.66	0.0922	0.80	0.51	0.0453
	0.75	0.96	0.2858	0.75	0.82	0.1503	0.75	0.68	0.0799	0.75	0.54	0.0360
	0.70	0.99	0.2912	0.70	0.84	0.1392	0.70	0.70	0.0694	0.70	0.56	0.0285
				0.65	0.86	0.1299	0.65	0.72	0.0604	0.65	0.58	0.0222
				0.60	0.89	0.1224	0.60	0.74	0.0525	0.60	0.60	0.0169
				0.55	0.91	0.1165	0.55	0.76	0.0455	0.55	0.62	0.0125
0.4000	0.95	0.87	0.3749	0.95	0.70	0.2400	0.95	0.53	0.1471	0.95	0.37	0.0774
	0.90	0.90	0.3552	0.90	0.73	0.2144	0.90	0.57	0.1235	0.90	0.40	0.0591
	0.85	0.93	0.3480	0.85	0.77	0.1973	0.85	0.60	0.1074	0.85	0.43	0.0472
	0.80	0.97	0.3532	0.80	0.80	0.1855	0.80	0.63	0.0955	0.80	0.47	0.0387
				0.75	0.83	0.1777	0.75	0.67	0.0863	0.75	0.50	0.0322
				0.70	0.87	0.1735	0.70	0.70	0.0791	0.70	0.53	0.0270
				0.65	0.90	0.1728	0.65	0.73	0.0734	0.65	0.57	0.0228
				0.60	0.93	0.1768	0.60	0.77	0.0689	0.60	0.60	0.0193
				0.55	0.97	0.1881	0.55	0.80	0.0655	0.55	0.63	0.0164
0.5000	0.95	0.85	0.3775	0.95	0.65	0.2245	0.95	0.45	0.1190	0.95	0.25	0.0423
	0.90	0.90	0.3681	0.90	0.70	0.2050	0.90	0.50	0.1017	0.90	0.30	0.0324
	0.85	0.95	0.3775	0.85	0.75	0.1956	0.85	0.55	0.0920	0.85	0.35	0.0273
				0.80	0.80	0.1927	0.80	0.60	0.0863	0.80	0.40	0.0242
				0.75	0.85	0.1956	0.75	0.65	0.0832	0.75	0.45	0.0222
				0.70	0.90	0.2050	0.70	0.70	0.0823	0.70	0.50	0.0210
				0.65	0.95	0.2245	0.65	0.75	0.0832	0.65	0.55	0.0203
							0.60	0.80	0.0863	0.60	0.60	0.0201
							0.55	0.85	0.0920	0.55	0.65	0.0203

附表 15 续 2

P	e=0.9 Se	Sp	I	e=0.8 Se	Sp	I	e=0.7 Se	Sp	I	e=0.6 Se	Sp	I
0.6000	0.95	0.83	0.3488	0.95	0.58	0.1812	0.95	0.33	0.0683	0.95	0.08	0.0013
	0.90	0.90	0.3552	0.90	0.65	0.1728	0.90	0.40	0.0627	0.90	0.15	0.0028
	0.85	0.98	0.3920	0.85	0.73	0.1752	0.85	0.48	0.0626	0.85	0.23	0.0045
				0.80	0.80	0.1855	0.80	0.55	0.0655	0.80	0.30	0.0065
				0.75	0.88	0.2050	0.75	0.63	0.0710	0.75	0.38	0.0088
				0.70	0.95	0.2400	0.70	0.70	0.0791	0.70	0.45	0.0116
							0.65	0.78	0.0906	0.65	0.53	0.0151
							0.60	0.85	0.1074	0.60	0.60	0.0193
							0.55	0.93	0.1340	0.55	0.68	0.0248
0.7000	0.95	0.78	0.2875	0.95	0.45	0.1105	0.95	0.12	0.0066			
	0.90	0.90	0.3160	0.90	0.57	0.1183	0.90	0.23	0.0144			
				0.85	0.68	0.1359	0.85	0.35	0.0238	0.85	0.02	0.0252
				0.80	0.80	0.1637	0.80	0.47	0.0354	0.80	0.13	0.0033
				0.75	0.92	0.2085	0.75	0.58	0.0501	0.75	0.25	0.0000
							0.70	0.70	0.0694	0.70	0.37	0.0021
							0.65	0.82	0.0968	0.65	0.48	0.0078
							0.60	0.93	0.1413	0.60	0.60	0.0169
										0.55	0.72	0.0308
0.8000	0.95	0.70	0.1904	0.95	0.20	0.0199						
	0.90	0.90	0.2480	0.90	0.40	0.0450						
				0.85	0.60	0.0783	0.85	0.10	0.0018			
				0.80	0.80	0.1265	0.80	0.30	0.0044			
							0.75	0.50	0.0224	0.75	0.00	0.0505
							0.70	0.70	0.0532	0.70	0.20	0.0042
							0.65	0.90	0.1070	0.65	0.40	0.0009
										0.60	0.60	0.0129
										0.55	0.80	0.0418
0.9000	0.95	0.45	0.0551									
	0.90	0.90	0.1463									
				0.85	0.35	0.0107						
				0.80	0.80	0.0727						
							0.75	0.25	0.0000			
							0.70	0.70	0.0302			
										0.65	0.15	0.0090
										0.60	0.60	0.0073

附表 16   平均数抽样调查时不同 s/δ 所需样本含量($\alpha=0.05$)

s/δ	0.0	0.1	0.2	0.3	0.4	0.5	0.6	0.7	0.8	0.9
1	7	8	9	9	11	12	13	14	15	17
2	18	20	22	23	25	27	29	31	33	35
3	38	40	42	45	47	50	53	56	58	61
4	64	68	71	74	77	81	84	88	91	95
5	99	103	107	111	115	119	123	128	132	137
6	141	146	151	156	160	165	170	176	181	186
7	191	196	202	207	213	219	225	231	237	243
8	249	255	261	268	274	281	288	294	301	308
9	315	322	329	336	343	351	358	366	373	381
10	389	396	404	412	420	428	437	445	453	462
11	470	478	487	496	505	514	523	532	541	550
12	559	569	578	588	597	607	617	626	636	646
13	656	667	677	687	697	708	718	729	740	750
14	761	772	783	794	805	816	828	839	851	862
15	874	885	897	909	921	833	945	957	969	982
16	994	1006	1019	1032	1044	1057	1070	1083	1096	1109
17	1122	1135	1149	1162	1175	1189	1203	1216	1230	1244
18	1258	1272	1286	1300	1314	1329	1343	1358	1372	1237
19	1402	1416	1431	1446	1461	1476	1491	1507	1522	1537
20	1553	1568	1583	1600	1616	1631	1647	1663	1680	1696

附表 17   平均数抽样调查时不同 s/δ 所需样本含量($\alpha=0.01$)

s/δ	0.0	0.1	0.2	0.3	0.4	0.5	0.6	0.7	0.8	0.9
1	11	12	14	15	17	19	21	23	26	28
2	31	34	36	39	43	476	49	53	56	60
3	64	68	72	77	81	86	90	95	100	105
4	110	116	121	127	133	139	145	151	157	164
5	170	177	184	191	198	205	213	220	228	235
6	243	251	260	268	277	285	294	303	312	321
7	331	340	350	360	370	380	390	400	411	421
8	432	443	454	465	476	487	499	511	522	534
9	546	559	571	583	596	609	622	635	648	661
10	674	688	702	715	729	743	758	772	787	801
11	816	831	846	861	876	892	907	923	939	955
12	971	987	1004	1020	1037	1054	1070	1087	1105	1122
13	1139	1157	1175	1193	1211	1229	1247	1265	1284	1303
14	1321	1340	1359	1379	1398	1417	1437	1457	1477	1497
15	1517	1537	1558	1578	1599	1620	1641	1662	1683	1704
16	1726	1747	1769	1791	1813	1835	1858	1880	1903	1925
17	1948	1971	1994	2017	2041	2064	2088	2112	2136	2160
18	2184	2208	2232	2257	2282	2307	2332	2357	2382	2408
19	2433	2459	2485	2511	2537	2563	2589	2616	2643	2669
20	2696	2723	2750	2778	2085	2833	2860	2888	2916	2943

附表 18　总体率区间估计所需样本数表

（阳性样本置信区间）

实验样本数	$P:10\%$		$P:20\%$		$P:30\%$	
	95%	99%	95%	99%	95%	99%
10	0～3	0～4	0～5	0～6	0～6	0～7
15	0～5	0～5	0～7	0～7	1～9	0～10
20	0～5	0～6	0～8	0～9	1～11	0～12
25	0～6	0～7	1～9	0～11	3～13	1～14
30	0～7	0～8	1～11	0～12	4～14	2～16
35	0～8	0～9	2～12	0～14	5～17	3～18
40	0～8	0～9	3～13	1～15	6～18	4～20
45	0～9	0～10	3～15	2～16	7～21	5～22
50	0～10	0～11	4～17	2～18	8～22	6～24
60	1～11	0～12	5～19	4～20	10～26	8～28
70	2～12	0～14	7～21	5～23	13～29	11～31
80	2～14	1～15	8～24	6～26	15～33	13～35
90	3～15	1～17	10～26	8～28	19～36	15～39
100	4～17	2～18	12～28	9～31	21～39	18～42
110	4～18	2～20	13～31	11～33	23～43	20～46
120	5～19	3～21	15～33	12～36	26～46	23～49
130	6～20	4～22	17～35	14～38	28～50	25～53
140	7～21	4～24	18～38	15～41	31～53	28～56
150	7～23	5～25	20～40	17～43	33～57	30～60
160	8～24	6～26	22～42	18～46	36～60	33～63
170	9～25	6～28	23～45	20～48	39～63	35～67
180	10～26	7～29	25～47	22～50	41～67	38～70
190	10～28	8～30	27～49	23～53	44～70	40～74
200	11～29	9～31	28～52	25～55	47～73	43～77
300	19～41	16～44	46～74	42～78	74～106	69～111
400	28～52	24～56	64～96	59～101	102～138	96～144
500	36～64	32～68	92～118	76～124	129～171	123～177
600	45～75	41～79	100～140	94～146	157～203	151～209
700	54～86	49～91	119～161	112～168	186～234	178～242
800	63～97	58～102	137～183	130～190	214～266	206～274
900	72～108	66～114	156～204	149～211	243～297	234～306
1000	81～119	75～125	175～225	167～233	271～329	262～338

注：P 代表药物的真正疗效率。

附表 18 续 1

实验样本数	P:40%		P:50%		P:60%	
	95%	99%	95%	99%	95%	99%
10	0～8	0～8	1～9	0～10	2～10	2～10
15	2～10	1～11	4～12	2～13	5～13	4～14
20	3～13	2～14	5～15	4～16	7～17	6～18
25	5～15	3～17	8～18	6～19	10～20	8～22
30	6～18	5～19	9～21	7～23	12～24	11～25
35	8～20	6～22	12～24	9～26	15～27	13～29
40	9～23	8～24	13～27	11～29	17～31	16～32
45	11～25	9～27	16～30	13～32	20～34	18～36
50	13～27	11～29	18～32	15～35	23～37	21～39
60	15～33	14～34	21～39	20～40	27～45	26～46
70	19～37	17～39	26～44	24～46	33～51	31～53
80	23～41	20～44	31～49	28～52	39～57	36～60
90	26～46	24～48	35～55	32～58	44～64	42～66
100	30～50	27～53	40～60	37～63	50～70	47～73
110	33～55	30～58	44～66	41～69	55～77	52～80
120	37～59	34～62	49～71	45～75	61～83	58～86
130	41～63	37～67	53～77	50～80	67～89	63～93
140	44～68	41～71	58～82	54～86	72～96	69～99
150	48～72	44～76	62～88	59～91	78～102	74～106
160	51～77	48～80	67～93	63～97	83～109	80～112
170	55～81	51～85	72～98	68～102	89～115	85～119
180	59～85	55～89	76～104	72～108	95～121	91～125
190	62～90	58～94	81～109	77～113	100～128	96～132
200	66～94	62～98	86～114	81～119	106～134	102～138
300	103～137	98～142	133～167	127～173	163～197	158～202
400	141～179	134～186	180～220	174～226	221～259	214～266
500	178～222	171～229	228～272	221～279	278～322	271～329
600	216～264	209～271	275～325	268～332	336～384	329～391
700	254～306	246～314	324～376	315～385	394～446	386～454
800	292～348	284～353	372～428	363～437	452～508	444～516
900	331～389	322～398	420～480	411～489	511～569	502～578
1000	369～431	360～440	469～531	459～541	569～631	560～640

注:P 代表药物的真正疗效率。

附表 18 续 2

实验样本数	P:70%		P:80%		P:90%	
	95%	99%	95%	99%	95%	99%
10	4～10	3～10	5～10	4～10	7～10	6～10
15	7～15	5～15	8～15	8～15	11～15	10～15
20	9～19	8～20	12～20	11～20	15～20	14～20
25	13～23	11～24	16～24	14～25	20～25	18～25
30	16～26	14～28	19～29	18～30	23～30	22～30
35	19～31	17～32	23～33	21～35	28～35	26～35
40	22～34	20～36	27～37	25～39	32～40	31～40
45	25～38	23～40	30～42	29～43	37～45	35～45
50	28～42	26～44	34～46	32～48	40～50	39～50
60	34～50	33～52	41～55	40～56	49～59	48～60
70	41～57	39～59	49～63	47～65	58～68	56～70
80	47～65	45～67	56～72	54～74	66～78	65～79
90	54～72	51～75	64～80	62～82	75～87	73～89
100	61～79	58～82	72～88	69～91	84～96	82～98
110	67～87	64～90	79～97	77～99	92～106	90～108
120	74～94	71～97	87～105	84～108	101～115	99～117
130	80～102	77～105	95～113	92～116	110～124	108～126
140	87～109	84～112	102～122	99～125	119～133	116～136
150	93～117	90～120	110～130	107～133	127～143	125～145
160	100～124	97～127	118～138	114～142	136～152	134～154
170	107～131	103～135	125～147	122～150	145～161	142～164
180	113～139	110～142	133～155	130～158	158～170	151～173
190	120～146	116～150	141～163	137～167	162～180	160～182
200	127～153	123～157	148～172	145～175	171～189	169～191
300	194～226	189～231	226～254	222～258	259～281	256～284
400	262～298	256～304	304～336	299～341	348～372	344～376
500	329～371	323～377	382～418	376～424	436～455	432～468
600	397～443	391～449	460～500	454～506	525～555	521～559
700	466～514	458～522	539～581	532～588	614～646	609～651
800	534～586	526～594	617～663	610～670	703～747	698～742
900	603～657	594～666	696～744	689～751	792～828	786～834
1000	671～729	662～738	775～825	767～833	881～919	875～925

注:P 代表药物的真正疗效率。

附表 19　样本均数比较时所需样本例数表

δ/σ	单侧 α=0.005 / 双侧 α=0.01					单侧 α=0.01 / 双侧 α=0.02					单侧 α=0.025 / 双侧 α=0.05					单侧 α=0.05 / 双侧 α=0.1				
1−β=	0.99	0.95	0.90	0.80	0.50	0.99	0.95	0.90	0.80	0.50	0.99	0.95	0.90	0.80	0.50	0.99	0.95	0.90	0.80	0.50
0.15																				122
0.20										139					99					70
0.25					110					90				128	64			139	101	45
0.30				134	78				115	63			119	90	45		122	97	71	32
0.35			125	99	58			109	85	47		109	88	67	34		90	72	52	24
0.40		115	97	77	45		101	85	66	37	117	84	68	51	26	101	70	55	40	19
0.45		92	77	62	37	110	81	68	53	30	93	67	54	41	21	80	55	44	33	15
0.50	100	75	63	51	30	90	66	55	43	25	76	54	44	34	18	65	45	36	27	13
0.55	83	63	53	42	26	75	55	46	36	21	63	45	37	28	15	54	38	30	22	11
0.60	71	53	45	36	22	63	47	39	31	18	53	38	32	24	13	46	32	26	19	9
0.65	61	46	39	31	20	55	41	34	27	16	46	33	27	21	12	39	28	22	17	8
0.70	53	40	34	28	17	47	35	30	24	14	40	29	24	19	10	34	24	19	15	8
0.75	47	36	30	25	16	42	31	27	21	13	35	26	21	16	9	30	21	17	13	7
0.80	41	32	27	22	14	37	28	24	19	12	31	22	19	15	9	27	19	15	12	6
0.85	37	29	24	20	13	33	25	21	17	11	28	21	17	13	8	24	17	14	11	6
0.90	34	26	22	18	12	29	23	19	16	10	25	19	16	12	7	21	15	13	10	5
0.95	31	24	20	17	11	27	21	18	14	9	23	17	14	11	7	19	14	11	9	5
1.0	28	22	19	16	10	25	19	16	13	9	21	16	13	10	6	18	13	11	8	5
1.1	24	19	16	14	9	21	16	14	12	8	18	13	11	9		15	11	9	7	
1.2	21	16	14	12	8	18	14	12	10	7	15	12	10	8	6	13	10	8	6	
1.3	18	15	13	11	8	16	13	11	9	6	14	10	9	7	5	11	8	7	6	
1.4	16	13	12	10	7	14	11	10	9	6	12	9	8	7		10	8	7	5	
1.5	15	12	11	9		13	10	9	8		11	8	7	6		9	7	6		
1.6	13	11	10	8	6	12	10	9	7	5	10	8	7	6		8	6	6		
1.7	12	10	9	8	6	11	9	8	7		9	7	6	5		8	6	5		
1.8	12	10	9	8	6	10	8	7	7		8	7	6			7	6			
1.9	11	9	8	7	6	10	8	7	6		8	7	6			7	5			
2.0	10	8	8	7	5	9	7	7	6		7	6	5			6				
2.1	10	8	7	7		8	7	6	6		7	6				6				
2.2	9	8	7	6		8	7	6	5		7	6				6				
2.3	9	7	7	6		8	6	6			6	5				5				
2.4	8	7	7	6		7	6	6			6									
2.5	8	7	6	6		7	6	6			6									
3.0	7	6	6	5		6	5	5			5									
3.5	6	5	5			5														
4.0	6																			

附表 20-1　样本率与总体率比较样本含量估计(单侧)

上行:$\alpha=0.01,1-\beta=0.90$

下行:$\alpha=0.01,1-\beta=0.80$

π_1	被检验的比例/率(π_0)																		
	0.05	0.10	0.15	0.20	0.25	0.30	0.35	0.40	0.45	0.50	0.55	0.60	0.65	0.70	0.75	0.80	0.85	0.90	0.95
0.10	318		591	173	87	53	36	26	20	15	12	10	8	6	5	*	*	*	*
	231		470	140	71	44	30	22	17	13	10	8	7	5	*	*	*	*	*
0.15	94	535		771	215	104	62	41	29	22	17	13	10	8	6	5	*	*	*
	66	399		607	172	83	50	34	24	18	14	11	8	7	5	*	*	*	*
0.20	47	147	722		925	250	117	69	45	32	23	18	13	10	8	6	5	*	*
	32	108	546		723	197	93	55	36	25	19	14	11	8	6	5	*	*	*
0.25	29	70	193	883		1052	278	128	74	48	33	24	18	13	10	8	6	*	*
	19	51	143	671		819	218	101	58	38	26	19	14	11	8	6	*	*	*
0.30	20	42	90	231	1018		1152	299	136	77	49	34	24	18	13	10	7	5	*
	13	30	66	174	777		895	233	106	60	39	26	19	14	10	7	5	*	*
0.35	14	28	52	106	263	1126		1227	313	140	79	50	33	23	17	12	9	6	*
	10	20	38	79	199	862		951	243	109	61	39	26	18	13	9	7	*	*
0.40	11	20	35	61	119	287	1208		1275	321	142	79	49	32	22	16	11	8	5
	7	14	25	46	90	219	927		986	249	110	61	38	25	17	12	8	5	*
0.45	9	15	24	40	68	130	306	1264		1298	323	141	77	47	31	21	14	9	6
	6	11	18	30	51	98	234	972		1001	249	108	59	36	23	15	10	7	*
0.50	7	12	18	28	44	73	137	318	1294		1294	318	137	73	44	28	18	12	7
	5	8	13	21	33	56	105	244	997		997	244	105	56	33	21	13	8	5
0.55	6	9	14	21	31	47	77	141	323	1298		1264	306	130	68	40	24	15	9
	*	7	10	15	23	36	59	108	249	1001		972	234	98	51	30	18	11	6
0.60	5	8	11	16	22	32	49	79	142	321	1275		1208	287	119	61	35	20	11
	*	5	8	12	17	25	38	61	110	249	986		927	219	90	46	25	14	7
0.65	*	6	9	12	17	23	33	50	79	140	313	1227		1126	263	106	52	28	14
	*	*	7	9	13	18	26	39	61	109	243	951		862	199	79	38	20	10
0.70	*	5	7	10	13	18	24	34	49	77	136	299	1152		1018	231	90	42	20
	*	*	5	7	10	14	19	26	39	60	106	233	895		777	174	66	30	13
0.75	*	*	6	8	10	13	18	4	33	48	74	128	278	1052		883	193	70	29
	*	*	*	6	8	11	14	19	26	38	58	101	218	819		671	143	51	19
0.80	*	*	5	6	8	10	13	18	23	30	45	69	117	250	925		722	147	47
	*	*	*	5	6	8	11	14	19	26	36	55	93	197	723		546	108	32
0.85	*	*	*	5	6	8	10	13	17	22	29	41	62	104	215	771		535	94
	*	*	*	*	5	7	8	11	14	18	24	34	50	83	172	607		399	66
0.90	*	*	*	*	5	6	8	10	12	15	20	26	36	53	87	173	591		318
	*	*	*	*	*	5	7	8	10	13	17	22	30	44	71	140	170		231
0.95	*	*	*	*	*	5	6	7	9	11	13	17	22	29	41	66	124	382	
	*	*	*	*	*	*	5	6	8	9	12	15	19	25	36	56	103	311	

注:*　样本含量小于 5。

附表 20-2 样本率与总体率比较样本含量估计（单侧）

上行：$\alpha=0.05, 1-\beta=0.90$

下行：$\alpha=0.05, 1-\beta=0.80$

π_1	被检验的比例/率（π_0）																		
	0.05	0.10	0.15	0.20	0.25	0.30	0.35	0.40	0.45	0.50	0.55	0.60	0.65	0.70	0.75	0.80	0.85	0.90	0.95
0.10	221		378	109	54	33	22	16	12	10	8	6	5	*	*	*	*	*	*
	150		283	83	42	26	18	13	10	8	6	5	*	*	*	*	*	*	*
0.15	67	362		498	137	66	39	26	19	14	11	8	7	5	*	*	*	*	*
	44	253		368	103	50	30	20	14	11	8	7	5	*	*	*	*	*	*
0.20	34	102	485		601	161	75	44	29	20	15	11	9	7	5	*	*	*	*
	22	69	342		441	119	56	33	22	15	11	9	7	5	*	*	*	*	*
0.25	21	49	131	589		686	180	83	48	31	21	16	12	9	7	5	*	*	*
	14	33	91	419		501	133	61	35	23	16	12	9	7	5	*	*	*	*
0.30	15	30	62	156	676		754	195	88	50	32	22	16	12	9	7	5	*	*
	9	20	43	109	483		548	143	65	37	24	16	12	9	6	5	*	*	*
0.35	11	20	36	72	176	746		804	205	92	52	33	22	16	11	8	6	5	*
	7	13	25	50	125	535		584	149	67	38	24	16	11	8	6	*	*	*
0.40	8	14	24	42	80	191	799		837	211	93	52	32	22	15	11	8	6	*
	5	10	16	29	57	137	574		607	153	68	38	23	16	11	8	5	*	*
0.45	7	11	17	27	46	87	203	834		853	213	93	51	31	21	14	10	7	*
	*	7	12	19	32	62	145	601		617	154	67	37	23	15	10	7	5	*
0.50	5	9	13	19	30	49	91	210	852		852	210	91	49	30	19	13	9	5
	*	6	9	13	21	35	65	151	615		615	151	65	35	21	13	9	6	*
0.55	*	7	10	14	21	31	51	93	213	853		834	203	87	46	27	17	11	7
	*	5	7	10	15	23	37	67	154	617		601	145	62	32	19	12	7	*
0.60	*	6	8	11	15	22	32	52	93	211	837		799	191	80	42	24	14	8
	*	*	5	8	11	16	23	38	68	153	607		574	137	57	29	16	10	5
0.65	*	5	6	8	11	16	22	33	52	92	205	804		746	176	72	36	20	11
	*	*	*	6	8	11	16	24	38	67	149	584		535	125	50	25	13	7
0.70	*	*	5	7	9	12	16	22	32	50	88	195	754		676	156	62	30	15
	*	*	*	5	6	9	12	16	24	37	65	143	548		483	109	43	20	9
0.75	*	*	*	5	7	9	12	16	21	31	48	83	180	686		589	131	49	21
	*	*	*	*	5	7	9	12	16	23	35	61	133	501		419	91	33	14
0.80	*	*	*	*	5	7	9	11	15	20	29	44	75	161	601		485	102	34
	*	*	*	*	*	5	7	9	11	15	22	33	56	119	441		342	69	22
0.85	*	*	*	*	*	5	7	8	11	14	19	26	39	66	137	498		362	67
	*	*	*	*	*	*	5	7	8	11	14	20	30	50	103	368		253	44
0.90	*	*	*	*	*	*	5	6	8	10	12	16	22	33	54	109	378		221
	*	*	*	*	*	*	*	5	6	8	10	13	18	26	42	83	283		150
0.95	*	*	*	*	*	*	*	*	5	6	8	10	13	18	25	40	76	239	
	*	*	*	*	*	*	*	*	5	5	7	8	11	15	21	32	60	184	

注：* 样本含量小于 5。

附表 20-3　样本率与总体率比较样本含量估计(单侧)

上行:α=0.10,1-β=0.90

下行:α=0.10,1-β=0.80

π_1	被检验的比例/率(π_0)																		
	0.05	0.10	0.15	0.20	0.25	0.30	0.35	0.40	0.45	0.50	0.55	0.60	0.65	0.70	0.75	0.80	0.85	0.90	0.95
0.10	177		284	81	40	24	16	12	9	7	6	5	*	*	*	*	*	*	*
	114		202	59	29	18	12	9	7	5	*	*	*	*	*	*	*	*	*
0.15	55	284		377	103	49	29	19	14	10	8	6	5	*	*	*	*	*	*
	34	188		265	74	36	21	14	10	8	6	5	*	*	*	*	*	*	*
0.20	28	81	377		457	122	57	33	22	15	11	9	7	5	*	*	*	*	*
	17	53	253		319	86	40	24	16	11	8	6	5	*	*	*	*	*	*
0.25	18	40	103	457		523	137	63	36	23	16	12	9	7	5	*	*	*	*
	11	25	68	308		363	96	44	26	17	12	9	6	5	*	*	*	*	*
0.30	13	24	49	122	523		576	148	67	38	25	17	12	9	7	5	*	*	*
	8	15	32	81	355		398	103	47	27	17	12	9	6	5	*	*	*	*
0.35	9	16	29	57	137	576		615	157	70	40	25	17	12	9	6	5	*	*
	6	10	19	38	92	392		425	109	49	28	17	12	8	6	5	*	*	*
0.40	7	12	19	33	63	148	615		641	162	72	40	25	17	12	9	6	5	*
	*	8	13	22	42	100	420		442	111	50	28	17	12	8	6	*	*	*
0.45	6	9	14	22	36	67	157	641		655	163	72	40	25	16	11	8	6	*
	*	6	9	14	24	46	107	439		450	112	49	27	17	11	8	5	*	*
0.50	5	7	10	15	23	38	70	162	655		655	162	70	38	23	15	10	7	5
	*	5	7	10	16	26	48	111	449		449	111	48	26	16	10	7	5	*
0.55	*	6	8	11	16	25	40	72	163	655		641	157	67	36	22	14	9	6
	*	*	5	8	11	17	27	49	112	450		439	107	46	24	14	9	6	*
0.60	*	5	6	9	12	17	25	40	72	162	641		615	148	63	33	19	12	7
	*	*	*	6	8	12	17	28	50	111	442		420	100	42	22	13	8	*
0.65	*	*	5	7	9	12	17	25	40	70	157	615		576	137	57	29	16	9
	*	*	*	5	6	8	12	17	28	49	109	425		392	92	38	19	10	6
0.70	*	*	*	5	7	9	12	17	25	38	67	148	576		523	122	49	24	13
	*	*	*	*	5	6	9	12	17	27	47	103	398		355	81	32	15	8
0.75	*	*	*	*	5	7	9	12	16	23	36	63	137	523		457	103	40	18
	*	*	*	*	*	5	6	9	12	17	26	44	96	363		308	68	25	11
0.80	*	*	*	*	*	5	7	9	11	15	22	33	57	122	457		377	81	28
	*	*	*	*	*	*	5	6	8	11	16	24	40	86	319		253	53	17
0.85	*	*	*	*	*	*	5	6	8	10	14	19	29	49	103	377		284	55
	*	*	*	*	*	*	*	5	6	8	10	14	21	36	74	265		188	34
0.90	*	*	*	*	*	*	*	5	6	7	9	12	16	24	40	81	284		177
	*	*	*	*	*	*	*	*	*	5	7	9	12	18	29	59	202		114
0.95	*	*	*	*	*	*	*	*	*	5	6	7	9	13	18	28	55	177	
	*	*	*	*	*	*	*	*	*	*	5	6	8	10	14	22	42	130	

注:*　样本含量小于 5。

附表 21-1 样本率与总体率比较样本含量估计（双侧）

上行：$\alpha = 0.01, 1-\beta = 0.90$

下行：$\alpha = 0.01, 1-\beta = 0.80$

π_0 或 $(1-\pi_0)$	$\|\pi_1 - \pi_0\|$													
	0.01	0.02	0.03	0.04	0.05	0.10	0.15	0.20	0.25	0.30	0.35	0.40	0.45	0.50
0.05	7498	1974	919	539	358	104	52	32	22	16	12	9	8	6
	5798	1507	694	403	266	75	36	22	15	11	8	7	5	*
0.10	13781	3537	1611	927	606	166	79	47	31	22	17	13	10	8
	10739	2738	1239	709	461	124	58	34	23	16	12	9	8	6
0.15	19316	4910	2217	1266	821	218	101	59	39	27	20	16	12	10
	15093	3820	1718	977	632	165	76	44	29	20	15	12	9	7
0.20	24105	6096	2739	1557	1006	262	120	69	45	32	23	18	14	11
	18861	4756	2131	1208	779	201	92	53	34	24	18	14	11	9
0.25	28150	7095	3178	1801	1160	299	136	77	50	35	25	19	15	12
	22046	5545	2479	1402	902	231	104	59	38	27	20	15	12	9
0.30	31450	7908	3534	1998	1285	328	147	83	53	37	27	20	15	12
	24646	6188	2762	1559	1002	254	114	65	41	29	21	16	12	10
0.35	34005	8535	3807	2149	1379	349	156	88	56	38	27	20	15	12
	26662	6685	2979	1680	1078	272	121	68	44	30	22	16	13	10
0.40	35816	8975	3998	2253	1444	363	161	90	57	39	27	20	15	11
	28094	7036	3132	1764	1131	284	126	71	45	31	22	16	13	10
0.45	36883	9230	4105	2310	1479	369	163	90	56	38	27	19	14	10
	28941	7241	3220	1812	1160	290	128	71	45	31	22	16	12	9
0.50	37206	9298	4130	2321	1848	368	161	88	55	37	25	18	13	7
	29204	7299	3243	1823	1166	290	127	71	44	30	21	15	11	7

注：* 样本含量小于 5。

附表 21-2　样本率与总体率比较样本含量估计(双侧)

上行:$\alpha=0.05,1-\beta=0.90$

下行:$\alpha=0.05,1-\beta=0.80$

π_0 或 $(1-\pi_0)$	$\mid \pi_1 - \pi_0 \mid$													
	0.01	0.02	0.03	0.04	0.05	0.10	0.15	0.20	0.25	0.30	0.35	0.40	0.45	0.50
0.05	5353	1423	668	395	264	79	40	25	17	12	10	8	6	5
	3933	1031	478	280	185	53	26	16	11	8	6	5	*	*
0.10	9784	2524	1155	667	438	122	59	35	24	17	13	10	8	6
	7250	1856	844	485	316	86	41	24	16	12	9	7	6	5
0.15	13686	3490	1580	905	589	158	74	43	29	20	15	12	9	7
	10172	2582	1164	664	430	114	53	31	20	14	11	8	7	5
0.20	17061	4324	1947	1109	718	189	87	50	33	23	17	13	10	8
	12701	3209	1440	818	528	137	63	36	24	17	12	9	7	6
0.25	19911	5026	2255	1279	826	214	97	56	36	25	18	14	11	8
	14837	3737	1673	947	610	157	71	41	26	18	13	10	8	6
0.30	22234	5597	2504	1417	912	233	105	60	38	26	19	14	11	8
	16580	4167	1861	1052	676	172	78	44	28	20	14	11	8	7
0.35	24032	6036	2695	1522	978	248	111	62	40	27	19	14	11	8
	17930	4499	2006	1132	727	184	82	46	30	20	15	11	8	7
0.40	25305	6344	2827	1594	1022	257	114	64	40	27	19	14	10	8
	18888	4732	2107	1188	761	191	85	48	30	21	15	11	8	6
0.45	26052	6521	2901	1633	1045	261	115	63	40	27	19	13	10	7
	19453	4868	2165	1219	780	195	86	48	30	20	15	11	8	6
0.50	26273	6565	2916	1639	1047	259	113	62	38	25	17	12	8	*
	19626	4905	2179	1225	783	194	85	47	29	20	14	10	7	*

注:*　样本含量小于 5。

附表 21-3 样本率与总体率比较样本含量估计(双侧)

上行:$\alpha=0.10, 1-\beta=0.90$

下行:$\alpha=0.10, 1-\beta=0.80$

π_0 或 $(1-\pi_0)$	$\|\pi_1-\pi_0\|$													
	0.01	0.02	0.03	0.04	0.05	0.10	0.15	0.20	0.25	0.30	0.35	0.40	0.45	0.50
0.05	4396	1176	555	329	221	67	34	21	15	11	8	7	5	*
	3120	822	383	225	150	44	22	14	9	7	5	*	*	*
0.10	8004	2071	950	551	362	102	49	30	20	14	11	9	7	6
	5730	1472	671	386	253	69	33	20	13	10	7	6	5	*
0.15	11181	2857	1296	743	485	131	62	36	24	17	13	10	8	6
	8030	2042	922	527	342	91	43	25	16	12	9	7	5	*
0.20	13928	3535	1594	909	589	156	72	42	27	19	14	11	8	7
	10020	2535	1139	648	419	109	50	29	19	13	10	8	6	5
0.25	16247	4106	1844	1047	676	176	80	46	30	21	15	11	9	7
	11700	2950	1321	749	483	125	57	32	21	15	11	8	6	5
0.30	18138	4569	2045	1158	746	191	87	49	31	22	16	12	9	7
	13071	3287	1469	831	535	137	62	35	23	16	11	9	7	5
0.35	19600	4926	2200	1243	799	203	91	51	32	22	16	12	9	7
	14132	3548	1583	893	574	145	65	37	23	16	12	9	7	5
0.40	20633	5175	2306	1301	834	210	93	52	33	22	16	11	8	6
	14885	3730	1662	937	601	151	67	38	24	16	12	9	7	5
0.45	21238	5317	2365	1331	852	213	93	52	32	21	15	11	8	5
	15328	3836	1706	960	615	154	68	38	24	16	11	8	6	5
0.50	21415	5351	2377	1335	853	211	92	50	31	20	14	10	6	*
	15461	3864	1717	965	617	153	67	37	23	15	11	8	5	*

注:* 样本含量小于 5。

附表 22　两样本均数比较所需样本例数

δ/σ $\left(\frac{\mu_1-\mu_2}{\sigma}\right)$ $1-\beta=$	单侧:α=0.005 双侧:α=0.01					单侧:α=0.01 双侧:α=0.02					单侧:α=0.025 双侧:α=0.05					单侧:α=0.05 双侧:α=0.1				
	0.99	0.95	0.90	0.80	0.50	0.99	0.95	0.90	0.80	0.50	0.99	0.95	0.90	0.80	0.50	0.99	0.95	0.90	0.80	0.50
0.20																				137
0.25															124					88
0.30										123					87					61
0.35					110					90					64				102	45
0.40					85					70				100	50			108	78	35
0.45				118	68				101	55			105	79	39		108	86	62	28
0.50				96	55			106	82	45		106	86	64	32		88	70	51	23
0.55			101	79	46		106	88	68	38		87	71	53	27	112	73	58	42	19
0.60		101	85	67	39		90	74	58	32	104	74	60	45	23	89	61	49	36	16
0.65		87	73	57	34	104	77	64	49	27	88	63	51	39	20	76	52	42	30	14
0.70	100	75	63	50	29	90	66	55	43	24	76	55	44	34	17	66	45	36	26	12
0.75	88	66	55	44	26	79	58	48	38	21	67	48	39	29	15	57	40	32	23	11
0.80	77	58	49	39	23	70	51	43	33	19	59	42	34	26	14	50	35	28	21	10
0.85	69	51	43	35	21	62	46	38	30	17	52	37	31	23	12	45	31	25	18	9
0.90	62	46	39	31	19	55	41	34	27	15	47	34	27	21	11	40	28	22	16	8
0.95	55	42	35	28	17	50	37	31	24	14	42	30	25	19	10	36	25	20	15	7
1.0	50	38	32	26	15	45	33	28	22	13	38	27	23	17	9	33	23	18	14	7
1.1	42	32	27	22	13	38	28	23	19	11	32	23	19	14	8	27	19	15	12	6
1.2	36	27	23	18	11	32	24	20	16	9	27	20	16	12	7	23	16	13	10	5
1.3	31	23	20	16	10	28	21	17	14	8	23	17	14	11	6	20	14	11	9	5
1.4	27	20	17	14	9	24	18	15	12	8	20	15	12	10	6	17	12	10	8	4
1.5	24	18	15	13	8	21	16	14	11	7	18	13	11	9	5	15	11	9	7	4
1.6	21	16	14	11	7	19	14	12	10	6	16	12	10	8	5	14	10	8	6	4
1.7	19	15	13	10	7	17	13	11	9	6	14	11	9	7	4	12	9	7	6	3
1.8	17	13	11	10	7	15	12	10	8	6	13	10	8	6	4	11	8	7	5	
1.9	16	12	11	9	6	14	11	9	8	5	12	9	7	6	4	10	7	6	4	
2.0	14	11	10	8	6	13	10	9	7	5	11	8	7	6	4	9	7	6	4	
2.1	13	10	9	8	5	12	9	8	7	5	10	8	6	5	3	8	6	5	4	
2.2	12	10	8	7	5	11	9	7	6	4	9	7	6	5		8	6	5	4	
2.3	11	9	8	7	5	10	8	7	6	4	9	7	6	5		7	5	4	4	
2.4	11	9	8	6	5	10	8	7	6	4	8	6	5	4		7	5	4	4	
2.5	10	8	7	6	4	9	7	6	5	4	8	6	5	4		6	5	4	3	
3.0	8	6	6	5	4	7	6	5	4	3	6	5	4	4		5	4	3		
3.5	6	5	5	4	3	6	5	4	4		5	4	4	3		4	3			
4.0	6	5	4	4		5	4	4	3		4	4	3			4				

附表 23　两样本率比较所需样本例数(单侧)

上行:$\alpha=0.05,1-\beta=0.80$
中行:$\alpha=0.05,1-\beta=0.90$
下行:$\alpha=0.01,1-\beta=0.95$

较小率(%)	两组率之差(%),δ													
	5	10	15	20	25	30	35	40	45	50	55	60	65	70
5	330	105	55	35	25	20	16	13	11	9	8	7	6	6
	460	145	76	48	34	26	21	17	15	13	11	9	8	7
	850	270	140	89	63	47	37	30	25	21	19	17	14	13
10	540	155	76	47	32	23	19	15	13	11	9	8	7	6
	740	210	105	64	44	33	26	21	17	14	12	11	9	8
	1370	390	195	120	81	60	46	37	30	25	21	19	16	14
15	710	200	94	56	38	27	21	17	14	12	10	8	7	6
	990	270	130	77	52	38	29	22	19	16	13	10	10	8
	1820	500	240	145	96	69	52	411	33	27	22	20	17	14
20	860	230	110	63	42	30	22	18	15	12	10	8	7	6
	1190	320	150	88	58	41	31	24	20	16	14	11	10	8
	2190	590	280	160	105	76	57	44	35	28	23	20	17	14
25	980	260	120	69	45	32	24	19	15	12	10	8	7	
	1360	360	165	96	63	44	33	25	21	16	14	11	9	
	2510	660	300	175	115	81	60	46	36	29	23	20	16	
30	1080	280	130	73	47	33	24	19	15	12	10	8		
	1500	390	175	100	65	46	33	25	21	16	13	11		
	2760	720	330	185	120	84	61	47	36	28	22	19		
35	1160	300	135	75	48	33	24	19	15	12	9			
	1600	410	185	105	67	46	33	25	20	16	12			
	2960	750	340	190	125	85	61	46	35	27	21			
40	1210	310	135	76	48	33	24	18	14	11				
	1670	420	190	105	67	46	33	24	19	14				
	3080	780	350	195	125	84	60	44	33	25				
45	1230	310	135	75	47	32	22	17	13					
	1710	430	190	105	65	44	31	22	17					
	3140	790	350	190	120	81	57	41	30					
50	1230	310	135	73	45	30	21	15						
	1710	420	185	100	63	41	29	21						
	3140	780	340	185	115	76	52	37						

附表 24　两样本率比较所需样本例数（双侧）

上行：$\alpha=0.05,1-\beta=0.80$

中行：$\alpha=0.05,1-\beta=0.90$

下行：$\alpha=0.01,1-\beta=0.95$

较小率	两组率之差（%），δ													
（%）	5	10	15	20	25	30	35	40	45	50	55	60	65	70
5	420	130	69	44	31	24	20	16	14	12	10	9	9	7
	570	175	93	59	42	32	25	21	18	15	13	11	10	9
	960	300	155	100	71	54	42	34	28	24	21	19	16	14
10	680	195	96	59	41	30	23	19	16	13	11	10	9	7
	910	260	130	79	54	40	31	24	21	18	15	13	11	10
	1550	440	220	135	92	68	52	41	34	28	23	21	18	15
15	910	250	120	71	48	34	26	21	17	14	12	10	9	8
	1220	330	160	95	64	46	35	27	22	19	16	13	11	10
	2060	560	270	160	110	78	59	47	37	31	25	21	19	16
20	1090	290	135	80	53	38	28	22	18	15	13	10	9	7
	1460	390	185	105	71	51	38	29	23	20	16	14	11	10
	2470	660	310	180	120	86	64	50	40	32	26	21	19	15
25	1250	330	150	88	57	40	30	23	19	15	13	10	9	
	1680	440	200	115	77	54	40	31	24	20	16	13	11	
	2840	740	340	200	130	92	68	52	41	32	26	21	18	
30	1380	360	160	93	60	42	31	23	19	15	12	10		
	1840	480	220	125	80	56	41	31	24	20	16	13		
	3120	810	370	210	135	95	69	53	41	32	25	21		
35	1470	380	170	96	61	42	31	23	18	14	11			
	1970	500	225	130	82	57	41	31	23	19	15			
	3340	850	380	215	140	96	69	52	40	31	23			
40	1530	390	175	97	61	42	30	22	17	13				
	2050	520	230	130	82	56	40	29	22	18				
	3480	880	390	220	140	95	68	50	37	28				
45	1560	390	175	96	60	40	28	21	16					
	2100	520	230	130	80	54	38	27	21					
	3550	890	390	215	135	92	64	47	34					
50	1560	390	170	93	57	38	26	19						
	2100	520	225	125	77	51	35	24						
	3550	880	380	210	130	86	59	41						

附表 25 Ψ 值表（多个样本均数比较时所需样本例数估计用）

$(\alpha=0.05, \beta=0.01)$

ν_2	ν_1																
	1	2	3	4	5	6	7	8	9	10	15	20	30	40	50	60	∞
2	6.80	6.71	6.68	6.67	6.66	6.65	6.65	6.65	6.64	6.64	6.64	6.63	6.63	6.63	6.63	6.63	6.62
3	5.01	4.63	4.47	4.39	4.34	4.30	4.27	4.25	4.23	4.22	4.18	4.16	4.14	4.13	4.12	4.11	4.09
4	4.40	3.90	3.69	3.58	3.50	3.45	3.41	3.38	3.36	3.34	3.28	3.25	3.22	3.20	3.19	3.17	3.15
5	4.09	3.54	3.30	3.17	3.08	3.02	2.97	2.94	2.91	2.89	2.81	2.78	2.74	2.72	2.70	2.68	2.66
6	3.91	3.32	3.07	2.92	2.83	2.76	2.71	2.67	2.64	2.61	2.53	2.49	2.44	2.42	2.40	2.37	2.35
7	3.80	3.18	2.91	2.76	2.66	2.58	2.53	2.49	2.45	2.42	2.33	2.29	2.24	2.21	2.19	2.16	2.13
8	3.71	3.08	2.81	2.64	2.54	2.46	2.40	2.35	2.32	2.29	2.19	2.14	2.09	2.06	2.03	2.00	1.97
9	3.65	3.01	2.72	2.56	2.44	2.36	2.30	2.26	2.22	2.19	2.09	2.03	1.97	1.94	1.91	1.88	1.85
10	3.60	2.95	2.66	2.49	2.37	2.29	2.23	2.18	2.14	2.11	2.00	1.94	1.88	1.85	1.82	1.78	1.75
11	3.57	2.91	2.61	2.44	2.32	2.23	2.17	2.12	2.08	2.04	1.93	1.87	1.81	1.78	1.74	1.70	1.67
12	3.54	2.87	2.57	2.39	2.27	2.19	2.12	2.07	2.02	1.99	1.88	1.81	1.75	1.71	1.68	1.64	1.60
13	3.51	2.84	2.54	2.36	2.23	2.15	2.08	2.02	1.98	1.95	1.83	1.76	1.69	1.66	1.62	1.58	1.54
14	3.49	2.81	2.51	2.33	2.20	2.11	2.04	1.99	1.94	1.91	1.79	1.72	1.65	1.61	1.57	1.53	1.49
15	3.47	2.79	2.48	2.30	2.17	2.08	2.01	1.96	1.91	1.87	1.75	1.68	1.61	1.57	1.53	1.49	1.44
16	3.46	2.77	2.46	2.28	2.15	2.06	1.99	1.93	1.88	1.85	1.72	1.65	1.58	1.54	1.49	1.45	1.40
17	3.44	2.76	2.44	2.26	2.13	2.04	1.96	1.91	1.86	1.82	1.69	1.62	1.55	1.50	1.46	1.41	1.36
18	3.43	2.74	2.43	2.24	2.11	2.02	1.94	1.89	1.84	1.80	1.67	1.60	1.52	1.48	1.43	1.38	1.33
19	3.42	2.73	2.41	2.22	2.09	2.00	1.93	1.87	1.82	1.78	1.65	1.58	1.49	1.45	1.40	1.35	1.30
20	3.41	2.72	2.40	2.21	2.08	1.98	1.91	1.85	1.80	1.76	1.63	1.55	1.47	1.43	1.38	1.33	1.27
21	3.40	2.71	2.39	2.20	2.07	1.97	1.90	1.84	1.79	1.75	1.61	1.54	1.45	1.41	1.36	1.30	1.25
22	3.39	2.70	2.38	2.19	2.05	1.96	1.88	1.82	1.77	1.73	1.60	1.52	1.43	1.39	1.34	1.28	1.22
23	3.39	2.69	2.37	2.18	2.04	1.95	1.87	1.81	1.76	1.72	1.58	1.50	1.42	1.37	1.32	1.26	1.20
24	3.38	2.68	2.36	2.17	2.03	1.94	1.86	1.80	1.75	1.71	1.57	1.49	1.40	1.35	1.30	1.24	1.18
25	3.37	2.68	2.35	2.16	2.02	1.93	1.85	1.79	1.74	1.70	1.56	1.48	1.39	1.34	1.28	1.23	1.16
26	3.37	2.67	2.35	2.15	2.02	1.92	1.84	1.78	1.73	1.69	1.54	1.46	1.37	1.32	1.27	1.21	1.15
27	3.36	2.66	2.34	2.14	2.01	1.91	1.83	1.77	1.72	1.68	1.53	1.45	1.36	1.31	1.26	1.20	1.13
28	3.36	2.66	2.33	2.14	2.00	1.90	1.82	1.76	1.71	1.67	1.52	1.44	1.35	1.30	1.24	1.18	1.11
29	3.36	2.65	2.33	2.13	1.99	1.89	1.82	1.75	1.70	1.66	1.51	1.43	1.34	1.29	1.23	1.17	1.10
30	3.35	2.65	2.32	2.12	1.99	1.89	1.81	1.75	1.70	1.65	1.51	1.42	1.33	1.28	1.22	1.16	1.08

附表 25 续

ν_2	ν_1																
	1	2	3	4	5	6	7	8	9	10	15	20	30	40	50	60	∞
31	3.35	2.64	2.32	2.12	1.98	1.88	1.80	1.74	1.69	1.64	1.50	1.41	1.32	1.27	1.21	1.14	1.07
32	3.34	2.64	2.31	2.11	1.98	1.88	1.80	1.73	1.68	1.64	1.49	1.41	1.31	1.26	1.20	1.13	1.06
33	3.34	2.63	2.31	2.11	1.97	1.87	1.79	1.73	1.68	1.63	1.48	1.40	1.30	1.25	1.19	1.12	1.05
34	3.34	2.63	2.30	2.10	1.97	1.87	1.79	1.72	1.67	1.63	1.48	1.39	1.29	1.24	1.18	1.11	1.04
35	3.34	2.63	2.30	2.10	1.96	1.86	1.78	1.72	1.66	1.62	1.47	1.38	1.29	1.23	1.17	1.10	1.02
36	3.33	2.62	2.30	2.10	1.96	1.86	1.78	1.71	1.66	1.62	1.47	1.38	1.28	1.22	1.16	1.09	1.01
37	3.33	2.62	2.29	2.09	1.95	1.85	1.77	1.71	1.65	1.61	1.46	1.37	1.27	1.22	1.15	1.08	1.00
38	3.33	2.62	2.29	2.09	1.95	1.85	1.77	1.70	1.65	1.61	1.45	1.37	1.27	1.21	1.15	1.08	0.99
39	3.33	2.62	2.29	2.09	1.95	1.84	1.76	1.70	1.65	1.60	1.45	1.36	1.26	1.20	1.14	1.07	0.99
40	3.32	2.61	2.28	2.08	1.94	1.84	1.76	1.70	1.64	1.60	1.44	1.36	1.25	1.20	1.13	1.06	0.98
41	3.32	2.61	2.28	2.08	1.94	1.84	1.76	1.69	1.64	1.59	1.44	1.35	1.25	1.19	1.13	1.05	0.97
42	3.32	2.61	2.28	2.08	1.94	1.83	1.75	1.69	1.63	1.59	1.44	1.35	1.24	1.18	1.12	1.05	0.96
43	3.32	2.61	2.28	2.07	1.93	1.83	1.75	1.69	1.63	1.59	1.43	1.34	1.24	1.18	1.11	1.04	0.95
44	3.32	2.60	2.27	2.07	1.93	1.83	1.75	1.68	1.63	1.58	1.43	1.34	1.23	1.17	1.11	1.03	0.94
45	3.31	2.60	2.27	2.07	1.93	1.83	1.74	1.68	1.62	1.58	1.42	1.33	1.23	1.17	1.10	1.03	0.94
46	3.31	2.60	2.27	2.07	1.93	1.82	1.74	1.68	1.62	1.58	1.42	1.33	1.22	1.16	1.10	1.02	0.93
47	3.31	2.60	2.27	2.06	1.92	1.82	1.74	1.67	1.62	1.57	1.42	1.33	1.22	1.16	1.09	1.02	0.92
48	3.31	2.60	2.26	2.06	1.92	1.82	1.74	1.67	1.62	1.57	1.41	1.32	1.22	1.15	1.09	1.01	0.92
49	3.31	2.59	2.26	2.06	1.92	1.82	1.73	1.67	1.61	1.57	1.41	1.32	1.21	1.15	1.08	1.00	0.91
50	3.31	2.59	2.26	2.06	1.92	1.81	1.73	1.67	1.61	1.56	1.41	1.31	1.21	1.15	1.08	1.00	0.90
60	3.30	2.58	2.25	2.04	1.90	1.79	1.71	1.64	1.59	1.54	1.38	1.29	1.18	1.11	1.04	0.95	0.85
80	3.28	2.56	2.23	2.02	1.88	1.77	1.69	1.62	1.56	1.51	1.35	1.25	1.14	1.07	0.99	0.90	0.77
120	3.27	2.55	2.21	2.00	1.86	1.75	1.66	1.59	1.54	1.49	1.32	1.22	1.09	1.02	0.94	0.83	0.68
240	3.26	2.53	2.19	1.98	1.84	1.73	1.64	1.57	1.51	1.46	1.29	1.18	1.05	0.97	0.88	0.76	0.56
∞	3.24	2.52	2.17	1.96	1.81	1.70	1.62	1.54	1.48	1.43	1.25	1.14	1.01	0.92	0.82	0.65	0.00

附表 26-1　多组样本均数比较时样本含量估计用表

($\alpha = 0.05$)

k	$1-\beta$	$f = \sigma_k / \sigma$											
		0.05	0.10	0.15	0.20	0.25	0.30	0.35	0.40	0.50	0.60	0.70	0.80
2	0.80	1571	393	175	99	64	45	33	26	17	12	9	7
	0.90	2102	526	234	132	85	59	44	34	22	16	12	9
	0.95	2600	651	290	163	105	73	54	42	27	19	14	11
3	0.80	1286	322	144	81	52	36	27	21	14	1	8	6
	0.90	1682	421	188	106	68	48	35	27	18	13	10	8
	0.95	2060	515	230	130	83	58	43	33	22	15	12	9
4	0.80	1096	274	123	69	45	31	23	18	12	9	7	5
	0.90	1415	354	158	89	8	40	30	23	15	11	8	7
	0.95	1718	430	192	108	70	49	36	28	18	13	10	8
5	0.80	956	240	107	61	39	27	20	16	10	8	6	5
	0.90	1231	309	138	78	50	35	26	20	13	10	7	6
	0.95	1486	372	166	94	60	42	31	24	16	11	9	7
6	0.80	856	215	96	54	35	25	18	14	9	7	5	4
	0.90	1098	275	123	69	45	31	23	18	12	9	7	5
	0.95	1320	331	148	83	54	38	28	22	14	10	8	6
7	0.80	780	195	87	50	32	22	17	13	9	6	5	4
	0.90	995	250	112	63	41	29	21	16	11	8	6	5
	0.95	1192	299	133	75	49	34	25	20	13	9	7	6
9	0.80	669	168	75	42	27	19	14	11	8	6	4	4
	0.90	884	213	95	54	35	24	18	14	9	7	5	4
	0.95	1012	254	113	64	41	29	22	17	11	8	6	5
11	0.80	591	148	66	38	24	17	13	10	7	5	4	3
	0.90	747	187	84	48	31	22	16	13	8	6	5	4
	0.95	888	223	99	56	36	26	19	15	10	7	5	4
13	0.80	534	134	60	34	22	16	12	9	6	5	4	3
	0.90	673	169	75	43	28	20	15	11	8	6	4	4
	0.95	796	200	89	51	33	23	17	13	9	6	5	4
16	0.80	471	118	53	30	20	14	10	8	6	4	3	3
	0.90	588	148	66	38	24	17	13	10	7	5	4	3
	0.95	697	175	78	44	29	20	15	12	8	6	4	4
25	0.80	363	91	41	23	15	11	8	6	4	3	3	2
	0.90	457	115	51	29	19	13	10	8	5	4	3	3
	0.95	525	132	59	34	22	15	11	9	6	4	4	3

附表 26-2　多组样本均数比较时样本含量估计用表

$(\alpha=0.01)$

k	$1-\beta$	$f=\sigma_k/\sigma$											
		0.05	0.10	0.15	0.20	0.25	0.30	0.35	0.40	0.50	0.60	0.70	0.80
2	0.80	2452	578	250	147	94	66	49	38	25	18	14	11
	0.90	2978	746	332	188	120	84	62	48	31	22	17	13
	0.95	3564	892	398	224	144	101	74	57	37	26	20	16
3	0.80	1851	464	207	117	76	53	39	30	20	14	11	9
	0.90	2325	582	260	147	95	66	49	38	25	18	14	11
	0.95	2756	690	308	174	112	78	58	45	29	21	16	12
4	0.80	1548	388	175	98	63	44	33	25	17	12	9	8
	0.90	1927	483	215	122	78	55	41	31	21	15	11	9
	0.95	2270	568	253	143	92	64	48	37	24	17	13	10
5	0.80	1341	336	150	85	55	38	29	22	15	11	8	7
	0.90	1661	416	186	105	68	47	35	27	18	13	10	8
	0.95	1948	488	218	123	79	55	41	32	21	15	11	9
6	0.80	1193	299	134	76	49	34	26	20	13	10	7	6
	0.90	1469	368	164	93	60	42	31	24	16	12	9	7
	0.95	1719	431	192	109	70	49	36	28	18	13	10	8
7	0.80	1080	271	121	68	44	31	23	18	12	9	7	6
	0.90	1326	332	148	84	54	38	28	22	14	10	8	6
	0.95	1547	388	173	98	63	44	33	25	17	12	9	7
9	0.80	918	230	103	58	38	27	20	15	10	8	6	5
	0.90	112	281	126	71	46	32	24	19	12	9	7	6
	0.95	1303	327	146	83	53	37	28	22	14	10	8	6
11	0.80	810	230	91	51	33	23	18	14	9	7	5	4
	0.90	982	246	110	62	40	28	21	16	11	8	6	5
	0.95	1138	285	127	72	47	33	19	12	9	7	6	5
13	0.80	726	182	82	46	30	21	16	12	8	6	5	4
	0.90	881	221	99	56	36	25	19	15	10	7	6	5
	0.95	1017	255	114	65	42	29	22	17	11	8	6	5
16	0.80	632	159	71	41	26	19	14	11	7	5	4	4
	0.90	769	193	86	49	32	22	17	13	9	6	5	4
	0.95	885	222	99	56	36	26	19	15	10	7	6	4
25	0.80	485	121	55	31	20	15	11	8	6	4	3	3
	0.90	578	145	65	37	24	17	13	10	7	5	4	3
	0.95	662	166	74	42	27	19	14	11	8	6	4	4

附表 27 λ 值表(多个样本率比较时所需样本例数估计用)

($\alpha=0.05$)

ν	β								
	0.9	0.8	0.7	0.6	0.5	0.4	0.3	0.2	0.1
1	0.43	1.24	2.06	2.91	3.84	4.90	6.17	7.85	10.51
2	0.62	1.73	2.78	3.83	4.96	6.21	7.70	9.63	12.65
3	0.78	2.10	3.30	4.50	5.76	7.15	8.79	10.90	14.17
4	0.91	2.40	3.74	5.05	6.42	7.92	9.68	11.94	15.41
5	1.03	2.67	4.12	5.53	6.99	8.59	10.45	12.83	16.47
6	1.13	2.91	4.46	5.96	7.50	9.19	11.14	13.62	17.42
7	1.23	3.13	4.77	6.35	7.97	9.73	11.77	14.35	18.28
8	1.32	3.33	5.06	6.71	8.40	10.24	12.35	15.02	19.08
9	1.40	3.53	5.33	7.05	8.81	10.71	12.89	15.65	19.83
10	1.49	3.71	5.59	7.37	9.19	11.15	13.40	16.24	20.53
11	1.56	3.88	5.83	7.68	9.56	11.57	13.89	16.80	21.20
12	1.64	4.05	6.06	7.97	9.90	11.98	14.35	17.34	21.83
13	1.71	4.20	6.29	8.25	10.23	12.36	14.80	17.85	22.44
14	1.77	4.36	6.50	8.52	10.55	12.73	15.22	18.34	23.02
15	1.84	4.50	6.71	8.78	10.86	13.09	15.63	18.81	23.58
16	1.90	4.65	6.91	9.03	11.16	13.43	16.03	19.27	24.13
17	1.97	4.78	7.10	9.27	11.45	13.77	16.41	19.71	24.65
18	2.03	4.92	7.29	9.50	11.73	14.09	16.78	20.14	25.16
19	2.08	5.05	7.47	9.73	12.00	14.41	17.14	20.56	25.65
20	2.14	5.18	7.65	9.96	12.26	14.71	17.50	20.96	26.13
21	2.20	5.30	7.83	10.17	12.52	15.01	17.84	21.36	26.60
22	2.25	5.42	8.00	10.38	12.77	15.30	18.17	21.74	27.06
23	2.30	5.54	8.16	10.59	13.02	15.59	18.50	22.12	27.50
24	2.36	5.66	8.33	10.79	13.26	15.87	18.82	22.49	27.94
25	2.41	5.77	8.48	10.99	13.49	16.14	19.13	22.85	28.37
26	2.46	5.88	8.64	11.19	13.72	16.41	19.44	23.20	28.78
27	2.51	5.99	8.79	11.38	13.95	16.67	19.74	23.55	29.19
28	2.56	6.10	8.94	11.57	14.17	16.93	20.04	23.89	29.60
29	2.60	6.20	9.09	11.75	14.39	17.18	20.33	24.22	29.99
30	2.65	6.31	9.24	11.93	14.60	17.43	20.61	24.55	30.38
31	2.69	6.41	9.38	12.11	14.82	17.67	20.89	24.87	30.76
32	2.74	6.51	9.52	12.28	15.02	17.91	21.17	25.19	31.13
33	2.78	6.61	9.66	12.45	15.23	18.15	21.44	25.50	31.50
34	2.83	6.70	9.79	12.62	15.43	18.38	21.70	25.80	21.87
35	2.87	6.80	9.93	12.79	15.63	18.61	21.97	26.11	32.23
36	2.91	6.89	10.06	12.96	15.82	18.84	22.23	26.41	32.58
37	2.96	6.99	10.19	13.12	16.01	19.06	22.48	26.70	32.93
38	3.00	7.08	10.32	13.28	16.20	19.28	22.73	26.99	33.27
39	3.04	7.17	10.45	13.44	16.39	19.50	22.98	27.27	33.61
40	3.08	7.26	10.57	13.59	16.58	19.71	23.23	27.56	33.94
50	3.46	8.10	11.75	15.06	18.31	21.72	25.53	30.20	37.07
60	3.80	8.86	12.81	16.38	19.88	23.53	27.61	32.59	39.89
70	4.12	9.56	13.79	17.60	21.32	25.20	29.52	34.79	42.48
80	4.41	10.21	14.70	18.74	22.67	26.75	31.29	36.83	44.89
90	4.69	10.83	15.56	19.80	23.93	28.21	32.96	38.74	47.16
100	4.95	11.41	16.37	20.81	25.12	29.59	34.54	40.56	49.29
110	5.20	11.96	17.14	21.77	26.25	30.90	36.04	42.28	51.33
120	5.44	12.49	17.88	22.68	27.34	32.15	37.47	43.92	53.27

附表 28　单组临床试验目标值法样本含量精确估计（$\alpha=0.05,\ 1-\beta=0.80$）

单侧	双侧	0.76	0.77	0.78	0.79	0.80	0.81	0.82	0.83	0.84	0.85	0.86	0.87	0.88	0.89	0.90	0.91	0.92	0.93	0.94	0.95	0.96	0.97	0.98	0.99	1.00	p_1/p_0
0.99	299	14563	3601	1580	882	553	384	278	211	160	132	104	89	75	59	54	49	38	33	33	27	20	20	20	13	13	0.75
0.98	149	969	14158	3495	1538	853	536	368	271	201	158	123	103	83	67	62	51	46	40	34	28	28	21	21	14	14	0.76
0.97	99	303	1542	13730	3393	1492	826	527	356	259	195	155	124	98	82	65	59	48	42	36	29	29	22	22	15	15	0.77
0.96	74	192	452	2128	13281	3276	1442	801	502	342	251	188	146	113	91	80	62	56	44	37	31	31	23	23	15	15	0.78
0.95	59	124	234	601	2698	12822	3242	1386	769	485	327	236	181	136	107	90	72	59	53	46	39	32	25	25	16	16	0.79
0.94	49	78	150	300	749	3242	12362	2920	1329	738	466	316	225	181	131	107	88	69	55	48	41	34	26	26	17	17	0.80
0.93	42	66	109	185	360	882	2920	11879	2795	1272	709	445	304	225	164	126	100	79	66	51	44	36	27	27	18	18	0.81
0.92	36	58	95	129	224	432	1159	2795	11381	2660	1220	671	421	289	206	153	119	91	77	66	51	38	29	29	19	19	0.82
0.91	32	51	68	100	158	266	485	1272	2660	10871	2527	1100	640	400	273	198	148	112	89	70	58	43	33	22	20	20	0.83
0.90	29	46	61	76	116	179	286	549	1290	5354	10320	2527	1161	606	376	254	180	135	103	76	61	52	40	22	19	19	0.84
0.89	26	42	56	69	93	128	195	323	599	1415	5842	9769	2397	1031	566	356	240	169	127	93	75	56	49	35	11	11	0.85
0.88	24	38	51	74	107	149	218	353	659	1415	5842	6332	9218	2246	975	527	333	224	155	118	90	70	49	38	11	11	0.86
0.87	22	22	47	68	89	118	165	237	386	708	1536	6332	8626	8626	2095	908	491	305	205	147	108	76	65	41	22	22	0.87
0.86	20	20	43	53	73	91	127	178	261	414	765	1644	6808	8044	8044	1944	839	456	282	181	128	94	71	58	29	29	0.88
0.85	19	19	40	50	59	76	102	134	190	281	445	765	1767	7257	7437	7437	1792	765	415	254	163	116	90	64	32	32	0.89
0.84	18	18	28	38	55	63	79	111	148	199	299	479	814	1886	7699	6807	6807	1629	697	375	231	154	100	70	36	36	0.90
0.83	17	17	26	35	44	55	67	89	111	153	214	314	479	863	1989	8136	6169	6169	1474	624	338	201	127	54	40	40	0.91
0.82	16	16	25	33	41	49	56	70	91	118	164	227	333	501	912	2098	8550	5521	5521	1304	544	289	177	68	45	45	0.92
0.81	15	15	24	31	39	46	53	66	80	99	130	173	239	350	527	961	2194	8962	4857	4857	1127	471	240	78	51	51	0.93
0.80	14	14	22	30	37	39	44	57	69	82	106	135	181	249	365	556	1010	2296	9362	4169	4169	958	387	118	60	60	0.94
0.79	13	13	21	28	35	37	41	48	60	72	83	106	145	189	258	365	581	1043	2398	9747	3421	3421	780	145	72	72	0.95
0.78	13	13	20	26	33	33	34	41	51	63	74	83	117	149	195	271	378	604	1088	2500	10113	2701	2701	217	91	91	0.96
0.77	12	13	20	24	32	32	33	38	43	54	65	76	97	117	152	201	271	395	630	1138	2577	10464	2000	432	122	122	0.97
0.76	11	11	18	24	30	32	36	41	47	57	74	90	97	126	160	201	278	415	648	1170	2675	10819	2751	1242	183	183	0.98
0.75	11	11	18	23	29	34	45	50	60	68	84	103	126	160	211	278	395	630	1203	2829	11144	11475	368	0.99

	双侧	1.00	0.99	0.98	0.97	0.96	0.95	0.94	0.93	0.92	0.91	0.90	0.89	0.88	0.87	0.86	0.85	0.84	0.83	0.82	0.81	0.80	0.79	0.78	0.77	0.76	p_0/p_1
	单侧																										双侧

（统计用表整理：高水　石德文）

附录二　英汉医学统计学词汇

A

accuracy　准确度

adaptive design　适应性设计

adaptive randomization　适应性随机分组

allocation concealment　分配隐蔽

analysis set　分析集

association　关联

B

balanced incomplete blocks design,BIBD
　平衡不完全区组设计

baseline adaptive randomization
　基线适应性分组

baseline information　基线信息

bias　偏倚

biased Coin　偏性掷币法

blind method　盲法

block length　区组长度

block randomization
　区组随机化,区组随机分组

C

case-control study　病例对照研究

causation　因果

censored　删失

centre randomization　中心随机化

circular validity　循环效度

clinical equipoise　临床均势

cluster randomization trial　群随机试验

cluster sampling　整群抽样

cohort study　队列研究

combination testing　联合诊断试验

community diagnosis　社区诊断

complete survey　全面调查

completely random design　完全随机设计

C

compliance　依从性

composite variable　复合指标

concurrent criterion　同时效标

confounding　混杂

confounding bias　混杂偏倚

construct validity　结构效度

content validity　内容效度

control　对照

conventional randomized controlled trials,
　C-RCT　常规的随机对照试验

convergent validity　聚合效度

co-primary endpoint　复合主要研究终点

covariate adaptive technique
　协变量的适应性技术

criterion　效标

criterion validity　效标效度

criterion-related validity　准则关联效度

cross-over design　交叉设计

cross-sectional study　横断面调查

cutoff point　诊断界点

D

data management plan,DMP
　数据管理计划

diagnostic test　诊断试验

differential expertise bias
　差异性专业技能偏倚

discriminant validity　判别效度

disease-modifying drug　疾病修饰药物

disease-modifying effect　疾病修饰作用

double blindness　双盲

double-blind double-dummy technique
　双盲双模拟技术

dynamic randomization
　动态随机化,动态随机分组

E

efficiency　实验效率

empirical validity　经验效度

enriched enrolement randomized withdrawal design，EERW　富集纳入随机退出设计

enrichment design　富集设计

equipoise　均势

equipoise as an inclusion criterion
　均势作为入选标准

exclusion criteria　剔除标准

expanded programme on immunization，EPI
　扩大计划免疫规划

experimental effect　实验效应

experimental factor　实验因素，处理因素

Expertise-based randomized controlled trials，
　EB-RCT　基于专业特长的随机对照试验

explanatory trial　解释性临床试验

external validity　外在效度

F

face validity　表面效度

factorial design　析因设计

finite population correction，FPC
　有限总体校正系数

flexible design　可变性设计

follow-up　随访，追踪

follow-up study　追踪性调查

full analysis set，FAS　全分析集

G

global assessment variable　全局评价指标

gold standard　金标准

Good quality study，GQS　良好的试验质量

Good Statistics Practice，GSP
　统计学管理规范

Graeco-latin square design
　希腊-拉丁方设计

group sequential design　成组序贯设计

H

health related quality of life，HRQOL
　健康相关生存质量

hierarchichal classification design
　系统分组设计

historical evidence of sensitivity to drug effect，
　HESDE　阳性对照有效性的既有证据

homogeneity-reliability
　同质信度，同质系数

I

inclusion criteria　纳入标准

incomplete block design，IBD
　不完全区组设计

information bias　信息偏倚

informed consent　知情同意

intention-to-treat，ITT　意向处理

interaction effect　交互作用

internal pilot design　内部预试验设计

internal validity　内在效度

intervention　干预

intrinsic validity　内在效度

K

kappa coefficient　κ 系数

L

latin square design　拉丁方设计

lattice design　格点设计

logical validity　逻辑效度

longitudinal study　纵向研究

lost to follow-up　失访偏倚

lot quality assurance sampling，LQAS
　批质量保证抽样方法

M

main effect　主效应

measurement of agreement　吻合度评价

minimization　最小化法

mistake diagnose rate　误诊率

monitoring　监测

multicentre clinical trial　多中心试验

multilevel model　多水平模型

multi-stage sampling　多阶段抽样

N

natural variation　自然变异

negative predictive value　阴性预测值

nested design　嵌套设计

nominal significant level　名义检验水准

noninferiority margin　非劣效界值

non-inferiority，NI　非劣效

nuisance parameter　冗余参数

O

objective performance criteria，OPC
　目标值法

odds ratio，OR　比数比

omission diagnose rate　漏诊率

optimum allocation　最优分配

orthogonal design　正交设计

overall survey　普查

P

paired design　配对设计

partially balanced incomplete block design，
　PBIBD　部分平衡不完全区组设计

per-protocol set，PPS　符合方案集

pilot test　小规模试验

play-the-winner，PW　胜者优先原则

positive predictive value　阳性预测值

posterior probability　后验概率

power of test　检验效能

pragmatic trial　实效性临床试验

precision　精密度

predictive criterion　预测效标

preliminary test　预试验

preparation of protocol　试验预案

prevalence survey　现况调查

primary variable　主要指标

prior probability　先验概率

prognostic factor　预后因素

progression-free survival　无疾病进展时间

proportionate stratification　比例分配

prospective study　前瞻性调查

Q

quality control　质量控制

quality control chart　质量控制图

quality of　life，QOL　生存质量

quasi-randomization　拟随机分组

R

random allocation sequence　随机分配序列

random number　随机数

random permutation table　随机排列表

random sampling　随机抽样

randomization　随机化

randomized allocation　随机化分配

randomized complete block design
　随机完全区组设计

Randomized Controlled Trial，RCT
　随机对照临床试验

randomized discontinuation design
　随机停药设计

randomized play-the-winner，RPW
　随机化胜者优先原则

randomized sampling　随机抽样

randomized-all design　非靶点限制设计

rapid assessment sampling　快速评价抽样

rapid Epidemiologic Assessment，REA
　快速流行病学评估

rapid evaluation method，REM
　快速评价方法

rapid rural appraisal，RRA　快速乡村评估

Receiver Operator Characteristic curve，ROC
　诊断试验特征曲线

relative risk　相对危险度

relevance　贴切性

reliability　信度

repeatability　重现性

repeated significance test　重复性检验

replication　重复

representativeness　代表性

response adaptive randomization
　　反应适应性分组

response-adaptive randomization
　　反应变量—适应性随机化

response-conditional crossover design
　　个体反应为条件的换组设计

restricted maximum likelihood, REML
　　限制性最大似然

restricted randomization　有限随机分组

retrospective study　回顾性调查

S

safety set, SS　安全性评价数据集

sample size　样本大小

sample size re-estimation, SSR
　　样本量再估计

sampled population　抽样总体

sampling fraction　抽样比

sampling frame　抽样框

sampling unit　抽样单位

secondary variable　次要指标

selection bias　选择偏倚

self-design　自适应设计

sensitivity　灵敏度

sequence testing　序贯诊断试验

sequential trial　序贯试验

sequential trial design　序贯试验设计

series testing　串联试验

simple random sampling
　　简单随机抽样,单纯随机抽样

simple randomization
　　简单随机化,完全随机分组

single blindness　单盲

single-arm Clinical Trial　单组临床试验

specificity　特异度

split plot experiment design　裂区实验设计

statistical analysis plan, SAP
　　统计分析计划

statistical validity　统计效度

strategy design　策略性设计

stratified randomization
　　分层随机化,分层随机分组

stratified sampling　分层抽样

systematic review, SR　系统评价

systematic sampling　系统抽样

T

targeted clinical trial　靶向临床试验

targeted design　靶点限制设计

targeted drug　靶向药物

test-retest reliability　重测信度,稳定系数

The placebo run-in trial, PRIT
　　安慰剂导入试验

the randomized discontinuation trial, RDT
　　随机终止试验

treatment effect　处理效应

trial statistician　试验统计师

two-side alternative hypothesis
　　双侧假设检验

typical survey　典型调查

U～Y

uniform design　均匀设计

urn model　瓮模型

validity　效度

wash-out period　洗脱期

Youden square design　约登方设计

附录三 汉英医学统计学词汇

κ系数   kappa coefficient

三画

个体反应为条件的换组设计
   response-conditional crossover design
小规模试验   pilot test
干预   intervention

四画

不完全区组设计
   incomplete block design，IBD
中心随机化   centre randomization
内在效度   internal validity
内在效度   intrinsic validity
内容效度   content validity
内部预试验设计   internal pilot design
冗余参数   nuisance parameter
分层抽样   stratified sampling
分层随机化,分层随机分组
   stratified randomization
分析集   analysis set
分配隐蔽   allocation concealment
区组长度   block length
区组随机化,区组随机分组
   block randomization
双侧假设检验
   two-side alternative hypothesis
双盲   double blindness
双盲双模拟技术
   double-blind double-dummy technique
反应变量-适应性随机化
   response-adaptive randomization
反应适应性分组
   response adaptive randomization
无疾病进展时间   progression-free survival

比例分配   proportionate stratification
比数比   odds ratio，OR
队列研究   cohort study

五画

主要指标   primary variable
主效应   main effect
代表性   representativeness
可变性设计   flexible design
处理效应   treatment effect
外在效度   external validity
失访偏倚   lost to follow-up
对照   control
平衡不完全区组设计
   balanced incomplete block design，BIBD
正交设计   orthogonal design
生存质量   quality of   life，QOL
目标值法
   objective performance criteria，OPC

六画

交叉设计   cross-over design
交互作用   interaction effect
先验概率   prior probability
全分析集   full analysis set，FAS
全局评价指标   global assessment variable
全面调查   complete survey
关联   association
动态随机化,动态随机分组
   dynamic randomization
协变量的适应性技术
   covariate adaptive technique
同时效标   concurrent criterion
同质信度,同质系数
   homogeneity-reliability

名义检验水准　nominal significant level

后验概率　posterior probability

回顾性调查　retrospective study

因果　causation

多中心试验　multicentre clinical trial

多水平模型　multilevel model

多阶段抽样　multi-stage sampling

安全性评价数据集　safety set，SS

安慰剂导入试验

　　The placebo run-in trial，PRIT

成组序贯设计　group sequential design

扩大计划免疫规划

　　expanded programme on immunization，EPI

有限总体校正系数

　　finite population correction，FPC

有限随机分组　restricted randomization

次要指标　secondary variable

约登方设计　Youden square design

自适应设计　self-design

自然变异　natural variation

阳性对照有效性的既有证据　historical evidence of sensitivity to drug effect，HESDE

阳性预测值　positive predictive value

阴性预测值　negative predictive value

七画

串联试验　series testing

删失　censored

判别效度　discriminant validity

吻合度评价　measurement of agreement

均匀设计　uniform design

均势　equipoise

均势作为入选标准

　　equipoise as an inclusion criterion

完全随机设计　completely random design

希腊-拉丁方设计

　　Graeco-latin square design

序贯诊断试验　sequence testing

序贯试验　sequential trial

序贯试验设计　sequential trial design

快速乡村评估　rapid rural appraisal，RRA

快速评价方法

　　rapid evaluation method，REM

快速评价抽样　rapid assessment sampling

快速流行病学评估

　　rapid Epidemiologic Assessment，REA

批质量保证抽样方法

　　lot quality assurance sampling，LQAS

拟随机分组　quasi-randomization

灵敏度　sensitivity

社区诊断　community diagnosis

系统分组设计

　　hierarchichal classification design

系统评价　systematic review，SR

系统抽样　systematic sampling

纳入标准　inclusion criteria

纵向研究　longitudinal study

良好的试验质量　Good quality study，GQS

诊断试验　diagnostic test

诊断试验特征曲线

　　Receiver Operator Characteristic curve，ROC

诊断界点　cutoff point

八画

依从性　compliance

典型调查　typical survey

单盲　single blindness

单组临床试验　single-arm Clinical Trial

实效性临床试验　pragmatic trial

实验因素,处理因素　experimental factor

实验效应　experimental effect

实验效率　efficiency

抽样比　sampling fraction

抽样单位　sampling unit

抽样总体　sampled population

抽样框　sampling frame

拉丁方设计　latin square design

析因设计　factorial design

现况调查　prevalence survey
瓮模型　urn model
盲法　blind method
知情同意　informed consent
经验效度　empirical validity
表面效度　face validity
试验统计师　trial statistician
试验预案　preparation of protocol
质量控制　quality control
质量控制图　quality control chart
金标准　gold standard
限制性最大似然
　　restricted maximum likelihood，REML
非劣效　non-inferiority，NI
非劣效界值　noninferiority margin
非靶点限制设计　randomized-all design

九画

临床均势　clinical equipoise
信度　reliability
信息偏倚　information bias
前瞻性调查　prospective study
复合主要研究终点　co-primary endpoint
复合指标　composite variable
差异性专业技能偏倚
　　differential expertise bias
洗脱期　wash-out period
相对危险度　relative risk
结构效度　construct validity
统计分析计划
　　statistical analysis plan，SAP
统计学管理规范
　　Good Statistics Practice，GSP
统计效度　statistical validity
胜者优先原则　play-the-winner，PW
误诊率　mistake diagnose rate
贴切性　relevance
追踪性调查　follow-up study
适应性设计　adaptive design

适应性随机分组　adaptive randomization
选择偏倚　selection bias
重现性　repeatability
重复　replication
重复性检验　repeated significance test
重测信度,稳定系数　test-retest reliability

十画

健康相关生存质量
　　health related quality of life，HRQOL
准则关联效度　criterion-related validity
准确度　accuracy
剔除标准　exclusion criteria
效度　validity
效标　criterion
效标效度　criterion validity
样本大小　sample size
样本量再估计
　　sample size re-estimation，SSR
格点设计　lattice design
特异度　specificity
疾病修饰作用　disease-modifying effect
疾病修饰药物　disease-modifying drug
病例对照研究　case-control study
监测　monitoring
部分平衡不完全区组设计　partially balanced
　　incomplete block design，PBIBD
配对设计　paired design
预后因素　prognostic factor
预试验　preliminary test
预测效标　predictive criterion

十一画

偏性掷币法　biased Coin
偏倚　bias
基于专业特长的随机对照试验　Expertise-
　　based randomized controlled trials，EB-RCT
基线信息　baseline information
基线适应性分组

baseline adaptive randomization

常规的随机对照试验　conventional randomized controlled trials，C-RCT

检验效能　power of test

混杂　confounding

混杂偏倚　confounding bias

符合方案集　per-protocol set，PPS

逻辑效度　logical validity

随机分配序列　random allocation sequence

随机化　randomization

随机化分配　randomized allocation

随机化胜者优先原则　randomized play-the-winner，RPW

随机对照临床试验　Randomized Controlled Trial，RCT

随机完全区组设计　randomized complete block design

随机抽样　random sampling

随机抽样　randomized sampling

随机终止试验　the randomized discontinuation trial，RDT

随机停药设计　randomized discontinuation design

随机排列表　random permutation table

随机数　random number

随访，追踪　follow-up

十二画

富集设计　enrichment design

富集纳入随机退出设计　enriched enrolement

randomized withdrawal design，EERW

嵌套设计　nested design

循环效度　circular validity

普查　overall survey

最小化法　minimization

最优分配　optimum allocation

策略性设计　strategy design

联合诊断试验　combination testing

裂区实验设计　split plot experiment design

十三画

意向处理　intention-to-treat，ITT

数据管理计划　data management plan，DMP

简单随机化，完全随机分组　simple randomization

简单随机抽样，单纯随机抽样　simple random sampling

群随机试验　cluster randomization trial

解释性临床试验　explanatory trial

靶向临床试验　targeted clinical trial

靶向药物　targeted drug

靶点限制设计　targeted design

十四画以上

漏诊率　omission diagnose rate

精密度　precision

聚合效度　convergent validity

横断面调查　cross-sectional study

整群抽样　cluster sampling

（中英文词汇整理：张　凤）

本书词条索引

Armitage 设计　114

Schneiderman-Armitage 设计　118

B

靶向临床试验　252

靶向试验随机停药设计　253

靶向药物Ⅲ期临床试验设计　255

不完全区组设计　39

部分平衡不完全区组设计　44

C

测量信度　22

重复测量设计　121

抽样框　158

抽样总体　157

D

单侧序贯 t 检验　84

单组临床试验目标值法样本量估计　259

典型调查　141

调查设计　133

动态随机化　262

多个样本率比较样本含量估计　229

多阶段抽样　168

多中心试验　218

多组样本均数比较样本含量估计　227

F

反应适应性医学临床试验设计　247

非劣效界值　285

非劣效临床试验　267

非劣效试验样本含量估计　287

分层抽样　161

分层随机分组　182

富集纳入随机退出设计　271

富集设计　269

G

干预与对照　12

格点设计　46

关联与因果　34

H

横断面调查　142

回顾性（病例对照）研究样本含量估计　231

回顾性调查　152

J

基于专业特长的随机对照试验设计　274

疾病修饰作用评价的设计　280

简单随机抽样　158

交叉设计　52

交互作用　33

均匀设计　71

K

开放型定量资料单侧配对序贯试验　106

开放型定量资料单侧序贯试验　100

开放型定性资料单侧配对序贯试验　95

开放型定性资料单侧序贯试验　88

快速评价抽样　169

L

拉丁方设计　55

两样本均数比较样本含量估计　225

两样本率比较样本含量估计　226

裂区试验设计　76

临床决策分析　198

临床均势原则　283

临床试验分期　172

临床试验适应性设计 243
临床试验统计师 289
临床试验统计学管理规范 290
临床试验效应指标 292

M

盲法试验 174
魔方设计 233

N

纳入标准与剔除标准 216

P

配对设计 36
平衡不完全区组设计 41
普查 140

Q

期中分析与成组序贯试验 187
前瞻性(队列)研究样本含量估计 230
前瞻性调查 145
区组随机分组 181
群随机试验 293

S

生存质量研究的设计 189
实验报告 213
实验对象与实验单位 6
实验效率 15
实验效应 16
实验因素与水平 14
试验监测 186
试验清洗期 209
试验预案 176
试验终结 211
适应性随机分组 183
数据管理计划 294
数据误差与数据精度 17
数据效度 18

双侧序贯 t 检验 110
双盲双模拟 295
随访与失访 210
随机抽样 156
随机化 7
随机化分配隐蔽 296
随机排列表 11
随机数 7
随机完全区组设计 37

T

统计分析计划 298
统计分析数据集 299

W

完全随机分组 179
完全随机设计 34

X

希腊-拉丁方设计 58
析因设计 60
系统抽样 164
系统分组设计 74
序贯试验设计 79

Y

样本大小与检验效能 13
样本含量估计的条件 219
样本均数与总体均数比较样本含量估计 222
样本率与总体率比较样本含量估计 223
医学研究设计 1
以个体反应为条件的换组设计 300
以均势为入选标准的设计 303
意向处理原则 305
优化设计 235
有限随机分组 181
预后因素 217
预试验 28
约登方设计与行列设计 48

Z

诊断试验　200

整群抽样　167

正交设计　64

知情同意　216

直线相关分析样本含量估计　232

质量控制　29

终结后随访　212

主效应　32

追踪性调查　149

准实验设计　237

总体均数区间估计样本含量　220

总体率区间估计样本含量　221